BELGIQUE
ALLEMAGNE
NORD
Lille
-CALAIS
Arras
MME
Amiens
Laon
Mézières
ARDENNES
AISNE
auvais
Oise
SE
GD. DCHÉ. DE LUXEMBOURG
TERRITRE DE LA SARRE
Meuse
Metz
MOSELLE
Reims
Marne
Châlons
MEUSE
Fl.
Paris
SEINE-ET-MARNE
Melun
rsailles
MARNE
R.
Bar-le-Duc
MEURTHE-ET-MOSELLE
Nancy
BAS-RHIN
Strasbourg
Rhin
Seine
AUBE
Troyes
Chaumont
HAUTE-MARNE
VOSGES
Épinal
Colmar
HT-RHIN
Mulhouse
RET
YONNE
Auxerre
Loire
Fl.
HAUTE-SAÔNE
Vesoul
CÔTE-D'OR
Dijon
Besançon
DOUBS
SUISSE
CHER
Bourges
NIÈVRE
Nevers
R.
JURA
Lons-le-Saunier
SAÔNE-ET-LOIRE
L. Léman
Moulins
ALLIER
Fl.
Mâcon
Saône
Bourg
AIN
HAUTE-SAVOIE
Annecy
Clermont-Ferrand
RHÔNE
Lyon
Fl.
PUY-DE-DÔME
LOIRE
St. Étienne
Vienne
Chambéry
SAVOIE
ZE
ISÈRE
Grenoble
ITALIE
CANTAL
Aurillac
HAUTE-LOIRE
le Puy
Rhône
Valence
Privas
ARDÈCHE
DRÔME
HAUTES-ALPES
Gap
LOZÈRE
Mende
Rodez
EYRON
Digne
R.
Alais
GARD
VAUCLUSE
Avignon
BASSES-ALPES
ALPES-MARITIMES
Nîmes
Nice
Montpellier
HÉRAULT
BOUCHES-DU-RHÔNE
Aix
Draguignan
VAR
stres
Marseille
Toulon
rcassonne
Narbonne
UDE
Perpignan
MER MÉDITERRANÉE
YRÉNÉES-RIENTALES

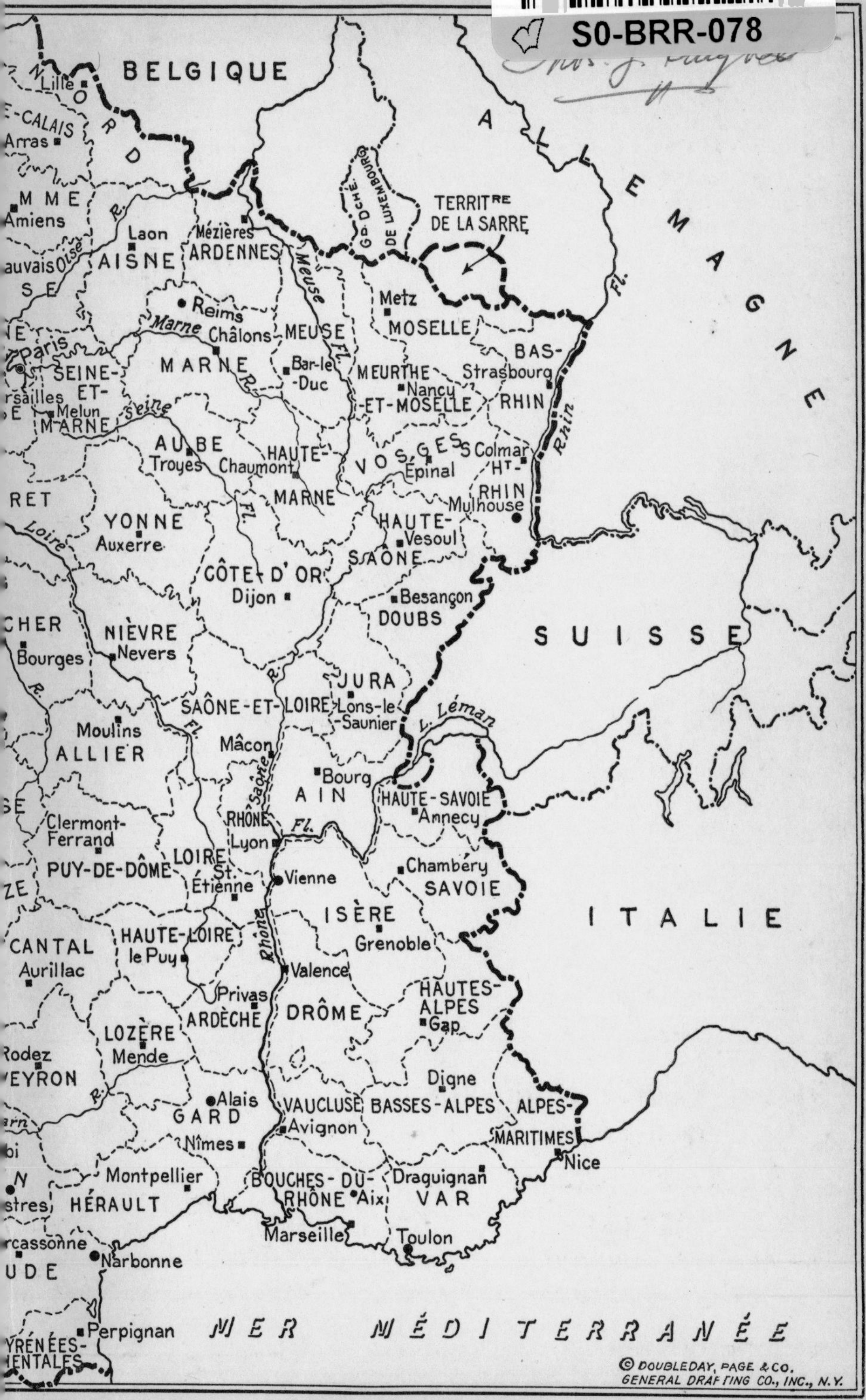

HISTOIRE DE FRANCE

Thomas J. Knight

HISTOIRE DE FRANCE

PAR

A. MALET

ABRÉGÉE PAR

PAUL RICE DOOLIN

LIBRAIRIE HACHETTE
PARIS

DOUBLEDAY, DORAN & COMPANY, INC.
NEW YORK

SEVENTH PRINTING

PUBLISHED IN THE UNITED STATES BY SPECIAL
ARRANGEMENT WITH THE LIBRAIRIE HACHETTE, PARIS

PRINTED IN THE UNITED STATES AT THE
COUNTRY LIFE PRESS, GARDEN CITY, N Y.

AN ACKNOWLEDGMENT

The editor would here express his gratitude to M. André Morize, Professor of French Literature, Harvard University, for his assistance in the preparation of this book.

AN ACKNOWLEDGMENT

The editor would here express his gratitude to M. André Morize, Professor of French Literature, Harvard University, for his assistance in the preparation of this book.

TABLE DES MATIÈRES

PREMIÈRE PARTIE

ANTIQUITÉ ET MOYEN ÂGE

DEUXIÈME PARTIE

LES TEMPS MODERNES

TROISIÈME PARTIE

LA RÉVOLUTION ET L'EMPIRE

QUATRIÈME PARTIE

LA FRANCE CONTEMPORAINE

PREMIÈRE PARTIE
ANTIQUITÉ ET MOYEN ÂGE

CHAPITRE PREMIER
LES CELTES ET LES ROMAINS

Les Limites de la Gaule. — Les Romains appelaient *Gallia* — la Gaule — le pays limité au sud par les Pyrénées, à l'est par les Alpes et le Rhin. Ces limites furent considérées plus tard comme les "frontières naturelles de la France." Les rois de France ont longtemps rêvé d'étendre le royaume jusqu'à ces limites et, selon le mot du cardinal de Richelieu, de "mettre la France partout où fut l'ancienne Gaule." Ce fut l'idée directrice de leur politique extérieure et qui inspira beaucoup de leurs guerres.

Les Populations de la Gaule. — Les premiers habitants de la Gaule dont le nom nous soit connu furent les Ibères et les Ligures. Les uns et les autres reculèrent devant les Celtes.

Les Celtes — c'est le nom qu'ils se donnaient eux-mêmes — étaient également appelés *Galates* par les Grecs. Les Romains les appelaient *Galli*, dont on a fait Gaulois.

Les Celtes avaient habité d'abord les montagnes de l'Europe centrale. Puis, du neuvième au troisième siècle avant notre ère, ils occupèrent successivement les îles Britanniques, la Gaule, l'Espagne moins les côtes de la Méditerranée, le nord de l'Italie, une partie de l'Allemagne, de l'Autriche et de la Hongrie. L'Empire celtique s'étendit du détroit de Gibraltar à la mer Noire, dans le temps qu'Alexandre entreprenait la conquête de l'Asie (334 av. J.-C.). Quelques-unes de leurs expéditions furent particulièrement célèbres: en 390, ils avaient pris Rome; en 279, ils attaquèrent Delphes; peu après, ils franchirent le Bosphore et créèrent en Asie Mineure l'État indépendant de Galatie.

Ce fut probablement au sixième siècle avant Jésus-Christ que les Celtes s'établirent entre l'Atlantique, le Rhin et les Pyrénées. C'est là qu'ils créèrent leurs établissements les plus solides et les plus durables. Aussi leur nom passa-t-il aux territoires occupés. La France était par excellence leur pays, la Celtique ou la Gaule.

Les Celtes ne réussirent pas à refouler complètement les Ibères qui se maintinrent au sud de la Garonne. Eux-mêmes, dans le cours du deuxième siècle, furent repoussés au sud de la Marne et de la Seine par un peuple proche parent des Germains, les Belges.

Divisions politiques. — Les différents peuples de la Gaule, Aquitains, (Ibères), Celtes et Belges, étaient divisés eux-mêmes en un grand nombre de peuplades qui formaient autant d'États indépendants. On en comptait neuf en Aquitaine, trente-six chez les Celtes, quinze chez les Belges, soit au total soixante. Certains peuples étaient particulièrement puissants; on citait, dans la Celtique, les Arvernes, qui occupaient l'Auvergne actuelle, et les Éduens, établis dans la région du Morvan. Dans la Belgique le peuple le plus important était le peuple des Trévires (Trèves), cantonné sur les bords de la Moselle.

On trouvait en Gaule des formes de gouvernement très variées: royauté, république aristocratique, fédération. La royauté toutefois avait presque disparu.

Dans la plupart des cités le gouvernement était aux mains d'un sénat, souvent très nombreux.

Organisation de la société. — Si la forme du gouvernement différait d'un peuple à l'autre, par contre l'organisation de la société, les croyances religieuses, les mœurs étaient à peu près semblables dans toute la Gaule.

La société gauloise comprenait deux classes privilégiées, les prêtres et les nobles. Les prêtres portaient le nom de Druides. Ils avaient un chef élu qui exerçait sur eux une autorité absolue. Ils se réunissaient chaque année en un véritable concile, dans le pays des Carnutes, aujourd'hui le pays de Chartres. Ils étaient exempts du service militaire et des impôts. "Ils président aux choses divines, dit César, font les sacrifices publics et particuliers et interprètent les doctrines religieuses." Leur autorité morale en avait fait également des juges: ils jugeaient les affaires criminelles et civiles, les meurtres et les questions d'héritage. Enfin ils instruisaient les jeunes gens, leur apprenaient ce qu'ils savaient d'astronomie, de médecine et de philosophie. En sorte que les Druides étaient à la fois prêtres, juges, savants et professeurs.

César appelle les nobles gaulois *chevaliers*. Les nobles étaient donc les hommes riches, ceux qui possédaient des chevaux: en temps de guerre ils formaient les corps de cavalerie. Le gouvernement de la cité leur appartenait presque partout, parce qu'ils étaient les plus riches et disposaient d'un grand nombre d'hommes, compagnons d'armes, clients et esclaves.

Au-dessous des nobles la masse des hommes libres constituait le peuple. La plupart vivaient aux champs. On peut se les représenter comme aujourd'hui les paysans des tribus montagnardes au Maroc ou des tribus albanaises en Turquie, un peu agriculteurs, un peu pasteurs, grands chasseurs, tous armés.

Le Caractère. — Les portraits tracés par les écrivains de l'Antiquité, les anecdotes rapportées par eux montrent les Gaulois braves, avec un peu de forfanterie: "Nous ne craignons qu'une chose, disaient quelques-uns d'entre eux à Alexandre, c'est que le ciel ne tombe sur nos têtes. Encore, ajoutaient-ils, le soutiendrions-nous de nos lances." Ils étaient curieux de s'instruire et hospitaliers; ils arrêtaient les voyageurs et les commerçants, et les retenaient en de longs festins à la façon des Grecs de l'Odyssée, pour leur faire conter leurs aventures. Ouverts et généreux, sensibles à l'éloquence, faciles à conduire avec de beaux discours, difficiles à discipliner, prompts à l'enthousiasme, ils l'étaient aussi au découragement, et leur mobilité, leur manque d'esprit de suite et de persévérance gâtaient l'ensemble de leurs qualités.

La Religion. — La facilité avec laquelle les Gaulois exposaient leur vie s'explique par la croyance à l'immortalité de l'âme et leur foi dans une vie future. Les Druides leur enseignaient que l'homme en mourant renaissait ailleurs; aussi n'était-il pas rare de voir des Gaulois prêter de l'argent remboursable dans l'autre monde.

Comme les Grecs et les Romains, ils adoraient les forces et les phénomènes naturels divinisés, les eaux, les forêts, le tonnerre, la lumière. Le dieu de la foudre Tarann était armé d'un maillet. Il était aussi le dieu de la chaleur, la puissance bienfaisante qui mûrit les moissons: on le représentait alors avec une roue, symbole du soleil, et l'on célébrait en son honneur, au solstice d'été au mois de juin, de grandes fêtes dont le souvenir subsiste encore dans les feux de la Saint-Jean.

D'autres dieux symbolisaient l'idée de la mort et de la vie. Cernunnos, dieu au front orné de cornes, représentait à la fois la nuit où brillent les cornes de la lune, la mort, le mal, les richesses souterraines. Il était combattu par le dieu du jour naissant, de la lumière et de la vie dont nous ne connaissons pas le nom gaulois et que les Romains identifièrent avec Mercure. Celui-ci paraît avoir été le dieu le plus révéré des Gaulois, si l'on en juge par le grand nombre de points où s'élevèrent ses sanctuaires et où son nom a subsisté, comme à Mercœur, Mirecourt, etc. Montmartre à Paris fut d'abord le Mont Mercure.

Le Culte. Les Sacrifices humains. — Le culte rendu à ces divers dieux consistait en offrandes jetées au fond des lacs, suspendues aux branches des chênes, ou bien en victimes immolées. Souvent les victimes étaient des hommes, tantôt égorgés, tantôt brûlés, particulièrement en l'honneur du Dieu soleil, dans d'immenses mannequins d'osier. L'on sacrifiait ainsi les criminels; à leur défaut on sacrifiait des prisonniers de guerre. Ces coutumes subsistaient encore au premier siècle avant Jésus-Christ, quand César arriva en Gaule.

Les Romains en Gaule. — Les Romains avaient pénétré en Gaule dès la fin du deuxième siècle avant Jésus-Christ. De 123 à 118 ils avaient occupé le pays compris entre le Rhône, les Alpes et les Cévennes; ils en formèrent la province de Gaule transalpine ou, comme on disait, "la Province" tout court. Pompée, en 76, étendit ses limites jusqu'aux Pyrénées orientales. Dix-huit ans plus tard, Jules César entreprenait la conquête de la Gaule entière. Il y employa huit années, cinq campagnes et dix légions, c'est-à-dire soixante à quatre-vingt mille hommes (58 à 50 av. J.-C.).

Cette conquête relativement facile s'explique par le génie de César, par la supériorité de l'armée romaine formée de soldats de métier, disciplinés et bien armés, sur les bandes gauloises composées de guerriers mal équipés et nullement exercés. Elle s'explique encore par le morcellement de la Gaule en nombreux petits États, souvent rivaux et eux-mêmes en proie à des divisions intestines dont César sut habilement profiter.

César appelé par les Éduens. — La conquête des Gaules par César n'est qu'un épisode des guerres civiles de Rome.

C'était le temps où, dans la République romaine, déchirée par les factions, les ambitieux se disputaient le pouvoir suprême. César, déjà célèbre comme chef de parti, voulut, pour assurer sa fortune, acquérir une grande gloire militaire.

Il pensa qu'une guerre contre les Gaulois serait populaire à Rome où l'on avait si souvent tremblé devant eux, et il se fit donner en 58 av. J.-C. le gouvernement des Gaules Cisalpine et Transalpine; il espérait bien trouver parmi ces populations remuantes l'occasion de la guerre qu'il cherchait. Elle se présenta tout de suite: les Gaulois, dans leurs incessantes querelles, n'hésitaient pas à faire appel à l'étranger; les Séquanes en lutte contre les Éduens ayant demandé du secours aux Germains, les Éduens appelèrent les Romains. César remonta la vallée du Rhône et de la Saône et anéantit l'armée du chef germain Arioviste au nord de Besançon (58).

Conquête de la Gaule. — Une fois entré en Gaule, César songea à la soumettre. Il eut cette bonne fortune que les Gaulois ne s'aperçurent pas tous en même temps du danger et que, sauf une fois, en 52, avec Vercingétorix, il n'eut jamais à combattre que des coalitions partielles. La guerre fut cependant très dure et la victoire chèrement disputée.

César vainquit d'abord les peuples de la Belgique, puis une coalition des peuples de l'ouest, pendant que son lieutenant Crassus domptait l'Aquitaine. Dès l'année 56 il semblait que presque toute la Gaule acceptait la domination romaine, et pendant deux ans la tranquillité fut complète. Mais le parti populaire, excité par deux chefs patriotes, Induciomare et Ambiorix, organisa un vaste complot, et une fois encore tous les peuples du nord prirent les armes en même temps. Une légion romaine fut massacrée; une autre fut bloquée. Cependant les autres peuples gaulois commirent la faute de ne pas s'armer aussi. César put rassembler ses troupes, débloquer la légion en péril et écraser les uns après les autres les peuples soulevés. Induciomare fut tué et Ambiorix seul échappa. La répression fut sans pitié; tous les insurgés furent tués ou vendus comme esclaves (53).

Vercingétorix. La Guerre nationale. — Le soulèvement du nord était à peine dompté qu'une insurrection nouvelle éclata. Cette fois la Gaule entière se levait. Le désir de s'affranchir fit taire toutes les querelles et César fut frappé "du merveilleux accord des volontés pour ressaisir la liberté."

Le héros de l'indépendance fut Vercingétorix. C'était un Arverne, chef du parti populaire, patriote ardent, qui eut le sentiment de la Patrie gauloise et qui, au dire même de César, "ne s'arma jamais pour son intérêt personnel, mais pour la liberté de tous." Il comprit que pour vaincre il fallait l'effort concerté de tous et contraignit par la terreur tous les hésitants à le suivre.

Vercingétorix voulait affamer l'armée romaine en faisant le vide devant elle et en détruisant toutes les villes où elle pouvait s'approvisionner. Il eut le tort de céder aux prières des habitants d'Avaricum (Bourges) et d'épargner leur ville. Elle tomba aux mains de César qui y trouva de quoi faire vivre son armée. Mais César échoua complètement quand il mit le siège devant Gergovie, capitale des Arvernes et centre de la résistance. Il était donc dans une position très critique et commençait à se replier vers la Province, quand près de Dijon Vercingétorix essaya de lui barrer la route. Les cavaliers germains que César avait enrôlés en grand nombre lui donnèrent la victoire.

Vercingétorix fut contraint à se retirer à Alésia (Alise-Sainte-Reine, Côte-d'Or), où César le suivit et le bloqua. Alors commença ce siège mémorable qui mit fin à la guerre des Gaules. César entoura la ville d'un retranchement de quinze kilomètres. Toutes les ressources de l'art des sièges, terrassements, tours et machines, furent employées. "Tout cela, dit l'historien Michelet, fut accompli en moins de cinq semaines par moins de soixante mille hommes. La Gaule entière s'y brisa. Les efforts désespérés des assiégés, réduits à une horrible famine, ceux de deux cent cinquante mille Gaulois qui attaquèrent les Romains par l'extérieur, échouèrent également. Les assiégés virent avec désespoir leurs alliés, tournés par la cavalerie de

César, s'enfuir et se disperser. Vercingétorix, conservant seul une âme ferme au milieu du désespoir des siens, se désigna et se livra comme l'auteur de la guerre. Il monta sur son cheval de bataille, revêtit sa plus riche armure, et, après avoir tourné en cercle autour du tribunal de César, il jeta son épée, son javelot et son casque aux pieds des Romains, sans dire un mot" (52).

César garda son prisonnier pendant cinq ans et le fit tuer le jour de son triomphe. La prise d'Alésia marqua la fin de la guerre. Les révoltés se soumirent les uns après les autres. Seule la ville d'Uxellodunum (le Puy d'Issolu) résista quelques mois: elle fut prise à son tour et ses défenseurs eurent les mains coupées (51). La Gaule était définitivement conquise.

La Domination romaine en Gaule. — Les Gaulois vaincus acceptèrent aisément la domination romaine. Ils ne firent jamais aucune tentative sérieuse pour reconquérir leur indépendance. Moins de cent ans après la conquête, la soumission était si complète que les Romains avaient pu réduire leurs garnisons pour toute la Gaule à trois mille hommes.

C'est que les Romains pratiquèrent en Gaule une politique infiniment sage. Ils laissèrent subsister les diverses nations gauloises; ils respectèrent les mœurs et les usages des vaincus; ils donnèrent satisfaction à leurs passions guerrières en leur ouvrant les rangs de l'armée romaine; ils accordèrent des privilèges aux peuples qui les servaient le mieux, inspirant de la sorte aux autres le désir de bien servir pour mériter les mêmes avantages; enfin ils assurèrent à tous la paix. Dès le temps de César, des Gaulois avaient été admis au nombre des citoyens romains; on en trouvait jusque dans le Sénat. L'historien romain Tacite disait aux Gaulois à la fin du premier siècle: "Vous partagez l'empire avec nous; c'est souvent vous qui commandez nos légions, vous qui administrez nos provinces; entre vous et nous il n'y a aucune distance, aucune barrière." A partir du troisième siècle tous furent citoyens romains, c'est-à-dire les égaux du vainqueur. D'autre part, les Gaulois surent reconnaître les bienfaits de la domination romaine. Cette domination, qui dura plus de cinq siècles, transforma complètement la Gaule.

Diffusion du latin. — La plus importante des transformations fut la substitution de la langue latine à la langue gauloise. La substitution se fit sans violence de la part des Romains, sans qu'ils aient aucunement imposé l'étude et l'usage de leur langue. Le latin fut d'abord adopté par les nobles, qui étaient en relations suivies avec les magistrats et les officiers romains et aspiraient à obtenir eux-mêmes le titre de citoyens romains. Puis par la force des choses le latin se répandit dans le peuple qui l'apprit des soldats, des colons et des commerçants. Mais cette diffusion de la langue latine ne s'opéra que lentement, et c'est seulement à la fin du cinquième siècle que l'usage du gaulois eut à peu près complètement disparu. D'autre part, il se passa en Gaule pour le latin ce qui se passe pour le français dans celles des colonies où les indigènes commencent à l'apprendre des soldats et des immigrants; ce ne fut pas la langue classique qui se répandit, mais le latin populaire, une sorte d'argot très éloigné de la langue littéraire. De là devait sortir la langue romane, première étape vers le français.

La Gaule devint vite d'ailleurs un pays de culture littéraire. Les écoles de Marseille, de Bordeaux, de Lyon, de Toulouse, d'Autun étaient célèbres dans l'Empire. Le dernier poète qui compta dans l'histoire de la littérature latine, Ausone, était un professeur de Bordeaux et chanta dans ses vers les paysages de la Gaule.

Le Christianisme en Gaule. — Les croyances religieuses des Gaulois furent tout d'abord peu modifiées par la conquête. Les Romains ne faisaient pas la guerre aux dieux des vaincus. Ils trouvaient plus politique de les assimiler à leurs propres dieux. C'est ainsi qu'ils reconnurent dans Tarann, Jupiter, et dans le dieu du jour, Mercure. Les autres dieux romains envahirent peu à peu les villes gauloises, et, quand le christianisme se fut établi à Rome, il gagna également la Gaule.

Dès le second siècle, une église importante existait à Lyon. En 177, elle fut décimée par une atroce persécution; quarante-sept de ses membres furent torturés, puis mis à mort dans le cirque avec d'extraordinaires raffinements de cruauté; une humble servante, Blandine, fit preuve, au milieu des supplices, du plus inlassable et du plus sublime courage; le vieil évêque Pothin, âgé de quatre-vingt-dix ans, fut lapidé.

Mais ce fut seulement au cours du troisième siècle qu'un grand effort fut fait pour évangéliser la Gaule entière. En 250, sept évêques arrivèrent de Rome. Les villes de Narbonne, Arles, Toulouse, Limoges, Tours, Clermont, Paris, furent les centres de leurs prédications. Deux d'entre eux, saint Saturnin à Toulouse, saint Denis à Paris, subirent le martyre.

Les persécutions eurent en Gaule le même résultat que dans le reste de l'Empire: elles exaltèrent la foi et les conversions se multiplièrent. Les chrétiens étaient assez nombreux en Gaule au commencement du quatrième siècle, pour qu'en 312 Constantin, candidat à l'Empire, estimât qu'il y aurait profit pour lui à s'assurer leur concours et fît alors placer la croix au-dessus de son étendard.

Organisation de l'Église. — La victoire de Constantin assura aux chrétiens la liberté de leur culte et la protection officielle. L'Église put dès lors s'organiser. Les chrétiens adoptèrent les cadres de l'administration romaine, la division en provinces et les subdivisions en cités. Chaque province devint une métropole et l'on plaça à sa tête un métropolitain, plus tard l'archevêque. Chaque cité forma un diocèse, administré par un évêque. Les évêques étaient subordonnés au métropolitain.

L'évêque — son nom grec *épiscopos* signifie le surveillant — devint bientôt le personnage le plus important de la cité. Il était élu par le clergé, c'est-à-dire par l'ensemble des personnes consacrées au culte, et par le peuple. Il avait ainsi une grande autorité morale à laquelle s'ajoutait l'autorité de ses vertus ou de son savoir.

Importance du rôle des évêques. — A la fin du quatrième siècle et au cinquième, les évêques jouèrent en Gaule un rôle considérable. Gouverné par des empereurs incapables à l'heure où les barbares lui donnaient l'assaut, l'Empire romain se disloquait. A partir de 395 et du partage de l'Empire, l'autorité de l'empereur en Gaule n'existe plus que de nom. Il y eut là un siècle d'anarchie véritable, pendant lequel les évêques devinrent les chefs réels des cités. Ce sont eux qui rendent la justice; eux qui, en cas de disette, assurent le ravitaillement de la ville; eux qui négocient avec les Barbares; eux, quand il est nécessaire, qui organisent la défense et mènent les fidèles à la bataille. Grâce aux évêques, l'œuvre civilisatrice accomplie par les Romains en Gaule ne fut pas entièrement détruite par les Germains.

CHAPITRE II

LES INVASIONS BARBARES. LA GAULE FRANQUE

Importance des invasions. — L'Empire romain en Europe était enveloppé depuis la mer du Nord jusqu'à la mer Noire par les Barbares. Pour se protéger contre leurs incursions, les Romains avaient fortifié les frontières, élevé des retranchements, établi des légions nombreuses dans des camps permanents. Ces mesures de défense furent efficaces jusqu'à la fin du quatrième siècle. Mais à partir de 378, et pendant tout le cinquième siècle, les Barbares forcent la frontière et pénètrent dans l'Empire. Pendant près de cent ans ils le parcourent en tous sens et ravagent les provinces tout en cherchant à se fixer: c'est la période des invasions.

Les invasions sont un des faits importants de l'histoire. En effet elles ont arrêté le développement de la civilisation romaine; elles ont même pendant un certain temps mis en péril la civilisation. Elles ont provoqué la dislocation et le morcellement de l'Empire et, détruisant son unité, elles ont préparé l'Europe moderne. D'autre part, les Barbares qui se sont établis dans les anciennes limites de l'Empire ont à leur tour été gagnés peu à peu par la civilisation.

L'Empire et les Germains. — A cause de ses richesses, l'Empire avait de tout temps attiré les Germains, habitants du pays au delà du Rhin. Pour repousser leurs attaques, on avait dû fortifier solidement la frontière du nord. Les Romains employèrent aussi un autre système: ils prirent à leur solde un certain nombre de Barbares et leur donnèrent des terres sur la frontière, avec mission de défendre celle-ci contre de nouvelles bandes.

Plus tard, comme le recrutement de l'armée devenait de plus en plus difficile, les Romains enrégimentèrent les Barbares même dans les légions. Quelques-uns arrivèrent aux plus hauts grades dans l'armée romaine, aux plus hautes dignités à la Cour. Lorsque, en 395, Théodose mourant partagea l'Empire entre ses deux fils Arcadius et Honorius, il leur laissait pour les diriger en qualité de premier ministre un Vandale, Stilicon, auquel il avait fait épouser une de ses nièces. Ainsi l'Empire romain se trouva insensiblement comme "imbibé" de Barbares bien avant les grandes invasions.

Les Grandes Invasions. — Ces grandes invasions elles-mêmes ne furent pas des expéditions de conquête proprement dite, mais de véritables migrations de peuples. Elles eurent pour cause l'arrivée en Europe d'autres Barbares venus d'Asie, les Huns. Menacés par eux et fuyant devant eux, les peuples qui étaient restés en Germanie cherchèrent à entrer en masse dans l'Empire et réussirent à en forcer la frontière: les uns ne firent que passer en ravageant tout, les autres demandaient des terres et s'y établirent, non sans exercer toutes sortes de violences.

La plus importante des invasions fut celle de 406: les Alains, les Vandales, les Suèves et d'autres peuples venus de l'est, franchirent le Rhin qui était mal défendu et pendant près de trois années mirent la Gaule à feu et à sang. Les Francs et les Burgondes occupèrent le nord-est de la Gaule. Puis ce fut le tour des Wisigoths qui, après avoir ravagé l'Italie, s'emparèrent de l'Aquitaine et de l'Espagne, tandis que les Vandales passaient en Afrique.

Les Huns. — Les Huns, cependant, sous la direction de leur roi Attila, avaient fondé un grand empire en Europe centrale. En 451, ils attaquèrent la Gaule.

Les Huns étaient un peuple de race jaune, proche parent des Mongols et des Turcs. Ils paraissaient aux Romains bien plus sauvages et plus féroces encore que les Germains. Ils épouvantèrent tous ceux qui les approchèrent. Jornandès, historien contemporain des invasions, dépeint Attila court de taille, large de poitrine, la tête grosse, les yeux petits, la barbe rare, le nez épaté, le teint presque noir. C'est le type du Kalmouk d'aujourd'hui. Jornandès ajoute qu'il fut "un homme né pour le pillage du monde et la terreur de la terre." Attila aimait lui-même à se faire appeler "le fléau de Dieu" et il se vantait que "là où son cheval avait posé le pied, l'herbe ne repoussait jamais."

Attila en Gaule. — Attila se jeta sur la Gaule, avec 500,000 hommes, dit-on. L'épouvante répandue par son armée était telle que tout prit la fuite devant lui, et qu'il ne rencontra d'abord aucune résistance: seuls les habitants de Paris, sous l'inspiration d'une jeune fille, sainte Geneviève, fermèrent leurs portes. Attila put arriver sans combattre jusqu'à Orléans.

A Orléans, l'évêque saint Aignan organisa la résistance. La ville tint assez longtemps pour que le général romain Aétius eût le temps de réunir une armée qui comprenait, outre les légions gallo-romaines, les contingents de tous les Barbares établis en Gaule, Wisigoths, Burgondes, Francs. L'armée de secours arriva sous les murs d'Orléans juste comme la ville, réduite par la famine, venait d'ouvrir ses portes et comme le pillage commençait.

Attila battit vivement en retraite vers la Champagne, où le pays plat était particulièrement favorable aux évolutions de sa nombreuse cavalerie. La bataille décisive, connue sous le nom de bataille des "Champs catalauniques," eut lieu probablement entre Sens et Troyes (451). Attila vaincu s'enferma derrière un retranchement fait de chariots, que ses adversaires, épuisés par leur victoire, n'essayèrent pas de forcer. Aussi put-il se retirer au delà du Rhin, emportant le butin fait dans le nord de la Gaule.

La Gaule en 480. — Trente ans après l'invasion des Huns, vers 480, l'état politique et religieux de la Gaule était le suivant:

Nominalement la Gaule faisait toujours partie de l'Empire romain. En fait, il n'y avait plus en Gaule de fonctionnaires impériaux gouvernant au nom de l'empereur et pour l'empereur. Un général romain Égidius, ancien lieutenant d'Aétius dans la campagne contre Attila, avait créé une sorte de royaume gallo-romain entre la Somme et la Loire. Son fils Syagrius lui avait succédé en 464.

Dans le reste de la Gaule trois groupes de Barbares, les Wisigoths, les Burgondes, les Francs, étaient établis: les Wisigoths, des Pyrénées à la Loire; les Burgondes, de la Loire au Rhin et dans la vallée du Rhône; les Francs, au nord de la Somme, dans ce qui est aujourd'hui la Belgique et la Prusse rhénane.

Il est important de remarquer que ces Barbares étaient tous, au moins en apparence, établis en Gaule du consentement de l'empereur, et que tous étaient nominalement au service de l'empire et de l'empereur. Les Wisigoths, par exemple, avaient promis, quand on leur abandonna par traité la vallée de la Garonne, "de servir fidèlement l'empereur et d'employer leurs forces à la défense de l'État romain."

En second lieu, dans les régions où les Barbares étaient établis, les Gallo-Romains n'étaient pas leurs sujets. Gallo-Romains et Barbares étaient égaux.

Enfin, dans quelque partie de la Gaule que ce fût, tout Gallo-Romain se regardait toujours comme sujet de l'empereur. Il ne considérait comme souverain légitime que l'empereur; il ne reconnaissait d'autorité légitime que celle qui émanait de l'empereur. A ses yeux, les rois barbares, wisigoths, burgondes, francs, n'avaient d'autorité que parce qu'ils avaient des titres d'officiers impériaux. Ces sentiments de fidélité à l'Empire étaient entretenus par le clergé catholique.

Au point de vue religieux, les Gallo-Romains étaient catholiques. Les Wisigoths et les Burgondes étaient hérétiques ariens. Les Francs étaient encore païens.

Les Francs. — Les Francs étaient les moins nombreux des Barbares établis en Gaule. Ils devaient seuls cependant créer une œuvre durable.

Ils se divisaient en deux groupes: Francs Saliens, d'abord établis dans la Hollande actuelle, et Francs Ripuaires sur le Rhin. Chacun de ces groupes se subdivisait lui-méme en tribus, et chacune de ces tribus avait son roi. Une des tribus des Francs Saliens, celle des Sicambres, qui probablement ne comptait pas plus de cinq à six mille guerriers, était établie à Tournai, en Belgique. En 481, elle avait pour roi un petit-fils de Mérovée, Clovis.

Histoire de Clovis. — En 486, Clovis attaqua Syagrius et le vainquit à Soissons. Cette victoire lui permit d'étendre peu à peu jusqu'à la Loire les cantonnements des Francs. En 493, il épousa, quoique païen, une princesse catholique, Clotilde, nièce du roi des Burgondes, Gondebaud. Trois ans plus tard, les Alamans, peuple germain, établi déjà dans la région de l'Alsace et de la Lorraine, ayant voulu pousser plus avant en Gaule, Clovis les battit et les soumit. Pendant la bataille, comme ses guerriers pliaient, Clovis avait invoqué l'aide du Christ: "Dieu de Clotilde, si tu me donnes la victoire, je croirai en toi et je me ferai baptiser en ton nom." Vainqueur, Clovis tint sa promesse. Il se fit instruire par saint Remi qui le baptisa à Reims ainsi que trois mille de ses guerriers: "Courbe la tête, Sicambre adouci, dit l'évêque en versant l'eau sur le front du roi, brûle ce que tu as adoré, et adore ce que tu as brûlé."

En 500, Clovis attaqua et vainquit le roi des Burgondes et l'obligea à payer tribut. En 507, il entreprit une expédition contre le roi des Wisigoths, Alaric II, qui fut vaincu et tué à Vouillé, près de Poitiers. Grâce à cette victoire, Clovis s'empara de la plus grande partie de l'Aquitaine. Il mourut en 511, après avoir fait disparaître par une série de meurtres les rois des diverses tribus franques.

Causes de son succès. — La principale cause du succès de Clovis est dans l'appui que lui prêta le clergé catholique.

Clovis avait du Barbare la finesse, la dissimulation, l'habileté à tendre des pièges. Il avait aussi un sens politique très éveillé. Il sut comprendre combien était grande l'influence du clergé catholique sur la population gallo-romaine, et, bien avant qu'il pensât à se convertir, il s'appliquait à gagner la bienveillance du clergé. L'épisode du vase de Soissons, est, à cet égard, très significatif.

Au lendemain de la bataille de Soissons, l'évêque de Reims, saint Remi, sollicita de Clovis la restitution d'un vase précieux pris dans une église. Comme on allait partager le butin, Clovis demanda à ses guerriers de lui donner le vase hors part: "Tu n'auras, dit l'un d'eux, que ce que le sort t'accordera," et il brisa le vase d'un coup de hache. Clovis dut dévorer l'affront. Mais l'année suivante, passant la revue des guerriers, il avisa celui qui l'avait outragé. Il lui reprocha le mauvais état de ses armes, et, les lui arrachant, les jeta à terre. Tandis que le Franc se baissait pour les ramasser, Clovis lui fendit la tête d'un coup de hache: "Ainsi, s'écria-t-il, as-tu fait au vase de Soissons."

De son côté, le clergé ne ménagea pas son concours à Clovis:

au début, les évêques poursuivaient sa conversion avec d'autant plus de zèle qu'ils avaient besoin d'un protecteur contre les persécutions des rois barbares hérétiques. Après son baptême, Clovis, seul roi catholique, se trouva naturellement le chef des catholiques et leur protecteur officiel. Un évêque du pays des Burgondes lui écrivait: "Lorsque tu combats, c'est nous qui triomphons." Les guerres contre les Burgondes, et surtout contre les Wisigoths persécuteurs des évêques, furent de véritables expéditions religieuses, presque des croisades. Avant de marcher contre les Wisigoths, Clovis réunit ses guerriers et leur dit: "Il me déplaît que des hérétiques possèdent la plus grande partie de la Gaule. Marchons contre eux, et avec l'aide de Dieu nous prendrons leur terre qui est bonne."

Clovis fut en outre officier impérial, les Francs formant un corps auxiliaire de l'armée romaine. Son titre, "vir illuster," lui donnait une autorité légale aux yeux des Gallo-Romains qui, on l'a vu, reconnaissaient toujours l'empereur pour souverain. Syagrius prenant le titre de roi n'était pour beaucoup qu'un usurpateur et un rebelle à l'empereur. Clovis marchant contre lui et le battant était comme le défenseur et le vengeur de l'autorité impériale.

Les Fils de Clovis. — Les descendants de Clovis, qu'on a appelés les Mérovingiens, du nom de leur ancêtre Mérovée, régnèrent jusqu'à 751, soit deux cent quarante ans environ. Selon la coutume germanique, à la mort d'un roi franc, ses fils se partageaient son royaume comme son trésor: aussi l'histoire des Mérovingiens est-elle très confuse et trés troublée.

Les fils de Clovis furent encore de rudes guerriers qui complétèrent son œuvre en s'emparant du royaume des Burgondes (532) et en soumettant plusieurs peuples de la Germanie, les Bavarois, les Thuringiens. En 558, par suite de la mort de ses frères, Clotaire se trouva seul roi. Quand il mourut, en 561, le royaume franc fut de nouveau partagé.

Frédégonde et Brunehaud. — Sous les fils et petits-fils de Clotaire, pendant cinquante ans, de 561 à 613, les guerres civiles remplacèrent les guerres de conquête.

Ces guerres eurent pour cause première un drame de famille. Sigebert et Chilpéric, deux des fils de Clotaire, avaient épousé le premier Brunehaud, le second Galsuinde, filles du roi des Wisigoths d'Espagne. Sous l'influence d'une femme franque, Frédégonde, Chilpéric fit étrangler Galsuinde. Brunehaud voulut venger sa sœur et poussa Sigebert à la guerre. Sigebert s'était déjà rendu maître de la plus grande partie des États de Chilpéric quand deux émissaires de Frédégonde le poignardèrent dans son camp. La lutte se poursuivit entre Frédégonde et Brunehaud. Les fils et les petits-fils de celle-ci périrent presque tous de mort violente. Brunehaud elle-même, en 613, fut livrée au fils de Frédégonde, Clotaire II, qui fit attacher cette femme de soixante-dix ans à la queue d'un cheval indompté. Clotaire II se trouva comme son grand-père seul roi de tous les États francs.

Dagobert. — Le règne de son fils Dagobert (629–638) ne fut pas sans éclat, et son nom est resté populaire. C'est que Dagobert essaya de maintenir l'ordre et de faire rendre justice à tous; c'est aussi qu'il mérita la bienveillance du clergé en s'entourant d'évêques comme saint Éloi et saint Ouen, et en se montrant généreux envers les églises. Il fonda, près de Paris, l'abbaye de Saint-Denis, qui devint le lieu de sépulture des rois de France.

Après la mort de Dagobert, commence la décadence de la royauté mérovingienne. Les Mérovingiens ne furent plus rois que de nom. C'est la période dite des "rois fainéants," pendant laquelle se prépare l'avènement d'une dynastie nouvelle, la dynastie carolingienne.

Divisions de la Gaule franque. — Au cours des partages entre les fils de roi, la Gaule franque s'était divisée en un certain nombre de régions qui finirent par former comme autant de royaumes distincts. Dès la mort de Clotaire Ier (561), on distingue une Austrasie ou royaume de l'est; une Neustrie, la Gaule du nord-ouest; une Burgondie, pays de la Saône et du Rhône; une Aquitaine, limitée au nord par la Loire, à l'est par les Cévennes.

Tandis qu'en Austrasie le pays appartenait presque en entier aux guerriers francs, en Neustrie il y avait encore à côté des Francs un assez grand nombre de propriétaires gallo-romains; on appelait l'Austrasie la Francie germanique, la Neustrie la

Francie romaine. Mais la persistance de la civilisation romaine était plus marquée encore en Burgondie et surtout en Aquitaine.

Caractères de la royauté mérovingienne. — Les rois mérovingiens ont eu un double caractère: ils ont été rois des Francs et rois des Gallo-Romains. Rois des Francs, ils sont mal obéis. Les guerriers qui les entourent, ceux que l'on appelait leurs *leudes*, c'est-à-dire leurs gens, ne les servent que pour le butin.

A défaut de pays à piller, les rois donnent à leurs leudes pour se les attacher quelques portions de leurs domaines; les terres ainsi données sont ce que l'on appelle des *bénéfices*. Les rois pouvaient d'abord reprendre les bénéfices quand le leude manquait à son service. Mais en 587, par le traité d'Andelot, les leudes firent proclamer que les bénéfices seraient viagers, c'est-à-dire donnés pour la vie. Les rois mérovingiens ont ainsi donné peu à peu aux leudes toute leur fortune; quand ils n'eurent plus rien à distribuer, ils n'eurent plus personne pour les servir, et les Carolingiens les remplacèrent.

Rois des Gallo-Romains, entourés de riches Gallo-Romains, les Mérovingiens ont connu l'organisation impériale et ont cherché à l'imiter. Ils se sont parés de titres pompeux; ils ont pris le titre d'Auguste; ils ont eu comme les empereurs un Palais, c'est-à-dire un ensemble de personnes qui les servaient et qui étaient censées administrer l'État: trésoriers, camériers, référendaires, comtes du Palais. Un de ces personnages, le majordome ou maire du Palais, d'abord simple chef des domestiques et administrateur de la fortune royale, devait finir par être le véritable roi. Les Mérovingiens, en tête de leurs actes, emploient les formules impériales: "Nous voulons, nous ordonnons." En réalité, la puissance des rois est presque nulle.

Les Lois barbares. Le Wehrgeld. — L'une des originalités de l'époque mérovingienne et qui montre bien la faiblesse des rois, c'est que, dans aucun des royaumes, il n'existe une loi commune à tous les habitants. De nos jours, à quelque nationalité qu'on appartienne, on est soumis à la loi du pays où l'on habite: un Allemand vivant en France est soumis à la loi française. On dit que les lois sont territoriales. Aux temps mérovingiens, elles étaient personnelles. Chaque individu devait être jugé d'après la loi de la nation à laquelle il appartenait, le Gallo-Romain, d'après la loi romaine; le Franc-Salien, d'après la loi salique; et de même pour le Ripuaire, le Burgonde, l'Alaman, le Bavarois, le Wisigoth, etc.

Les lois barbares n'étaient guère que des lois pénales, ou mieux un tarif des sommes dues pour la réparation du dommage causé à autrui. Ce tarif, le wehrgeld ou composition, variait selon les lois, la qualité des victimes et les circonstances du délit. Pour le meurtre d'un évêque, un Ripuaire devait payer 900 sous d'or (le sou d'or vaudrait 100 francs), un Alaman 960. Le meurtre d'un esclave coûtait 30 sous d'or à un Ripuaire, 20 à un Bavarois.

Les Ordalies. — Pour démontrer la culpabilité ou l'innocence d'un accusé, l'on recourait aux épreuves ou ordalies, ou bien au duel judiciaire. Les épreuves se faisaient par l'eau ou par le feu. Dans l'épreuve par le feu, l'accusé devait porter pendant quelques pas un fer rouge. Si trois jours après ses mains ne présentaient aucune trace de brûlures ou si les brûlures avaient un certain aspect, il était déclaré innocent.

Dans le duel judiciaire, l'on mettait aux prises l'accusateur et l'accusé, ou à leur défaut, des champions qui les représentaient. Le vainqueur était réputé avoir dit vrai, parce que, pensait-on, Dieu ne pouvait permettre que l'innocent succombât. Aussi appelait-on le duel judiciaire, le *jugement de Dieu.*

Les Mœurs. — Les récits de Grégoire de Tours, contemporain des événements, suffiraient à faire juger les âmes et les mœurs des temps mérovingiens.

On y voit Clotaire, fils de Clovis, tuer à coups de couteau ses neveux, des enfants de dix et sept ans; le même Clotaire, plus tard, mettre de sa propre main le feu à une chaumière où il avait fait enfermer son fils Chram, sa femme et ses enfants. On ne peut compter les assassinats commis par ordre de Brunehaud et de Frédégonde: celle-ci fait poignarder son mari et essaie d'étrangler elle-même sa fille.

Par les rois on peut deviner ce que furent les sujets. L'histoire des sixième et septième siècles est toute remplie de violences, de pillages, de brigandages et de sang. L'établissement de la puissance franque en Gaule a été marqué par un véritable retour à la sauvagerie.

CHAPITRE III

LES CAROLINGIENS. CHARLEMAGNE

Les Rois fainéants. — A partir de la mort de Dagobert jusqu'au milieu du huitième siécle, pendant plus de cent ans, les Mérovingiens ne furent plus rois que de nom. Ce fut l'époque des "rois fainéants." Leur existence a été décrite comme il suit par Éginhard, qui vivait au temps de Charlemagne:

"La famille des Mérovingiens ne faisait, depuis longtemps, preuve d'aucune vertu. Le prince était réduit à se contenter de porter le nom de roi, d'avoir les cheveux flottants et la barbe longue, de s'asseoir sur le trône et de jouer le personnage du monarque. Il donnait audience aux ambassadeurs et leur faisait les réponses qui lui étaient dictées. A l'exception d'une pension alimentaire mal assurée, et que lui payait le maire du Palais selon son bon plaisir, il n'avait en propre qu'une unique propriété d'un très petit revenu; c'est dans cette propriété qu'il vivait avec un très petit nombre de domestiques. S'il fallait que le roi allât quelque part, il voyageait sur un chariot traîné, à la manière des paysans, par des bœufs, qu'un bouvier conduisait; quant à l'administration du royaume et à toutes les mesures de gouvernement, les maires du Palais en étaient seuls chargés."

Charles Martel. Bataille de Poitiers. — Après de nombreuses guerres entre l'Austrasie et la Neustrie, une famille de seigneurs austrasiens devint très puissante et s'empara des fonctions de maire du Palais en Austrasie et en Neustrie. Pépin II (687–714) exerça sur presque toute la Gaule franque le pouvoir d'un véritable roi. Son fils Charles (714–741), surnommé plus tard Charles Martel, fut un valeureux guerrier; il guerroya au delà du Rhin contre les Frisons, les Saxons et les Bavarois, au sud de la Gaule contre les Aquitains qui s'étaient révoltés; il eut surtout la gloire de repousser l'invasion arabe.

Maîtres de l'Afrique du Nord, puis de l'Espagne, les Arabes avaient pénétré en Gaule dès 719. Charles Martel les battit près de Poitiers, dans une rencontre décisive, où toutes les charges de la cavalerie arabe vinrent se briser contre les masses serrées des guerriers francs, "semblables, dit un contemporain, à un mur immobile et glacé par le froid" (732).

La bataille de Poitiers est l'une des plus importantes de l'histoire: elle mit fin aux progrès des musulmans en Europe occidentale; pour la deuxième fois le flot de l'invasion asiatique — les Arabes après les Huns — venait se briser sur le sol de France. D'autre part Charles Martel, vainqueur des musulmans, apparut comme le soldat du Christ et le défenseur de la chrétienté. Le pape, menacé dans Rome par les Grecs et les Lombards, songea à l'appeler à son aide et lui dépêcha une ambassade. Ainsi se nouèrent des relations qui devaient avoir pour les descendants de Charles Martel, les "Carolingiens," plus d'importance encore que n'avait eu pour Clovis la bonne entente avec saint Rémi et les évêques de la Gaule. Les Carolingiens, depuis longtemps rois de fait, devaient devenir par l'aide des papes rois de droit.

Avènement de la Dynastie Carolingienne. — L'événement se produisit sous le fils de Charles Martel, Pépin, surnommé le Bref à cause de sa petite taille. Pépin s'était acquis des titres particuliers à la reconnaissance des papes. Il protégeait les missionnaires qui s'efforçaient au delà du Rhin d'évangéliser les tribus germaniques encore païennes. Suivant les conseils de saint Boniface, l'apôtre de la Germanie, il avait fait procéder à la réforme du clergé de la Gaule, en chassant de leurs sièges tous les évêques indignes.

En 751, Pépin écrivit au pape Zacharie: "Lequel mérite d'être roi, de celui qui demeure sans inquiétude et sans péril en son logis, ou de celui qui supporte le poids de tout le royaume?" Le pape répondit: "Il vaut mieux appeler roi celui qui a la sagesse et la puissance, que celui qui n'est roi que de nom sans aucune autorité royale."

Alors Pépin, dans une assemblée tenue à Soissons, fit couper les cheveux, insigne de la royauté, à Childéric III; puis le dernier Mérovingien fut enfermé dans un couvent (752).

Après que Childéric eut été tonsuré, saint Boniface, représentant du pape, renouvela en faveur de Pépin un usage religieux des Juifs. Il le sacra, comme le prophète Samuel avait sacré Saül, au nom de Dieu, en versant sur son front l'huile sainte. Deux ans plus tard, le pape Étienne II lui-même, venu pour demander secours à Pépin contre les Lombards, le sacra une seconde fois dans la basilique de Saint-Denis, près de Paris. Ainsi Pépin et les Carolingiens eurent un caractère religieux que n'avaient eu ni Clovis ni les Mérovingiens; ils furent les élus, les oints du Seigneur, rois par la volonté de Dieu. Le sacre de Pépin marque le commencement de la monarchie de droit divin.

Charlemagne. — Quand Pépin mourut en 768, la Gaule entière reconnaissait son autorité. Elle fut partagée une fois encore à la mort de Pépin entre ses deux fils Carloman et Charles. Mais Carloman mourut en 771 et Charles se trouva seul maître. Il est resté célèbre sous le nom de Charles le Grand, *Carolus Magnus* ou Charlemagne (771–814). Nul souverain du Moyen Age n'a autant de titres de gloire, car Charlemagne fut tout à la fois grand conquérant et fondateur d'Empire, sage administrateur, défenseur de la foi chrétienne et protecteur des lettrés.

Dans les quarante-six années de son règne, on ne compte pas moins de cinquante-cinq expéditions. Mais les guerres de Charlemagne ne sont pas comme les guerres de Clovis et de ses successeurs de simples opérations de pillage, faites principalement pour le profit qu'on en retire, c'est-à-dire pour le butin; elles sont inspirées le plus souvent par des raisons politiques et religieuses. Leur objet est d'une part de mettre le royaume à l'abri des invasions qui le menacent, d'autre part de convertir les païens, de refouler les musulmans et d'étendre ainsi le domaine de la chrétienté.

Les plus importantes des guerres de Charlemagne eurent pour théâtre l'Italie, l'Espagne, la Saxe et la Hongrie.

Guerres d'Italie. — En Italie, la première guerre fut dirigée contre le roi des Lombards, Didier, à la fois ennemi de Charlemagne et du pape. Didier fut vaincu et détrôné, et Charlemagne, ceignant la couronne de fer, prit le titre de roi des Lombards. Dans la suite il conquit la péninsule jusqu'au Garigliano et créa le royaume d'Italie, dont il confia le gouvernement à l'un de ses fils.

Guerres d'Espagne. — Charlemagne poursuivit contre les Sarrasins en Espagne une guerre commencée par Pépin. Sept expéditions, en vingt ans, aboutirent à la conquête du versant méridional des Pyrénées et à la formation d'une province frontière ou marche d'Espagne, dont Barcelone fut la principale ville.

Au retour de la première expédition, l'arrière-garde commandée par Roland, neveu de Charlemagne, fut surprise et écrasée par les montagnards basques dans le défilé de Roncevaux (778). Cet incident de guerre sans importance devint par la suite le sujet d'un poème épique, la *Chanson de Roland*, qui fut pour les hommes du Moyen Age ce que l'Iliade avait été pour les Grecs.

Guerres de Saxe. — La conquête de la Saxe fut le dernier épisode de la conquête de la Germanie par les Francs.

La Saxe était la partie de l'Allemagne comprise entre le Rhin et le royaume des Pays-Bas à l'ouest, l'Elbe à l'est, la mer au nord. Elle correspondait au Hanovre et à la Westphalie, et non pas à la Saxe actuelle. Le pays couvert de forêts, coupé de marais, était d'accès difficile. Les Saxons étaient divisés en nombreuses tribus, entre lesquelles il n'existait d'autre lien que la communauté de culte. Restés païens malgré les efforts des missionnaires, ils adoraient une idole appelée l'Irmensul.

Combattant à la fois pour leur indépendance et pour leur religion, aidés par la nature du pays, les Saxons furent de tous les adversaires de Charlemagne les plus difficiles à vaincre. Ils tinrent plus de trente années (772–804) et il ne fallut pas moins de dix-huit expéditions pour triompher de leur résistance. Les Francs opéraient de préférence l'hiver, parce qu'alors ils pouvaient aisément franchir les marais pris par les glaces, et que, les forêts étant dépouillées de leur feuillage, les Saxons n'y trouvaient plus un abri aussi sûr. Le héros de l'indépendance saxonne fut Witikind. Plusieurs fois soumis, il reprit plusieurs fois les armes. À la fin il se fit baptiser à Attigny et renonça à la lutte (785).

La guerre eut de part et d'autre un caractère sauvage. Les Saxons massacraient les corps de troupes isolés, les missionnaires, les marchands qui s'aventuraient chez eux. Charlemagne pensa les amener à se soumettre en les épouvantant: il fit en un seul jour, à Verden, égorger 4,500 prisonniers (782); puis il fit enlever des tribus entières que l'on déporta en Gaule, à l'embouchure de la Loire, et jusqu'en Italie.

Mais, en même temps qu'il prenait des mesures de rigueur, Charlemagne faisait ouvrir des routes, établissait des garnisons, fondait des villes destinées à un grand avenir, telles que Brême, Magdebourg, Hambourg; les missionnaires, protégés par lui, entreprenaient la conversion et la conquête morale des vaincus. En sorte que, conquérant la Saxe, Charlemagne travaillait du même coup à la civiliser. Son œuvre en Saxe, et d'une façon générale l'œuvre des Francs en Germanie, fut analogue à l'œuvre des Romains en Gaule. Elle eut pour l'avenir de l'Europe la même importance: si l'on peut dire que la France est sortie de la conquête romaine, on pourrait dire aussi que de la conquête franque est sortie l'Allemagne.

Guerres contre les Slaves et les Avars. — Maître de la Germanie, Charlemagne se trouva en contact avec de nouveaux barbares, les Slaves, établis au delà de l'Elbe, et les Avars, débris des Huns, campés dans la plaine actuelle de Hongrie. Pour arrêter les Slaves, il organisa sur l'Elbe différentes marches, entre autres la Vieille Marche, qui contribua plus tard à former le Brandebourg, premier élément de l'État prussien. Contre les Avars, il créa sur le Danube, à l'entrée de la Hongrie, la Marche de l'Est, *Osterreich*, qui devint l'Autriche. Puis il les fit attaquer chez eux. On prit et l'on détruisit leurs camps retranchés ou *rings*, faits de plusieurs enceintes rondes et concentriques. Les Francs y trouvèrent de grandes quantités d'or et d'argent accumulées par les longs pillages des Avars.

Charlemagne empereur. — A la Noël de l'an 800, Charlemagne se trouvait à Rome. Pendant l'office de minuit, dans la basilique de Saint-Pierre, il priait agenouillé devant l'autel, quand tout à coup le pape Léon III lui plaça sur la tête une couronne d'or; le peuple l'acclama en criant: "A Charles Auguste, couronné de Dieu, grand et pacifique empereur des Romains, vie et victoire!" Après quoi, raconte Eginhard, l'historien de Charlemagne, le pape se prosterna devant lui "suivant la coutume établie du temps des anciens empereurs."

En effet, ce ne fut pas un titre impérial nouveau qui fut créé en faveur de Charlemagne. L'Empire romain n'avait pas cessé d'exister. Seulement la capitale avait été transportée en Orient, à Constantinople (330) par Constantin, et depuis lors les empereurs étaient ceux qui régnaient à Constantinople. En 800, Charlemagne ayant réuni sous son autorité à peu près tous les peuples qui, dans l'Europe occidentale, avaient fait partie de l'Empire romain, et d'autre part, la couronne étant alors portée à Constantinople par une femme, le centre de l'Empire romain fut ramené à Rome. Charlemagne fut proclamé empereur des Romains.

Le titre d'empereur jouissait encore d'un immense prestige. L'empereur était le roi des rois, et les rois considéraient qu'ils devaient lui rendre hommage. Deux rois d'Angleterre vinrent saluer Charlemagne dans sa résidence d'Aix-la-Chapelle; le roi d'Écosse, le roi des Asturies en Espagne, se déclarèrent ses fidèles. Le renom de Charlemagne s'étendit jusqu'en Asie. L'un des plus puissants empereurs arabes, le kalife de Bagdad Haroun-al-Raschid, entra en relations avec lui et lui envoya, avec de riches présents, les clefs du tombeau du Christ, comme au chef du monde chrétien.

L'Administration de l'Empire. — Autour de Charlemagne vivait un nombreux personnel qui formait le Palais. Les plus hauts dignitaires dirigeaient les affaires de l'État ou les services domestiques du souverain: l'archichapelain s'occupait de tout ce qui concernait la religion et l'Église; le comte du Palais était une sorte de juge suprême en même temps que le chef de l'administration civile; le chancelier était comme le secrétaire de l'Empire; le sénéchal commandait aux services de la cuisine; le connétable aux services des écuries.

Chaque année Charlemagne réunissait de grandes assemblées ou "Champs de Mai" pour délibérer sur les affaires de l'Empire et préparer les lois et règlements appelés *capitulaires.* Les évêques et les grands personnages siégeaient à part; avant de publier un capitulaire, l'empereur les consultait, mais il décidait seul.

L'Empire était divisé en comtés — environ trois cents —, chacun d'eux administré par un comte nommé par l'empereur et révocable à sa volonté. A côté des comtes, les évêques étaient considérés par Charlemagne comme de véritables fonctionnaires ecclésiastiques. Mais comtes et évêques administraient souvent fort mal et se disputaient le pouvoir. Pour les surveiller, Charlemagne institua des inspecteurs appelés *missi dominici* ou envoyés du souverain: choisis parmi les principaux personnages de l'Empire, ils allaient deux par deux, un ecclésiastique, un laïc, et faisaient quatre tournées par an.

La Civilisation carolingienne. Les Écoles. — Les siècles pendant lesquels avait régné la dynastie mérovingienne furent pour la Gaule des temps de profonde ignorance. De la mort de Clotaire Ier (561) à l'avènement de Charlemagne (771) à peine trouve-t-on deux écrivains à mentionner: Grégoire de Tours (mort en 594) et Frédégaire (mort en 660). Encore la chronique de ce dernier est-elle écrite dans le latin le plus barbare. Nombre de membres du clergé savaient à peine lire et ne savaient pas écrire, et le clergé cependant était seul instruit. Les manuscrits copiés à cette époque sont pleins de fautes et très difficiles à lire. "L'indolence de nos ancêtres, écrivait Charlemagne, avait presque réduit à rien l'étude des lettres."

Il s'efforça de la restaurer, parce que des prêtres ignorants ne pouvaient pas enseigner bien les vérités de la foi. Il voulut que chaque monastère eût son école où les moines et les clercs apprendraient la grammaire, le chant, l'histoire et la calligraphie, c'est-à-dire l'art d'écrire en beaux caractères. D'admirables manuscrits presque aussi faciles à lire que nos livres imprimés, avec de belles lettres dorées et des dessins en couleurs, sortirent dès lors des monastères. Charlemagne voulut aussi que le peuple pût s'instruire et qu'il y eût près de chaque église dans les bourgs et les villages une école gratuite tenue par le prêtre. Il fit ouvrir dans son Palais même une école où les enfants pauvres étaient reçus à côté des fils des nobles.

Cette restauration des études ne fut possible que grâce au concours d'hommes instruits que Charlemagne attira auprès de lui de tous les pays: des Italiens, comme Paul Diacre; des Irlandais, comme Clément, directeur de l'École du Palais; des Bretons, comme Alcuin. Celui-ci, né à York en Angleterre et mort abbé de Saint-Martin, fut le principal collaborateur littéraire de Charlemagne.

La Légende. — Charlemagne mourut en 814 d'une pleurésie, à l'âge de soixante-douze ans. Il fut enseveli à Aix-la-Chapelle.

La légende transforma bien vite la physionomie réelle de Charlemagne. On se le représenta comme un beau vieillard à longue barbe, l'empereur à la barbe fleurie, guerrier jamais las, dont la seule vue frappe les ennemis d'épouvante, courant le monde avec ses compagnons les paladins, les douze pairs de France, allant de la Saxe à l'Espagne, et de Jérusalem à Constantinople.

"Je suis émerveillé de Charlemagne, dit le roi des Sarrasins dans la *Chanson de Roland*. A mon compte, il doit avoir au moins deux cents ans! Il a couru par tant de pays! Il a reçu tant de coups de lance et d'épée! Il a réduit tant de rois puissants à mendicité! Quand donc cessera-t-il la guerre?" — "Jamais," répond Ganelon, l'ambassadeur de Charlemagne.

CHAPITRE IV

DÉMEMBREMENT DE L'EMPIRE. ÉTABLISSEMENT DU RÉGIME FÉODAL

Louis le Pieux. — Charlemagne eut pour successeur son fils Louis le Pieux ou le Débonnaire. C'était un homme juste, bon, généreux, un brave soldat; mais sa faiblesse de caractère gâtait toutes ses qualités.

En 817, il partagea l'Empire en trois royaumes et mit à la tête de chacun d'eux l'un de ses fils, Lothaire, Louis et Pépin. Ce partage était fait à l'imitation du partage de l'Empire romain par Dioclétien. En théorie, l'Empire subsistait. Les royaumes n'étaient que des divisions administratives, les rois n'etaient que les premiers des fonctionnaires. Lothaire était désigné pour succéder à l'empereur et son père se l'associait.

Louis le Pieux, en 823, eut un quatrième fils, Charles, surnommé plus tard le Chauve. Louis trouva juste de lui constituer un royaume comme à ses aînés. Pour cela, il voulut prendre à chacun d'eux une part des terres qu'il leur avait données. Ils se révoltèrent. En 832, Louis le Pieux fut fait prisonnier, et dut faire amende honorable à Soissons, dans l'église de Saint-Médard, en présence de ses fils, des évêques et des grands. Il déposa la couronne et l'épée, puis il fut enfermé dans un couvent.

L'injuste humiliation infligée par ses fils à l'empereur lui ramena l'opinion. D'autre part, Louis et Pépin ne voulurent pas reconnaître l'autorité de Lothaire. Louis le Pieux fut rétabli en 834. Pépin étant mort peu après, l'empereur donna sa succession à Charles le Chauve. De là un soulèvement nouveau au milieu duquel Louis le Pieux mourut en 840.

Partage de l'Empire à Verdun. — Louis et Charles le Chauve s'entendirent alors pour demander à Lothaire un nouveau partage. Lothaire s'v refusa: il fut battu à Fontanet, près d'Auxerre (841); quatre-vingt mille hommes restèrent sur le champ de bataille, au dire des chroniqueurs. Peu après, Louis et Charles resserrèrent leur alliance. A Strasbourg, en présence de leurs troupes, ils se jurèrent "pour l'amour de Dieu et pour le salut commun du peuple chrétien et le leur, de se soutenir en toutes choses, comme on se doit justement soutenir entre frères, et de ne prendre aucun arrangement avec Lothaire qui puisse être dommageable à l'un des deux." Pour se faire comprendre des deux armées, ils prêtèrent le serment, non pas en latin, mais en langue tudesque et en langue romane. Le Serment de Strasbourg est le premier document en langue vulgaire de l'histoire de France.

En 843, Lothaire demanda la paix. Pour que le partage fût fait avec équité, cent dix commissaires dressèrent un véritable inventaire de l'Empire. Le traité de Verdun donna à Louis tout le pays sur la rive droite du Rhin avec Mayence sur la rive gauche "pour sa provision de vin." Lothaire eut pour sa part l'Italie, la vallée du Rhône et de la Saône, et la vallée de la Meuse. Il avait les deux capitales de l'Empire, Aix-la-Chapelle et Rome, et gardait le titre d'empereur, mais sans avoir aucune autorité sur ses frères. Charles se vit attribuer tout le pays le long de la mer, les bassins de l'Escaut, de la Seine, de la Loire et de la Garonne.

Ainsi le partage de Verdun a définitivement séparé les deux extrémités de l'ancien Empire franc, la Francie orientale et la Francie occidentale. La première est devenue le royaume de Germanie, aujourd'hui l'Allemagne. La seconde est devenue la France.

Entre les deux le royaume de Lothaire se disloqua en moins de cinquante ans: il se divisa en royaume d'Italie au delà des Alpes; en royaume de Bourgogne, plus tard royaume d'Arles dans la vallée de la Saône et du Rhône; en Lotharingie dans la vallée de la Meuse. La Lotharingie dans la suite s'est appelée la Lorraine. Elle est depuis dix siècles le champ de bataille de l'Allemagne et de la France, qui commencèrent à se la disputer au lendemain même du traité de Verdun.

Causes du démembrement de l'Empire. — Le démembrement de l'Empire a eu pour causes, d'abord son immensité.

Un seul homme — à moins qu'il n'eût le génie de Charlemagne — ne pouvait suffire au gouvernement d'un si grand État.

D'autre part, les peuples réunis dans cet État n'avaient entre eux rien de commun. Saxons, Espagnols, Francs, Italiens, Avars, Aquitains, Gallo-Francs n'étaient pas de même race; ils étaient à des degrés très différents de civilisation; ils ne parlaient pas la même langue.

Les Nouvelles Invasions. — Au cours du neuvième et du dixième siècle, les trois royaumes issus de l'Empire de Charlemagne, France, Germanie, Lotharingie, se démembrent à leur tour en de nombreuses principautés. C'est alors que se constitue, dans l'Europe morcelée à l'infini, ce qu'on a appelé le *régime féodal.*

Ces démembrements, particulièrement en France, s'opérèrent comme s'était opéré le démembrement de l'Empire romain, sous l'action des Barbares et de nouvelles invasions.

A l'est, la Germanie fut attaquée par des peuples slaves, entre autres les Tchèques en Bohême, puis par un peuple de race jaune, les Hongrois, parents des Huns et des Avars établis dans la grande plaine du Danube.

Au sud, les Sarrasins musulmans, venant d'Afrique, ravagèrent les pays riverains de la Méditerranée, les côtes d'Italie, la Provence.

A l'ouest, par la Manche et l'océan Atlantique, s'abattaient sur la France les plus redoutables de tous les envahisseurs, les Normands.

Les Normands en France. — Les pillards normands paraissent avoir eu une préférence pour la terre de France. L'un d'eux, Regnard Lodbrog, la proclamait "bonne et fertile, et remplie de toutes sortes de biens que les habitants craintifs ne savaient pas défendre." Ils débutèrent en 841 par le pillage de Rouen. Dès lors et jusqu'à 911, date à laquelle une partie du territoire français leur fut cédée, ils ne cessèrent pas d'assaillir le pays.

En 885, ils vinrent mettre le siège devant Paris, défendu par l'évêque Gozlin et le comte Eudes. Ils restèrent plus d'un an sous les murs de la place, mais tous leurs assauts furent repoussés. Charles le Gros, roi de Germanie et empereur, venu au secours de Paris, acheta la retraite des Normands en leur donnant sept cents livres d'argent et la Bourgogne à piller.

Établissement des Normands en France. — Vingt-cinq ans plus tard, plus de vingt mille Normands étaient établis à l'embouchure de la Seine. Leur chef Rollon s'était emparé de Rouen et se trouvait en fait maître du cours inférieur de la Seine et de la plus grande partie du pays, depuis la presqu'île du Cotentin jusque vers la Somme. Le roi Charles le Simple, petit-fils de Charles le Chauve, offrit à Rollon de lui donner tout ce territoire, le titre de duc, sa fille en mariage, à condition qu'il se convertît au christianisme et qu'il reconnût le roi de France pour son souverain. Rollon accepta dans une entrevue qui eut lieu en 911 à Saint-Clair sur les bords de la petite rivière de l'Epte.

Le traité de Saint-Clair-sur-Epte mit fin aux invasions normandes. Les Normands vinrent désormais s'établir pacifiquement dans le pays cédé à Rollon et qui s'appela, du nom de ses conquérants, la Normandie. Ce fut bientôt l'une des régions les plus prospères de la France. Rollon se montra un chef habile, fit régner l'ordre et rendit à tous une exacte justice. Les Normands se convertirent au christianisme et ne tardèrent pas à oublier la langue de leur première patrie. Devenus Français, ils gardèrent pourtant un caractère original, l'esprit entreprenant, le goût des aventures et des expéditions lointaines.

Conséquences des invasions normandes. — Les invasions n'eurent pas seulement pour conséquence l'établissement des Normands en France. Les princes de la famille carolingienne, dans la lutte contre les envahisseurs, se montrèrent faibles, incapables, et parfois même firent preuve de lâcheté. Cette faiblesse et cette lâcheté des rois contribuèrent à modifier l'organisation de la société, provoquèrent des transformations politiques et aboutirent à un changement de dynastie.

Disparition des Carolingiens. — Tout ce que les Carolingiens perdirent de popularité pendant les invasions, une famille nouvelle le gagna par l'énergie qu'elle mit à combattre les envahisseurs. Le premier personnage connu de cette famille, Robert le Fort, était un riche propriétaire des bords de la Loire. Charles le Chauve le nomma duc et le chargea en cette qualité de la défense du pays entre les cours inferieurs de la Seine et de la Loire.

Son fils Eudes était comte de Paris quand les Normands vinrent assiéger la ville en 885. Son rôle fut héroïque: il traversa les lignes des assiégeants pour aller chercher des secours; puis, sa mission remplie, il traversa de nouveau l'armée normande pour venir reprendre sa place au danger dans Paris. Aussi la couronne de France se trouvant vacante, en 887, Eudes fut-il élu roi, bien qu'il y eût encore des princes de la famille carolingienne.

Depuis la mort d'Eudes (898) jusqu'à 987 la couronne passa et repassa d'une dynastie à l'autre. Eudes eut ainsi pour successeur un Carolingien, Charles le Simple. C'est que les Carolingiens avaient conservé des partisans. C'est aussi que les comtes trouvaient profitables ces changements de dynastie qui achevaient de ruiner l'autorité royale. Le dernier des Carolingiens, Louis V, disait qu'il ne lui restait plus même une pierre où reposer sa tête. Il mourut sans enfant en 987.

Alors les évêques et les comtes se réunirent à Noyon pour nommer son successeur. Il y avait encore un prince carolingien, Charles de Lorraine, oncle de Louis V. Mais, comme les Carolingiens étaient ruinés et qu'on ne pouvait plus rien espérer d'eux, on écarta Charles et l'on élut un fils de Hugues le Grand, Hugues Capet. Ce fut le vrai fondateur de la dynastie Capétienne.

Les Seigneurs.—Les rois ne s'occupant pas de la défense du royaume, les grands propriétaires se mirent en devoir de se défendre eux-mêmes. Chacun organisa une troupe de soldats et se construisit un ou plusieurs camps retranchés, castella, dont les fortifications étaient encore très simples, mais constituaient un asile suffisant pour le maître, sa famille, ses serviteurs et ses richesses. Le pays commença ainsi à se couvrir de châteaux forts.

Les petits propriétaires, trop faibles pour se défendre seuls, et les paysans qui, en certaines régions, dans la peur du pillage, n'osaient même plus cultiver la terre, vinrent naturellement se grouper dans le voisinage des châteaux forts et demandèrent aux grands propriétaires de les protéger. Cela s'appelait *se recommander*. La protection était accordée moyennant certains engagements. Le protégé promettait au protecteur de lui obéir, de le servir soit par les armes, soit en travaillant la terre, et de lui être fidèle. Le protégé devenait ainsi un véritable sujet du protecteur que l'on appelait le seigneur. On obéissait au seigneur à qui l'on avait prêté serment de fidélité avant d'obéir au roi auquel on n'avait prêté aucun serment, et on n'obéit plus au roi que par l'intermédiaire du seigneur.

L'autorité directe du roi sur ses sujets se trouva ainsi supprimée. Il est à remarquer que Charles le Chauve, ne pouvant empêcher cette transformation, autorisa, puis obligea tous ceux de ses sujets qui ne l'avaient pas encore fait à se choisir un seigneur.

Les Fiefs, le régime féodal. — Dans le même temps, les fonctionnaires royaux, comtes et ducs, s'efforçaient d'échapper le plus possible à l'autorité du roi et de transformer les comtés et les duchés dont ils étaient gouverneurs en de véritables petits royaumes dont ils seraient les rois. Dès le règne de Charles le Chauve, comme le montre le capitulaire de Quierzy-sur-Oise promulgué en 877, leurs fonctions étaient en fait devenues heréditaires. Dès lors, le roi n'eut plus d'autorité réelle sur des fonctionnaires qu'il n'avait pas le pouvoir de révoquer.

Le roi resta cependant de nom maître des comtés et des duchés; il était censé en avoir seulement abandonné la jouissance, comme fait un propriétaire qui nous loue sa maison. Les territoires ainsi cédés étaient appelés bénéfices ou fiefs. Celui qui donnait le fief s'appelait le suzerain, celui qui le recevait le vassal.

En échange de la jouissance du fief, le comte ou le duc devait, comme celui qui s'était choisi un seigneur, rendre hommage au roi, lui jurer fidélité et s'engager à le servir: à l'armée comme soldat, dans les procès comme juge. Ces services n'étaient pas dus en tout temps, ni selon le bon plaisir du roi, comme les aurait dus un sujet. Ils étaient dus seulement dans des conditions fixées à l'avance par un véritable contrat passé entre le suzerain et le vassal. Par exemple, le roi était en droit d'exiger chaque année du comte de Champagne le service à armée ou service d'ost pendant un nombre de jours déterminé, trente ou quarante jours: son temps de service accompli, le comte avait le droit absolu de se retirer et de rentrer chez lui, fût-ce au milieu d'une expédition.

Dans son fief, le comte commandait l'armée, rendait la justice, percevait les redevances; il était roi. Comme le roi il avait le droit de guerre, le droit de battre monnaie. A son tour, il avait au-dessous de lui des gens auxquels il concédait des parties du fief ou bien qui lui avaient demandé protection. Ils lui étaient liés et il leur était lié par un contrat; ils lui devaient l'hommage; ils étaient ses vassaux.

On aboutit de la sorte et à la longue à une nouvelle organisation de la société, dans laquelle tous les hommes étaient subordonnés les uns aux autres et formaient comme une échelle. Leurs droits et leurs devoirs réciproques étaient définis et fixés par des contrats. Cette organisation est connue dans l'histoire sous le nom de *Féodalité*.

Les Grands Fiefs. — Vers la fin du dixième siècle, les principaux fiefs étaient, au nord de la Loire, dans la France proprement dite: le comté de Flandre; le duché de Normandie; le comté, plus tard duché de Bretagne; le comté d'Anjou; le comté de Blois; le comté de Champagne; le duché de Bourgogne.

Au sud de la Loire, dans l'ancienne Aquitaine, on trouvait: le comté de Poitiers, dit encore duché d'Aquitaine ou de Guyenne; le duché de Gascogne; le comté de Toulouse; le comté de Barcelone.

Il y avait, en outre, un certain nombre de fiefs ecclésiastiques, dont les possesseurs étaient des évêques. Les plus importants étaient les évêchés-comtés de Tournai, de Beauvais, de Noyon, de Laon, de Châlons, de Langres, de Reims.

CHAPITRE V
LES CAPÉTIENS ET LE DOMAINE ROYAL

Les Capétiens. — De 987 à 1328, la couronne de France a appartenu à la dynastie capétienne. Cette dynastie a compté quatorze rois, dont trois, Philippe Auguste, Louis IX, Philippe le Bel, eurent une importance exceptionnelle. Mais tous les rois capétiens travaillèrent d'un effort persévérant à une même œuvre qui fut considérable, l'unification de la France, morcelée en grands fiefs depuis la fin de la dynastie carolingienne.

Le Royaume à l'avènement des Capétiens. — En 987, le royaume de France avait pour limites: au nord, la mer du Nord et les embouchures de l'Escaut; au sud, le Llobregat en territoire espagnol et les Pyrénées; à l'est, la frontière suivait à peu près l'Escaut, la Meuse depuis Mézières jusqu'à sa source, la Saône, les Cévennes, l'Ardèche et la branche occidentale du delta du Rhône.

Le royaume était composé de principautés héréditaires, duchés et comtés, les grands fiefs dont on a vu la liste précédemment. Les principautés étaient indépendantes les unes des autres. Dans chacune d'elles le duc ou le comte était souverain. Ducs et comtes étaient les vassaux et non les sujets du roi.

Le Domaine royal. — Le roi était un seigneur élu par d'autres seigneurs. Comme eux il possédait des terres, des châteaux, des villes qu'il avait hérités de ses ancêtres; c'est ce qu'on appelait le domaine royal. Ce domaine consistait en une étroite bande de terre, une sorte de couloir resserré entre le duché de Normandie et le comté de Blois, le comté de Champagne et le duché de Bourgogne. Le domaine royal était le plus petit des grands fiefs. Le roi était le moins riche et le moins puissant des grands seigneurs.

Il n'y avait ni gouvernement ni administration du royaume.

Il n'y avait pas de fonctionnaires comme au temps de Charlemagne. Personne ne représentait le roi dans les grands fiefs; les ordres qu'il donnait n'étaient exécutoires que sur ses terres personnelles. Le roi ne gouvernait et n'administrait que son domaine.

Les Premiers Capétiens. Le Sacre.—Hugues Capet (987–996) et ses trois premiers successeurs, Robert le Pieux, Henri Ier et Philippe Ier, furent donc des souverains sans grande puissance, et leur histoire qui occupe cependant un siècle (987–1108) ne renferme aucun fait important. Ce qui ajoutait à leur faiblesse, c'est que la couronne était élective. Ceux qui avaient élu Hugues Capet à Noyon pouvaient être tentés à sa mort d'élire un autre que son fils.

Pour échapper à ce danger, Hugues Capet eut l'idée de faire élire et sacrer son fils, lui vivant. On sait quelle était l'importance du sacre. Celui qui avait été sacré était considéré comme l'élu de Dieu et les hommes ne pouvaient désormais refuser la couronne à "l'Oint du Seigneur." Pendant deux siècles la précaution prise par Hugues Capet le fut aussi par tous ses descendants, jusqu'à Philippe Auguste. Avec celui-ci la dynastie capétienne devint assez puissante pour que personne ne pût penser à lui enlever la couronne et pour que toute précaution devînt inutile.

Pendant le règne de Philippe Ier, deux grands événements se produisirent. En 1066 le duc de Normandie, Guillaume le Bâtard, fit la conquête de l'Angleterre. En 1095, la première croisade fut prêchée à Clermont, en Auvergne. Philippe Ier n'y prit aucune part.

Conquête de l'Angleterre par les Normands. — La conquête de l'Angleterre par les Normands devait avoir pour la France et pour les Capétiens d'importantes conséquences. Du duc de Normandie, vassal et voisin du roi de France, elle fit un roi trop puissant pour ne pas être un vassal peu fidèle et un voisin peu sûr. Elle engendra ainsi entre les deux maisons une rivalité qui devait durer plusieurs siècles.

L'Angleterre avait été conquise au cinquième siècle par des bandes germaniques, les Angles,—qui lui donnèrent leur nom,—et les Saxons. Entre les rois saxons et les ducs normands, des relations s'étaient établies: c'est ainsi qu'Édouard le Confesseur, qui régnait en Angleterre depuis 1035, était Normand par sa mère et avait été élevé en Normandie. En 1066 Édouard étant mort sans laisser d'enfants, son beau-frère Harold fut reconnu comme roi par les Saxons; mais alors le duc de Normandie, Guillaume, qui était cousin d'Édouard, réclama la couronne.

Guillaume rassembla une forte armée de 14,000 cavaliers et 45,000 fantassins, Normands et aventuriers de tous les pays. Il débarqua en Angleterre le 28 septembre 1066. Quinze jours après, à la grande bataille d'Hastings, Harold était tué, l'armée saxonne écrasée; et Guillaume se trouvait maître de tout le royaume anglo-saxon.

Louis le Gros. Louis le Jeune. — Dans le même temps, le suzerain de Guillaume, Philippe Ier, ne possédait guère que ses deux villes de Paris et d'Orléans entre lesquelles le petit seigneur de Montlhéry ne le laissait pas circuler librement. Son fils, Louis VI (1108–1137), surnommé l'Éveillé, puis dans la suite le Gros, voulut mettre fin à cette situation humiliée. C'était un vrai soldat, intrépide et tenace, payant partout de sa personne. Il passa trente-quatre ans à détruire les brigands installés dans le domaine, notamment les seigneurs de Montlhéry et du Puiset. A sa mort le domaine royal était unifié et l'autorité du roi y était partout incontestée.

Avec Louis VII le Jeune (1137–1180) la puissance des rois capétiens grandit tout d'un coup. Louis avait épousé Éléonore d'Aquitaine, héritière de la plus grande partie du pays compris entre la Loire et les Pyrénées. Par ce mariage le roi était devenu le plus grand et le plus riche propriétaire du royaume. Malheureusement, au retour de la seconde croisade, il répudia Éléonore. Celle-ci reprit ses biens et épousa un vassal du roi de France, Henri Plantagenet.

Rivalité des Capétiens et des Plantagenets. — Or, Henri Plantagenet, par sa mère arrière-petit-fils de Guillaume le Bâtard, possédait déjà l'Anjou, le Maine, la Touraine et la Normandie. En y ajoutant les biens de sa femme il se trouvait maître de toute la France maritime, du cours inférieur de la Seine, de la Loire et de la Gironde: sept ou huit fois le domaine royal. Deux ans après son mariage Henri Plantagenet devenait roi d'Angleterre (1154) sous le nom d'Henri II.

Un vassal aussi puissant était dangereux pour les rois de France. Il fallait l'abaisser, sinon les Capétiens couraient le risque d'être écrasés quelque jour par les Plantagenets. La rivalité entre les deux familles dura près d'un siècle. Elle donna lieu à une guerre qui, commencée sous Louis VII en 1154, ne se termina que sous Louis IX, en 1242. Ce fut une première guerre de Cent Ans. C'est de cette guerre que sortit en grande partie la puissance des Capétiens. Les épisodes les plus importants se sont déroulés pendant le règne de Philippe Auguste.

Philippe Auguste. — Philippe Auguste (1180–1223) fut roi à quinze ans. Les historiens de son temps l'ont appelé *prudens* et *sapiens*, avisé et sage. Sa sagesse était souvent ruse et dissimulation. C'était un diplomate raffiné, un politique peu scrupuleux, qui jugeait bon tout acte qui lui paraissait profitable. Il était actif, patient et tenace, très habile à profiter des événements et même à les faire naître. Ses contemporains ont dit qu'il aimait la paix plus qu'un moine. En réalité, il était très brave: mais à la différence de ses contemporains, il n'aimait pas la guerre pour elle-même, pour les beaux coups d'épée qu'on y pouvait frapper, pour la réputation de preux chevalier qu'on y pouvait acquérir. Il ne la faisait que par nécessité et pour le profit. Il la fit presque constamment aux Plantagenets. Pendant les quarante-trois années de son règne il ne laissa jamais passer deux printemps sans guerroyer contre eux.

Philippe Auguste et Richard Cœur de Lion. — Philippe Auguste eut d'abord pour auxiliaires les fils même d'Henri II, notamment Richard Cœur de Lion. "C'est l'usage chez nous, disait Richard, que les fils haïssent le père." Les haines des frères entre eux étaient aussi de tradition. Philippe Auguste exploita et entretint ces haines de famille. Richard s'étant révolté contre son père, il l'accueillit et le traita en ami intime: suivant l'usage du temps ils couchaient dans le même lit et mangeaient dans la même assiette. Henri II fut vaincu par les deux amis (1189). Il mourut de l'humiliation de sa défaite et de la douleur qu'il éprouva en apprenant que son dernier fils, "son cœur, son bien-aimé" Jean sans Terre était secrètement d'accord avec Philippe Auguste et Richard.

Richard, devenu roi d'Angleterre, et Philippe Auguste partirent ensemble l'année suivante pour la troisième croisade. Mais, en 1191, Philippe Auguste abandonna l'expédition pour rentrer en France. Avant de partir il jura à Richard de protéger ses terres et ses hommes "avec le même soin qu'il mettrait à défendre sa propre ville de Paris." Richard, revenant à son tour de la croisade, tomba aux mains de son ennemi le duc d'Autriche, qui le livra à l'empereur Henri VI. Philippe Auguste offrit à l'empereur de grosses sommes pour qu'il gardât Richard prisonnier. En même temps il négociait avec Jean sans Terre; il le reconnaissait roi d'Angleterre, moyennant cession de la Normandie.

Brusquement Richard, remis en liberté contre une forte rançon, reparut. "Le diable était lâché": Jean s'empressa d'abandonner Philippe. Une guerre de cinq années fut malheureuse pour le roi de France. L'intervention du pape amena la signature d'une trêve (1199). Quelques semaines après, Richard allait se faire tuer misérablement en Limousin devant le château de Châlus, pour la conquête d'un trésor qu'on y disait caché.

Conquête de la Normandie. — Jean sans Terre lui succèda. Philippe Auguste se tourna aussitôt contre lui et soutint que les fiefs des Plantagenets en France devaient revenir à Arthur de Bretagne, fils d'un frère aîné de Jean. Jean se refusa à toute restitution. Alors, agissant comme souverain justicier de ses vassaux, Philippe Auguste le cita à comparaître à jour fixé devant les juges royaux de Paris. Jean ne s'étant pas présenté, les juges le déclarèrent "félon," c'est-à-dire coupable d'infidélité à l'égard de son suzerain, et, conformément à l'usage féodal, prononcèrent la confiscation de ses fiefs (avril 1202). Peu après, Arthur était battu et pris par les Anglais; Jean le fit transférer à Rouen et le supprima on ne sait à quelle date. La rumeur publique accusa le roi d'Angleterre d'avoir lui-même poignardé son neveu, la nuit, sur une barque au milieu de la Seine.

Philippe Auguste envahit la Normandie à l'automne de 1203. Le réduit central de la défense était le Château-Gaillard, formidable citadelle bâtie par Richard Cœur de Lion sur une boucle de la Seine près des Andelys, et barrant la route de Rouen. Elle fut enlevée de vive force après un blocus de cinq mois (février 1204). Jean cependant avait fui en Angleterre. Les Rouennais lui demandèrent secours; leurs envoyés le trouvèrent jouant aux échecs; il leur répondit sans même interrompre sa partie: "Impossible de vous secourir dans le délai voulu; faites pour le mieux." Les Rouennais se rendirent (1204): Philippe se les attacha par la douceur. Il agit de même dans l'Anjou, la Touraine, le Maine et le Poitou (1205) où il paya largement les seigneurs et les villes qui se soumettaient. Jean demanda la paix (1208).

Coalition contre Philippe Auguste. — Six années plus tard il essaya de prendre sa revanche et organisa contre Philippe Auguste une coalition où entrèrent avec lui des vassaux du roi de France, le comte de Flandre et le comte de Boulogne; la plupart des seigneurs des régions flamande, belge, lorraine; enfin l'empereur Otton IV: c'était une coalition européenne, la première. Elle trahissait les inquiétudes que Philippe Auguste causait à ses voisins et par conséquent témoignait avec éclat de la puissance acquise par les Capétiens.

Jean attaqua le premier par l'Anjou. Il fut mis en déroute à la Roche aux Moines, près d'Angers (2 juillet 1214). Les coalisés du nord eurent le même sort. Le 27 juillet 1214, non loin de Tournai, ils pensaient surprendre l'armée française très inférieure en nombre, pendant qu'elle passait le pont de Bouvines. Les Français prirent cependant l'offensive. Philippe, engagé au plus fort de l'action, fut un moment en danger de mort. L'empereur de son côté faillit être pris. La victoire fut brillamment gagnée par les Français. La nouvelle de ce succès souleva l'enthousiasme dans tout le royaume. Bouvines fut comme une première victoire nationale.

Elle eut, d'autre part, d'importantes conséquences. En Allemagne, elle entraîna la chute de l'empereur Otton. En Angleterre, elle amena une révolte contre Jean sans Terre. En France, elle assura la paix jusqu'à la mort de Philippe Auguste en 1223.

Saint Louis; la paix avec l'Angleterre. — Louis VIII (1223-1226), fils et successeur de Philippe Auguste, fut aussitôt après son avènement attaqué par Henri III, fils de Jean sans Terre. Louis VIII le battit et lui enleva l'Aunis, la Saintonge, le Limousin et le Périgord. Henri ne fut pas plus heureux contre Louis IX ou saint Louis. Saint Louis, en 1242, le battit à Saintes. A la suite de cette défaite, Henri III se hâta de demander une trêve.

En 1259, saint Louis, revenu de la croisade d'Égypte, voulut transformer la trêve en paix définitive et "mettre amour entre ses enfants et ceux du roi d'Angleterre." Un traité fut signé à Paris. Henri III renonçait à jamais à tous les territoires conquis par Philippe Auguste. En revanche saint Louis rendait les conquêtes de son père Louis VIII. Il les rendait quoique victorieux, spontanément, pour le seul amour de la justice et de la paix. Le fait est unique dans l'histoire. Aussi le pape Innocent IV donna-t-il à saint Louis le surnom mérité d'Ange de la paix.

Le traité de Paris marquait la fin de la première guerre de Cent Ans et de la rivalité des Capétiens et des Plantagenets. Ceux-ci ne gardaient plus en France que l'ancienne dot d'Éléonore d'Aquitaine: les pays rendus par saint Louis et le duché de Guyenne au sud de la Garonne. Les Capétiens leur avaient enlevé leurs possessions de l'ouest de la Seine et du nord de la Loire, les deux berceaux de leur puissance, la Normandie et l'Anjou, avec la Touraine, le Maine et le Poitou. Le domaine royal jadis complètement isolé de la mer, s'ouvrait désormais largement sur la Manche et sur l'Atlantique.

Cette victoire s'explique par la valeur des Capétiens, par le caractère incohérent de l'empire des Plantagenets, et par les divisions dans la famille d'Henri II.

Extension du domaine au midi; croisade des Albigeois. — Le domaine royal, agrandi au nord et à l'ouest par la lutte contre les Plantagenets, s'étendit au sud par la croisade des Albigeois. Cette croisade avait été prêchée en France, sous le règne de Philippe Auguste, par ordre du pape Innocent III, contre les hérétiques sujets du comte de Toulouse, l'un des plus puissants seigneurs du royaume (1208). Philippe Auguste, occupé à combattre Jean sans Terre, refusa d'y prendre part. Ce fut une véritable guerre du Nord contre le Midi — gens de langue d'oïl contre gens de langue d'oc — : les Languedociens opposèrent aux Français du nord une résistance acharnée pendant près de dix-huit ans.

Une grande partie des possessions du comte de Toulouse fut néanmoins conquise par Simon de Montfort. En 1226 son fils Amaury, incapable de garder ces conquêtes, vendit ses droits à Louis VIII. Le Midi était à bout de forces. Le roi prit sans difficulté possession du pays qui s'est appelé depuis le Languedoc, et dont Beaucaire et Carcassonne furent alors les capitales. Le domaine royal touchait désormais à la Méditerranée.

Derniers Accroissements du domaine. —Les agrandissements ultérieurs du domaine royal résultèrent non plus de la guerre, mais de mariages ou d'achats.

Philippe Auguste avait acquis déjà l'Artois et le Vermandois en épousant Isabelle de Hainaut. Blanche de Castille, mère de saint Louis, acheta le comté de Blois. Elle fit épouser à son second fils, Alphonse de Poitiers, l'héritière du comté de Toulouse; Alphonse mourut sans enfants et le comté revint à la couronne sous Philippe III, fils de saint Louis (1271).

Le mariage de Philippe le Bel, petit-fils de saint Louis, avec la fille du comte de Champagne fit entrer le comté de Champagne dans le domaine. Philippe acquit encore Lille et Lyon. Avec lui le royaume de France commença à déborder sur l'ancienne Lotharingie, c'est-à-dire sur la vallée de la Saône et du Rhône et les pays entre Meuse et Rhin.

En résumé, les terres directement soumises aux Capétiens à l'avènement de Hugues Capet en 987, représentaient à peine deux départements: elles en représentaient cinquante-neuf en 1328, à la mort de Charles IV, dernier roi capétien.

A cette date il ne restait plus dans le royaume que quatre grands fiefs, isolés les uns des autres: comté de Flandre, duché de Bretagne, duché de Bourgogne, duché de Guyenne, ce dernier au roi d'Angleterre. Le domaine royal embrassait la plus grande partie du royaume.

CHAPITRE VI

EXTENSION DU POUVOIR ROYAL. SAINT LOUIS. PHILIPPE LE BEL

L'Œuvre d'organisation. — En même temps qu'ils agrandissaient leur domaine les rois capétiens en organisaient l'administration. D'autre part l'agrandissement du domaine augmentant leurs ressources et les rendant plus forts, ils purent exercer plus énergiquement le pouvoir royal et imposer peu à peu à tous les seigneurs le respect de leur autorité. Cette autorité, ils parvinrent en plusieurs circonstances à l'exercer directement sur tout le royaume.

Les progrès de la puissance royale ont été particulièrement marqués sous saint Louis et sous Philippe le Bel.

Règne de saint Louis. — Louis IX (1226–1270) avait onze ans quand il succéda à son père Louis VIII: sa mère, Blanche de Castille, gouverna en son nom jusqu'à ce qu'il fût majeur. Les seigneurs féodaux étaient inquiets du rapide développement de la puissance des Capétiens sous Philippe Auguste et Louis VIII. Ils pensèrent que le gouvernement d'une femme offrait une circonstance favorable pour ruiner cette puissance récente. Ils organisèrent une coalition qui fut vaincue grâce à l'habileté et à l'énergie de Blanche.

Pendant son règne personnel, saint Louis, on l'a vu, triompha du roi d'Angleterre à Saintes (1242). Au cours d'une maladie qui le mit à la mort, il fit vœu, s'il guérissait, d'entreprendre une croisade. Il s'embarqua pour l'Égypte en 1248. L'expédition échoua et saint Louis fut même pris par les musulmans. Délivré moyennant rançon, il ne revint en France qu'en 1254. Il signa alors à Paris une paix définitive avec le roi d'Angleterre, et pendant dix-huit ans il s'efforça d'assurer une bonne administration, une exacte justice et la paix intérieure du royaume. C'est ainsi qu'il essaya d'abolir les guerres privées et déclara que la monnaie du roi devrait être acceptée dans toutes les parties du royaume. En 1270 il entreprit une nouvelle croisade et mourut de la peste sous les murs de Tunis.

Saint Louis. — Saint Louis est un des personnages que nous connaissons le mieux, grâce en particulier aux récits de Joinville, qui fut son compagnon en Égypte et que le roi honora de son amitié. Il était, dit son biographe, grand, beau à face d'ange, avec une physionomie ouverte, l'air à la fois affable et sérieux. Sous les armes, c'était un superbe soldat dont la bravoure tranquille faisait l'admiration de tous ceux qui combattaient à ses côtés.

Saint Louis fut un chrétien qui s'efforça de pratiquer strictement les enseignements du Christ, et de mettre les actes de sa vie politique aussi bien que de sa vie privée d'accord avec ses croyances. Il se mortifiait comme un anachorète. En mémoire des souffrances du Christ, il portait constamment sur la peau une rude ceinture de crin, le cilice, et le vendredi, jour de la Passion, il se faisait fouetter les épaules avec des chaînettes de fer.

Mais il ne faut pas se représenter saint Louis comme un dévot austère et triste: le pieux roi avait l'humeur enjouée, aimait les libres entretiens; lui-même parlait bien et avec esprit. Sa bonté d'âme ne dégénérait pas non plus en faiblesse; il avait le caractère ferme et même plutôt impérieux.

Saint Louis ne chercha pas comme Philippe Auguste à augmenter la puissance royale par tous les moyens: il avait l'âme trop droite et la conscience trop scrupuleuse. Il n'eut pas d'autre but que de maintenir dans le royaume le droit et la justice, de rester en paix avec les princes chrétiens, et de combattre les infidèles. Il fit deux croisades, mais jamais il n'entreprit de guerre de conquête.

Prestige de la royauté française. — La bonté du roi, l'inépuisable charité de son cœur "transpercé de pitié pour les misérables," selon le mot de son confesseur, son renom de justice, la séduction de ses vertus, l'éclat de sa sainteté contribuèrent plus que des actes politiques à grandir l'autorité royale. L'homme inspirait un respect universel. Henri III se disait fier d'être son vassal "à cause de sa prééminence en chevalerie."

Un historien anglais, Mathieu Paris, l'appelait "le roi des rois de la terre." Vingt-sept ans après sa mort, en 1297, l'Église plaçait au rang des saints ce roi dont Voltaire a dit: "Il n'est pas donné à l'homme de porter plus loin la vertu."

Philippe III, le Hardi. — Le fils de saint Louis, Philippe III, était un prince honnête et pieux, mais sans énergie. Le seul fait important de son règne (1270–1285) fut l'annexion du comté de Toulouse au domaine royal, par héritage. Philippe en détacha le pays voisin d'Avignon ou Comtat-Venaissin dont il fit don au pape.

Philippe le Bel. — Le règne de son successeur Philippe IV, le Bel (1285–1314) est au contraire un des plus importants de l'histoire de France. Mais sur ce roi, figure énigmatique, on n'a, par les contemporains, que des renseignements peu nombreux et contradictoires. Il était, semble-t-il, d'une grande piété; pourtant sa politique fut le plus souvent malhonnête et hypocrite. Le bruit populaire était qu'il avait le caractère faible et se laissait dominer par son entourage.

Les Légistes. — Ce qui est certain, c'est que Philippe le Bel eut pour principaux conseillers des légistes. On appelait ainsi ceux qui s'étaient voués à l'étude des lois. En même temps que les coutumes féodales, compliquées, confuses, variant d'un fief à l'autre, les légistes étudiaient le droit romain qui leur apparaissait comme un modèle d'ordre et de logique dont il fallait s'inspirer et se rapprocher: ils l'appelait "la raison écrite." Or la loi romaine, rédigée au temps des empereurs souverains absolus, proclamait que la volonté du souverain est la loi, qu'il est lui-mème "la loi vivante." Dans le régime féodal, au contraire, la volonté du souverain était limitée strictement par les contrats entre suzerain et vassal. Aussi les légistes, imbus des idées romaines, travaillèrent-ils de tout leur pouvoir à remplacer la monarchie féodale par une monarchie absolue, à la romaine.

Déjà sous saint Louis il y avait eu des légistes au Conseil du roi. Sous Philippe le Bel leur influence devint prépondérante.

Agrandissements territoriaux. — Comme Philippe Auguste, Philippe le Bel chercha par tous les moyens à agrandir le domaine royal aux dépens des grands fiefs. Il avait acquis le comté de Champagne par son mariage avec l'héritière du comté. Il entreprit d'annexer au sud la Guyenne, fief du roi d'Angleterre, au nord le riche comté de Flandre.

Philippe n'avait pas les scrupules de saint Louis. Il saisit le premier prétexte pour faire prononcer par ses juges la confiscation de la Guyenne (1294). Comme le roi d'Angleterre Édouard Ier s'était allié au comte de Flandre, il occupa aussi la Flandre (1297).

Ces conquêtes ne furent pas durables. Les Flamands se révoltèrent contre le gouverneur français, et leurs milices écrasèrent la chevalerie française à la sanglante bataille de Courtrai (1302). Philippe qui au même moment était engagé dans un terrible conflit avec le pape, rendit la Guyenne au roi Édouard (1303). Libre de ce côté, il marcha contre les Flamands et, à Mons en Pevèle (1304), les obligea à battre en retraite. Mais il ne parvint pas à les écraser ni à soumettre toute la Flandre. Il dut se contenter de tenir Lille, Douai et Béthune qui furent réunis au domaine.

Philippe le Bel s'efforça aussi d'étendre son influence à l'est dans cette région vague de l'ancienne Lotharingie qui depuis le traité de Verdun flottait entre l'Allemagne et la France. Théoriquement ces pays relevaient de l'Empire germanique qu'Otton le Grand avait fondé au dixième siècle. Mais l'autorité des empereurs y était précaire ou nulle. Le comte de Bar dans la région de la Meuse, Lyon et Viviers dans la région du Rhône reconnurent la souveraineté du roi de France. Lyon devint définitivement ville royale en 1310.

Philippe le Bel et Boniface VIII. — L'événement capital du règne de Philippe le Bel fut sa lutte contre le pape Boniface VIII. Depuis le onzième siècle, la papauté visait à exercer sur tous les princes chrétiens une véritable suprématie. Ces prétentions avaient entraîné les papes dans de terribles luttes contre les empereurs germaniques. Ils avaient vaincu les empereurs. Mais comme ils tenaient à l'alliance française contre leurs ennemis d'Allemagne et d'Italie, ils avaient jusqu'alors ménagé les rois de France. Ceux-ci, tout en protégeant le clergé, s'étaient toujours montrés fort jaloux de leur autorité sur l'Église de France.

Brusquement le conflit qui éclata en 1301 entre Philippe le Bel et le pape, conflit provoqué par l'arrestation de l'évêque de Pamiers, Bernard de Saisset, prit un caractère de violence inouïe. C'est que le pape était alors Boniface VIII, vieillard d'humeur intransigeante et impérieuse, et que les légistes qui conseillaient le roi, Flote et Nogaret, étaient d'une audace impudente et sans scrupules.

Boniface ordonna au roi de délivrer l'évêque, lui adressa de sévères réprimandes, et convoqua à Rome les évêques français pour aviser "à la réformation du royaume et à la correction du roi." Mais, pour soulever contre le pape les passions populaires, le roi fit alors publier une bulle — ou lettre — du pape, falsifiée, brève et injurieuse. Indigné de la falsification de la bulle, le pape déclara "qu'il aurait le chagrin de déposer le roi comme un mauvais garçon, s'il ne se repentait pas." Au mois d'avril 1303 il le menaça de l'excommunier et le 15 août il déliait ses sujets du serment de fidélité. A cette date Boniface VIII était à la veille d'une catastrophe.

Ses adversaires préparaient un coup de force depuis plusieurs mois. Nogaret, ayant accusé Boniface VIII de toutes sortes de crimes imaginaires, demanda que le pape, dans l'intérêt de l'Église, fût mis en jugement devant un concile et que le roi, par précaution, le fît arrêter (12 mars 1303). L'acte d'accusation rédigé par les légistes fut lu publiquement en présence du roi dans le jardin de son palais à Paris (24 juin 1303).

L'Attentat d'Anagni. — Nogaret avait déjà gagné l'Italie. Là il s'était entendu avec les ennemis du pape, en particulier la famille des Colonna. Il avait réuni une bande de seize cents aventuriers. Le pape était à Anagni, sa ville natale, où il était venu passer l'été. Le 7 septembre, à l'aube, Nogaret entrait par trahison dans la ville. La populace se joignit aux envahisseurs qui commencèrent par piller les maisons des amis du pape. Celui-ci, abandonné de tous, attendit l'ennemi dans son palais, assis sur le trône pontifical, la tiare en tête, les clefs de saint Pierre et la croix en mains. Sous les injures de la soldatesque, ce vieillard de près de quatre-vingts ans demeura impassible. Nogaret lui déclara qu'il l'arrêtait "en vertu des règles du droit public, pour la défense de la foi et l'intérêt de notre Sainte Mère l'Église." Deux jours après, le peuple d'Anagni, brusquement changé, se soulevait aux cris de: "Vive le pape! mort aux étrangers!" Nogaret était contraint de s'enfuir; le pape, délivré, mais brisé par la terrible épreuve qu'il venait de subir, rentrait à Rome pour y mourir un mois plus tard.

Cet incroyable attentat d'Anagni devait avoir pour la papauté les plus graves conséquences: sa puissance politique n'y survécut pas; ses prétentions à la suprématie sur tous les souverains furent définitivement ruinées; elle-même tomba pour un certain temps dans la dépendance des rois de France. En 1305, Philippe le Bel réussit à faire élire pape l'archevêque de Bordeaux, Bertrand de Goth, qui prit le nom de Clément V et vint s'établir à Avignon (1309). Pendant soixante-dix ans (1309–1378), les papes, choisis dans le clergé français, résidèrent à Avignon.

Clément V s'abaissa jusqu'à absoudre Nogaret et à déclarer que dans toute cette affaire, Philippe n'avait agi que "par un zèle bon et juste." En 1312 Philippe arracha à Clément V l'abolition de l'ordre des Templiers dont il convoitait les richesses.

L'Administration du domaine royal. — A l'avènement de Philippe le Bel l'administration du domaine royal était à peu près complètement organisée, et ce roi n'y a apporté aucune modification importante. En revanche, c'est sous son règne que les organes du gouvernement du royaume achèvent de se constituer.

Sous les premiers Capétiens l'administration du domaine était extrêmement simple. Elle avait avant tout pour objet de fournir au roi le moyen de vivre: c'était l'administration du propriétaire qui tire de ses biens sa subsistance et celle des siens. Pour administrer ses propriétés, surveiller l'exploitation, percevoir les redevances des paysans, le roi capétien avait des régisseurs, les prévôts. Mais en même temps qu'ils géraient les propriétés, les prévôts étaient chargés d'y faire exécuter les ordonnances du roi, d'y assurer le maintien de l'ordre, d'y rendre la justice, d'y organiser et d'y diriger en cas de besoin la défense. Ces régisseurs étaient donc à la fois des serviteurs privés et des administrateurs politiques, des gérants de propriétés et des fonctionnaires, chefs de la police, juges, généraux, trésoriers.

Quand le domaine royal s'agrandit, en particulier sous Philippe Auguste, l'importance des prévôts augmenta ainsi que leur nombre. En même temps le roi ne peut plus les surveiller directement lui-même. Philippe Auguste plaça donc au-dessus d'eux de nouveaux fonctionnaires, les baillis. Ceux-ci centralisaient les recettes des prévôts, rendaient la justice en appel et venaient quatre fois par an rendre compte au roi de leur administration.

Après l'acquisition des provinces du Midi, par Louis VIII et saint Louis, les deux rois y établirent des bailes, analogues aux prévôts, des sénéchaux analogues aux baillis. Enfin il fallut surveiller à leur tour sénéchaux et baillis, et saint Louis et Philippe le Bel créèrent des inspecteurs généraux, les enquêteurs, nommés "pour corriger tout ce qui est à corriger," véritables missi, chargés de protéger les administrés contre les administrateurs.

Il y avait donc au temps de Philippe le Bel une véritable hiérarchie de fonctionnaires dans le domaine royal, c'est-à-dire dans la plus grande partie du royaume; en bas bailes et prévôts administraient les divisions territoriales les plus petites; au-dessus baillis et sénéchaux avaient chacun sous leur autorité un certain nombre de prévôtés; enfin les enquêteurs surveillaient les uns et les autres.

L'Administration centrale. — Dès le début, les rois capétiens, comme avant eux les Mérovingiens et les Carolingiens, eurent leur Palais, on dit aujourd'hui leur maison, c'est-à-dire un certain nombre de personnes dirigeant les différents groupes de serviteurs du roi. Les principaux de ces chefs de service ou officiers étaient le bouteillier, le chambrier, le connétable, le sénéchal, le chancelier. Celui-ci, véritable secrétaire du roi. confident de ses pensées, était le plus important des officiers, Les officiers réunis formaient le Conseil du roi: c'était devant eux que les prévôts devaient rendre compte de leur administration. Ils n'avaient à l'origine d'autorité que dans le domaine du roi et pour les affaires du domaine. Quant aux affaires du royaume, elles ne pouvaient être examinées que par ceux dont les États réunis constituaient le royaume, ceux qui avaient élu

Hugues Capet, c'est-à-dire les possesseurs des grands fiefs, comtes, ducs et évêques. Réunis, ils formaient la Cour du roi.

Quand la puissance des rois capétiens commença à se développer, les possesseurs des grands fiefs tinrent à honneur d'entrer dans le service d'un roi puissant et de devenir ses officiers. Dès l'avènement de Philippe Auguste, les fonctions de sénéchal étaient remplies par le comte de Champagne, et celles de chancelier par l'archevêque de Reims. Dès lors, les mêmes personnes siégèrent dans le Conseil du roi et dans la Cour du roi, et les deux assemblées se confondirent. La Cour du roi devint un instrument docile des volontés du roi, qui put faire appliquer dans tout le royaume, c'est-à-dire même dans les grands fiefs, les ordonnances qui n'étaient d'abord applicables que dans le domaine.

Après les grandes annexions, les membres de la Cour se trouvèrent chargés de tant d'affaires qu'ils furent obligés de procéder à ce que nous appelons la division du travail: ils se partagèrent la besogne d'une façon permanente d'après leurs aptitudes. Sous le règne de saint Louis, en 1250, une partie des membres de la Cour fut ainsi chargée de tout ce qui regardait la justice. Ils formèrent le Parlement. Le Parlement accompagnait d'abord le roi dans tous ses déplacements. Philippe le Bel l'établit à demeure à Paris dans le Palais royal, construit par saint Louis, aujourd'hui le Palais de Justice.

Sous Philippe le Bel, les affaires des finances furent confiées à une commission spéciale, la Chambre des Comptes, chargée de contrôler toutes les recettes et toutes les dépenses. Les affaires administratives et politiques, le choix des fonctionnaires, furent confiés au Grand Conseil.

Ainsi la Cour du roi, qui était à l'origine une assemblée unique à compétence universelle, se trouva, au temps de Philippe le Bel, démembrée et remplacée par trois cours spéciales: Grand Conseil, Cour des Comptes, Parlement, dont l'autorité s'étendait non plus seulement sur le domaine, mais sur le royaume entier. C'étaient les trois rouages essentiels du gouvernement: ils subsistèrent jusqu'à la Révolution.

Les Premiers Impôts. — Deux sortes de faits montrent bien les progrès de l'autorité du roi dans le royaume: ils se rapportent tous deux au règne de Philippe le Bel. Ces faits sont: l'établissement et la perception d'impôts; la réunion des grandes assemblées de 1302, 1308 et 1314.

Jusqu'à Philippe le Bel les rois avaient payé de leur bourse, sur leur argent et leurs revenus personnels, toutes leurs dépenses, leurs serviteurs, leurs soldats, leurs juges, etc. Mais le domaine agrandi nécessitait plus de fonctionnaires et coûtait plus cher à administrer; la politique plus active nécessitait plus d'argent. Les revenus du roi ne furent plus suffisants et le roi dut chercher des ressources nouvelles: on les trouva dans les impôts. On les appela des aides. Philippe le Bel, à plusieurs reprises, pour entretenir ses armées, leva les aides de l'ost, ou impôts pour l'armée. Ces impôts étaient perçus non seulement dans le domaine, mais aussi dans tous les fiefs. Partout ils étaient levés directement par des agents du roi. C'est là le commencement d'une nouveauté fort importante: les finances d'État. Désormais dans le royaume de France comme jadis dans l'Empire romain, la charge des dépenses politiques et administratives devait retomber sur les sujets.

Les Grandes Assemblées.—A trois reprises, dans la lutte contre Boniface VIII en 1302, dans l'affaire des Templiers en 1308, enfin lors d'une guerre contre les Flamands en 1314, le roi voulut paraître soutenu par la France entière.

Il réunit donc des assemblées où siégèrent des représentants du clergé, de la noblesse et des villes. Ces représentants étaient réunis "pour délibérer sur certaines affaires qui intéressent au plus haut point le roi, le royaume, tous et chacun." Mais il ne faut pas se les représenter comme des députés élus par la nation, ayant mission et pouvoir de discuter avec le roi. Ils se réunissaient par ordre; ils étaient avertis qu'on les faisait venir "pour entendre les ordres du seigneur roi, pour ouïr et rapporter ses volontés." Leur réunion prouve que dans les fiefs comme dans le domaine tout le monde commençait à reconnaître le principe romain de l'autorité absolue du roi, préconisé par les légistes.

L'Œuvre des Capétiens. — Les rois capétiens ont droit à une place à part dans l'histoire de France. Ils ont, en effet, accompli une œuvre considérable que l'on peut ainsi résumer:

A leur avènement, la France était morcelée en États indépendants, les grands fiefs, qui avaient chacun leur gouvernement. Les rois ont refait l'unité politique de la France en occupant un à un la plupart de ces grands fiefs.

Ils ont préparé son unité administrative en créant les organes d'un gouvernement général commun à tous. La France, État féodal en 987, était en voie, en 1314, de devenir un État à la romaine.

Les deux dynasties précédentes, mérovingienne et carolingienne, après des débuts éclatants, avaient fini misérablement. Tout autre fut la destinée des Capétiens, modestes à l'origine, très puissants à la fin. C'est qu'ils avaient eu une idée, unifier le royaume, qu'ils avaient tous travaillé à la réaliser, qu'ils eurent de l'esprit de suite, avec la sagesse de mesurer leurs ambitions à leurs moyens. Les ambitions grandirent avec les moyens; mais ils surent toujours ce qu'ils voulaient, et ils ne voulurent jamais que ce qu'ils pouvaient.

CHAPITRE VII

LA SOCIÉTE AU MOYEN ÂGE

Les Classes sociales. — Au temps du roi Robert le Pieux, fils de Hugues Capet, un évêque de Laon, Adalbéron, divisait les hommes en deux catégories et définissait ainsi la condition de chacune d'elles. Dans la première sont les clercs qui prient, les seigneurs qui combattent. La seconde catégorie est celle des travailleurs qu'il appelle la "classe servile": "Fournir à tous l'or, la nourriture, le vêtement, telle est, écrit l'évêque, l'obligation de la classe servile."

La Seigneurie. — On a vu comment s'était constituée la puissance des seigneurs. C'étaient soit de riches propriétaires dont les faibles avaient dû rechercher la protection, soit d'anciens fonctionnaires royaux qui avaient réussi à transformer en domaines personnels les territoires dont les rois leur avaient confié l'administration. Le pays sur lequel s'exerçait l'autorité du seigneur s'appelait la "seigneurie." Quelle que fût l'étendue de la seigneurie, qu'elle comprît une province entière ou seulement un groupe de villages, le seigneur percevait les redevances, rendait la justice, avait le droit de guerre, était en un mot un véritable souverain. Comme le roi, il avait sa capitale: le château, à la fois son habitation et sa citadelle.

L'Éducation du seigneur. — Les seigneurs vivaient surtout dehors, et dès leur enfance ils étaient préparés à être des hommes d'action. A quinze ans un enfant noble savait monter à cheval, tirer de l'arc et tout ce qui concerne la chasse, élevage et dressage des faucons, des éperviers et des chiens. L'enfant quittait alors la maison paternelle pour aller parfaire son éducation chez un seigneur plus riche. Il servait pendant trois ou quatre ans à titre de damoiseau, de valet ou d'écuyer. A ces divers titres, il remplissait près du seigneur les fonctions d'un valet de chambre ou d'une ordonnance. Il le servait à table, l'aidait à s'habiller et à se déshabiller; il entretenait ses armes et pansait ses chevaux. Entre temps, il apprenait le maniement des armes dans la cour du château et s'escrimait contre des mannequins. Quand le seigneur partait en expédition, le jeune homme suivait à cheval, portant le bouclier du maître. Vers l'âge de dix-huit ou vingt ans, l'apprentissage militaire était terminé; dès lors le jeune homme était jugé suffisamment instruit de tout ce que devaient savoir les hommes de guerre pour pouvoir prendre rang parmi eux. On lui remettait ses armes dans une cérémonie solennelle. Son parrain lui chaussait l'éperon droit, lui donnait l'épée et la lui attachait au côté gauche. Après quoi il le frappait du plat de la main sur le cou, derrière la tête: c'est ce qu'on appelait la colée, ou l'accolade. Dès lors le jeune homme était chevalier.

Les Guerres féodales. — Les principales occupations des seigneurs étaient la guerre, les tournois, la chasse et les fêtes. La guerre était l'occupation favorite de ces gens violents, naturellement braves et qui se lamentaient de mourir de maladie dans leur lit, parce que c'était mourir "comme une bête." On faisait la guerre à ses voisins, pour des prétextes plus ou moins sérieux. Elle consistait en coups de main, en razzias où l'on enlevait le bétail et l'on détruisait les récoltes pour affamer l'adversaire. La guerre pesait ainsi surtout sur le paysan. Quand il y avait rencontre, on cherchait moins à tuer qu'à faire des prisonniers, parce que les prisonniers étaient une source de profit et devaient payer rançon pour recouvrer la liberté.

Les Fêtes. — Les fêtes consistaient surtout en festins, aux innombrables services. Ces festins étaient coupés et suivis de représentations où paraissaient les jongleurs, musiciens, acrobates, jouant de la harpe, de la vielle, de la cornemuse, faisant des tours de force, montrant des marionnettes ou des animaux savants. Puis venaient les conteurs, trouvères dans le nord, troubadours au midi; ils récitaient des fragments des chansons de geste, les aventures romanesques et les exploits de Charlemagne, de Roland et de leurs compagnons. Un bal terminait généralement la fête.

Brigandages seigneuriaux. — Les fêtes coûtaient fort cher aux seigneurs. Beaucoup empruntaient; tous pressuraient leurs paysans; un grand nombre se livraient au brigandage. Ils détroussaient les voyageurs, pillaient et rançonnaient les marchands passant près de leur château.

Parfois, en même temps qu'un bandit, le seigneur était une bête de proie: tel ce seigneur du Périgord, qui dans un couvent, à Sarlat, faisait couper les pieds ou les mains, ou crever les yeux à cinquante personnes, tandis que sa femme faisait arracher les seins et les ongles à de pauvres paysannes.

La Chevalerie. — L'Église essaya, vers le douzième siècle, d'agir sur la sauvagerie naturelle des seigneurs en intervenant dans la cérémonie de la remise des armes qui faisait du jeune homme un chevalier, et en donnant à cette cérémonie un caractère moral et religieux. Le futur chevalier se préparait par un jeûne de vingt-quatre heures, par une nuit de prières à l'église, la "veillée d'armes," par la confession et la communion. A la messe, il entendait un sermon sur ses devoirs: pureté, probité, protection des clercs, des femmes, des vieillards, des orphelins. Les pièces de l'armure déposées sur l'autel étaient ensuite bénies. Avant qu'on les lui remît, celui qui allait devenir chevalier jurait entre les mains de son parrain de remplir fidèlement tous les devoirs que le prêtre venait de lui rappeler. Puis le parrain, au lieu de donner la colée avec la main, tirait l'épée et frappait du plat sur l'épaule le nouveau soldat en disant: "Au nom du Père et du Fils et du Saint-Esprit, je te fais chevalier."

La chevalerie contribua à rendre les mœurs moins rudes; elle développa le sentiment de l'honneur; elle créa, avec le respect et le culte de la femme, ce que l'on appela au temps de Philippe Auguste la courtoisie. Mais cette courtoisie n'existait que chez une élite: elle s'alliait encore à une terrible brutalité, et le sentiment de l'honneur était souvent compris d'étrange manière. A la fin du douzième siècle Richard Cœur de Lion, modèle du parfait chevalier au jugement de ses contemporains, était en guerre avec Philippe Auguste. Pour venger la défaite et le massacre d'une partie de ses troupes, il fit crever les yeux à quinze chevaliers français et les renvoya à Philippe, conduits par un seizième auquel il avait laissé un œil. Philippe se hâta d'infliger le même supplice à quinze chevaliers anglais, "afin, dit un témoin, que nul ne pût le croire inférieur à Richard en force et en courage."

Le Clergé. — Le clergé se divisait comme de nos jours en clergé séculier et clergé régulier.

Le clergé séculier comprenait tous les ecclésiastiques qui vivaient mêlés aux fidèles, dans le monde, le "siècle" en style d'Église. C'était la hiérarchie des archevêques, chefs des provinces ecclésiastiques composées chacune de plusieurs diocèses; des évêques, chefs des diocèses; des archidiacres, des archiprêtres, des chanoines, des curés, chefs des paroisses, et des vicaires.

Le clergé régulier ou clergé monastique comprenait les clercs vivant en commun, sous une même règle qui déterminait les conditions de leur existence, l'emploi de leur temps et le détail de leur vie quotidienne. Les maisons qu'habitaient les réguliers portaient le nom de monastères, couvents, abbayes ou prieurés. Les couvents "de même observance," c'est-à-dire où la même règle était en vigueur, formaient un ordre. Il y avait ainsi l'ordre des Bénédictins, celui de Cluny, celui de Citeaux, celui des Chartreux.

Importance du rôle des réguliers. — Le clergé régulier joua un rôle d'une exceptionnelle importance. En général les réguliers étaient moralement supérieurs aux séculiers. Trop souvent les séculiers, parfois même des évêques, voyaient surtout dans les fonctions ecclésiastiques le moyen de disposer d'importantes ressources, de s'enrichir eux et leur famille. Au contraire, les hommes qui entraient dans les couvents le faisaient avant tout par foi sincère, sans l'espoir de profits terrestres. Aussi, dans l'Église même, les moines, en particulier ceux de Cluny, furent-ils les promoteurs de la réforme des mœurs au temps du pape Grégoire VII, au onzième siècle.

Dans la société, au milieu de l'universelle ignorance, ils ont représenté le savoir. Le nom de clerc, qui servait à désigner toute personne touchant à l'Église, était en même temps synonyme de savant. Les plus grands clercs et les plus nombreux se trouvèrent dans les couvents. Ce qui nous a été conservé des chefs-d'œuvre de la littérature latine l'a été surtout par les manuscrits copiés de la main des moines. Ce que nous savons de l'histoire du Moyen Age, nous le devons pour une bonne part aux "chroniques" rédigées dans les monastères.

Les réguliers furent aussi d'actifs défricheurs de terre, et par là des créateurs de villes. En effet, les moines devaient pour vivre cultiver les terres voisines du couvent. Le respect que l'Église inspirait et savait imposer même aux rois les mettait à peu près à l'abri des violences et créait autour d'eux une zone de sécurité: les paysans y venaient volontiers chercher asile et le couvent était bientôt entouré d'un village. En France, on ne compte pas moins d'une centaine de villes ou de bourgs, dans les régions les plus diverses — par exemple Abbeville en Picardie, en Auvergne Aurillac, en Bourgogne Cluny — qui se sont ainsi formés autour d'un couvent, et l'on comprend combien dut être grande l'influence des ordres religieux quand on sait que l'ordre de Cluny compta jusqu'à deux mille monastères, Clairvaux dix-huit cents, Citeaux plus de trois mille.

Les Tribunaux d'Église. — Le clergé ne se bornait pas à enseigner la religion, à diriger les consciences, à célébrer les offices, à conférer les sacrements. Il détenait aussi une partie du pouvoir judiciaire.

Depuis la fin du quatrième siècle, c'était un principe de droit que les clercs jugeaient les clercs, et les procès qui pouvaient s'élever entre clercs. Les tribunaux ecclésiastiques ou "officialités" jugeaient avec plus de douceur que les tribunaux des rois et des seigneurs; ils jugeaient surtout avec plus de raison et de plus sérieuses garanties pour les justiciables. En effet l'Église n'admettait ni les ordalies ni le jugement de Dieu, et nulle sentence n'était rendue dans ses tribunaux qu'après enquête, audition de témoins, examen des preuves, défense de l'accusé. Aussi les laïcs s'efforçaient-ils de devenir justiciables des tribunaux ecclésiastiques. Comme on était tenu pour clerc si seulement on était tonsuré, beaucoup se faisaient faire la tonsure. Du reste sans que les intéressés eussent besoin de recourir à cet artifice, il était une série de procès pour lesquels les tribunaux ecclésiastiques étaient naturellement compétents à raison même de la matière, ainsi tous les procès touchant au mariage, aux droits des enfants, aux testaments.

Les Écoles et les hôpitaux. — Le clergé donnait seul l'instruction. Il n'y avait d'autres écoles que celles tenues par les prêtres dans les paroisses, par les moines dans les couvents. Ces écoles étaient ouvertes à tous, gratuitement; bien des enfants du peuple y passèrent. Beaucoup durent à l'instruction qu'ils avaient reçue dans ces écoles de devenir des personnages importants dans l'Église et dans la société. Tel un petit berger des environs d'Aurillac, Gerbert. Élevé par les Bénédictins, il acquit la réputation de l'homme le plus savant de son siècle, devint le précepteur de l'empereur Otton III, puis du roi de France Robert le Pieux, fut archevêque de Reims et mourut pape (1003) sous le nom de Sylvestre II; il fut le premier pape français. Tel encore ce fils de serf, Suger. Élevé à l'abbaye de Saint-Denis, il y fut le camarade d'école du futur Louis VI, devint son ami, gouverna le royaume sous son fils Louis le Jeune, et mérita pour sa sage administration le beau surnom de Père de la Patrie.

Disposant de ressources considérables, le clergé assurait aussi l'assistance aux indigents et aux malades. Au douzième et au treizième siècle, il fut fondé des centaines d'hôpitaux ou hôtels-Dieu; il y en avait jusque dans les villages. L'abbaye de Cluny, en une seule année, distribua des secours à 17,000 indigents.

Les Institutions de paix. . En même temps qu'il s'appliquait à soulager la misère, le clergé travailla de son mieux à en détruire certaines causes. Il s'efforça de réfréner les instincts violents des féodaux, de limiter les maux des guerres privées, occupation favorite des seigneurs, et même de restreindre l'usage de ces guerres. Au onzième siècle il n'y eut pas "une réunion ecclésiastique qui ne fût aussi une assemblée de paix." Ces efforts aboutirent à l'institution de la Trêve-Dieu.

Par la Trêve-Dieu la guerre fut interdite d'abord le dimanche, puis du mercredi soir au lundi matin, en souvenir de la Passion, de la mort et de la résurrection du Christ. Cette Trêve-Dieu, tous les conciles du onzième siècle en renouvelèrent l'obligation. Il s'en fallut de beaucoup cependant qu'elle fût observée, et le néfaste usage des guerres privées subsista en France jusqu'au temps où les Capétiens, avec saint Louis et Philippe le Bel, furent assez forts pour imposer la paix à tous. Mais du moins l'intervention du clergé soulagea quelques misères et, comme l'a écrit un historien, "la police de l'Église permit d'attendre la police du roi."

Les Paysans. Les Serfs. — Autour du château ou de l'abbaye vivaient les paysans à qui incombait tout le travail, chargés de "fournir à tous l'or, la nourriture et le vêtement." On distinguait parmi eux les serfs et les paysans libres.

Les serfs, au dixième et au onzième siècle, étaient de beaucoup les plus nombreux. Le serf n'était pas libre de sa personne: il était attaché à la glèbe, c'est-à-dire qu'il ne pouvait, sans l'assentiment du seigneur, quitter la terre qu'il cultivait. S'il s'enfuyait, le seigneur avait le "droit de suite," c'est-à-dire pouvait le rechercher où qu'il fût et le ramener au champ déserté. Le serf était vendu, engagé, donné avec la terre sur laquelle il vivait.

Le seul avantage du serf était que la terre, dont le seigneur était propriétaire, ne pouvait lui être enlevée. Il en était comme le fermier à perpétuité. Pour prix de la jouissance indéfinie du champ, il payait un fermage invariable, le cens. Il devait encore payer une taxe personnelle, la taille, que le seigneur faisait à son gré plus ou moins lourde.

Là ne se bornaient pas les charges incombant au serf. Il devait encore cultiver gratuitement les terres que le seigneur gardait pour son usage, sa réserve: c'était la corvée, et le caprice du seigneur en réglait seul la durée. Aussi disait-on que le serf était taillable et corvéable à merci: "Hélas! écrivait l'évêque Adalbéron au roi Robert, il n'y a aucun terme aux larmes et aux gémissements de ces malheureux."

Les Paysans libres. — Les paysans libres se distinguaient des serfs seulement en ce qu'ils avaient la faculté de se déplacer et de transmettre leurs biens à leurs enfants comme bon leur semblait. Par contre ils devaient le service militaire dont les serfs étaient exempts: ils devaient encore des redevances en argent ou en nature; ils étaient soumis à des corvées, comme de faucher les prés du seigneur, de curer les fossés de son château. En outre ils ne pouvaient récolter, vendre, acheter, avant que le seigneur le leur permît, et la permission ne venait jamais tant que le seigneur n'avait pas lui-même acheté ses provisions et vendu ses récoltes. Il faut remarquer du reste qu'aux dixième, onzième et douzième siècles les services dus au seigneur étaient le payement de services qu'il rendait à son tour, par exemple, de la protection assurée contre l'ennemi ou les brigands. C'est ainsi qu'étaient également justifiées les banalités, c'est-à-dire les redevances payées par le paysan pour l'usage du moulin, du four, du pressoir, que le seigneur avait été tout d'abord seul assez riche pour faire construire. Par la suite les services cessèrent; mais les redevances, les tailles, les corvées demeurèrent, et plus rien ne les justifiant, elles parurent justement odieuses aux paysans.

L'Affranchissement. — La misère provoqua à plusieurs reprises des révoltes de paysans. Les seigneurs les réprimèrent de façon féroce. En 1087 les paysans de Normandie avaient décidé de s'entendre pour demander au duc de nouvelles lois. Ils nommèrent des délégués: ceux-ci furent saisis par ordre du duc, qui leur fit couper les pieds et les mains.

Mais, dans le cours du douzième siècle, le besoin d'argent et une meilleure entente de leur intérêt, qui était de laisser le paysan travailler en paix et de bon cœur, amenèrent les seigneurs à vendre ou à accorder des libertés à leurs serfs. Ceux-ci en grand nombre achetèrent leur affranchissement. Ils obtinrent aussi que la taille cessât d'être arbitraire et que le chiffre en fût fixé invariablement comme l'était déjà le chiffre du cens. Les paysans libres obtinrent des concessions semblables, des réductions de corvées et de redevances, enfin des exemptions partielles de service militaire. Ainsi la condition des paysans commença de s'améliorer, dans le même temps où les habitants des villes acquéraient eux aussi des franchises et des libertés.

Les Villes. Les Bourgeois. — Ruinées pour la plupart par les premières invasions barbares, les villes, pendant la période de paix du règne de Charlemagne, avaient en partie recouvré leur ancienne prospérité. Mais les invasions du neuvième siècle les avaient de nouveau fait tomber à rien et se contracter sur elles-mêmes derrière les murs d'une étroite enceinte. D'autre part, quelques gros villages s'étaient entourés de fortifications: on les appela bourgs, d'où le nom de bourgeois donné aux habitants. Villes et bourgs furent comme de grands châteaux forts, et, comme les châteaux forts, eurent leur seigneur, l'évêque ou le comte. Certaines villes appartenaient même à plusieurs seigneurs à la fois, par exemple à l'évêque et au comte.

Comme les paysans, les bourgeois étaient soumis à des redevances, à des tailles et à des corvées. Toutefois ils souffrirent moins que les paysans de l'arbitraire seigneurial, parce qu'ils n'étaient pas isolés. La masse de la population des villes était formée par les marchands et les artisans. Or, les uns et les autres se groupaient en associations, ghildes, hanses, corporations. Ainsi réunis, ils étaient en état de s'entr'aider et présentaient une force avec laquelle le seigneur devait compter.

Artisans et corporations. — On appelait artisans ceux qui, patrons ou ouvriers, exerçaient un métier manuel, une industrie, on disait alors un art. Dans chaque ville les artisans de même métier étaient généralement réunis dans un même quartier ou une même rue, comme encore aujourd'hui en Orient. Ils se groupèrent d'abord en associations religieuses ou "confréries," pour honorer un même patron, c'est-à-dire un même protecteur choisi parmi les saints qui, d'après la tradition, avaient exercé le métier. Au lien religieux s'ajouta vite le lien des intérêts du métier, et, dans la plupart des villes, la confrérie se transforma en corporation.

La corporation était comme un syndicat privilégié auquel l'artisan était obligé de s'affilier s'il voulait exercer son métier, mais nul ne pouvait exercer le métier s'il n'avait été d'abord, pendant un temps dont les règlements fixaient la durée, apprenti chez un patron. D'apprenti, on devenait compagnon, c'est-à-dire ouvrier. L'ouvrier pouvait devenir maître, c'est-à-dire patron, après avoir passé un examen et fabriqué un chef-d'œuvre, c'est-à-dire quelque ouvrage du métier difficile à exécuter.

Les règlements de la corporation déterminaient les conditions du travail. Ils interdisaient, par exemple, de travailler après le coucher du soleil, à la lumière, par crainte que l'ouvrage ne fût mal fait et par peur d'incendie. Le patron et ses ouvriers, qui rarement étaient plus de quatre ou cinq, travaillaient ensemble, sous les yeux des clients, dans d'étroites pièces toutes grandes ouvertes sur la rue, et qui servaient à la fois d'atelier et de magasin.

Marchands et hanses. — De même que les artisans, les marchands avaient leurs associations. Les marchands en effet ne se bornaient pas à la vente des produits dans leur ville. Ces produits, il fallait les aller chercher ou les porter au dehors. Les routes étaient rares, périlleuses: l'on risquait d'y être rançonné par les brigands ou par les seigneurs dont on traversait les domaines. De là, pour mieux se défendre, la formation de ghildes ou de hanses. Il en fut de très puissantes: telle la hanse des Marchands de l'eau de Paris qui avait le monopole des transports sur la Seine depuis Montereau jusqu'à Mantes, et dont le chef, le Prévôt des Marchands, devint au douzième siécle, une sorte de maire de Paris.

L'Émancipation des villes. — Les corporations et les hanses, déjà existantes mais faibles encore au dixième siècle, gagnèrent en force au onzième siècle, grâce au puissant mouvement commercial déterminé par les croisades. Gens de métier et marchands s'enrichirent en fabriquant et en fournissant aux seigneurs les nombreux objets nécessaires pour les expéditions. Dès lors, ils voulurent jouir en toute sécurité des biens péniblement acquis, et se mettre à même d'en acquérir davantage à moindre peine. Ils s'occupèrent donc de limiter l'arbitraire du seigneur.

Les efforts pour y parvenir commencèrent aux dernières années du onzième siècle, et devinrent particulièrement énergiques au douzième siècle, pendant les règnes de Louis le Gros et de son fils Louis le Jeune (1108–1180). La tactique fut partout la même. Tous les bourgeois d'une même ville, marchands et artisans, se réunissaient et se prêtaient, dit un contemporain de Louis le Gros, Guibert de Nogent, "un serment de secours mutuel." Ils formaient ainsi une "conjuration" ou bien encore une commune jurée.

L'association constituée, les bourgeois cherchaient à obtenir du seigneur qu'il fixât, d'accord avec eux, et d'une manière invariable, les obligations qui leur incombaient, le taux de leurs redevances, la date à laquelle ils devraient les payer, enfin le tarif des amendes. Ils cherchaient à obtenir ensuite que les conventions arrêtées fussent mises par écrit. L'acte ainsi rédigé, signé par le seigneur, scellé de son sceau, s'appelait une *charte*.

Les Villes de bourgeoisie. — Ces efforts des bourgeois pour obtenir un peu de justice étaient naturellement mal vus des seigneurs et de leurs amis: "Le mot commune est un mot exécrable," écrivait Guibert de Nogent qui était cependant un pieux ecclésiastique. Néanmoins, à la longue, la plupart des villes et des bourgs obtinrent ce que l'on appela des libertés et des franchises. Elles leur furent même assez souvent accordées par un acte gracieux des seigneurs. Ainsi Louis VII, en 1155, donna aux habitants de Lorris, en Gâtinais, une charte qui fut ensuite concédée à près de trois cents villes et bourgs de l'Île-de-France, de l'Orléanais, de la Touraine.

Les villes ainsi dotées de franchises et garanties contre l'arbitraire seigneurial furent ce qu'on appela les "villes de bourgeoisie."

Les Républiques communales. — Ces garanties parurent insuffisantes dans les régions où le commerce était plus actif et la prospérité plus grande, au midi dans le Languedoc et l'ancienne Aquitaine; au nord dans la Picardie, l'Artois et la Flandre. Là, les bourgeois voulurent et obtinrent le droit de se gouverner eux-mêmes, ils constituèrent de véritables républiques.

Dans ces républiques, nommées communes dans le nord, municipalités dans le midi, les bourgeois, réunis en assemblée, élisaient eux-mêmes les magistrats, échevins au nord, consuls au midi, chargés du gouvernement. C'étaient ces magistrats qui rendaient la justice, percevaient les amendes, levaient les impôts, payaient la redevance fixe due au seigneur, commandaient la milice. La commune avait le droit de guerre et de paix; elle avait son château, l'hôtel de ville ou maison commune, foyer de la cité; son donjon, le beffroi, d'où le guetteur surveillait la ville et les alentours; elle avait sa bannière, ses armoiries, son sceau. Il arriva même qu'elle eut des vassaux. Elle était un véritable seigneur, et ses bourgeois formaient pour ainsi dire un noble collectif.

Disparition des républiques communales. — L'existence des républiques communales ne se prolongea guère en France au delà des premières années du quatorzième siècle. Les rois capétiens, en effet, s'appliquèrent constamment à se les soumettre comme ils faisaient des seigneurs. En particulier, ils voulurent surveiller leur administration financière. Cette administration était souvent médiocre; cela servit de prétexte, surtout à Philippe le Bel, pour intervenir dans le gouvernement des communes et leur enlever leurs libertés politiques. A la fin de la dynastie capétienne (1328), il ne restait plus de communes pleinement indépendantes, sauf en Flandre.

CHAPITRE VIII
LES CROISADES

Cause des croisades. Les Turcs. — La cause première des croisades est, en Orient, l'apparition, dans le cours du onzième siécle, d'un nouveau peuple musulman, les Turcs Seldjoucides. Originaires du Turkestan, au nord de la Perse, les Turcs, qui appartenaient à la race jaune, détruisirent l'empire arabe de Bagdad. Ils attaquèrent ensuite l'empire byzantin, ils lui enlevèrent l'Asie Mineure et s'emparèrent même de Nicée, non loin de la mer de Marmara. Dès lors, ils menaçaient Constantinople et par conséquent l'Europe. Aussi l'empereur de Constantinople, Michel, demanda-t-il secours au pape Grégoire VII en 1073.

Cinq ans plus tard, les Turcs s'emparaient de Jérusalem (1078). Jérusalem était aux mains des musulmans arabes depuis plus de quatre siècles (636). Mais les Arabes, pour qui Jérusalem est une ville sainte, avaient respecté les lieux chers à la piété des chrétiens: le tombeau du Christ, ou Saint Sépulcre, et l'église que les empereurs grecs avaient fait édifier pour l'abriter; ils s'étaient toujours montrés tolérants et n'avaient jamais mis obstacle aux pèlerinages.

Au contraire des Arabes, les Turcs fanatiques persécutèrent les pèlerins, leur infligèrent mille avanies, les torturèrent même. En sorte que l'accès de la Terre Sainte se trouva interdit aux chrétiens et qu'il leur devint impossible d'approcher le tombeau de leur Dieu.

Il est facile d'imaginer l'émotion provoquée par une semblable situation chez des hommes pénétrés de cette croyance qu'en visitant le tombeau du Christ ou qu'en souffrant pour le Christ, ils obtenaient le pardon de leurs fautes et s'assuraient le bonheur éternel après la mort. Leur fermer Jérusalem, c'était leur fermer la porte du ciel.

Les Huit Croisades. — Il est d'usage de compter huit croisades. Deux croisades, la première et la quatrième, furent faites et dirigées seulement par des seigneurs: aucun roi n'y prit part. Les six autres furent des expéditions royales.

Dans toutes les croisades, la sixième exceptée, les Français ont tenu la première place; c'est de France que sortit de beaucoup le plus grand nombre de croisés. Aussi un contemporain a-t-il appelé ces guerres entreprises au nom de Dieu: *Gesta Dei per Francos:* les actes de Dieu par les Français.

La première croisade (1096–1099), prêchée à Clermont par le pape Urban II, marquée par la bataille de Dorylée, le siège d'Antioche, aboutit à la conquête de Jérusalem et à la création d'un royaume français en Palestine.

La seconde croisade (1147–1149), entreprise pour venir en aide aux Français de Palestine menacés dans Jérusalem, eut pour initiateur le roi de France, Louis VII, le Jeune. L'empereur d'Allemagne, Conrad III, fut le compagnon du roi de France. L'expédition aboutit à un désastre en Asie Mineure (1149).

La troisième croisade (1189–1192), provoquée par la prise de Jérusalem par Saladin, sultan d'Égypte, fut faite par l'empereur Frédéric Barberousse, le roi de France, Philippe Auguste, le roi d'Angleterre, Richard Cœur de Lion. Frédéric Barberousse périt pendant l'expédition. Philippe Auguste et Richard prirent Saint-Jean-d'Acre, mais Jérusalem resta à Saladin.

La quatrième croisade (1202–1204), entreprise par les seigneurs français et les Vénitiens, fut détournée de son véritable but, l'Égypte et la Palestine; elle aboutit à la prise de Constantinople, à la destruction de l'Empire grec et à la création d'un empire latin d'Orient, qui dura environ un demi-siècle.

La cinquième croisade (1217–1221), dirigée contre l'Égypte par un seigneur français, Jean de Brienne, et le roi de Hongrie, ne donna aucun résultat.

La sixième croisade (1228–1229), ou croisade de l'empereur Frédéric II, offre cette particularité que le chef de la croisade était excommunié et que, au lieu de combattre les musulmans, Frédéric négocia avec eux; il obtint pour les pèlerins chrétiens la liberté de se rendre à Jérusalem.

La septième (1248–1254) et la huitième croisade (1270)

furent les croisades de saint Louis. La septième croisade, qui avait pour objectif l'Égypte, centre d'un puissant État musulman, débuta brillamment par la prise de Damiette. Mais les croisés furent surpris par le débordement du Nil, atteints par une épidémie mortelle, enveloppés par les musulmans, et contraints de se rendre. Saint Louis n'obtint la liberté de ses chevaliers qu'au prix d'une énorme rançon, et sa propre liberté qu'en rendant Damiette.

La huitième croisade, ou croisade de Tunis (1270), se termina par la mort de saint Louis, atteint de la peste sous les murs de la place. Ce fut la dernière croisade.

De toutes ces croisades, la plus intéressante et la plus importante est la première, en raison de l'enthousaisme qu'elle provoqua, du grand nombre d'hommes qui y prirent part, et parce que seule elle atteignit le but poursuivi, la conquête de Jérusalem.

Prédication de la première croisade. — Le pape Urbain II, qui était Français, avait réuni un concile à Clermont, en Auvergne, pour s'occuper de la réforme du clergé de France. Le dernier jour du concile, le 28 novembre 1095, en présence d'une foule de prélats, de prêtres, de chevaliers venus du centre et du midi, Urbain II raconta les souffrances endurées par les pèlerins en Palestine et termina en appelant les chrétiens aux armes pour la délivrance du Saint Sépulcre. A la fin de son discours il avait rappelé cette parole du Christ: "Renonce-toi toi-même, prends ta croix et suis moi." Aussitôt tous ceux qui étaient présents firent avec des morceaux d'étoffes des croix qu'ils s'attachèrent sur l'épaule en criant: "Dieu le veut!" C'est ce qu'on appela *prendre la croix* ou *se croiser*.

Après le concile de Clermont, le pape fit une tournée de prédication dans le centre et le midi de la France. En même temps il adressait à tous les évêques une circulaire les invitant à prêcher et à faire prêcher la croisade. Il promettait à quiconque prendrait part à l'expédition la rémission de ses péchés et une amnistie, même pour les crimes. Les femmes, les enfants, les biens des croisés étaient déclarés inviolables et placés sous la protection de l'Église tant que durerait l'expédition.

Pierre l'Ermite. — L'un des plus puissants auxiliaires du pape, dans le nord de la France, fut un moine originaire des environs d'Amiens, Pierre surnommé l'Ermite. Partout où il passa pour prêcher la croisade, il souleva un extraordinaire enthousiasme. C'était un petit homme maigre, brun, avec une grande barbe et des yeux très vifs. "Il allait nu-pieds, dit Guibert de Nogent qui l'avait vu; il portait sur la peau une tunique de laine, sur les épaules une longue robe à capuchon. Le pain était sa seule nourriture; jamais il ne buvait de vin. Quelque chose de divin se sentait dans ses moindres mouvements, dans toutes ses paroles; c'était au point que le peuple arrachait, comme si c'eût été des reliques, les poils du mulet qu'il montait."

La Croisade populaire. — "Les comtes et les chevaliers commençaient à peine leurs préparatifs, dit encore Guibert de Nogent, que déjà les pauvres faisaient les leurs avec une ardeur que rien ne pouvait arrêter. Chacun délaissait sa maison, sa vigne, son patrimoine, les vendait à bas prix. On se hâtait de convertir en argent tout ce qui ne pouvait pas servir au voyage. Des pauvres ferraient leurs bœufs comme des chevaux et les attelaient à des chariots sur lesquels ils mettaient quelques provisions et leurs petits enfants."

Trois mois à peine après la prédication d'Urbain II à Clermont, une horde de quarante ou cinquante mille personnes de tout âge et de tout sexe se mettait en route sous la direction de Pierre l'Ermite et d'un pauvre chevalier, Gauthier sans Avoir. Elle passa le Rhin: elle fut alors rejointe par une armée toute pareille de pèlerins allemands. Pillant pour vivre, elle souleva les fureurs de tous les peuples chez qui elle passa, Hongrois, Serbes, Bulgares, Grecs. Quand ces pauvres gens, qui depuis leur départ demandaient à chaque ville si ce n'était pas là Jérusalem, furent arrivés à Constantinople, l'empereur grec se hâta de les faire transporter sur la rive d'Asie. Ils furent presque immédiatement exterminés par les Turcs.

La Croisade seigneuriale. — Pendant ce lamentable épisode, l'armée des croisés s'organisait. La mise en route avait été fixée par le pape au 15 août 1096. Le pape avait également réglé l'itinéraire des quatre corps de l'armée chrétienne: leur concentration devait se faire sous les murs de Constantinople.

Les Français du Midi, conduits par le comte Raymond de

Toulouse, passèrent par le nord de l'Italie, la Dalmatie, la Croatie, la Serbie et la Bulgarie.

Les Français du Nord, conduits par Godefroy de Bouillon et Baudoin de Flandre, traversèrent l'Allemagne et la Hongrie.

Les Normands d'Italie, commandés par Tancrède et Bohémond, embarqués à Brindisi, traversèrent l'Albanie et la Macédoine.

Les Français de l'Île de France gagnèrent l'Italie et suivirent le même itinéraire que les Normands.

Le pape était le chef suprême de la croisade. Il avait délégué ses pouvoirs avec le titre de légat à l'évêque du Puy, Adhémar de Monteil.

L'Armée des croisés. — L'arrivée des croisés devant Constantinople y jeta l'épouvante, tant ils étaient nombreux. Un témoin, la fille de l'empereur Alexis, Anne Comnène, a écrit: "On eût dit l'Europe entière arrachée de ses fondements." Peut-être étaient-ils un million; mais dans ce nombre il n'y avait probablement pas plus de trois cent mille combattants. L'armée croisée était en réalité un peuple en marche, quelque chose d'analogue aux colonnes de barbares envahissant l'Empire romain.

Marche à travers l'Asie Mineure. — L'empereur Alexis désirait se débarrasser le plus vite possible des croisés; il leur fournit les moyens nécessaires pour passer en Asie. Les croisés s'enfoncèrent sur le plateau d'Asie Mineure dont ils s'ouvrirent l'accès en battant les Turcs à Dorylée (Ier juillet 1097). Sur le plateau, en été, sous un ciel sans nuage, avec un soleil de feu, la chaleur est insupportable; la terre est brûlée et sans un brin d'herbe; l'eau manque complètement. Les croisés souffrirent atrocement. Les Turcs harcelaient sans cesse l'armée, couraient sur ses flancs, la lardaient de flèches.

Les Croisés en Syrie. Antioche. — Après avoir traversé au prix de fatigues inouïes la chaîne du Taurus, aussi haute que les Pyrénées, les croisés débouchèrent sur la côte de Syrie. Ils furent arrêtés par la ville d'Antioche, une place forte établie au flanc d'une montagne et défendue par une enceinte garnie de quatre cents tours. Ils l'assiégèrent pendant huit mois. Ils étaient sur le point de périr eux-mêmes, pris entre la place et une armée turque, quand le Normand Bohémond se fit livrer par un traître une tour de l'enceinte.

Les croisés purent se réfugier dans la place. Ils y furent aussitôt assiégés par les Turcs, et bientôt en proie à une effroyable famine: quand on eut mangé tous les animaux, on mangea du cuir, de l'herbe et jusqu'à de la chair humaine, les corps des Turcs tués dans les escarmouches. Le découragement s'était emparé des chefs; beaucoup songeaient à s'enfuir. Mais chez les soldats et les pèlerins, la foi au succès final restait ardente, et la volonté d'arriver à Jérusalem inébranlable. La découverte dans une église d'une lance qu'on dit être celle dont avait été percé le flanc du Christ sur la croix, exalta des courages au plus haut point et, dans une sortie, les croisés exténués cependant par la faim mirent les Turcs en pleine déroute. La marche en avant put être reprise.

La Prise de Jérusalem. — Le Ier juillet 1099, trois ans après leur départ, les croisés aperçurent enfin Jérusalem: il y en eut qui moururent de joie. L'armée chrétienne était extraordinairement réduite. Elle ne comprenait pas plus de 40,000 hommes à bout de force. De Nicée à Jérusalem les croisés avaient laissé 600,000 cadavres sur les routes d'Asie. Les deux sièges d'Antioche leur avaient à eux seuls coûté 200,000 hommes.

On commença les préparatifs d'un siège; mais Jérusalem était bien fortifiée, elle avait une nombreuse garnison, et les musulmans avaient détruit tous les puits autour de la ville. Une fois encore les croisés étaient en péril de mourir de soif. Ils tentèrent alors une héroique folie. Le vendredi 15 juillet 1099, à trois heures, jour et heure de la mort du Christ, ils donnèrent l'assaut. Ils avaient construit une tour de bois, un beffroi, qu'ils parvinrent à pousser sur des rouleaux contre le rempart. Un pont volant fut jeté du beffroi sur la muraille, dont les croisés purent occuper une partie; ils s'emparèrent ensuite d'une porte, et pénétrèrent en masse dans la place. Ils y firent un carnage effroyable: "Dans le portique de Salomon et dans le Temple, écrivit Godefroy de Bouillon au pape, les nôtres chevauchaient dans le sang immonde des Sarrasins, et leurs montures en avaient jusqu'aux genoux."

Le Royaume latin de Jérusalem. — La conquête faite, il fallait l'organiser pour la garder et pour mettre le tombeau du Christ à l'abri de tout retour offensif des musulmans. De là, la création du royaume latin de Jérusalem. Les croisés offrirent la couronne à Godefroy de Bouillon. C'était l'homme le plus populaire de l'armée par sa bravoure, sa bonne grâce et sa modération. Il refusa le titre de roi et ne voulut être qu' "avoué," c'est-à-dire défenseur du Saint Sépulcre.

Pour couvrir la Palestine, on construisit de puissantes citadelles dont il subsiste encore aujourd'hui des ruines imposantes, et on organisa des ordres de moines soldats, l'ordre des Hospitaliers d'abord, puis celui des Templiers. Ils étaient soumis à toutes les obligations religieuses des moines, mais en outre ils étaient voués au métier des armes. La règle sur ce point était très rigoureuse: le Templier, par exemple, devait toujours accepter le combat, fût-ce seul contre trois, et ne devait jamais consentir à se rendre. Le costume de ces moines-soldats révélait leur double caractère: ils portaient l'armure du chevalier, et pardessus la robe du moine, noire avec une croix blanche pour les Hospitaliers, blanche avec une croix rouge pour les Templiers. Ces ordres acquirent rapidement une grande puissance. Ils eurent des maisons ou "commanderies" en grand nombre dans tous les États de l'Europe chrétienne. Les Templiers, à Paris même, possédaient une véritable citadelle.

Résultats des croisades. — Les croisades n'eurent pas seulement pour résultat la création en Orient de deux Etats de courte existence, le royaume chrétien de Jérusalem et l'Empire latin de Constantinople. Elles eurent en Occident même, et particulièrement dans les pays d'où les expéditions étaient parties, des conséquences plus durables et importantes, les unes économiques, les autres politiques.

Résultats économiques. — Les croisades profitèrent au commerce; elles multiplièrent les relations maritimes entre les villes d'Occident et d'Orient. Le transport des croisés et des pèlerins enrichit les marins de Marseille, de Gênes, de Pise et surtout de Venise. De ces divers ports, deux fois par an, de véritables flottes partaient régulièrement pour la Terre Sainte. Tant que les chrétiens furent maîtres des ports de la Syrie, les négociants de France, d'Italie, etc., purent y venir acheter les riches produits de l'industrie orientale. Les pays d'Orient, pays arabes ou pays grecs, avaient alors une civilisation beaucoup plus avancée que les nôtres. La vue du luxe éveilla chez les croisés le goût du luxe. L'usage des tapis, des beaux meubles, des armes finement décorées, des étoffes précieuses, des soies, des *damas*, ainsi nommés de la ville où on les fabriquait, des mousselines, etc., s'introduisit en Occident grâce aux croisades.

Résultats politiques. — Les croisades contribuèrent à affaiblir la puissance des seigneurs, d'abord parce qu'elles coûtèrent la vie à des milliers d'entre eux. Elles contribuèrent à appauvrir les survivants.

Les croisés voyageaient à leurs frais; il leur fallait s'équiper, se nourrir, eux, leurs gens et leurs bêtes. Il leur fallait donc avant de se mettre en route beaucoup d'argent. Pour s'en procurer ils étaient obligés de vendre une partie de leurs propriétés ou d'emprunter, et par conséquent de donner en gage ces propriétés.

Tous partaient avec l'espoir de s'enrichir. Ceux qui revinrent, revinrent ruinés et furent contraints de vendre ou d'emprunter de nouveau. Cet affaiblissement et cet appauvrissement des seigneurs profitèrent aux rois, aux vassaux des seigneurs, et particulièrement aux habitants des villes qui trouvèrent leurs maîtres disposés à leur vendre des libertés.

CHAPITRE IX

LA CIVILISATION FRANÇAISE AU MOYEN ÂGE

L'Inspiration chrétienne. — La civilisation française du Moyen Age est, dans ses principales œuvres, d'inspiration toute chrétienne. Les universités, création du treizième siècle, où se concentre la vie intellectuelle, sont de véritables corporations religieuses. L'art est tout entier résumé dans les cathédrales, où tous les artistes, architectes, sculpteurs, peintres, ciseleurs, orfèvres ont donné le meilleur de leur génie.

Origine des universités. — On sait quel souci Charlemagne avait eu de l'instruction publique. Il avait ordonné que chaque monastère eût son école, où les moines et les clercs apprendraient la grammaire, le chant, le calcul, la calligraphie; qu'auprès de chaque église, il y eût une école gratuite dirigée par le prêtre et ouverte à tous. Ces prescriptions furent renouvelées dans les siècles suivants par les papes et les conciles. Elles étaient en général observées au onzième siècle, et l'on trouvait alors, jusque dans des paroisses de campagne, des écoles où l'enseignement était donné par plusieurs maîtres. Dans les villes, l'école la plus importante était l'école de la cathédrale, installée dans le cloître voisin, sous la surveillance immédiate de l'évêque et du "chapitre," c'est-à-dire du groupe de prêtres ou "chanoines" qui formaient le conseil de l'évêque. L'un de ces chanoines, le chancelier, qu'on appelait encore l'écolâtre, était le directeur de l'enseignement. C'était lui qui délivrait au nom de l'évêque la licence ou permission d'enseigner, sans laquelle nul ne pouvait professer.

Certaines écoles étaient célèbres au loin par le mérite de leurs maîtres: à la fin du onzième siécle, les plus renommées furent celles de Paris, l'école épiscopale du Cloître Notre-Dame établie dans l'île de la Cité, puis, sur la rive gauche de la Seine, les écoles des abbayes de Saint-Victor et de Sainte-Geneviève. Leur réputation leur vint surtout de deux maîtres, Guillaume de Champeau (1070–1121) et Pierre Abélard (1079–1142) qui tous deux enseignaient la philosophie, le premier au Cloître Notre-Dame, le second à l'abbaye de Sainte-Geneviève. Autour d'Abélard les étudiants se pressaient par milliers, accourus de toute l'Europe. Si l'on songe aux difficultés et à la longueur des voyages à cette époque, à l'absence de tous nos moyens d'information, pareille affluence dit éloquemment combien étaient grands le prestige du savoir et le désir de s'instruire.

A partir de la fin du douzième siécle, entre les maîtres et les étudiants d'une même ville, sans distinction d'écoles et pour la défense des intérêts communs, on vit se former des associations: *universitates magistrorum et scolarium.* De ces associations sortirent les universités.

Formation de l'Université de Paris. — La première université fut celle de Paris, dont l'organisation s'échelonne sur une période de plus de trente ans (1200–1231). Elle eut deux patrons: le roi et le pape. Ce fut le roi Philippe Auguste qui, en 1200, accorda aux maîtres et aux étudiants leur premier privilège, celui d'être jugés par les tribunaux d'Église à l'exclusion de tous juges du roi. Ce fut la papauté qui dégagea l'Université de la juridiction de l'évêque, et lui donna pouvoir de juger ses membres elle-même, d'établir elle-même ses règlements (1231). L'Université finit par être dans le royaume et dans l'Église une sorte d'État autonome, comme une République de l'enseignement.

Les Études. — Maîtres et étudiants étaient groupés d'après la nature des enseignements en quatre facultés: c'étaient les facultés de théologie, de droit canon ou droit ecclésiastique, de médecine, et des arts libéraux. Dans cette dernière faculté, la plus originale des quatre, maîtres et étudiants étaient partagés en quatre nations: nations de France, de Normandie, de Picardie, d'Angleterre. Ces divisions, au début, correspondaient à un groupement des "artistes" — les étudiants des arts libéraux — d'après leur pays d'origine; mais elles avaient vite perdu toute valeur géographique.

La faculté des arts libéraux était numériquement la plus

importante. C'est qu'elle seule permettait d'accéder aux autres facultés; elle était comme une école de culture générale par où tout étudiant devait passer avant d'entreprendre des études spéciales. En même temps, elle préparait des maîtres pour l'enseignement.

Les études y étaient divisées en sept branches, ou, comme on disait, en sept "arts"; trois branches littéraires, formant ce qu'on appelait le Trivium: grammaire, dialectique, rhétorique; — quatre branches scientifiques, formant le Quadrivium: musique, arithmétique, géométrie, astronomie. L'enseignement était donné tout entier en latin, parce que le but principal des études était de préparer pour l'Église des prêtres instruits.

L'étudiant pouvait conquérir trois grades: le baccalauréat, la licence, le doctorat. La licence était le grade essentiel parce qu'il donnait le droit d'enseigner et transformait l'étudiant en "maître," c'est-à-dire en professeur. Elle s'obtenait après un certain temps d'études, — six années au moins pour les arts libéraux, — puis des examens qui consistaient en discussions longuement soutenues devant et contre les maîtres.

Organisation de l'Université. — L'Université était dirigée par un recteur assisté de trois doyens et de quatre procureurs. Les doyens étaient les chefs des facultés de théologie, de droit canon et de médecine; les procureurs représentaient les nations des arts libéraux. Primitivement le recteur n'était lui aussi que le chef de la faculté des arts, son doyen. En raison de l'importance de cette faculté, il était devenu le chef de tout le corps universitaire. Il était élu pour trois mois et ne pouvait être choisi que parmi les maîtres de la faculté des arts. Il prenait rang parmi les plus grands personnages du royaume, placé dans les cérémonies publiques avant les cardinaux, princes de l'Église, à côté des princes de la famille royale. Il exerçait une véritable souveraineté, comportant même le pouvoir de juger, dans toute la partie de Paris établie sur la rive gauche de la Seine, au versant de la montagne Sainte-Geneviève; c'était là son royaume, le "pays latin," ainsi nommé parce que la langue qu'on y entendait parler le plus communément était le latin.

Les Collèges. — Les étudiants, par suite des differences de nationalité et de condition sociale, formaient un peuple assez complexe. Il s'en trouvait de familles nobles et de bourgeoisie aisée; mais en majorité ils étaient fils de paysans et pauvres; beaucoup étaient misérables et réduits, ainsi qu'on le voit encore aujourd'hui dans certaines universités étrangères, à se placer comme domestiques pour gagner leur pain; il en était qui mendiaient.

La charité chrétienne travailla de bonne heure à secourir ces misères. De là des créations de bourses et des fondations de collèges.

Les collèges à l'origine étaient simplement des pensions où quelques étudiants sans ressources trouvaient gratuitement un lit et du pain. Par la suite, ils se transformèrent en établissements d'enseignement. Le premier collège, comprenant dix-huit lits, fut fondé au début du règne de Philippe Auguste, en 1180, à l'Hôtel-Dieu par un bourgeois de Londres. Le plus célèbre fut établi en 1257, sous saint Louis, par son aumônier, Robert de Sorbon. Transformé, agrandi, il devint dans les temps modernes, sous le nom de Sorbonne, le centre de l'enseignement à l'Université de Paris.

Les Universités provinciales. — A côté de la grande université parisienne, on compta dans les provinces, en France, une vingtaine d'universités. Certaines eurent-elles aussi une célébrité européenne; ainsi l'Université de Montpellier, la seconde en date des universités françaises (1220), réputée pour sa faculté de médecine, réputation qui subsiste aujourd'hui même; puis les Universités d'Orléans et de Toulouse, renommées pour l'étude du droit civil qui n'était pas enseigné à Paris.

Expansion de la langue française en Europe. — La gloire et la vogue de l'Université de Paris eurent pour conséquence la diffusion de la langue et de la littérature françaises par toute l'Europe, en particulier au treizième et au quatorzième siècles. A cette époque, le français fut une première fois ce qu'il devait être de nouveau au dix-huitième siècle: la langue des gens polis et cultivés en tout pays, et comme la langue de l'Europe. Marco Polo, revenant d'Asie, dictait en français son *Livre des Merveilles*. La *Chanson de Roland* fut traduite au treizième siècle en italien, en allemand, en hollandais et jusqu'en norvégien.

L'Art du Moyen Age. — L'influence artistique, exercée par la France sur l'Europe, ne fut pas moins grande que l'influence littéraire; elle fut sans rivale depuis le début du treizième siècle jusqu'à l'époque de la Renaissance italienne, au quinzième siècle.

L'art par excellence, au Moyen Age, fut l'architecture; les autres arts lui sont en ce temps tous subordonnés. Les peintres et les "imagiers," c'est-à-dire les sculpteurs, sont seulement les auxiliaires des architectes ou comme on dit alors, des "maîtres d'œuvre." Ceux-ci, du dixième au douzième siècle, ont imaginé deux séries de formes et de procédés de construction qui constituent ce qu'on appelle le style roman, et le style ogival ou style français.

D'autre part, l'art au Moyen Age est, avant tout, religieux: il se résume tout entier dans les cathédrales.

Plan des églises. — Le plan de ces églises romanes ou ogivales est à peu près partout le même: elles sont construites en forme de croix. Primitivement elles n'étaient que des copies des halles ou "basiliques" romaines: de longues galeries droites, à plafond, terminées à l'une de leurs extrémités par une partie en demi-cercle, l'abside. A une époque voisine du règne de Charlemagne, on imagina de couper l'unique galerie primitive, aux deux tiers environ de sa longueur, par une galerie transversale, le transept, qui forme les bras de la croix.

La tête de la croix, allant du transept à l'abside, forme le chœur, partie où s'élève l'autel, et qui est réservée au clergé. Le pied de la croix, partie où se réunissent les fidèles, reçut le nom de nef lorsque le plafond eut été remplacé par une voûte dont la forme rappelle la carène d'un navire renversé. La nef est généralement complétée à gauche et à droite par deux nefs moins élevées, les bas-côtés, dont la séparent les rangées de piliers qui soutiennent les voûtes.

Au-dessus des bas-côtés, court une galerie qui prend jour sur la nef par des baies à triple ouverture, d'où lui est venu son nom: le triforium. Aux extrémités des nefs et du transept s'ouvrent les portes, abritées sous des voussures qui, en avant de chacune d'elles, forment un abri, le portail. Le portail central ou grand portail est encadré de deux tours. Il existe, en outre, souvent un clocher qui parfois est complètement détaché de l'église, comme à Saint-Michel et à la cathédrale de Bordeaux.

Le Style roman. — Le style roman emprunte ses éléments essentiels à l'architecture romaine. Il est caractérisé par l'emploi de voûtes ou d'arcs ayant la forme d'une demi-circonférence; c'est ce que l'on appelle le plein cintre. Ces arcs reposent soit sur des colonnes généralement courtes et grosses terminées par de larges chapiteaux aux formes trapues, soit sur de massifs piliers. Les murs au dehors sont soutenus par d'autres piliers: les contreforts qui s'élèvent jusqu'au bord de la toiture. Dans certaines régions, particulièrement dans le centre de la France, à Périgueux, au Puy, l'église est couverte par des coupoles. Les fenêtres sont peu nombreuses et de petite dimension. L'intérieur de l'église est assez sombre.

Pourtant la décoration est déjà brillante: à l'intérieur ce sont des peintures ou fresques représentant des scènes de la vie des saints; au dehors, autour du portail, ce sont des ornements sculptés dans la pierre, en forme de rosaces, de dents de scie, de damiers, de chevrons, etc. Ces sculptures extérieures sont elles-mêmes peintes et dorées.

L'art roman atteignit sa perfection dans la seconde moitié du onzième siècle et la première moitié du douzième: de 1060 à 1150. C'est dans cette période que s'élevèrent l'église de Saint-Trophime à Arles, Saint-Sernin à Toulouse, Notre-Dame au Puy, Saint-Front à Périgueux, Saint-Pierre à Angoulême, l'Abbaye-aux-Hommes à Caen.

Le Style français. — L'ensemble d'un monument roman donne surtout une impression de force un peu lourde et de solidité. L'ensemble d'un monument de style français donne, au contraire, une impression d'étonnante légèreté.

Le style français est né dans l'Île-de-France, au douzième siècle. On l'a fort improprement appelé style gothique, à une époque où l'on n'en sentait pas la beauté, et où on le considérait comme la manifestation d'un génie barbare.

Le style français a reçu aussi le nom de style ogival, parce qu'il est caractérisé par un mode nouveau de construction des voûtes, la croisée d'ogives: deux arceaux de pierre ou ogives, en forme d'arc brisé, s'entre-croisent diagonalement sous chaque travée de la voûte qu'ils supportent. A l'extérieur, une série d'arches légères, les arcs-boutants, lancés des contreforts aux piliers, étayent l'édifice.

Le système des croisées d'ogive et des arcs-boutants assurait une si parfaite solidité que l'on put donner aux nefs des dimensions énormes. La voûte s'élança à 34 mètres de hauteur à Notre-Dame de Paris; à 43 métres à la cathédrale d'Amiens, à 48 mètres à celle de Beauvais. Les piliers allégés, formés de faisceaux de colonnettes, montèrent d'un jet, comme de minces troncs d'arbres, jusqu'au faîte de l'église. Entre les piliers rien que le vide: comme ils suffisent à porter la voûte, les murailles ont été presque complètement supprimées. A leur place s'ouvrent, découpées en forme de pointe de lance, d'immenses baies. A l'extérieur les tours sont elles-mêmes percées à jour par de hautes fenêtres; elles encadrent une fenêtre ronde, la rose, pareille avec ses vitraux à un soleil de pierre et de verre. La lumière entre à flots dans l'intérieur de l'église, d'où se dégage en toutes ses parties une impression de force intelligente et d'audacieuse légèreté.

La Sculpture. Les Vitraux. — L'ornementation est d'une admirable richesse. La disparition presque totale des murs entraîne la transformation de la décoration picturale. Les fresques ont fait place aux vitraux. Chacun d'eux est un tableau lumineux découpé en multiples médaillons, dont la suite retrace les principaux épisodes de la vie d'un saint, ou bien représente, comme à la cathédrale de Chartres, les travaux des divers corps de métiers.

Mais la décoration est surtout sculpturale. Les soubassements, les pieds-droits, les tympans des portes sont couverts de bas-reliefs: médaillons symbolisant, comme à la cathédrale d'Amiens, les douze mois de l'année, ou représentant, comme à la Sainte-Chapelle de Paris, la Création, le Déluge; grands bas-reliefs divisés en plusieurs étages et retraçant des épisodes de la vie du Christ, de la Vierge, des Saints, par exemple, à la cathédrale de Reims, le couronnement de la Vierge; à Notre-Dame de Paris, le Jugement dernier. On multiplie partout les statues; on en comptait deux mille à la cathédrale de Reims.

Elles sont dans les premières cathédrales assez gauchement

sculptées raides, allongées à l'excès, comme à la cathédrale de Chartres. Puis la science et l'habileté des statuaires s'accroissent. Leurs œuvres s'assouplissent; au treizième siècle, il en est d'admirables, tel le Christ dit le Beau Dieu d'Amiens; tel, à Reims, le groupe de la Visitation. Ici les draperies sont d'un art si parfait qu'elles ne seraient pas indignes des grands artistes grecs.

Les Œuvres. — La première grande œuvre de style ogival fut la basilique de Saint-Denis, construite au milieu du douzième siècle (1143–1144) par l'abbé Suger, le ministre de Louis VII, et devenue la sépulture des rois de France. Mais c'est au treizième siècle, et particulièrement de Philippe Auguste à saint Louis, que furent élevés les chefs-d'œuvre de l'art français. Ce sont, en les énumérant dans l'ordre où les travaux furent commencés: Notre-Dame de Paris (1163), les cathédrales de Chartres (1194), de Rouen (1207), de Reims (1211), d'Amiens (1220), l'incomparable Sainte-Chapelle du Palais de Saint-Louis (1240), le chœur de la cathédrale de Beauvais (1247), la cathédrale de Bourges (1275).

Développement du style français. — Le style ogival n'a pas été employé seulement dans la construction des églises ou des grands monastères, comme le Mont Saint-Michel, l'un des joyaux de l'Europe; il fut appliqué aux édifices civils: grands palais, comme le palais de saint Louis à Paris, le palais de justice à Rouen, hôtels de ville, comme celui d'Ypres; — à l'architecture militaire: châteaux forts, comme Pierrefonds et le château des Papes, remparts de villes comme à Carcassonne, Avignon, Aigues-Mortes; — enfin aux habitations privées, depuis la simple maison à carcasse de bois jusqu'aux hôtels de pierre, les uns d'aspect sévère, comme l'hôtel de Sens à Paris, les autres d'une exquise élégance, comme l'hôtel de Jacques Cœur à Bourges, l'hôtel de Cluny à Paris, l'hôtel Bourgtheroulde à Rouen.

Le style français régna sans partage en France jusqu'au seizième siècle et à la Renaissance, soit pendant près de quatre cents ans. Dans un si long temps, il a évolué parce qu'il était vivant. Très sobre au début, il est devenu de plus en plus élancé et hardi dans ses formes, de plus en plus somptueux dans son ornementation. Ainsi l'on a eu successivement, au douzième siècle le style ogival primitif où, comme à la façade de Saint-Denis, les arcs et les voussures des fenêtres s'éloignent à peine du plein cintre; puis, au treizième siècle le style à lancettes, le style des grands chefs-d'œuvre où les arcs franchement brisés, comme à Notre-Dame et à la Sainte-Chapelle, présentent la forme aiguë d'un fer de lance; au quatorzième siècle, le style rayonnant où l'édifice, élevé par des architectes sûrs de leur technique, s'allège, s'affine et se pare d'ornements multipliés, roses, gâbles pointus des portails, pinnacles et clochetons; enfin au quinzième siècle, riche presque jusqu'à l'excès, comme au Palais de justice de Rouen, le style flamboyant, ainsi nommé parce que les nervures enlacées des fenêtres dessinent des sortes de flammes ondulantes.

L'architecture ogivale se répandit dans toute l'Europe, en Angleterre, en Italie, en Espagne, en Allemagne, en Hongrie, et jusqu'en Orient grâce aux croisades. Des villes du Péloponèse, l'île de Rhodes, l'île de Chypre ont eu des cathédrales de style français.

CHAPITRE X

LA GUERRE DE CENT ANS. PREMIÈRE PÉRIODE

Avènement des Valois. — En 1328, quatorze ans à peine après la mort de Philippe le Bel, la descendance mâle de la branche aînée des Capétiens était éteinte. Philippe le Bel avait cependant laissé trois fils; mais ces fils n'eurent pas de postérité masculine. Quand l'aîné, Louis X, le Hutin — c'est à-dire l'Entêté, — mourut, après deux ans de règne, il ne laissait qu'une fille. Son frère Philippe V, le Long, se hâta de se faire couronner à Reims; après quoi il réunit une assemblée de nobles, d'évêques et de bourgeois qui approuvèrent le fait accompli. A son tour Charles IV, le Bel, en 1322, succéda à son frère Philippe qui ne laissait aussi que des filles.

A la mort de Charles le Bel une assemblée de nobles, s'appuyant sur ces deux précédents, déclara "qu'aucune femme, ni par conséquent son fils, ne pouvait, en vertu de la coutume, succéder au royaume de France." C'est ce qu'on appela beaucoup plus tard la *loi salique.* Cette décision écartait du trône un petit-fils de Philippe le Bel, un neveu des rois défunts, le fils de leur sœur Isabelle, le roi d'Angleterre Édouard III. Elle y appelait au contraire un neveu de Philippe le Bel, fils d'un de ses frères, Philippe de Valois, qui prit le nom de Philippe VI (1328–1350).

La couronne passa ainsi à une branche cadette des Capétiens, la branche des Valois.

La famille des Valois a régné de 1328 à 1498, soit un peu plus d'un siècle et demi. Sous cette dynastie, la France traversa deux crises redoutables: au temps des cinq premiers Valois la guerre de Cent Ans (1337–1453); sous Louis XI la lutte contre la maison de Bourgogne. Dans les deux crises, l'unité du royaume, patiemment et lentement réalisée par les Capétiens, fut mise en grand péril.

La Guerre de Cent Ans. Ses Causes. — La guerre de Cent Ans eut pour cause immédiate les prétentions d'Édouard III, fils et petit-fils de princesses capétiennes, à la succession capétienne. Par ses possessions de Guyenne, Édouard était vassal du roi de France. Quand l'assemblée des nobles eut écarté ses prétentions, Édouard hésita longtemps à prêter hommage à Philippe de Valois. Il ne le prêta qu'après de laborieuses négociations et presque sur des menaces de guerre (1331). Six ans plus tard il renia l'hommage et réclama de nouveau l'héritage de Philippe le Bel.

Ce changement d'attitude fut en grande partie déterminé par la question de la Flandre.

Le comté de Flandre faisait partie du royaume de France. Les Flamands, laborieux, tenaces, énergiques, s'étaient enrichis par la fabrication et le commerce des draps. De bonne heure ils avaient arraché à leur comte des libertés et des franchises qui faisaient de leurs villes de véritables républiques. Les communes flamandes, Bruges, Gand, Ypres, étaient les plus fortement organisées de toute la France et les plus jalouses de leurs franchises. Elles ne voulaient supporter aucune intervention du comte et admettaient difficilement l'intervention du roi.

En 1325, les habitants de Bruges avaient arrêté le comte de Flandre, Louis de Nevers, et l'avaient enfermé à la halle aux épices. Aussitôt après son couronnement, Philippe VI était accouru pour venger l'injure faite au comte et il avait battu les révoltés à Cassel. De là une vive irritation contre Philippe.

Cette irritation s'accrut quand Édouard III interdit l'exportation des laines anglaises, indispensables aux drapiers flamands, et entreprit de créer en Angleterre l'industrie des draps (1336–1337). Ces mesures devaient ruiner la Flandre. Un bourgeois de Gand, Jacques Artevelde, se rendit auprès d'Édouard, obtint qu'il rapportât son interdiction et lui promit que les Flamands le reconnaîtraient pour souverain légitime s'il prenait le titre de roi de France.

L'Armée anglaise. — La guerre ouverte commença en 1337, après que Philippe VI eût prononcé la saisie de la Guyenne, tandis que son adversaire Édouard III prenait le titre de roi de France.

Les Anglais allaient remporter dans cette guerre d'éclatantes victoires grâce à la supériorité de leur organisation militaire.

Les rois d'Angleterre avaient établi dans leur royaume le service militaire obligatoire et universel. Tout homme libre était soumis au service de seize à soixante ans. Chacun devait s'équiper selon sa fortune. Par exemple quiconque, noble ou simple bourgeois, possédait un revenu d'au moins vingt livres devait avoir un cheval et l'équipement complet du chevalier.

La cavalerie n'était que la partie secondaire de l'armée anglaise. L'élément principal était l'infanterie. Cette infanterie était recrutée avec soin parmi les hommes les plus vigoureux et les meilleurs tireurs. Elle se composait de coutilliers et d'archers. Les coutilliers devaient leur nom à leur arme, un long couteau, ou mieux une sorte de baïonnette emmanchée à l'extrémité d'un long baton. La lame très effilée pouvait glisser aisément par le moindre défaut d'une armure. Les archers portaient un arc en bois d'if, long de près de deux mètres, mais très léger. A la ceinture ils avaient une trousse garnie de flèches. En bataille, l'archer anglais vidait le contenu de sa trousse à terre et plaçait le pied gauche sur les flèches: il n'avait qu'à se baisser pour les prendre. Le jeu de l'arc était le seul permis en Angleterre aux jours de fête. Aussi les archers anglais étaient-ils de remarquables tireurs. Ils ne manquaient guère le but à 200 mètres et l'arc portait à 360 mètres, plus loin que les fusils à la veille des campagnes de Napoléon Ier.

D'autre part, l'arc se maniait avec une extrême facilité et permettait de lancer de dix à douze flèches par minute. Dans le même temps, avec la lourde arbalète employée par les Français, on ne lançait pas plus de trois à quatre traits ou carreaux. L'arc anglais était donc une véritable arme à tir rapide.

Mais la principale supériorité de l'armée anglaise était sa discipline. Les hommes savaient obéir et combattre au rang que leur assignait la volonté du chef, fût-ce le dernier. Le fait était surtout frappant pour la cavalerie. C'est que la fortune seule et non plus la naissance déterminait l'arme dans laquelle on servait: on trouvait côte à côte parmi les hommes d'armes — c'est-à-dire parmi les cavaliers — d'Édouard III, des bourgeois et des nobles. Ses cavaliers n'avaient point l'orgueil féodal des chevaliers français. En fait, les rois d'Angleterre eurent une cavalerie, les rois de France, pendant plus d'un siècle, n'eurent qu'une chevalerie.

L'Armée française. — Les chevaliers français n'admettaient guère qu'on leur commandât; ils n'admettaient pas davantage de n'être pas tous placés sur le même rang, le premier, quand il fallait charger. Ils avaient le plus profond mépris pour quiconque n'était pas noble et spécialement pour les fantassins.

Ceux-ci, contrairement à ce qui avait lieu chez les Anglais, ne formaient que la moindre partie de l'armée. Le plus souvent, ils n'étaient même pas Français: c'étaient des mercenaires, en général des Génois, armés de l'incommode arbalète.

Débuts de la guerre. — Pendant plusieurs années il n'y eut pas d'opérations décisives. Cependant en 1339, les Flamands, sous la direction de Jacques Artevelde, chassèrent leur comte, s'allièrent aux Anglais et reconnurent Édouard III comme roi de France. L'année suivante les Anglo-Flamands détruisirent une grande flotte française à la bataille de l'Écluse; mais ils ne tirèrent aucun parti de leur victoire.

La guerre se poursuivit en Bretagne dont l'héritage était disputé entre deux prétendants, Charles de Blois, neveu du roi de France, et Jean de Montfort, soutenu par Édouard III; Philippe réussit à s'emparer de Jean de Montfort. En 1345 son ennemi Jacques Artevelde fut tué dans une émeute de tisserands à Gand. La situation du roi de France paraissait donc encore très forte: vers la même époque il agrandissait le domaine royal en négociant l'acquisition du Dauphiné qui devait être réservé — avec le titre de "dauphin" — au fils aîné du roi de France (1344).

Crécy. — En 1346, les deux partis firent un grand effort. Édouard III débarqua en Normandie à la tête d'une puissante armée, s'avança en pillant et ravageant jusqu'aux abords de Paris, puis se rabattit vers le nord, tandis que Philippe VI avec des forces supérieures en nombre se lançait à sa poursuite, et à marches forcées gagnait Amiens sur la Somme.

Édouard III se trouvait à ce moment dans une situation critique: il était pris entre les Français et la Somme, dont tous les ponts étaient coupés ou gardés. Heureusement pour lui on lui révéla l'existence d'un gué, la Planche Taque. Il put s'échapper et prendre deux jours d'avance sur le roi de France. Il profita de cette avance pour choisir une bonne position de combat sur un coteau au nord de Crécy. Le samedi 26 août Philippe arriva. Après une bataille confuse l'armée française se retira en désordre. Les Français avaient perdu près de quatre mille hommes; les Anglais une centaine.

Prise de Calais. — Une semaine plus tard Édouard III mettait le siège devant Calais. La ville se rendait après une résistance héroïque de six mois. Elle dut être évacuée par la population française. Dans les maisons vides, Édouard installa des chevaliers et des bourgeois qu'il appela d'Angleterre. Calais devint ainsi, non pas seulement une possession anglaise, mais une ville anglaise. Elle le resta plus de deux siècles, jusqu'à 1558. Les Anglais eurent désormais sur les côtes françaises de la Manche un port qui les mit à même de débarquer leurs armées quand et comme ils le voulurent.

La Peste noire. — Des trêves suspendirent les hostilités jusqu'en 1355. Mais d'autres malheurs frappèrent la France: elle fut ravagée en 1348 par une terrible épidémie venue d'Orient, la peste noire qui enleva, au dire des contemporains, un tiers de la population.

Jean le Bon. — En 1350 Philippe VI mourut, laissant la couronne à son fils Jean le Bon. C'était un prince brave, mais entêté et peu capable. Il eut pour ennemi mortel un Capétien, prince du sang, Charles le Mauvais, roi de Navarre et comte d'Evreux, qui lui aussi avait des prétentions sur la couronne de France, car il était par sa mère petit-fils de Louis X, le Hutin. Grâce à son alliance, les Anglais purent reprendre pied en Normandie.

La guerre recommença en 1355. Elle fut marquée l'année suivante par un nouveau désastre, à Poitiers, désastre dû surtout à l'incapacité de Jean le Bon.

Le fils d'Édouard III, le prince de Galles, surnommé le Prince Noir à cause de la couleur de son armure, le vrai vainqueur de Crécy, venait de ravager le Limousin et le Berri, quand, à la nouvelle de l'approche d'une armée française, il se mit en retraite vers Bordeaux. Jean le Bon le rejoignit à huit kilomètres au sud-est de Poitiers. L'armée française fut décisivement battue et Jean lui-même fait prisonnier (lundi 19 septembre 1356). La captivité du roi de France devait durer plus de trois ans.

Les États de 1356. — Dans ces circonstances tragiques, pour gouverner le royaume et continuer la guerre, il ne restait que le dauphin, c'est-à-dire le fils aîné de Jean, le futur Charles V, un tout jeune homme de dix-neuf ans. En outre le dauphin n'avait personne pour le guider, tous les conseillers ayant été tués ou pris avec Jean. De toutes parts la royauté était accusée d'avoir mené la France aux pires catastrophes: le mécontentement populaire trouva son expression dans les États de 1356.

Depuis Philippe le Bel, les rois de France avaient pris l'habitude, chaque fois qu'ils avaient besoin d'argent, de convoquer des assemblées des trois ordres ou "États" du royaume, le clergé, la noblesse et le "commun." En raison des folles dépenses des Valois, de Jean le Bon surtout, ces grandes assemblées — les "États généraux" — s'étaient montrées de plus en plus récalcitrantes. Les États de 1355 avaient bien consenti encore à accorder des subsides pour la guerre contre les Anglais, mais à condition d'en assurer eux-mêmes la perception et d'en contrôler l'emploi.

Quand les États généraux se réunirent de nouveau en 1356, au lendemain de Poitiers, ils parurent décidés à aller bien plus loin encore, jusqu'à mettre la royauté sous leur tutelle. Les nobles ayant été décimés à Poitiers, les bourgeois étaient les plus nombreux dans l'assemblée et jouèrent le principal rôle, particulièrement les bourgeois de Paris, dirigés par le prévôt des marchands de la ville, Étienne Marcel.

La Grande Ordonnance. — Après de longues délibérations, les États firent arrêter les personnes qui entouraient le dauphin et qui, disaient-ils, le conseillaient mal. Puis ils lui firent promulguer en 1357 la Grande Ordonnance.

La Grande Ordonnance établissait que les Etats généraux auraient le droit de se réunir chaque année quand ils voudraient, sans convocation du roi. Aucun impôt ne pourrait être établi, si ce n'est par eux, et ne pourrait être perçu que sous leur surveillance. Neuf réformateurs généraux nommés par les États seraient chargés de réformer toute l'administration et révoqueraient les mauvais fonctionnaires.

La Grande Ordonnance, si elle avait été appliquée, eût été pour la France ce qu'était pour l'Angleterre depuis le treizième siècle la Grande Charte. Mais ce qui avait pu se faire en Angleterre, parce que toutes les classes de la nation, noblesse, clergé, bourgeoisie, étaient d'accord en face du roi, ne put pas se faire en France, parce qu'en 1357, il n'y eut réellement que la bourgeoisie et même la bourgeoisie parisienne à vouloir limiter la puissance royale.

Fin d'Étienne Marcel. — Aussi la tentative hardie de 1357 aboutit-elle non à une révolution nationale, mais à une révolte parisienne et à l'anarchie. Pour imposer au dauphin Charles le respect de l'Ordonnance, Étienne Marcel recourut aux pires violences: le 22 février 1358, il envahit le palais royal et, sous les yeux du prince, il fit tuer, à coups de hache, deux de ses conseillers. Le dauphin s'enfuit de la ville, où le roi de Navarre ne cessait d'intriguer contre lui. A ces désordres vinrent s'ajouter les horreurs de la Jacquerie: dans les campagnes du nord, les paysans — les "Jacques," comme on disait alors — se soulevèrent contre les seigneurs et formèrent des bandes armées qui assaillirent les châteaux.

Ces violences et cette anarchie amenèrent une prompte réaction en faveur de la royauté. A Paris même Étienne Marcel, abandonné de ses partisans, fut assassiné comme il se disposait sans doute à livrer la ville à Charles le Mauvais. Le dauphin rentra dans la capitale et ressaisit tout le pouvoir. Quant aux Jacques, ils furent massacrés par les chevaliers de tous les partis.

La Paix de Brétigny — Le dauphin sut aussi organiser la défense contre les Anglais. Après une expédition sans résultats en 1359, Édouard III se décida à traiter. La paix fut signée à Brétigny près de Chartres (1360). Par le traité de Brétigny le roi de France cédait à Édouard III en toute suzeraineté le Poitou, la Saintonge, le Limousin, le Périgord et Calais; il acceptait de payer pour sa rançon trois millions d'écus d'or. En échange Edouard III renonçait à la couronne de France.

En 1364, un des fils du roi désigné comme otage s'étant enfui d'Angleterre au mépris de la foi jurée, Jean le Bon par point d'honneur retourna en captivité. Il mourut cette année même à Londres.

Les Grandes Compagnies. — La paix de Brétigny ne donna pas le repos à la France. Délivrée des Anglais, elle continua d'être ravagée par les bandes de soldats sans travail, les "Grandes Compagnies."

Froissart a mis dans la bouche d'un chef de Compagnie un discours qui résume bien leur manière de vivre:

"Il n'est ébattement et joie en ce monde que de gens d'armes et de guerroyer, dit Aimerigot Marchès, un brigand qui a pris sa retraite et le regrette. Comme nous étions réjouis quand nous chevauchions à l'aventure et pouvions trouver sur les champs un riche abbé, un marchand, une caravane de mules chargées de drap, ou de fourrures, ou d'épices, ou de draps de soie! Tout était nôtre ou rançonné, à notre volonté! Tous les jours nous avions nouvel argent. Les vilains d'Auvergne et de Limousin nous pourvoyaient en abondance et nous amenaient poliment blé, farine, pain tout cuit, l'avoine, la litière, les bons vins, les bœufs, les brebis, les moutons tout gras, la poulaille et la volaille. Nous étions vêtus comme rois, et quand nous chevauchions, tout le pays tremblait devant nous. Par ma foi, cette vie était bonne et belle!"

Pas une partie de la France ne fut épargnée par ce fléau.

Du Guesclin. — Le dauphin Charles, devenu le roi Charles V, parvint à délivrer son royaume de ces bandes avec l'aide de Du Guesclin.

Bertrand Du Guesclin entra de bonne heure au service du roi de France. Ce fut un chevalier d'une espèce nouvelle, à vrai dire un homme de guerre bien plus qu'un chevalier. Il chercha moins à frapper de beaux coups d'épée selon les règles de la courtoisie, qu'à obtenir des résultats. Jean le Bon trouvait indigne d'un chevalier de prendre son ennemi par la famine. Pareil procédé était excellent aux yeux de Du Guesclin, qui usa sans scrupule, chaque fois qu'il le put, des ruses de guerre. Cela ne l'empêchait pas d'être d'une extrême bravoure et d'une loyautè à toute épreuve.

Du Guesclin remporta son premier succès important à Cocherel (1364), la veille du sacre de Charles V. Il y détruisit les bandes du roi de Navarre qui dut faire sa soumission.

Mais il fallait à tout pris débarrasser le royaume du fléau des Grandes Compagnies. Du Guesclin les conduisit en Espagne où deux frères se disputaient la couronne de Castille, soutenus l'un par les Anglais, l'autre par les Français: Du Guesclin fut fait prisonnier par les Anglais; mais libéré contre rançon, il conquit la Castille pour le compte d'Henri de Transtamare (1369).

Reprise de la guerre contre les Anglais. — A cette date la guerre contre les Anglais avait recommencé. Charles V donna la direction de la guerre à Du Guesclin dont il fit son "connétable," c'est-à-dire le chef de ses armées.

Du Guesclin était résolu à éviter les fautes passées et, pour combattre les Anglais, il imagina une tactique nouvelle. Point de grandes batailles. Devant l'ennemi, on faisait le vide. Les villes et les bourgs bien fortifiés étaient occupés par de solides garnisons. L'armée anglaise ne pouvait ainsi trouver ni endroit pour se reposer, ni centre de ravitaillement. Les Français la suivaient à distance, faisant une guerre d'escarmouches, harcelant son arrière-garde et ses flancs, l'épuisant par d'innombrables petits combats où elle laissait chaque jour un peu de ses hommes.

Trois armées anglaises débarquées à Calais furent ainsi détruites l'une après l'autre. La dernière (1373), forte de trente mille hommes quand elle débarqua, fondit littéralement dans la traversée de la France; les cinq ou six mille hommes qui survécurent mouraient de faim quand ils arrivèrent à Bordeaux.

Pendant ce temps, les Français faisaient le siège des places cédées à Brétigny. En 1370, ils en reprenaient plus de quarante; cinquante en 1374; cent vingt-trois en 1377. Les territoires perdus étaient presque entièrement reconquis quand Du Guesclin mourut (1380).

Charles V. — La prudence de Du Guesclin allait bien au caractère du roi Charles V (1364-1380). Son père, Jean le Bon, et son grand-père, Philippe de Valois, avaient été deux modèles achevés de rois chevaliers, beaux et vigoureux cavaliers, violents, généreux, au demeurant de très médiocre intelligence.

Charles V ne leur ressemblait en rien. A Crécy, à voir seulement les Anglais, Philippe sentait bouillir son sang. Charles V, des fenêtres de son palais, à Paris, regardait impassible monter vers le ciel les flammes des villages incendiés sous les murs de la ville par les Anglais: "Avec toutes ces fumées, disait-il, ils ne me chasseront pas de mon royaume."

Il était de santé débile, maigre et souffreteux. Mais son intelligence était vigoureuse, son esprit ferme et réfléchi.

Il rappelait son ancêtre saint Louis par sa piété sincère, et par la haute idée qu'il se faisait de ses devoirs de roi. Il aimait passionnément l'étude, le travail et la société des gens instruits. L'argent qu'il dépensa fut, non pas dissipé en fêtes chevaleresques, mais employé à donner à la royauté un cadre digne d'elle. Ainsi il fit reconstruire le Louvre où il établit sa librairie, c'est-à-dire sa bibliothèque — un millier de manuscrits environ. Il créa à l'est de Paris un palais nouveau, l'hôtel Saint-Paul, tout riant de jardins.

Mais en même temps il donnait des armées à Du Guesclin; il faisait fabriquer des canons, construire des vaisseaux qui allaient ravager les côtes de l'Angleterre; il relevait les fortifications des villes; il fournissait l'argent nécessaire au payement régulier de ses troupes; il assurait à ses sujets une bonne administration. Sa prudence et son esprit de mesure relevèrent le royaume que son père et son grand-père avaient si brillamment et si bravement conduit à la ruine. La postérité ne fit que lui rendre justice en lui donnant le beau surnom de Charles le Sage.

CHAPITRE XI

LA GUERRE DE CENT ANS. DEUXIÈME PÉRIODE

Interruption de la guerre. — Sans qu'aucun traité eût été signé et par suite de révolutions dynastiques en Angleterre, il y eut une période de trente-cinq années de paix. La guerre franco-anglaise ne recommença qu'en 1415, sous le règne de Charles VI, fils et successeur de Charles V. Elle devait durer cette fois sans interruption jusqu'à 1444, c'est-à-dire pendant trente ans. C'est le plus long épisode de la guerre de Cent Ans.

Charles VI fou. — Le jeune roi Charles VI à peine âgé de vingt-quatre ans fut pris d'un accès de folie furieuse (1392). Il resta dès lors faible d'esprit avec des accès de plus en plus rapprochés.

Les princes du sang en profitèrent pour s'emparer du pouvoir qu'ils se disputèrent bientôt entre eux. Alors commence une nouvelle période d'anarchie et de guerres civiles: les révoltes, massacres, assassinats alternent avec des fêtes magnifiques où se gaspille l'argent du royaume. En 1407, le duc de Bourgogne Jean sans Peur fit assassiner en plein Paris son cousin et rival le duc d'Orléans. Ce meurtre fut le signal d'une furieuse guerre civile entre les partisans de Jean sans Peur, appelés les "Bourguignons," et les partisans de la famille d'Orléans, appelés les "Armagnacs," du nom de leur principal chef, le comte d'Armagnac.

Traité de Troyes. — Ces guerres civiles eurent pour résultat de livrer la France aux Anglais. Le roi d'Angleterre Henri V recommença la guerre en 1415. Il avait signé un accord secret avec Jean sans Peur. Il écrasa la chevalerie armagnac à la bataille d'Azincourt (14 octobre 1415) et s'empara de toute la Normandie, malgré l'héroïque résistance que firent les bourgeois de Rouen commandés par un homme de cœur, Alain Blanchard (1418).

Cependant Jean sans Peur, maître de Paris et du roi, intriguait entre les Anglais et le dauphin Charles, héritier du trône. A l'entrevue de Montereau (septembre 1419), il fut assassiné par les gens du dauphin. Ce meurtre exaspéra les haines et rejeta les Bourguignons du côté des Anglais. Le fils de Jean sans Peur, Philippe le Bon, ne songea plus qu'à le venger. D'accord avec la reine Isabeau de Bavière, il fit signer à Charles VI le traité de Troyes, par lequel le vieux roi fou déshéritait le dauphin, mariait sa fille à Henri V et reconnaissait celui-ci comme héritier du royaume. Les Anglais entrèrent à Paris.

En 1422, Henri V et Charles VI moururent. Le fils de Henri V, Henri VI, âgé d'un an, fut proclamé à Paris roi de France et d'Angleterre, tandis que le dauphin Charles alors à Bourges se proclamait roi de son côté.

Le Roi de Bourges. — La France était réellement démembrée. Grâce à l'alliance avec le duc de Bourgogne, les Anglais étaient alors maîtres, outre la Guyenne, de tout le nord de la France. La Loire formait à peu près la frontière septentrionale des pays encore soumis à Charles VII, appelé par ironie le "roi de Bourges."

La cause de Charles VII paraissait tout à fait compromise. Charles, entouré de favoris, dépensait en fêtes le peu d'argent qu'il avait et "perdait gaîment son royaume." Bien qu'il eût à son service quelques bons chefs de bandes, comme la Hire, Barbasan, Xaintrailles, les Anglais ne cessaient de gagner du terrain. En 1428, ils vinrent assiéger Orléans, la dernière place que Charles VII possédât au nord de la Loire. Ici comme à Rouen dix années plus tôt les habitants résistèrent obstinément avec leurs seules ressources, par haine de la domination anglaise. Cependant la situation semblait désespérée quand parut Jeanne d'Arc.

Jeanne d'Arc. — Jeanne d'Arc était née, le 6 janvier 1412, à Domrémy, un petit village sur la rive gauche de la Meuse, à la lisière de la Lorraine et de la Champagne. Elle appartenait à une famille aisée, pieuse et très charitable. Les habitants de Domrémy, comme ceux de la petite ville voisine de Vaucouleurs, étaient demeurés, au milieu d'un pays occupé par les Anglais et les Bourguignons, profondément attachés et fidèles à Charles VII.

Jeanne, à treize ans, entendit une voix qui lui disait: "Sois bonne et sage, et va souvent à l'église." Puis elle eut des visions. Elle vit, au milieu d'une grande lumière, d'abord l'archange saint Michel, plus tard sainte Marguerite, sainte Catherine. L'archange lui parla "de la grande pitié qui était au royaume de France." Les visions devinrent de plus en plus fréquentes et les ordres de plus en plus pressants. Dans le temps où Orléans était assiégé, l'archange et les saintes lui ordonnèrent de partir pour qu'elle délivrât la place et "boutât les Anglais hors de France." Elle avait alors seize ans.

Quand, après beaucoup d'hésitations, Jeanne parla à son père de son départ, celui-ci lui déclara qu'il aimerait mieux la noyer que la laisser aller parmi les gens de guerre. Elle s'adressa alors à Baudricourt, le capitaine qui commandait à Vaucouleurs la petite garnison royale. "Il faut la ramener à son père bien souffletée," répondit-il. Elle insista. "Avant la mi-carême il faut que je sois devers le roi, dussé-je pour m'y rendre user mes jambes jusqu'aux genoux." Tant d'énergie finit par émouvoir Baudricourt. Il lui donna une épée, et pour la conduire auprès de Charles VII à Chinon, une escorte de six hommes d'armes.

Il fallait traverser cent cinquante lieues de pays, parcouru en tous sens par les bandes ennemies. Le trajet fut fait en onze jours, sans à-coup, avec un bonheur qui tient du miracle.

A Chinon on se méfiait d'elle. Le roi consentit à la recevoir; mais il se cacha parmi les gens de sa suite. Jeanne, introduite, alla droit à lui, comme si elle l'avait déjà connu. Elle lui dit qu'elle était envoyée par Dieu pour le mener sacrer à Reims et pour chasser les Anglais. Plus tard, elle lui parla en secret et lui donna, dit-on, un signe de sa mission qui le frappa beaucoup. Néanmoins il la fit longuement interroger à Poitiers par des théologiens et des prélats, pour s'assurer qu'elle n'était pas sorcière et envoyée du diable. Tous la reconnurent et la proclamèrent bonne chrétienne.

Alors on l'envoya avec une petite armée au secours d'Orléans.

Délivrance d'Orléans. — Cette enfant de dix-sept ans sut faire passer dans l'âme des chefs et des soldats la foi qui l'animait elle-même, la confiance en la divinité de sa mission et la certitude de la victoire.

Dès le 29 avril 1429, Jeanne se jetait dans Orléans où les bourgeois manifestèrent une aussi grande joie "que s'ils avaient vu Dieu descendre parmi eux." Le gros de ses forces ne la rejoignit que le 4 mai. Aussitôt elle commença à attaquer les bastilles, c'est-à-dire les redoutes que les Anglais pour bloquer Orléans avaient construites au nombre de treize, au débouché de chacune des routes. La bastille Saint-Loup fut enlevée le 4 au soir; le 6, une nouvelle bastille était prise; le 7, Jeanne faisait donner l'assaut au plus puissant des ouvrages, la bastille des Tournelles ou des Tourelles. Comme l'attaque commençait, une flèche lui traversa l'épaule. Déjà l'on parlait de retraite, mais elle tint à revenir à la charge et, se portant au plus fort de l'action, elle entraîna tout son monde. Les Tournelles furent occupées. Le lendemain, 8 mai, un dimanche, les Anglais, sans attendre de nouvelles attaques, évacuaient leurs derniers ouvrages, abandonnant en grande partie artillerie et provisions.

Le Sacre à Reims. — Aussitôt après la délivrance d'Orléans, Jeanne voulut conduire Charles à Reims pour le faire sacrer. Charles, mal conseillé, hésita près de deux mois. Ce fut seulement lorsque Jeanne eut remporté à Patay (18 juin) une brillante victoire sur Talbot, l'un des plus célèbres chefs anglais, que Charles se décida à tenter le voyage. Le pays, entre la Loire et Reims, était aux mains des Anglais ou des Bourguignons. Cependant, après avoir pris Troyes au passage, Charles, le 16 juillet, entrait à Reims. Le dimanche 17 juillet il était sacré, dans la cathédrale. On sait quelle était l'importance religieuse et politique du sacre. Désormais, Charles était sans conteste, comme le lui disait Jeanne, "vrai roi et celui auquel devait appartenir le royaume de France."

L'Attaque de Paris. — Il aurait fallu marcher immédiatement sur Paris, profiter du désarroi dans lequel la merveilleuse audace de Jeanne avait jeté les Anglais et leurs partisans. L'on traîna encore, malgré Jeanne, et l'attaque de Paris n'eut lieu que le 8 septembre. Jeanne fut blessée devant la porte Saint-Honoré, dont elle avait enlevé les ouvrages avancés. On l'entraîna de force hors du combat et, malgré ses supplications, on ne lui permit pas le lendemain de reprendre une tentative dont le succès était certain. Ce fut l'œuvre des favoris de Charles VII qui redoutaient l'influence que Jeanne et ses compagnons de victoire pouvaient prendre sur le roi, et qui jalousaient sa gloire.

Jeanne prisonnière. — On ramena Jeanne sur la Loire, on la retint à la cour comblée d'honneurs, mais inactive pendant tout l'hiver. Au printemps de 1430, ayant appris que les Bourguignons assiégeaient Compiègne, elle s'échappa et vint se jeter dans la place.

Le soir même de son arrivée, le 23 mai, dans une sortie, alors qu'elle couvrait la retraite des siens, elle fut jetée à bas de cheval et prise. Captive de Jean de Luxembourg, elle fut vendue par lui aux Anglais pour 10,000 francs d'or. Charles VII n'avait pas fait même une tentative pour la sauver en la rachetant.

Le Procès de Jeanne. — Jeanne fut conduite à Rouen (18 décembre 1430). Là, les Anglais se mirent en devoir de lui faire faire son procès. C'était peu pour eux de la tenir prisonnière, il fallait détruire son prestige. Elle avait annoncé que Dieu voulait "bouter les Anglais hors de France." Il fallait prouver qu'elle n'était pas envoyée de Dieu, démontrer que sa mission était une imposture, ses voix, ses visions, œuvres diaboliques. Du même coup on ébranlerait la confiance que les Français avaient en la victoire finale, et l'on déshonorerait le roi Charles qui s'était associé une fille de Satan.

Les Anglais trouvèrent un complice dans l'évêque de Beauvais Pierre Cauchon. Le procès fut une scandaleuse parodie de la justice: "Vous écrivez tout ce qui est contre moi, disait un jour Jeanne à ses juges, et vous ne voulez pas écrire ce qui est pour moi." Il dura quatre mois et fut une longue passion. Jeanne était tenue en un cachot, les fers aux pieds tout le jour, la nuit, attachée par une chaîne reliée à une grosse poutre. Ses juges lui posaient mille questions captieuses, lui tendaient des pièges, auxquels son robuste bon sens et la simplicité de son âme et de sa foi lui permirent toujours d'échapper. "Etes-vous en état de grâce?" lui demande Cauchon. Si elle répond "oui," c'est la preuve de l'orgueil diabolique. Si elle répond "non," c'est l'aveu qu'elle ne vient pas de Dieu. Dans un cas comme dans l'autre elle est coupable et condamnée. "Si je n'y suis, répond

Jeanne, Dieu veuille m'y mettre; si j'y suis, Dieu veuille m'y tenir."

On ne put la convaincre de sorcellerie. On l'accusa d'hérésie et on la poursuivit pour avoir porté des habits d'homme. Comme on ne pouvait obtenir d'elle aucun aveu, on eut recours à la ruse. On la conduisit au cimetière de Saint-Ouen, sur une estrade: le bourreau était là avec une charrette, prêt à l'emmener au supplice.

On lui donna lecture d'une liste assez courte de fautes qu'on l'accusait d'avoir commises et on termina en lui disant: "Tu abjureras immédiatement ou tu seras brûlée aujourd'hui même." D'autre part, on lui promettait presque la liberté, on lui promettait au moins de la tirer des mains des Anglais, si elle abjurait. Epuisée par un an de captivité et quatre mois de lutte, épouvantée par l'idée du bûcher, trompée par d'équivoques promesses, elle dit: "Je me soumets à l'Eglise." On lui fit aussitôt signer, sans qu'elle la lût, une abjuration qui n'était pas celle dont il lui avait été donné lecture, et par laquelle elle se reconnaissait hérétique, idolâtre, schismatique, invocatrice des démons. Après quoi Cauchon la condamna à la prison perpétuelle, "au pain de douleur et à l'eau d'angoisse," et la remit aux Anglais. Ceux-ci étaient furieux parce qu'ils voulaient sa mort. Le prétexte pour la faire périr fut bientôt trouvé.

Jeanne, en abjurant, s'était engagée à ne plus porter que des habits de femme. Mais elle se repentait de son abjuration et elle remit ses habits d'homme, les seuls que les Anglais eussent laissés à sa portée. Dès lors elle était retombée dans sa prétendue faute, c'était une relapse, condamnée par ce seul fait au bûcher.

Mort de Jeanne d'Arc. — Le mercredi 30 mai 1431, à neuf heures du matin, elle fut conduite sur la place du Marché entourée d'un millier de soldats. Quand on lui avait annoncé que l'heure de mourir était venue, et qu'elle allait mourir par le feu, cette enfant de dix-neuf ans avait eu un instant de désespoir. Elle s'était mise "à crier douloureusement et à s'arracher les cheveux." Mais devant le bûcher elle retrouva tout son sang-froid et tout son héroïsme. Elle proclama de nouveau, à la face des Anglais exaspérés, que ses voix et ses visions étaient de Dieu. Elle pria que l'on tînt levée devant ses yeux la croix qu'elle avait demandée et qu'on était allé chercher à l'église voisine. Quand les flammes commencèrent à monter, elle invoqua de nouveau ses saintes et saint Michel: elle expira en prononçant doucement le nom de Jésus.

Fin de la guerre. — En cette année 1431, il restait encore beaucoup à faire pour la libération du royaume, mais Jeanne d'Arc avait donné l'élan, relevé les cœurs, ranimé l'espoir. La lutte contre l'Anglais se poursuivit dès lors avec un bonheur presque constant. Le roi lui-même, mieux entouré, commença à sortir de son inertie habituelle.

Jeanne avait fait engager des négociations pour réconcilier le duc de Bourgogne et Charles VII. Ces négociations aboutirent en 1435 au traité d'Arras par lequel le duc obtenait les villes de la Somme. La paix bourguignonne acheva de ruiner la cause des Anglais. Partout les habitants se soulevaient contre eux. En 1436, Paris se rendit au connétable de Richemond et Charles VII rentra enfin dans sa capitale. Puis il y eut une trêve de cinq ans (1444–1449); le roi en profita pour réorganiser son armée. Quand la guerre reprit, les Français furent vainqueurs dans deux grandes batailles, à Formigny (1450), puis à Castillon (1453). Cette dernière victoire décida la prise de Bordeaux.

Les Anglais étaient chassés de France où ils ne conservaient plus que Calais. Ainsi se termina la guerre de Cent Ans, sans qu'aucun traité ratifiât le fait accompli.

Les Résultats de la guerre de Cent Ans. — La France sortit de la guerre de Cent Ans effroyablement ravagée et dépeuplée. Dans certaines régions, aux environs de Senlis, par exemple, on ne trouvait plus un seul habitant dans les villages totalement abandonnés. Des villes avaient presque disparu. Mais de cette épouvantable misère la France se remit assez rapidement. Et d'autre part elle sortait de la guerre, moralement plus forte, ayant pris conscience d'elle-même. Avant la guerre de Cent Ans, il y avait des provinces françaises, mais point de peuple français. C'est au milieu des souffrances de l'invasion que les Français se sont tous sentis frères; c'est dans la douleur de la défaite que s'est formé le patriotisme français.

CHAPITRE XII

LE RELÈVEMENT DE LA ROYAUTÉ. CHARLES VII ET LOUIS XI

Gouvernement de Charles VII. — Après la mort de Jeanne d'Arc, le caractère de Charles VII s'était transformé. Jusque-là, sous l'influence de favoris et de conseillers indignes, il s'était montré indolent, surtout occupé de ses plaisirs, presque indifférent aux affaires de son royaume. Les anciens compagnons de guerre de Jeanne, et en particulier le connétable de Richemond, arrachèrent le roi à son néfaste entourage. L'un des favoris, Giac, fut, par ordre de Richemond, cousu dans un sac et jeté à l'eau; un autre eut la tête fendue d'un coup de hache sous les yeux mêmes du roi.

Charles fit dès lors son métier de roi. Il chercha à la fois à remédier aux maux du royaume et à achever de jeter les Anglais hors de France. Son œuvre principale fut la réorganisation militaire d'où sortit l'institution des "Compagnies d'ordonnance," première armée permanente et régulière, qui devait être pour la royauté française un nouvel élément de force.

Les Compagnies d'ordonnance. — La France, et particulièrement la France du nord, se trouvait de nouveau, après 1430, en proie aux désordres et aux brigandages des gens de guerre. Les "Ecorcheurs" — c'était le nom qu'on leur donnait — recommençaient les pilleries des Grandes Compagnies. Charles VII, pour en délivrer le royaume, employa le même procédé que Charles V. Quand, en 1444, une trêve eut été signée avec les Anglais, son fils Louis fut chargé de mener trente mille Écorcheurs guerroyer en Suisse pour le compte de l'empereur d'Allemagne.

Ceux qui restaient en France, le roi les prit à son service: il les enrégimenta dans des compagnies créées en 1445 par ordonnance royale. De là le nom de compagnies d'ordonnance

Cette cavalerie régulière et permanente remplaça définitivement la chevalerie. Elle triompha des Anglais à Formigny et à Castillon, et assura le succès final de la France dans la guerre de Cent Ans. Elle resta pendant plus de cent ans, jusqu'à la fin du seizième siècle, sous le nom de gendarmerie, la principale force des armées françaises.

L'Impot permanent. — L'armée permanente engendra en France l'impôt permanent. La "taille du roi," impôt sur les terres et les personnes, étant consacrée à l'entretien de troupes permanentes, devint perpétuelle. En 1439, elle fut accordée par les États une fois pour toutes et fixée à 1,200,000 livres. Mais presque dès le début l'usage s'établit que les nobles et le clergé étaient exempts de la taille, et que seuls les bourgeois et les paysans la payaient. Le roi continua aussi à percevoir d'une façon régulière des impôts indirects ou "aides," consistant en un impôt sur le sel ou "gabelle" et en un impôt sur les ventes.

Jacques Cœur. — On a dit de Charles VII avec raison qu'il fut Charles "le bien servi." Il eut pour administrer ses finances le plus habile homme d'affaires de l'époque, Jacques Cœur.

Jacques Cœur était fils d'un pelletier de Bourges. Il avait fait un voyage en Syrie et en Égypte et avait noué des relations avec les marchands de Damas et d'Alexandrie, alors les deux principaux centres commerciaux du Levant. A son retour en France, il avait créé à Montpellier une importante maison d'importation et d'exportation, transportée plus tard à Marseille. Il finit par avoir trois cents employés à l'étranger et une flotte de sept navires. En 1440, Charles VII le nomma son "argentier." Il administra rigoureusement le trésor royal. Quand la guerre recommença contre l'Angleterre (1449), il prêta au roi la plus grosse partie de sa fortune. Les intrigues des jaloux le firent disgracier, malgré tous ses services, en 1451. Il fut exilé, se réfugia à Rome, y fut bien accueilli par le pape et mourut dans une expédition contre les Turcs en 1456.

Les Affaires religieuses. — Les premières années du quinzième siècle sont d'une importance capitale dans l'histoire de l'Église.

Le séjour des papes à Avignon avait été suivi par le grand

schisme. De 1378 à 1409, il y eut deux papes; pendant quelques années après 1409, il y en eut même trois. L'unité de la foi fut brisée en même temps que celle de l'Église: les hérésies de Wyclif et de Huss furent comme le prélude de la Réforme.

Pour mettre fin au schisme, pour réformer les abus, pour extirper l'hérésie, un concile général fut tenu à Constance (1414–1417). Le concile rétablit l'unité de l'Église, dans la personne du pape Martin V. Mais, par le décret Sacrosancta, il affirma le principe de la supériorité des conciles sur les papes.

Dans ce mouvement de réforme, le clergé français joua un grand rôle. Dès 1381, l'Université de Paris réclama la convocation d'un concile général; à Constance les orateurs les plus écoutés furent des Français: Pierre d'Ailli, Gerson, etc.

La Pragmatique Sanction de Bourges. — Si le concile de Constance avait mis fin au schisme, et s'il avait brûlé Huss, il n'avait réussi ni à réformer les abus, ni à extirper l'hérésie. Le second des grands conciles se réunit à Bâle en 1431. Dirigé par des docteurs français, le concile de Bâle s'attaqua surtout au pouvoir pontifical. Cette politique amena (1437–1438) une scission dans le concile et la rupture avec le pape. Alors le parti antipapal à Bâle pria Charles VII de faire exécuter en France les réformes déjà décrétées par le concile. La Pragmatique Sanction de Bourges (7 juillet 1438) fut la réponse de Charles VII à cette demande.

Les plus importantes des réformes de Bâle se rapportaient au gouvernement papal. La Pragmatique réduisit au minimum les droits du Saint-Siège sur le clergé français. Le pape perdait en grande partie le droit de nommer aux bénéfices français: les évêques et les abbés devaient être élus par les chapitres et les couvents. La Pragmatique supprima les annates, la plus importante des redevances dues au pape; elle limita strictement ses droits de juridiction en France. D'autre part, la Pragmatique consacra la doctrine sur la supériorité des conciles en matière de foi et de discipline.

Cette grande ordonnance fut l'expression d'une opposition, déjà vieille, à la conception absolutiste du gouvernement de l'Église. A l'absolutisme papal, le roi et le clergé français opposaient la suprématie des conciles et l'autonomie de l'Eglise nationale. Ces idées, les "libertés gallicanes," devaient avoir un grand avenir.

La Féodalité apanagée. — La royauté française était sortie de la guerre de Cent Ans plus forte et mieux armée. Cependant un nouveau danger la menaçait. Il s'était reconstitué en France une puissante féodalité, elle-même issue du sang royal, la féodalité "apanagée."

Les Capétiens avaient l'habitude de donner à leurs fils cadets des parties du domaine royal: c'est ce que l'on appelait des apanages. Les apanages continuaient à faire partie du royaume; mais celui qui possédait l'apanage y était souverain, sous la réserve qu'il devait prêter hommage au roi. Au milieu du quinzième siècle il y avait ainsi en France, à côté de quelques restes de l'ancienne féodalité, comme le duché de Bretagne, quatre grandes maisons d'origine royale: la maison d'Anjou qui remontait à Louis VIII, la maison de Bourbon qui remontait à saint Louis, la maison d'Orléans qui remontait à Charles V. Mais la plus redoutable de toutes était la maison de Bourgogne.

La Maison de Bourgogne. — Elle remontait à Jean le Bon. Pour récompenser Philippe le Hardi, son fils cadet, de sa belle conduite sur le champ de bataille de Poitiers, Jean lui avait donné le duché de Bourgogne. Depuis, les ducs de Bourgogne avaient acquis d'autres territoires, les uns dans le royaume de France, les autres hors de France dans l'Empire. Philippe le Hardi avait épousé la fille et unique héritière du comte de Flandre. Son petit-fils, Philippe le Bon, avait hérité du Brabant, pays compris entre l'Escaut et la Meuse, et des Pays-Bas, au nord des embouchures du Rhin. Il avait acheté le Luxembourg. Quand il s'était réconcilié avec Charles VII au traité d'Arras (1435), il s'était fait donner, comme indemnité pour l'assassinat de son père Jean sans Peur, l'Artois et la Picardie.

Toutefois, l'importance de l'État bourguignon était diminuée par ce fait qu'il n'était pas d'un seul tenant. Il était en réalité formé de deux États: un Etat bourguignon sur la Saône, un État flamand sur l'Escaut et la Meuse. Entre les deux il n'y avait pas de lien; pour passer de l'un à l'autre, il fallait traverser des pays étrangers.

Comme Philippe le Bon avait obtenu, au traité d'Arras, la

dispense de tout hommage envers le roi de France suzerain de la Bourgogne et de la Flandre, il était un véritable roi: le titre seul lui manquait. Mais il était plus célèbre et plus riche que bien des rois.

Louis XI. — Quand, en 1461, Louis XI eut succédé à Charles VII, la simplicité affectée du nouveau roi fit contraste d'une façon saisissante avec la magnificence du duc de Bourgogne. Le jour où il fit son entrée dans Abbeville, accompagné de Philippe le Bon, les gens du peuple disaient sur son passage: "Seigneur Dieu! Est-ce un roi de France! Tout ne vaut pas vingt francs, cheval et habillement."

Il était laid, avec un grand nez, des jambes grêles et tordues, une physionomie inquiète et maladive qu'animait cependant le regard perçant de ses yeux. Il était brave et fut blessé sur le champ de bataille; mais il n'aimait pas la guerre à cause de ses hasards, et parce que les ravages qui l'accompagnaient en faisaient "un fléau pour la chose publique." Comme Philippe Auguste, il préférait aux batailles les négociations. La corruption fut son moyen de combat par excellence; il pensait qu'on peut tout acheter à prix d'argent, même la protection de Dieu et de ses saints, fût-ce pour des entreprises malhonnêtes. Il était passé maître en dissimulation, en tromperie et en intrigues. Son rival Charles le Téméraire l'appelait "l'universelle aragne," le rapprochant avec raison de l'araignée qui sans bruit tend partout ses fils et ses pièges.

Louis XI et Charles le Téméraire. — Dès le règne de Charles VII les princes s'étaient effrayés des progrès trop rapides de la puissance royale. En 1440 le roi avait dû lutter contre une révolte féodale, la Praguerie, dont le chef était son propre fils, le dauphin Louis. Impatient de régner, le dauphin n'avait pas cessé d'intriguer contre son père et finalement s'était enfui chez le duc de Bourgogne. Mais, devenu le roi Louis XI, il se donna aussitôt pour tâche de ruiner ses anciens alliés et protecteurs.

Son plus redoutable adversaire fut Charles le Téméraire, fils de Philippe le Bon, devenu duc de Bourgogne en 1467. C'était un prince ambitieux, entêté et d'une terrible violence. Il avait juré d'être roi et projetait de reconstituer l'ancienne

Lotharingie, de la mer du Nord à la Méditerranée. Ce rêve ne pouvait se réaliser qu'aux dépens du roi de France.

Les Ligues du bien public. — "J'aime tant le royaume, disait un jour Charles le Téméraire en parlant de la France, qu'au lieu d'un roi j'y en voudrais voir six." Dans les tentatives qu'il fit pour réaliser ses projets, il eut pour auxiliaries d'abord le roi d'Angleterre, puis un grand nombre de seigneurs, en particulier le duc de Bretagne et le frère même de Louis XI, le duc de Berry. A trois reprises (1465–1467–1472) il organisa contre Louis XI de véritables coalitions, qui s'intitulèrent Ligues du bien public, parce que les coalisés prétendaient prendre les armes pour défendre les intérêts du royaume mal gouverné par le roi, et en particulier "pour soulager le pauvre peuple si misérable."

De ces ligues Louis XI triompha par la diplomatie plus que par les armes.

Ruine de la maison de Bourgogne. — En 1472 Charles le Téméraire signa une trêve avec le roi de France pour pouvoir se donner tout entier à son grand projet, la reconstitution du royaume de Lotharingie. D'abord il s'était occupé de relier les deux tronçons de ses États, la Bourgogne et la Flandre. Pour cela il s'était fait donner l'Alsace par l'archiduc Sigismond en garantie d'un prêt. Il avait chassé de Nancy le jeune duc René et occupé son duché de Lorraine. En 1473, il négociait avec l'empereur Frédéric III, son suzerain, pour que celui-ci le reconnût comme roi. Les négociations semblaient sur le point d'aboutir: le duc et l'empereur étaient réunis à Trèves où le couronnement devait avoir lieu.

Deux jours avant la cérémonie, Frédéric III, secrètement conseillé et payé par Louis XI, s'enfuit de Trèves. Peu après Sigismond offrait à Charles de lui rembourser les sommes prêtées et réclamait la restitution de l'Alsace. Là aussi Louis XI était intervenu en fournissant à Sigismond l'argent qui lui manquait. Enfin, grâce encore aux intrigues de Louis XI, les Suisses déclarèrent la guerre à Charles le Téméraire, tandis que les Lorrains se soulevaient et que le duc René rentrait dans Nancy.

Charles le Téméraire vint attaquer les Suisses. Ceux-ci le battirent complètement à Granson, puis peu après à Morat (1476). Fou de rage et d'humiliation, Charles le Téméraire se rejeta alors sur la Lorraine et essaya de reprendre Nancy. Une bataille furieuse s'engagea sous les murs de la ville. Les Bourguignons furent repoussés. Le surlendemain, au bord d'un étang, on retrouva Charles le Téméraire percé de coups de lance, nu, le corps à moitié pris dans la glace, le visage à demi dévoré par les loups (6 janvier 1477).

Les Acquisitions de Louis XI. — Louis XI pensait s'emparer de toute la succession de Charles le Téméraire, qui laissait pour héritière une jeune fille de vingt ans, Marie de Bourgogne. Mais Marie épousa le fils de l'empereur, l'archiduc Maximilien d'Autriche, plus tard empereur lui-même. Louis XI ne recueillit de la succession et ne put rattacher au domaine royal que la Bourgogne et la Picardie. La Flandre, l'Artois et la Franche-Comté revinrent aux enfants de Marie de Bourgogne et de Maximilien. Dans la suite, un mariage fit passer ces provinces françaises sous la domination des rois d'Espagne. Elles ne devaient revenir à la France que près de deux cents ans plus tard, au dix-septième siècle, sous le règne de Louis XIV.

Louis XI fut plus heureux avec la maison d'Anjou qu'avec la maison de Bourgogne. Il recueillit tous les biens que lui avait laissés par testament René d'Anjou, c'est-à-dire l'Anjou, le Maine et la Provence. La succession comportait en outre des droits sur le royaume de Naples, que le fils de Louis XI, Charles VIII, devait essayer de faire valoir et qui furent le point de départ de guerres néfastes en Italie.

L'Imprimerie en France. — Tout occupé de politique, Louis XI ne se passionna guère pour les lettres ou les arts. Cependant c'est sous son règne que se produisit un fait capital dans l'histoire de la civilisation, l'expansion de l'imprimerie. Le roi eut au moins le mérite de protéger la nouvelle invention.

La Bible de Gutenberg est de 1457. De Strasbourg l'imprimerie se répandit rapidement en Allemagne et en Italie. En France, il semble que les imprimeurs se heurtèrent d'abord à l'hostilité des copistes. La première imprimerie ne fut établie qu'en 1470 à Paris, par le recteur de l'Université, Guillaume Fichet. Il installa à la Sorbonne trois Allemands, Ulrich Gering, Michel Friburger et Martin Krantz, et leur fit imprimer, en deux ans, vingt et un ouvrages, classiques latins ou traités de grammaire et d'éloquence. Dans les trente dernières années du quinzième siècle il fut fondé dans Paris près de soixante imprimeries.

L'invention devait avoir des conséquences incalculables. En créant le livre à bon marché, l'imprimerie mettait l'instruction à la portée de tous; elle rendait possible la diffusion universelle de toutes les idées et de toutes les connaissances humaines; elle pouvait et devait être l'instrument de tous les progrès, intellectuels, politiques et sociaux. Aussi peut-on dire que la découverte de l'imprimerie marque véritablement la fin du Moyen Age et le début des Temps Modernes.

Régence d'Anne de Beaujeu. — Louis XI avait gouverné en roi absolu, presque en despote, se faisant redouter comme "le plus terrible roi qui fust jamais en France." A sa mort (1483), comme il laissait un fils mineur, enfant de treize ans, Charles VIII, il y eut un mouvement de réaction contre le despotisme royal.

Mais Louis XI revivait en sa fille, Anne de Beaujeu, comme lui rusée, peu scrupuleuse et avide de pouvoir. De 1483 à 1492, Anne et son mari Pierre de Beaujeu exercèrent de fait une véritable régence et, tout en faisant quelques concessions, maintinrent les résultats du règne précédent. Leur principal adversaire fut le duc Louis d'Orléans, premier prince du sang. Les deux partis s'entendirent d'abord pour convoquer les États Généraux (1484): les Etats, une fois de plus, se montrèrent incapables de jouer un rôle politique et se séparèrent sans avoir rien obtenu. Alors le duc d'Orléans eut recours aux coalitions féodales et fit la guerre aux Beaujeu; mais il fut vaincu et pris par la Trémoille à Saint-Aubin-du-Cormier (1488).

Le dernier acte et le plus important du gouvernement des Beaujeu fut le mariage de Charles VIII avec la duchesse Anne de Bretagne (1491). La Bretagne était le seul État féodal resté complètement indépendant; ce mariage, en fait, mettait fin à son indépendance et préparait son union au domaine royal.

La France à la fin du quinzième siècle. — Ainsi les Valois avaient poursuivi l'œuvre d'unification commencée par les Capétiens. Ils laissaient la France à la fin du quinzième siècle plus grande et plus forte qu'ils ne l'avaient reçue.

Ils avaient rattaché au domaine royal, avec Charles VII, la Guyenne; avec Louis XI, le duché de Bourgogne, le Maine et l'Anjou; avec Charles VIII, la Bretagne. Ils avaient de plus élargi le royaume, poussé ses frontières plus loin vers l'est. De ce côté Philippe VI avait acheté le Dauphiné; Louis XI avait hérité de la Provence. Ainsi le royaume qui, avant 1328, s'arrêtait au Rhône, avait débordé par delà le fleuve et atteignait la limite naturelle des Alpes.

En même temps que le royaume s'était agrandi, il était devenu plus cohérent: les provinces qui le composaient s'étaient comme soudées. Le lien du patriotisme les enchaînait étroitement l'une à l'autre. L'autorité royale était bien établie et personne n'était plus en état de la contre-balancer. Maîtres dans le royaume, les rois de France pouvaient désormais regarder hors du royaume. La taille, les aides, les compagnies d'ordonnance assuraient l'argent et les hommes nécessaires aux grandes entreprises. Jusqu'au seizième siècle l'histoire des rois de France s'était déroulée en France; à partir du seizième siècle, elle se déroula en Europe.

Ils avaient rattaché au domaine royal, avec Charles VII, la Guyenne; avec Louis XI, le duché de Bourgogne, le Maine et l'Anjou; avec Charles VIII, la Bretagne. Ils avaient de plus élargi le royaume, poussé ses frontières plus loin vers l'est. De ce côté Philippe VI avait acheté le Dauphiné; Louis XI avait hérité de la Provence. Ainsi le royaume qui, avant 1328, s'arrêtait au Rhône, avait débordé par delà le fleuve et atteignait la limite naturelle des Alpes.

En même temps que le royaume s'était agrandi, il était devenu plus cohérent: les provinces qui le composaient s'étaient comme soudées. Le lien du patriotisme les enchaînait étroitement l'une à l'autre. L'autorité royale était bien établie et personne n'était plus en état de la contre-balancer. Maîtres dans le royaume, les rois de France pouvaient désormais regarder hors du royaume. La taille, les aides, les compagnies d'ordonnance assuraient l'argent et les hommes nécessaires aux grandes entreprises. Jusqu'au seizième siècle l'histoire des rois de France s'était déroulée en France; à partir du seizième siècle, elle se déroula en Europe.

DEUXIÈME PARTIE
LES TEMPS MODERNES

CHAPITRE PREMIER

LES GUERRES D'ITALIE

Caractères généraux des Temps Modernes. — Au cours du quatorzième et du quinzième siècle, la civilisation de l'Europe occidentale avait commencé à se transformer. Le pouvoir royal s'était fortifié aux dépens de la féodalité, partout en décadence sauf en Allemagne. L'idée de l'unité chrétienne tendant à s'affaiblir, les guerres nationales — telle la guerre de Cent Ans — avaient succédé aux croisades, qui avaient été de véritables guerres du peuple chrétien uni. La science et l'art eux-mêmes n'étaient plus entièrement au service de l'Église, et on les voyait, en Italie du moins, se remettre à l'école de l'Antiquité païenne, grecque et latine.

Ainsi, par transitions insensibles, on passe du Moyen Age aux Temps Modernes. Puis brusquement, à la fin du quinzième siècle, l'horizon des Européens est élargi par les grandes découvertes maritimes, par les voyages décisifs de Christophe Colomb (1492) et de Vasco de Gama (1498). C'est le signe visible qu'on entre dans une ère nouvelle. L'esprit humain semble rajeunir avec la Renaissance, qui n'est pas seulement un retour aux traditions antiques, mais comme un nouvel essor de la pensée, un redoublement d'activité intellectuelle et artistique. Dans le même temps, le dernier principe d'union, l'unité de croyance, est détruit par la Réforme qui aboutit au démembrement du peuple chrétien en catholiques et protestants. A l'intérieur des États, la puissance des rois s'accroît et tend vers la monarchie absolue. Au dehors, chacun cherche à étendre ses frontières par la conquête. Mais, en même temps, les États se surveillent jalousement les uns les autres. Chaque fois que l'un d'entre eux menace de devenir trop puissant, les autres se rapprochent et se coalisent pour entraver son développement et garantir le maintien de l'égalité entre leurs forces, égalité nécessaire à ce que l'on appellera l'*équilibre européen.* Les guerres d'Italie sont, à ce point de vue, les premières guerres des Temps Modernes.

L'Italie à la fin du quinzième siècle. — Depuis le quatorzième siècle, l'Italie était, avec la Flandre, le plus riche pays d'Europe. Tandis que la France était appauvrie à cette époque par la guerre de Cent Ans, les cités italiennes s'enrichissaient par l'industrie, le commerce et la banque. Le développement général de la richesse avait favorisé l'essor de la civilisation. Princes, riches marchands et financiers voulurent avoir des palais, des statues, des tableaux, des bibliothèques; ils furent des "Mécènes," protecteurs des artistes et des lettrés.

D'autre part, l'Italie avait été jadis le centre de la civilisation romaine. Le souvenir de l'Antiquité y était resté plus vivace que partout ailleurs. Les ruines des monuments anciens y étaient innombrables. Aussi est-ce à l'école de l'Antiquité que se mirent les écrivains et les artistes italiens. Peu à peu, sous l'influence des Anciens, les lettres et les arts, même les idées et les mœurs, se transformèrent; il y eut comme une résurrection de l'esprit antique; c'est ce qu'on a appelé "la Renaissance." A la fin du quinzième siècle, la Renaissance italienne atteignait son apogée; innombrables étaient les grands artistes et les écrivains; au-dessus de tous brillait alors l'incomparable Léonard de Vinci (1452–1519), génie universel, peintre, sculpteur, architecte, physicien, ingénieur et mathématicien.

Par ses richesses et l'éclat de sa civilisation, l'Italie excitait les convoitises étrangères. C'était une proie tentante, d'autant plus qu'elle était divisée en plusieurs petits États qui se jalousaient et étaient toujours disposés à se nuire les uns aux autres. Les principaux étaient le duché de Savoie, le duché de Milan, les États du Pape, le royaume de Naples, les républiques de Gênes, de Florence et de Venise. Ces États n'avaient pas d'armées nationales; les Italiens méprisaient le métier des armes et s'en remettaient du soin de combattre pour eux à des "condottieri," véritables entrepreneurs de guerre qui avaient chacun leur bande de soldats et leur matériel de combat. Hommes et matériel étaient au service de qui les payait le mieux.

Cependant les Italiens détestaient les étrangers qu'ils considéraient comme des barbares, et ils étaient passés maîtres en diplomatie.

Causes des guerres d'Italie. — Trois ambitions allaient se rencontrer et se heurter en Italie: ambition française, ambition autrichienne, ambition espagnole.

La cause première des guerres d'Italie fut les prétentions de Charles VIII, héritier de la maison d'Anjou, sur la couronne de Naples qui avait appartenu jadis à des princes angevins. Au rebours de son père Louis XI, Charles VIII avait l'esprit romanesque et rêvait de grandes aventures; Naples conquise, il projetait de reprendre Constantinople et Jérusalem aux Turcs et de restaurer l'Empire d'Orient. A ces prétentions sur Naples s'ajoutèrent, quand Louis XII succéda à Charles VIII (1498), les prétentions sur le Milanais: Louis XII était en effet petit-fils de Valentine Visconti, fille de Jean Galéas, premier duc de Milan. De la famille des Visconti le duché avait passé aux mains des Sforza; il était gouverné depuis 1479 par Ludovic le Maure.

Si les rois de France n'avaient trouvé devant eux que le roi de Naples et le duc de Milan, les guerres eussent été bien vite terminées. Mais à propos du royaume de Naples ils se heurtèrent au roi d'Aragon, Ferdinand le Catholique, qui possédait déjà la Sicile et à qui Naples paraissait bonne à prendre. A propos de Milan ils se heurtèrent à l'empereur Maximilien d'Autriche qui prétendait disposer du duché en qualité de suzerain. Enfin, l'établissement en Italie d'un souverain aussi puissant que le roi de France inquiétait pour leur indépendance les États italiens, Venise, Florence, les Papes. De là des alliances, des ligues promptement constituées, promptement dissoutes, sans cesse renouvelées et dont la multiplicité rend très confuse l'histoire des guerres d'Italie.

Charles VIII à Naples. — Dès qu'il se fut émancipé de la tutelle des Beaujeu, Charles VIII prépara l'expédition d'Italie. Il l'entreprit en septembre 1494.

Ce ne fut d'abord qu'une promenade militaire. A Milan, à Florence, à Rome, le roi de France fut reçu en ami. A peine y eut-il une escarmouche à la frontière du royaume de Naples. Cinq mois après le début de la campagne, le 22 février 1495,

Charles VIII fit à Naples une entrée solennelle sur un char traîné de quatre chevaux blancs, la couronne impériale en tête, le sceptre et le globe en mains, tandis que les soldats et le peuple l'acclamaient empereur de Constantinople et roi de Jérusalem.

Au bout de trois mois, la situation était entièrement changée. Charles VIII dut quitter la ville pour ne pas y être bloqué. En effet les Vénitiens, Ludovic Sforza, le pape Alexandre Borgia, l'empereur Maximilien, Ferdinand d'Aragon s'étaient ligués contre lui. L'armée des coalisés essaya de couper la retraite à Charles VIII au débouché des défilés de l'Apennin, à Fornoue. Mais les charges de la gendarmerie — la furie française, disaient les Italiens — ouvrirent le passage au roi (5 juillet). Charles VIII rentra en France un an après en être parti.

Peu de temps après, le roi mourut d'un accident (1498). La branche des Valois directe finit avec lui. Il eut pour successeur son cousin le duc Louis d'Orléans.

Louis XII. — Louis XII régna de 1498 à 1515. Simple et bonhomme, sans grand prestige, il fut populaire parce qu'il sut administrer le royaume avec sagesse et gouverner d'une façon presque paternelle. Il se montra très économe. Surtout il s'efforça de faire rendre une justice exacte, de maintenir l'ordre, d'assurer aux paysans la tranquillité, d'empêcher les pilleries des gens de guerre. Ses sujets lui donnèrent, en 1506, le beau surnom de Père du Peuple.

Première Conquête du Milanais. — Mais la politique extérieure de Louis XII fut aussi aventureuse, maladroite et stérile que celle de Charles VIII. Aux prétentions de celui-ci sur Naples il joignit ses prétentions personnelles sur le duché de Milan.

A peine roi, il entreprit la conquête du Milanais qui fut achevée en sept mois (1499). Ludovic Sforza, livré par ses mercenaires suisses, mourut prisonnier en France. Louis XII devait rester maître du Milanais pendant quatorze ans.

Seconde Expédition de Naples. — Louis XII voulut ensuite reprendre le royaume de Naples. Craignant que Ferdinand d'Aragon n'essayât de l'arrêter et ne portât secours au roi de Naples, Frédéric III, son cousin, Louis XII lui proposa de partager. Ferdinand, le prince le plus perfide de son temps, accepta et fit entrer ses troupes dans Naples sous prétexte de venir en aide à Frédéric III. En 1500, la conquête était faite et Louis XII prenait le titre de roi de Naples.

Mais alors, Ferdinand d'Aragon se mit en devoir de chasser les Français et de conquérir le royaume pour lui seul. En 1504, il était arrivé à ses fins, et Louis XII, par une trêve, lui abandonnait Naples.

Jules II. Ligue contre Venise. — Les guerres d'Italie pouvaient finir là. Elles furent rallumées par le pape Jules II. Élu en 1503, Jules II rêvait d'établir la suprématie temporelle du pape sur les États italiens. Pour cela, il fallait d'abord ruiner la puissance de Venise; puis il fallait chasser d'Italie les étrangers — Jules II disait les Barbares — Français et Espagnols, en commençant par les Français.

Contre Venise, une ligue fut organisée sans peine dès 1508 à Cambrai; tout le monde jalousait les Vénitiens "lions affamés, dit un contemporain, insatiables de seigneuries et de richesses." Louis XII, Maximilien, Ferdinand, Florence se joignirent au pape. L'armée française, prête la première, battit les Vénitiens à Agnadel (mai 1509).

Ligue contre Louis XII. — Les Vénitiens se hâtèrent de demander la paix à Jules II. Dès lors le pape s'employa à retourner contre le roi de France la coalition formée contre Venise. Il atteignit le but en 1511; la ligue de Cambrai devint la Sainte-Ligue, à laquelle adhérèrent les Suisses, puis le roi d'Angleterre Henri VIII, qui voulait reprendre la Guyenne.

La guerre fut d'abord favorable à Louis XII. Son neveu Gaston de Foix, un général de vingt-deux ans, surprit les coalisés par la rapidité de ses manœuvres et battit successivement leurs armées à Bologne, à Brescia et à Ravenne (5 février–11 avril, 1512). Il fut malheureusement tué à la fin de la dernière bataille. Dès lors tout tourna mal pour Louis XII. Les Suisses écrasèrent son armée à Novare (1513); le Milanais était perdu. La France même fut envahie, au nord par les Anglais débarqués à Calais, à l'est par les Suisses qui pénétrèrent jusqu'à Dijon. Louis XII parvint cependant à prix d'argent à arrêter les envahisseurs; puis il signa des trêves avec le pape Léon X, qui venait de succéder à Jules II, avec l'empereur et avec Ferdinand d'Aragon. Presque immédiatement après, Louis XII mourut (Ier janvier 1515).

François Ier. — Louis XII n'avait eu d'autre enfant qu'une fille, Claude de France, qu'il avait mariée à son cousin François d'Angoulême, l'héritier du trône. Celui-ci devint, à vingt ans, le roi François Ier. Tout au contraire du chétif et malingre Louis XII, c'était un prince élégant et majestueux, "d'aspect tout à fait royal, écrivait un ambassadeur, en sorte que, sans avoir jamais vu sa figure ni son portrait, à le regarder seulement, on dirait aussitôt: c'est le Roi!" Il avait la physionomie vive et rieuse et il aimait en effet par-dessus tout la gaîté, la vie facile et le plaisir. Il est resté célèbre par sa bravoure et sa magnificence. Admirable au combat, il mérite le surnom qu'on lui a donné de "roi chevalier." Le goût de la magnificence, en même temps qu'une inclination naturelle pour les belles choses, fit de lui le protecteur des lettrés et des artistes, le roi de la Renaissance. Mais d'autre part, il était d'une prodigalité effrénée: sa facilité à dépenser l'argent faisait dire à certains de ses sujets qu'il avait "les mains percées," et vraiment le successeur du parcimonieux Louis XII fut l'un des plus dépensiers des rois français. Enfin, s'il avait l'intelligence vive, il était mobile et changeant, d'une prodigieuse inconstance, incapable d'application aux affaires: de là, après les brillants succès du début du règne, les terribles revers qu'il subit par la suite.

Marignan. — Dès qu'il fut roi, François Ier entreprit, après alliance avec les Vénitiens, la reconquête du Milanais. La grande victoire de Marignan, gagnée sur les Suisses, alliés du duc de Milan, le rendit maître du duché (1515).

Cette victoire détermina en outre les adversaires du roi de France à signer non plus des trêves, mais la paix. Le pape Léon X signa le premier: ce fut le concordat de 1516. Puis les Suisses signèrent la Paix perpétuelle (1516), scrupuleusement respectée jusqu'à la Révolution de 1789. Enfin l'empereur et le roi d'Espagne reconnurent à François Ier la possession du Milanais. En revanche François Ier abandonnait le royaume de Naples au roi d'Espagne. L'Italie était donc partagée entre le roi de France et le roi d'Espagne, le premier dominant au nord, le second maître du sud de la péninsule.

Les guerres d'Italie étant terminées, en 1518 toute l'Europe occidentale était en paix.

Les Armées. — Les guerres d'Italie présentent un grand intérêt militaire. Elles font en effet la transition entre les méthodes de guerre du Moyen Age et les méthodes de guerre modernes. On y voit côte à côte les vieilles armures d'acier enveloppant homme et cheval de la tête aux pieds et les armes nouvelles, canons et arquebuses. De même si la cavalerie, la force principale des armées du Moyen Age, joue encore un rôle brillant en Italie, on voit à côté d'elle grandir l'importance de l'infanterie, la force principale des armées modernes, "la reine des batailles," dira Napoléon.

Les Hommes de guerre. Bayard. — Deux hommes personnifient pour ainsi dire les deux aspects des guerres d'Italie: Bayard et Gaston de Foix. Bayard fut le dernier des chevaliers; Gaston de Foix fut le premier des généraux modernes.

Bayard était né près de Grenoble en 1476. Il est peint tout entier dans son surnom "le chevalier sans peur et sans reproche," et par ces deux phrases de son secrétaire: "il avait le cœur net comme la perle"; il "désirait être toujours près des coups." Bon, généreux, pitoyable au vaincu, il était d'une bravoure épique. Il assista à toutes les grandes rencontres des guerres d'Italie, depuis Fornoue jusqu'à Marignan, où François Ier voulut être armé chevalier de sa main. Pendant les guerres contre Charles-Quint il défendit et sauva Mézières. Il mourut en 1524 à Romagnano, les reins brisés par une balle tandis qu'il couvrait la retraite le dernier à l'arrière-garde. Il était coutumier de semblables exploits; pendant la seconde expédition de Naples, un jour au bord du Garigliano, il défendit seul pendant toute une demi-heure l'entrée d'un pont que deux cents Espagnols voulaient forcer.

Bayard, qui commanda à plusieurs reprises des corps d'armée, ne songeait jamais qu'étant chef il devait ménager sa vie pour ses hommes: comme l'eût pu faire un chevalier de Philippe Auguste, il acceptait des défis de chefs ennemis. Il se battit trois fois en duel avec un officier espagnol; il prit part au combat des onze, vrai tournoi où onze chevaliers français et onze chevaliers espagnols se rencontrèrent à jour fixe, en champ clos devant dix mille spectateurs. Ces inutiles aventures, par lesquelles il est un homme du Moyen Age, lui avaient valu une réputation européenne. Le pape Jules II, l'empereur Maximilien, le roi d'Angleterre Henri VIII cherchèrent à se l'attacher et lui firent les offres les plus brillantes. Mais Bayard avait la religion du devoir, et, raconte son biographe, "toujours disait qu'il mourrait pour soutenir le bien public de son pays."

Gaston de Foix. — Gaston de Foix fut un grand homme de guerre à vingt-deux ans. Son oncle, Louis XII, lui avait confié la défense du Milanais en 1511 à l'heure du plus grand péril, à un moment où Jules II le menaçait avec les Espagnols et les Vénitiens. Sa carrière militaire ne dura pas trois mois; mais dans ce court espace de temps il se révéla un incomparable manœuvrier en avance de plus d'un siècle sur son temps, le précurseur des plus grands stratégistes, Turenne et Napoléon. A une époque où les armées ne se mouvaient qu'avec une extrême lenteur, où Charles VIII mettait cinq mois pour se rendre sans combat des Alpes à la frontière de Naples, et François Ier un mois pour faire les deux cent vingt kilomètres de l'Argentière à Marignan, Gaston stupéfia ses adversaires par la rapidité de ses marches et l'audace de son offensive. Seul en face de trois adversaires, il sut faire front partout. Au mois de février 1512, en quatorze jours il fit faire à ses troupes plus de deux cents kilomètres par la neige et des chemins défoncés, et gagna trois victoires: le 5, il débloquait Bologne qu'assiègeait le pape; le 16, il battait les Vénitiens au nord de Mantoue; le 19, il enlevait Brescia d'assaut. Il fut tué deux mois plus tard, le 11 avril, jour de Pâques, devant Ravenne, au moment de son plus éclatant triomphe, à la fin d'une bataille furieuse.

CHAPITRE II

LA LUTTE CONTRE CHARLES-QUINT

L'Empire de Charles-Quint. — La paix péniblement acquise en 1518 ne dura pas deux ans. En 1520 la guerre recommençait. Cette fois il s'agissait, non plus seulement de la possession de Naples ou du Milanais, mais de la constitution d'un formidable empire qui mettait en péril l'existence même de la France.

La formation de la puissance de Charles-Quint fut le résultat d'une série de mariages et de successions. Il était en effet, par son père Philippe le Beau, le petit-fils de Marie de Bourgogne et de Maximilien d'Autriche; par sa mère Jeanne la Folle le petit-fils de Ferdinand d'Aragon et d'Isabelle de Castille.

De ses grands-parents paternels il avait hérité: les Pays-Bas, l'Artois, la Flandre, la Franche-Comté, débris des États de Charles le Téméraire; — l'archiduché d'Autriche, et ses dépendances, domaines de la maison de Habsbourg.

De ses grands-parents maternels il avait hérité: le royaume d'Aragon, avec la Sardaigne, la Sicile et Naples; le royaume de Castille, avec les colonies d'Amérique récemment découvertes.

A toutes ces couronnes héréditaires vint s'ajouter au mois de juin 1519, la couronne impériale d'Allemagne. Maximilien étant mort, les sept Princes Électeurs eurent à choisir entre deux candidats: François Ier et Charles d'Autriche. Malgré les sommes énormes que François Ier dépensa pour acheter leurs votes, c'est Charles qui fut élu. On l'appela dès lors Charles-Quint, c'est-à-dire Charles V. Charles-Quint avait dix-neuf ans.

Charles-Quint. — Physiquement et moralement, Charles-Quint offrait un contraste complet avec son rival François Ier. Il avait une figure grave, froide, avec quelque chose de sec et surtout une expression de ténacité rendue plus forte par la proéminence de la lèvre inférieure et le menton très saillant "en galoche."

Il était, en effet, de volonté tenace, réfléchi, profond calculateur, étonnamment maître de lui. Quand il apprit la victoire inespérée de Pavie, à peine laissa-t-il voir un peu d'émotion, et comme on le félicitait de ce triomphe: "Les Chrétiens, dit-il, ne doivent se réjouir que des avantages qu'ils remportent sur les Infidèles." Il était d'une piété sincère, entendait plusieurs messes par jour et s'enfermait pour méditer et prier longuement dans une chambre tendue de noir.

Sous des dehors modestes et simples, il cachait une ambition démesurée. L'immensité de ses possessions ne lui suffisait pas, et sa devise était: "Toujours plus outre." Arrière-petit-fils du Téméraire, il prétendait se faire restituer la Picardie et la Bourgogne que Louis XI avait confisquées. Chef du Saint-Empire, il prétendait faire rentrer sous sa suzeraineté tous les pays qui avaient antérieurement relevé de l'Empire: l'Italie et la vallée du Rhône, le Dauphiné et la Provence. On l'accusait d'aspirer à la monarchie universelle.

Charles-Quint et la France. — Redoutable pour tous, Charles-Quint l'était plus particulièrement pour la France. En face de l'empire de Charles-Quint, elle était comme une citadelle investie: les États de l'Empereur l'enserraient par toutes ses frontières. Le péril était surtout pressant au nord et à l'est, où la France était beaucoup moins étendue qu'aujourd'hui. Paris, la capitale, n'était pas à cent cinquante kilomètres de l'ennemi. Au danger résultant du tracé des frontières s'ajoutait le danger provenant des ambitions précises de Charles-Quint, de ses vues sur la Picardie et la Bourgogne, sur le Dauphiné et la Provence.

La lutte contre Charles-Quint était donc une nécessité pour la France. A partir de 1520 les guerres que soutinrent François Ier, puis Henri II, ne furent plus, comme celles de Charles VIII et de Louis XII, des guerres "de magnificence," guerres d'ambition et de conquête; ce furent des guerres de salut national; l'intégrité même de la France était en jeu.

La lutte commencée en 1520 dura trente-neuf ans, jusqu'à 1559. Charles-Quint et François Ier qui la commencèrent, n'en virent pas la fin. Elle se poursuivit et se termina sous leurs fils, Philippe II d'Espagne et Henri II. Elle ne fut point un simple duel entre deux souverains comme avait été la guerre de Cent Ans. Charles-Quint et Philippe II, François Ier et Henri II cherchèrent et trouvèrent des alliés. En sorte que l'on vit, mêlés à la lutte des maisons de France et d'Autriche, le roi d'Angleterre, les princes allemands, les États italiens, un roi de Suède, les papes et jusqu'aux Turcs: ces guerres françaises furent en même temps des guerres européennes.

La Première Guerre. — La guerre commença en 1520. Malgré l'entrevue du Camp du Drap d'or, François Ier ne réussit pas à obtenir l'alliance du roi d'Angleterre Henri VIII. Deux invasions des Impériaux au nord et au midi furent successivement repoussées (1521 et 1524). En 1525, François Ier passa en Italie et reconquit le Milanais, perdu en 1522.

Malheureusement, sa bravoure imprudente amena à Pavie une irréparable défaite (24 février 1525). François Ier, blessé deux fois, enveloppé de toutes parts, fut contraint de se rendre. "Madame, écrivit-il à sa mère le lendemain, de toutes choses ne m'est demeuré que l'honneur et la vie qui est sauve."

Charles-Quint le tint étroitement captif pendant plus d'un an. Il ne le relâcha qu'après lui avoir arraché le traité de Madrid (janvier 1526), par lequel François Ier renonçait à toute prétention sur Naples et Milan, à toute suzeraineté sur l'Artois et la Flandre, et lui cédait la Bourgogne.

Le traité de Madrid était un désastre national. François Ier ne put se résoudre à l'exécuter entièrement. Il refusa de rendre la Bourgogne, et la guerre recommença.

Seconde, Troisième, Quatrième Guerres. — François Ier se sentait maintenant trop faible pour lutter seul contre Charles-Quint. Il chercha des alliés, et il en trouva parce que la puissance de l'empereur inquiétait tous les États. Ces alliés, d'ailleurs inconstants, furent le sultan Soliman le Magnifique, le roi d'Angleterre Henri VIII et le pape, plus tard les princes protestants d'Allemagne.

La deuxième guerre (1527–1529) fut sans résultats décisifs. L'épouvantable sac de Rome par les Impériaux mit le pape hors de combat; mais les Turcs vinrent assiéger Vienne. Par le traité de Cambrai (1529), Charles-Quint renonça à réclamer la Bourgogne.

La troisième guerre (1536–1537) fut plus profitable. **Fran-**

çois Ier s'empara des Etats du duc de Savoie, allié de l'empereur. La Savoie et le Piémont restèrent occupés pendant vingt-trois ans (1536–1559). La guerre se termina par une trêve.

Dans la quatrième guerre (1542–1544), François Ier eut à lutter contre les Anglais et les Impériaux alliés. Le duc d'Enghien remporta en Italie la brillante victoire de Cérisoles (1544). Mais Charles-Quint envahit et ravagea la Champagne, et les Anglais prirent Boulogne. La paix de Crépy ne modifia pas la situation acquise. François Ier mourut peu après (1547).

Henri II. — Grand et robuste, le nouveau roi Henri II (1547–1559) tenait de son père le goût des exercices violents, tels que la chasse, le jeu de paume, la joute à cheval. Mais il n'avait pas les brillantes qualités de François Ier: il était froid, taciturne, d'humeur morose, ne s'intéressait ni aux lettres ni aux arts. Peut-être sut-il mieux discerner cependant les véritables intérêts du royaume.

Conquête des Trois Évêchés. — Quand commença la cinquième guerre (1552–1556) les Français abandonnèrent presque l'Italie et portèrent tout leur effort à la frontière du nord et de l'est.

Henri II s'allia avec les princes protestants allemands, qui par traité lui reconnurent le droit d'occuper trois villes de l'Empire, françaises de langue et de population, Metz, Toul et Verdun, dites les Trois Évêchés (1552). Vainement Charles-Quint essaya de reprendre Metz. La ville défendue par un chef résolu, le duc François de Guise, repoussa tous les assauts et l'armée impériale fut presque entièrement détruite (1553).

Abdication de Charles-Quint. — Attristé par cet échec, épuisé par les maladies et par l'extraordinaire activité qu'il lui avait fallu déployer pour gouverner et défendre son immense empire, Charles-Quint prit la résolution d'abdiquer.

Il céda l'Autriche et la couronne impériale à son frère Ferdinand, déjà roi de Bohême et de Hongrie. Tout le reste de ses domaines, Pays-Bas, Franche-Comté, Naples et Milan, Espagne et Amérique, revint à son fils Philippe II. S'étant ainsi dépouillé de toutes ses dignités, il se retira dans un palais près du monastère de Saint-Just, en Espagne (1556). Il y mourut deux ans plus tard (1558).

Ce partage était pour la France une véritable victoire. La maison d'Autriche était désormais coupée en deux: les Habsbourg d'Autriche, les Habsbourg d'Espagne. Sans doute les uns et les autres étaient hostiles à la France, et leurs ressources demeuraient au total les mêmes que celles de Charles-Quint; mais du moins ces ressources n'étaient plus désormais à la disposition d'une seule volonté.

Sixième Guerre. — Philippe II à peine roi reprit la guerre contre la France (1556). Il était d'autant plus redoutable qu'il avait épousé la fille d'Henri VIII, Marie Tudor, reine d'Angleterre, et que les armées anglaises se trouvaient ainsi à sa disposition.

Les Français subirent un terrible désastre à Saint-Quentin (1557). Mais Philippe II ne sut pas profiter de sa victoire qui lui ouvrait la route de Paris. Le duc de Guise vengea cet échec: il enleva d'assaut Calais (1558), où les Anglais étaient établis depuis deux siècles.

Paix de Cateau-Cambrésis. — En 1559 la paix fut signée à Cateau-Cambrésis. Henri II renonçait définitivement au Milanais et à Naples que gardait le roi d'Espagne; il rendait ses États au duc de Savoie. Mais il conservait Toul, Metz et Verdun, et l'Angleterre lui abandonnait Calais.

Le traité stipulait en outre comme gage de réconciliation définitive le mariage de Philippe II, veuf de Marie Tudor, avec la fille d'Henri II. A l'occasion de ce mariage de grandes fêtes furent célébrées à Paris. Au cours d'un tournoi auquel Henri II prenait part, la lance de Montgomery, capitaine des gardes, s'étant brisée sur le bouclier du roi, un éclat de bois l'atteignit à l'œil: Henri mourut quelques jours après de sa blessure.

Les Négociations et les alliances. — Ce qui fait le véritable intérêt de cette période de guerre, ce sont les négociations et les alliances. Jamais encore l'on n'avait autant négocié et rarement depuis la diplomatie a été plus active. Les rois de France négocièrent surtout avec le roi d'Angleterre, Henri VIII, avec le sultan des Turcs, Soliman, et les princes protestants d'Allemagne.

Henri VIII fut un allié intermittent et sur la fidélité de qui personne ne put jamais compter. Tout le long de son règne

(1509–1547) il pratiqua ce qu'on a appelé depuis la politique de bascule, se portant tantôt du côté de Charles-Quint, tantôt du côté de François Ier, selon que l'un ou l'autre lui paraissait devenir plus redoutable.

L'alliance turque et l'alliance des princes protestants d'Allemagne furent plus utiles à la France: elles eurent toutes deux d'importantes conséquences, les unes immédiates, les autres plus lointaines et durables.

L'Alliance turque. — Les Turcs, après avoir conquis morceau par morceau presque tout l'empire grec, s'étaient emparés de Constantinople en 1453. Il y eut désormais en Europe, en face des États chrétiens, un État musulman, l'empire turc. Au seizième siècle, sous Soliman le Magnifique (1520–1566), cet empire était à son apogée. Le Grand Seigneur disposait d'armées de plus de 200,000 hommes, s'emparait de Budapest, menaçait Vienne à plusieurs reprises, lançait ses cavaliers jusquà Ratisbonne, au cœur de l'Allemagne.

L'alliance de François Ier, roi très chrétien, fils aîné de l'Église, avec les musulmans ennemis de la chrétienté, scandalisa l'Europe entière. François Ier en rougissait lui-même et essayait de s'en cacher. Cependant elle contribua à coup sûr au salut de la France. Elle est aussi un des faits les plus significatifs de l'histoire du seizième siècle. Elle montre que les préoccupations religieuses commençaient à passer à l'arrière-plan. C'est de la France, pays qui avait pris l'initiative des croisades, que vint le premier exemple de l'indifférence religieuse en matière de politique extérieure. L'alliance turque eut pour la France de très importantes conséquences. Un traité de commerce signé en 1535, les Capitulations, assura aux navires français, et à eux seuls, la liberté de commercer sur toutes les côtes de l'empire turc: pendant plus d'un siècle les navires des autres pays ne purent pénétrer dans les ports ottomans qu'en arborant le pavillon français. Les Capitulations donnaient à la France d'autre part le protectorat des Lieux Saints à Jérusalem, et par là le protectorat de tous les catholiques établis en Turquie quelle que fût leur nationalité.

L'Alliance protestante allemande. — L'alliance de François Ier avec les princes protestants allemands n'était ni moins surprenante ni moins significative que l'alliance avec le sultan, puisque les princes étaient hérétiques, ennemis déclarés de la papauté et du catholicisme. Elle fut conclue à peu près dans le même temps, en 1532. Mais elle ne devint réellement utile à la France que vingt ans plus tard, en 1552, au temps d'Henri II. C'est alors que fut signé entre les princes allemands et Henri II le traité de Friedwald en Hesse. La clause essentielle en était rédigée dans ces termes: "Il a été trouvé équitable que le roi de France, le plus promptement possible, prenne possession des villes qui de tout temps ont appartenu à l'Empire, bien que la langue allemande n'y soit pas en usage, c'est-à-dire de Toul en Lorraine, de Metz et de Verdun."

Résultats des guerres. — Ainsi les guerres d'Italie entreprises pour s'assurer la possession du royaume de Naples et du Milanais, aboutissaient à la reprise de Calais, à l'annexion de Metz, Toul et Verdun. Pareil résultat était, en apparence, illogique: en fait, l'annexion des Trois Évêchés était la conclusion naturelle des leçons de la guerre.

Pendant que les Français couraient les aventures en Italie, la frontière du nord avait été quatre fois forcée; l'ennemi, traversant la Champagne et la Picardie, avait pu arriver jusqu'à cinquante kilomètres de Paris. Dès lors, il était clairement apparu que Paris, la tête et le cœur du royaume, se trouvait, tant la frontière était proche, à la merci d'une bataille perdue et d'une marche audacieuse de l'ennemi. Il fallait donc l'éloigner de la frontière par l'agrandissement du royaume. De là l'occupation de Metz, de Toul et de Verdun: "Emparez-vous doucement des susdites villes, disait à Henri II en 1552 le maréchal de Vieilleville, qui seront un inexpugnable rempart pour la Champagne et la Picardie. — Ce sera, ajoutait-il, un beau chemin et tout ouvert pour enfoncer le duché de Luxembourg et les pays jusqu'à Bruxelles; plus, vous faire maître à la longue de tant de belles et grandes villes que l'on a arrachées des fleurons de votre couronne, et de recouvrer pareillement la souveraineté des Flandres que l'on vous a si frauduleusement ravie, qui appartient aux rois de France il y a plus de mille ans et de toute immémoriale ancienneté."

Le maréchal de Vieilleville traçait ainsi le programme d'une politique dont Henri IV, Richelieu, Louis XIV, le Comité de Salut public devaient tour à tour, pendant deux siècles, poursuivre la réalisation. Cette politique consistait à faire rentrer dans la France tous les pays qui avaient autrefois fait partie de la Francie, par conséquent d'y faire rentrer la Francie orientale, l'antique "Austrasie," et, plus haut dans le passé, tous les territoires enfermés par le Rhin, frontière naturelle de la Gaule.

Le traité de Cateau-Cambrésis consacra les premiers résultats d'une politique nouvelle, la politique des limites naturelles.

CHAPITRE III

LA MONARCHIE ABSOLUE

Achèvement de l'unité territoriale. — L'unité territoriale de la France s'achève dans cette période par l'annexion au domaine royal des derniers grands apanages. L'avènement de Louis XII entraîna l'annexion du duché d'Orléans (1498); l'avènement de François Ier, l'annexion du duché d'Angoulême (1515).

L'acquisition la plus importante fut sous François Ier celle des fiefs de la maison de Bourbon. Le duc Charles de Bourbon, prince de sang royal, descendant des Capétiens, marié à une petite-fille de Louis XI, possédait à peu près toute la France centrale, le Bourbonnais, l'Auvergne, la Marche, le Beaujolais. François Ier l'avait fait connétable, c'est-à-dire commandant en chef des armées françaises. En 1521, une partie de ses possessions lui fut contestée par Louise de Savoie, mère de François Ier. Le Parlement chargé de trancher le différend se prononça contre le connétable. C'est alors qu'il trahit et traita avec Charles-Quint; mais il fut obligé de s'enfuir en Italie, ses biens furent confisqués et annexés au domaine royal (1523).

La Noblesse au service du roi. — Le connétable de Bourbon fut le dernier des féodaux. Lui disparu, il ne resta plus personne parmi les seigneurs français — on commence à les appeler *gentilshommes* — qui pût essayer de résister au roi et de jouer au souverain sur ses terres. Partout autour d'eux les seigneurs trouvaient des fonctionnaires du roi, prévôts, baillis, sénéchaux, qui les surveillaient, qui intervenaient entre eux et leurs vassaux, qui rendaient la justice au-dessus d'eux.

D'autre part l'importance des revenus qu'ils tiraient de leurs terres ne cessait de décroître. En effet, par suite de l'afflux des métaux précieux dû à la découverte du Nouveau Monde, la valeur de l'argent baissait, de sorte qu'en 1520 avec 500 livres de revenu — 10,000 francs — l'on se trouvait moins riche qu'en 1500 avec 300 livres — 6,000 francs. Précisément alors les besoins d'argent devenaient plus grands chez les seigneurs. Au cours des expéditions en Italie, pays plus civilisé que la France, ils avaient pris le goût du luxe et de la vie brillante. La Cour les attira parce que nulle part en France le luxe n'était plus éclatant, ni la vie plus facile. Elle les attira parce que là seulement ils pouvaient trouver, dans la générosité du roi, dans les cadeaux et les pensions accordées par lui à ses serviteurs, l'argent que les terres ne rapportaient plus et qui était plus que jamais indispensable. Les seigneurs s'efforcèrent d'être de la Cour et pour cela d'entrer au service du roi, de devenir ses domestiques.

La Cour. — La Cour se composait tout d'abord de l'ensemble des gens attachés à la personne du roi et groupés d'après la nature de leur service: service de la table, de la chambre, des écuries, de la chasse, etc., avec leurs chefs, les grands officiers: le grand maître, le grand chambellan, le grand écuyer, le grand veneur, etc Sous François Ier le nombre des serviteurs s'accrut démesurément parce que le roi aimait la magnificence et la pompe extérieure, et les services furent recrutés parmi les nobles. L'ensemble des personnes attachées au service privé du souverain formait l'Hôtel ou la Maison du Roi.

La Cour comprenait encore une autre série de grands officiers, ceux-là chefs des services politiques: le chancelier, le connétable, le grand amiral, etc. Elle comprenait en outre tous ceux qu'il plaisait au roi d'appeler auprès de lui sans qu'ils eussent aucune fonction à remplir. C'était au total plusieurs milliers de personnes, toutes vivant des bienfaits de François Ier.

Le Clergé. — Maître de la noblesse, le roi l'était aussi du clergé, grâce au concordat signé avec le pape Léon X en 1516. Le concordat avait bouleversé définitivement au profit de la puissance royale l'organisation traditionnelle de l'Église de France. Jusqu'alors les évêques y étaient en principe élus par les chanoines des cathédrales. Mais le concordat avait supprimé les élections. Les évêques, les abbés, furent désormais nommés par le roi, et institués par le pape. Les évêchés devinrent ainsi l'une des monnaies dont le roi payait les services des courtisans. Il donnait un évêché ou une abbaye, comme une pension. Les évêques furent ses créatures et ses agents dévoués.

Le concordat de 1516 fut le prix payé par le clergé français pour la collaboration du roi dans leurs luttes contre le Saint-Siège. Les libertés gallicanes de 1438 étaient devenues en 1516 des prérogatives royales.

La Bourgeoisie. — Quant à la bourgeoisie, elle rechercha avec non moins d'ardeur que la noblesse le service du roi, et elle lui fournit le plus grand nombre de ses fonctionnaires. Les règnes de Charles VIII, de Louis XII, de François Ier, d'Henri II, furent pour le royaume une période de paix intérieure. Pour la première fois depuis qu'il y avait une France, les guerres se faisaient généralement hors de ses frontières et les maux lui en étaient épargnés. Aussi le commerce et l'industrie prospérèrent-ils. Au dire d'un contemporain, l'on comptait plus de commerçants dans les petites villes sous le règne de François Ier, que l'on n'en comptait dans les grandes villes trente ans plus tôt sous le règne de Louis XI.

Or le roi, ayant de grands besoins d'argent pour ses guerres et pour sa Cour, mettait en vente les fonctions publiques, — on disait alors les offices, — offices de percepteurs d'impôt, de trésoriers, de juges, etc. Comme des avantages étaient attachés à la possession de ces offices, avantages pécuniaires sous forme d'exemptions d'impôts, avantages honorifiques et même anoblissement, les bourgeois, par intérêt et par vanité, les achetèrent. Les plus riches d'entre eux, ceux qui plus que les autres auraient eu intérêt à ce que la puissance royale fût limitée et l'arbitraire rendu impossible, devinrent précisément les agents du roi et les plus fidèles exécuteurs de ses volontés.

La Monarchie absolue. — Ainsi l'omnipotence de la royauté était reconnue de tous, nobles, clercs et bourgeois. "Révoquer en doute votre puissance, disait à François Ier le Parlement de Paris, serait une espèce de sacrilège. Nous savons bien que vous êtes au-dessus des lois." Les rois purent donc être et furent des rois absolus. Les lois — les Ordonnances — émanaient du roi seul, "loi vivante," et nulle objection, fût-elle inspirée par le souci du bien de l'État, ne devait être opposée aux décisions royales. Rien de plus frappant à cet égard qu'un incident relatif au concordat.

Depuis le début du quatorzième siécle, l'usage était que les rois fissent transcrire leurs ordonnances et les actes essentiels du gouvernement, — tels les traités, — sur les registres du Parlement de Paris. L'usage était aussi que le Parlement, avant l'enregistrement, pût, s'il le jugeait utile, présenter au roi des observations ou remontrances.

Le concordat ayant été envoyé à l'enregistrement, certaines de ses dispositions parurent contraires au bien de l'État: le Parlement présenta des remontrances. François Ier répondit en traitant de "fous" les conseillers. Le Parlement osa insister: il envoya des députés au roi, alors au château d'Amboise. Ils attendirent deux mois une audience. Quand enfin le roi les reçut, il ne les laissa même pas parler. Il leur signifia qu'il était le maître et entendait être obéi. Puis il leur intima "bien rudement" l'ordre de partir sans faute le lendemain, sous peine, s'ils tardaient, d'être jetés au cachot pour six mois.

L'Administration centrale. — Le roi était assisté, pour gouverner, par les grands officiers, énumérés plus haut, et les conseils. Les conseils étaient au nombre de deux: le Conseil d'État et le Grand Conseil.

Le Conseil d'État, ou Conseil privé, s'occupait de toutes les questions politiques, financières, administratives. Il était l'organe principal du gouvernement.

Le Grand Conseil était le tribunal suprême administratif, devant lequel le roi évoquait tous les procès qui paraissaient présenter un intérêt pour la royauté. Le Grand Conseil fut en matière de justice l'instrument docile du bon plaisir royal.

Il n'y avait pas encore de ministres. Mais parmi les secrétaires qui tenaient la plume au Conseil d'État, Henri II en désigna quatre, entre lesquels la France et l'Europe furent partagées. Chacun d'eux devait s'occuper de la totalité des affaires, — administration, armée, marine, constructions, routes, etc., — dans la partie de la France qui lui était attribuée. Il devait en outre s'occuper des relations avec la partie de l'Europe voisine de sa portion de France. L'Angleterre était ainsi associée à la Normandie, l'Allemagne à la Champagne. Ces secrétaires prirent le nom de secrétaires d'État. Ce furent eux qui plus tard devinrent les ministres.

L'Administration provinciale. — Les agents du roi dans les provinces étaient les mêmes que deux cents ans plus tôt sous les derniers Capétiens. C'étaient en bas les prévôts et les bailes; au-dessus, les baillis et les sénéchaux, au nombre de cent environ. Baillis et sénéchaux avaient toujours des pouvoirs très généraux: ils étaient à la fois administrateurs, juges, chefs de la police, commandants de certaines troupes. Pourtant la séparation entre ces pouvoirs commençait à s'établir, parce que les baillis et les sénéchaux déléguaient à des agents différents l'exercice des fonctions différentes.

François Ier établit, dans quatorze provinces, presque toutes à la frontière, des gouverneurs lieutenants généraux, dont les attributions étaient à l'origine surtout militaires. L'importance de ces gouverneurs grandit dans la suite parce qu'ils étaient choisis parmi les plus grands seigneurs, et ils devinrent même pour un temps, à la faveur des guerres de religion, presque des souverains dans leurs provinces. Du reste, François Ier et Henri II se méfiaient de leurs ambitions et, pour les surveiller, Henri II recourut à l'envoi d'inspecteurs armés de pouvoirs extraordinaires, les commissaires départis.

Justice et législation. — La hiérarchie judiciaire comprenait: en bas les prévôts et les tribunaux de bailliage et de sénéchaussée; en haut les Parlements. On comptait huit Parlements: d'abord le Parlement de Paris, puis six Parlements institués à partir du milieu du quinzième siècle dans les chefs-lieux des principales provinces: Toulouse (1443), Grenoble (1461), Bordeaux (1462), Dijon (1477), Aix (1501), Rouen (1515). Le huitième Parlement fut créé à Rennes par Henri II (1553). Mais les Parlements étaient trop loin de la plupart des justiciables; en raison de leur petit nombre, ils étaient surchargés d'affaires; d'où de dommageables lenteurs dans le cours de la justice. Pour remédier au mal, Henri II créa de nouveaux tribunaux. Il établit au-dessous des Parlements soixante Présidiaux, chargés de juger sans appel toutes les affaires d'importance secondaire.

Les Finances. — Cette administration compliquée, les gages qu'il fallait payer aux fonctionnaires, mais surtout les guerres, la Cour, les pensions aux favoris et aux favorites, les constructions de châteaux, exigeaient chaque année des sommes considérables. Aussi François Ier et ses successeurs s'occupèrent particulièrement de l'administration financière et s'efforcèrent de la rendre la meilleure possible, pour qu'elle pût produire le plus d'argent possible.

Les revenus du roi étaient de trois sortes: les revenus ordinaires, c'est-à-dire les produits du domaine royal; les revenus extraordinaires, c'est-à-dire les impôts, taille, gabelle, aides; enfin les affaires extraordinaires, c'est-à-dire le produit des ventes d'offices ou de portions du domaine royal.

Ces divers revenus jusqu'à François Ier allaient à des caisses différentes. François Ier créa une caisse commune, le Trésor de l'Épargne, qui fut établi au Louvre, et il donna la haute main sur toute l'administration des finances à une section du Conseil privé dite Conseil des finances. Dans la suite il y eut à la tête de l'administration financière un surintendant.

Malgré ces efforts pour organiser l'administration des finances, la situation financière fut presque toujours défavorable et cela par la faute des rois. Ils dépensaient sans compter, "avec la plus grande confusion et sans règle aucune," disait un ambassadeur vénitien sous François Ier.

Le trésor étant sans cesse en déficit, il fallut recourir aux affaires extraordinaires. C'est en 1522 que François Ier, pour la première fois, demanda à ses sujets de lui prêter de l'argent, en s'engageant à payer pour les sommes prêtées une rente annuelle de huit pour cent. L'emprunt de 1522 fut le premier modèle des emprunts d'État, le commencement de la dette publique.

La vente des offices fut un moyen commode de se procurer de l'argent. Les offices, en raison des avantages indiqués plus haut, trouvaient toujours acheteurs parmi les bourgeois. On les multiplia donc, au point que pour une même fonction il y eut parfois deux titulaires. Ainsi Henri II décida que chaque juge au Parlement de Paris ne siégerait que six mois par an: il doubla donc le nombre des juges.

Importance de la vénalité des offices. — La mise en vente des fonctions publiques, la vénalité des offices, eut des conséquences politiques et économiques fort graves. Elle permit aux bourgeois de s'élever et fit tomber peu à peu le gouvernement en leurs mains. Mais elle les porta à dédaigner les carrières productrices, agriculture, industrie, commerce, et créa un préjugé vivace en faveur des professions dites libérales. La vénalité dura jusqu'à la Révolution, parce que les finances furent constamment en mauvais état. Elle fut étendue à presque toutes les fonctions, même aux fonctions militaires, et l'on vendit les grades de capitaine et de colonel comme on vendait les offices de juges.

La vénalité des offices de juges fut du reste celle qui eut les conséquences les plus graves. Les juges ou conseillers du Parlement, propriétaires de leur office, purent sans trop de péril se montrer indépendants en face des rois. Ils osèrent à diverses reprises leur tenir tête, et l'on verra que, pendant la minorité de Louis XIV, ils furent les derniers à essayer de résister à l'absolutisme royal. D'autre part, propriétaires de leur office payé argent comptant, ils s'efforcèrent de le transmettre comme une partie de leur succession à leurs enfants: de la vénalité des charges l'on passa à l'hérédité des charges. La transformation s'acheva au temps d'Henri IV. Comme l'exercice de certaines charges comportait l'anoblissement, la charge devenant héréditaire, la noblesse le devint aussi. En sorte que de la vénalité des offices sortit par la suite une noblesse nouvelle, d'origine bourgeoise, qu'on appela la noblesse de robe, pour la distinguer de la noblesse ancienne d'origine guerrière, la noblesse d'épée.

CHAPITRE IV

LA RENAISSANCE ET LA RÉFORME

Origines de la Renaissance française. — Ce qui fait surtout l'éclat et la gloire du règne de François Ier, c'est l'épanouissement de la Renaissance française. La Renaissance fut en France un des résultats principaux des guerres d'Italie. Charles VIII, Louis XII, François Ier surtout, pénétrant en Italie, subirent, avec la séduction de son ciel et de sa lumière, le charme de monuments qui joignaient à l'attrait de leur beauté l'attrait de leur nouveauté. Rentrés en France, ils voulurent y retrouver leurs visions d'Italie. Charles VIII avait acheté à Florence pour un demi-million d'objets d'art et recruté une mission de vingt-deux artistes. François Ier tira d'Italie une collection de marbres antiques; il acheta et commanda des tableaux à Raphaël, à Léonard de Vinci, à André del Sarto; il attira les deux derniers en France, comme il voulut y attirer Titien, comme il y attira une colonie d'artistes de moindre valeur, le Primatice, Rosso et Benvenuto Cellini. Les sujets partagèrent l'enthousiasme de leurs rois: l'admiration exclusive de l'Italie et de l'Antiquité fut une véritable mode. A leur tour les artistes et les écrivains français se passionnèrent pour les modèles antiques et italiens et s'efforcèrent de rivaliser avec eux.

L'Humanisme. — A l'origine de la Renaissance française comme de la Renaissance italienne, il faut noter aussi les travaux des humanistes, c'est-à-dire des lettrés qui pratiquaient l'étude des lettres anciennes.

Le goût des lettres anciennes s'était manifesté en France dès le milieu du quinzième siècle. L'un des premiers livres sortis de la première imprimerie parisienne fut une *Rhétorique* du recteur Guillaume Fichet, écrite, disait-il, pour enseigner "l'art de bien dire" puisé "à la source féconde du génie grec et du génie latin." Érudits et philologues, les humanistes français ne se bornèrent pas seulement à inaugurer la critique des textes en vue de reconstituer dans leur pureté les textes anciens qui, tant de fois recopiés et souvent par des ignorants, avaient subi de nombreuses altérations; certains d'entre eux s'appliquèrent aussi à recueillir dans les ouvrages des Anciens les renseignements sur l'histoire, les mœurs, les usages, les lois, et tentèrent de composer, à l'aide de ces éléments, des tableaux de la vie grecque ou romaine. Le type de ces humanistes érudits fut Guillaume Budé (1467–1540), qui donna dans une étude sur la monnaie romaine, l'*As et ses divisions*, un intéressant essai de reconstitution de la vie antique.

Le Collège de France. — Le fait essentiel de l'histoire de l'humanisme en France fut la création du Collège des trois langues, illustre sous le nom de Collège de France. Cette création prépara en effet la transformation de l'enseignement. L'Université par routine était hostile aux études nouvelles, surtout à l'enseignement du grec et de l'hébreu. Guillaume Budé sut persuader à François Ier d'organiser cet enseignement. En 1530, le roi créa trois chaires, où trois "lecteurs royaux" professèrent le latin, le grec et l'hébreu; de là le nom de Collège des trois langues.

La Renaissance littéraire — L'humanisme engendra une brillante Renaissance littéraire.

L'esprit nouveau, l'admiration de l'Antiquité, le mépris de la superstition et de l'ignorance animent déjà les premières œuvres du seizième siècle, les gracieux poèmes de Clément Marot (1497–1544), les joyeux romans satiriques de Rabelais (1495–1553), *Gargantua* et *Pantagruel.* Dans la seconde moitié du siècle, les écrivains français, plus passionnés encore pour les œuvres grecques et latines, entreprirent de faire revivre les genres littéraires des anciens, poèmes épiques, odes, épîtres, tragédies: c'est à cette tâche que se voua le groupe des poètes de la Pléiade, dont le plus remarquable et le plus illustre fut Ronsard (1524–1585), qui jouit d'une réputation universelle et fut considéré par ses contemporains comme l'émule de Virgile et d'Homère. Quant au grand prosateur Montaigne (1533–1592), l'auteur des *Essais*, il avait appris le latin avant le français et toute son œuvre est imprégnée de la pensée antique.

La Renaissance artistique. — Dans les arts, la Renaissance française fut surtout architecturale. On ne compte guère qu'un seul peintre notable, François Clouet, fin portraitiste, mais qui ne saurait cependant être comparé aux grands maîtres italiens.

La France avait depuis le Moyen Age son art original et personnel, l'architecture ogivale, qui avait produit et qui produisait encore des chefs-d'œuvre. L'influence antique ne commença à se faire sentir que tout à la fin du quinzième siècle et fut longtemps en concurrence avec la tradition nationale. Les formes de l'art national finirent par disparaître et firent place aux formes dérivées de l'art gréco-romain, mais le génie français garda ses qualités propres de clarté, de simplicité et d'élégance.

Les architectes de la Renaissance construisirent surtout des châteaux, élégantes habitations de plaisance, vastes palais où purent se dérouler des fêtes somptueuses. Les plus célèbres sont les châteaux dits de la Loire, construits dans cette Touraine si riante qu'on l'a surnommée le Jardin de la France: Chambord, construit par Pierre Nepveu; Blois, auquel firent travailler Louis XII et François Ier; Amboise, le château de Charles VIII; Chenonceaux, sur un pont du Cher; Azay-le-Rideau. Du grand architecte Philibert de l'Orme (1515–1570), il ne subsiste que les fragments du château d'Anet, près de Paris. A Paris même la Renaissance est représentée par l'admirable Louvre de Pierre Lescot (1510–1578), c'est-à-dire les bâtiments commencés sur l'ordre de François Ier qui forment l'angle sud-ouest de la cour carrée; enfin le long de la Seine la gracieuse et magnifique Galerie du bord de l'eau, commencée par ordre de Catherine de Médicis.

Les Sculpteurs. — Comme les architectes, les sculpteurs se partagent en deux groupes. Les uns sont demeurés dans la tradition française; les autres ont subi l'influence antique et italienne.

A la tradition française, tradition réaliste, appartiennent Michel Colombe, Pierre Bontemps et Ligier Richier. Dans les bas-reliefs de batailles que Pierre Bontemps sculpta pour le tombeau de François Ier, il a représenté avec une scrupuleuse exactitude des soldats de son temps, chevaliers bardés de fer, Suisses aux larges bérets, lansquenets, piques, hallebardes, canons, arquebuses, tonneaux de poudre. De même ce sont des costumes du seizième siècle, de la Touraine, de la Lorraine, que portent les personnages de Michel Colombe dans son admirable tombeau du duc de Bretagne à Nantes, les personnages de Ligier Richier dans son émouvante Mise au tombeau de l'église de Saint-Mihiel.

Rien de semblable avec Jean Goujon et Germain Pilon qui appartiennent à l'école "classique." Leurs personnages, nymphes, cariatides, vertus théologales, sont nus ou vêtus d'amples draperies à la grecque. Les trophées d'armes sculptés par Jean Goujon à la façade du Louvre semblent empruntés à des arcs de triomphe romains. Les sujets même sont empruntés à la mythologie antique, tels la Diane sculptée par Jean Goujon pour le château d'Anet, et ses Nymphes de la Fontaine des Innocents dont on a dit qu'elles étaient le chef-d'œuvre du bas-relief.

Causes générales de la Réforme. — Au règne de François Ier correspond également l'expansion de la Réforme en France.

La Réforme, cette révolution religieuse, eut des causes multiples. Parmi les plus générales, deux sont particulièrement importantes: d'abord l'état même de l'Église au début du seizième siècle; ensuite, grâce à l'imprimerie, la diffusion de la Bible.

Les mêmes vices qui, au onzième siècle, avaient rendu nécessaire la réforme du pape Grégoire VII, la simonie, l'avarice, la corruption des mœurs, s'étaient de nouveau glissés dans le clergé. Les tentatives de réforme entreprises par les conciles du quinzième siècle avaient échoué. Au seizième siècle, la situation était plus grave que jamais, parce que la source du mal était à Rome même, les papes, tels que Jules II, Léon X ou Clément VII, paraissant plus occupés de politique ou de beaux-arts que des intérêts spirituels de la chrétienté.

Diffusion de la Bible. — Une autre cause du mouvement de la Réforme, ce fut, après la découverte de l'imprimerie, la diffusion de la Bible et la mise à la portée de tous des Évangiles, source même de la doctrine chrétienne. Depuis 1457 jusqu'à 1517, plus de quatre cents éditions de la Bible furent publiées.

La Bible pénétrant partout, c'était la parole même du Christ qui était rendue aux chrétiens. Or cette parole prêchait le renoncement aux biens de ce monde, la pauvreté, l'humilité; elle faisait donc paraître plus scandaleux encore l'orgueil et le luxe des princes ecclésiastiques; elle devait rendre plus vif encore le désir d'une réforme qui, selon le langage du temps, ramènerait l'Église à la simplicité primitive.

La connaissance des Évangiles eut une autre conséquence, la plus grave de toutes. L'organisation de l'Église catholique, ses dogmes, c'est-à-dire l'ensemble des croyances professées par ses fidèles, reposaient avant tout sur les Évangiles, puis sur la tradition, les interprétations et les définitions des papes et des conciles. Certains au seizième siècle, par respect étroit des Livres Saints, pensèrent que, puisqu'on avait dans les Évangiles la parole même de Dieu, il fallait s'en tenir à cette parole: la tradition et les interprétations, œuvres des hommes seuls, à leurs yeux étaient sans valeur. Tout au moins les interprétations des papes et des conciles n'avaient pas plus de valeur que l'interprétation d'un fidèle quelconque, et chacun pouvait interpréter l'Écriture sainte selon sa conscience. Ce fut la théorie de Luther, puis de Calvin, et c'est cette théorie qui entraîna la rupture de l'unité chrétienne.

Débuts de la Réforme en France. — Deux ans après l'avènement de François Ier, en 1517, le moine saxon Luther donnait en Allemagne le signal de la révolution religieuse. D'Allemagne, le mouvement gagna bientôt la France.

Il y avait d'ailleurs en France, dès avant Luther, un parti de réforme qui se recrutait surtout parmi les humanistes, mais se défendait de vouloir rompre avec l'Église officielle. Un mathématicien célèbre, Lefèvre d'Étaples, se tournant vers les études religieuses, prêchait dès 1511 la nécessité de lire les saintes Écritures, et de "ramener la religion à sa pureté primitive." Presque au moment où Luther publiait sa traduction allemande de la Bible, Lefèvre d'Étaples faisait imprimer une traduction française des Évangiles (1523).

Les conditions étaient donc assez favorables à la diffusion des doctrines luthériennes en France. Elles se répandirent d'abord surtout parmi les humbles, ceux qu'on appelait les gens mécaniques, c'est-à-dire les gens de métier, "savetiers, cordonniers, menuisiers, cordiers, peigneurs de laine, merciers et porte-paniers, gens, dit un contemporain, qui allaient rôdant de ville en ville et de province à autre et dont quelques-uns avaient demeuré en Allemagne."

Tout d'abord on ne les poursuivit pas. Jusqu'à 1534, François Ier se montra presque favorable aux réformés. Sa sœur, Marguerite d'Angoulême, reine de Navarre, en son château de Nérac, donnait asile volontiers aux suspects. François Ier lui-même à plusieurs reprises empêcha le Parlement de poursuivre les hérétiques. Mais ceux-ci brisaient les statues de la Vierge et des saints, aux angles des rues, aux façades des églises. Ces actes de vandalisme exaspéraient les catholiques comme des sacrilèges. D'autre part, en octobre 1534, des "placards," renfermant de grossières et violentes attaques contre l'Eucharistie et les croyances catholiques, furent affichés le même jour dans plusieurs grandes villes et jusqu'à la porte de la chambre du roi. Il parut que c'était l'effet d'un complot et le roi décida de sévir. En quelques mois une quarantaine de malheureux furent condamnés à mort et brûlés vifs à Paris.

Calvin. — C'est pour échapper à la persécution que Calvin s'enfuit alors en Suisse où il devait prêcher une nouvelle doctrine réformée, plus radicale encore que celle de Luther.

Jean Calvin était né à Noyon en Picardie en 1509. Fils d'un procureur de l'évêque de Noyon, il était destiné à l'Église. Mais au cours de ses études à l'Université d'Orléans et à l'Université de Bourges, il connut les doctrines de Luther et y adhéra. Aussi renonça-t-il à se faire ordonner prêtre. En 1534, comme François Ier commençait à persécuter les réformés, il s'enfuit de Paris et se réfugia en Suisse, à Bâle.

Là il résuma sa doctrine dans un livre qu'il publia en 1535, en le dédiant à François Ier, l'*Institution chrétienne*. Calvin, comme Luther avant lui, n'admettait en matière religieuse qu'une autorité, la Bible: il fallait "lire la seule Écriture," "ne recevoir aucune doctrine que celle qui nous est enseignée par la parole de Dieu." Comme Luther encore, Calvin professait l'inutilité des œuvres pour le salut de l'homme, que la foi seule assure, mais il ajoutait que la foi est "un don spécial," réservé par Dieu aux élus "prédestinés devant la création du monde à l'héritage du salut, sans aucun égard de leur dignité, ni vertu."

C'est la rigoureuse doctrine de la "Prédestination," que d'ailleurs la plupart des disciples de Calvin devaient rejeter dans les siècles suivants. Calvin n'admettait que deux sacrements: le Baptême et la Communion, — celle-ci un simple acte commémoratif du dernier repas pris par le Christ avec ses disciples. — Il réduisait le culte à la prière, la prédication, le chant des psaumes. Toute cérémonie était supprimée. Dans l'église — le Temple — nul ornement, point d'autel, point d'images, pas même un crucifix. Nulle hiérarchie parmi les prêtres — il disait les pasteurs ou les ministres — choisis par les plus importants des fidèles pour réciter les prières et prêcher.

Appelé à Genève, ville libre réformée, pour y enseigner la théologie, Calvin parvint à faire adopter sa doctrine et organisa l'Église calviniste. De 1541 jusqu'à sa mort en 1564, il gouverna Genève en maître absolu et d'une sévérité implacable. Sous sa direction, Genève, où de nombreux émigrés français venaient chercher asile, devint comme la Rome du protestantisme. L'Académie que Calvin y créa fut le grand séminaire d'où partirent des missionnaires de la religion nouvelle, animés de la foi la plus ardente. La doctrine et le culte calvinistes se répandirent rapidement dans toute l'Europe, surtout en France, en Écosse, aux Pays-Bas, jusqu'en Hongrie.

Massacre des Vaudois. — Cependant la persécution redoublait de rigueur en France. Intermittente sous François Ier, elle fut marquée cependant à la fin du règne par une affreuse tragédie, le massacre des Vaudois.

Depuis le treizième siècle, il existait dans les montagnes de Vaucluse une secte hérétique, les Vaudois, dont la doctrine se rapprochait des nouvelles doctrines réformées. On ne les avait jamais inquiétés. Mais en 1540 le Parlement d'Aix porta contre une vingtaine d'entre eux une sentence capitale pour crime d'hérésie. Pendant quatre ans l'archevêque de Paris, du Bellay, l'évêque de Carpentras, Sadolet, parvinrent à empêcher l'exécution de la sentence. Mais en avril 1545, le président d'Aix, d'Oppède, s'abattit sur le pays. Trois petites villes et vingt-deux villages furent incendiés, trois mille personnes égorgées, des centaines envoyées aux galères, des enfants même vendus aux Turcs comme esclaves.

La Persécution sous Henri II. — Ces horreurs n'étaient point pour révolter ceux des laïcs très nombreux qui reprochaient aux évêques "d'être trop lents et retenus" dans la poursuite des hérétiques. Henri II était de ceux-là. Très dur, il ne connut jamais en face des réformés les hésitations de son père, d'autant plus qu'il tenait les protestants pour des ennemis de l'autorité royale, presque des rebelles. De 1547 à 1550, en moins de trois ans, une chambre du Parlement de Paris, dite la Chambre ardente, prononça près de cinq cents condamnations dont soixante à mort.

Ces exécutions affermirent les persécutés dans leurs croyances, et déterminèrent de nouvelles conversions. En 1555, les calvinistes étaient assez nombreux pour se grouper et s'organiser en églises sur le modèle de l'église de Genève. En 1559 ces diverses églises, jusqu'alors isolées, songèrent à se lier les unes aux autres et, dans ce dessein, un synode, véritable concile calviniste, fut tenu à Paris. Il y avait alors en France soixante-douze églises réformées. Deux ans plus tard, on en comptait plus de deux mille.

CHAPITRE V

LES GUERRES DE RELIGION LA SAINT-BARTHÉLEMY ET LA LIGUE

Formation du parti calviniste. — On a vu avec quelle rapidité le calvinisme s'était propagé en France sous le règne d'Henri II. Bientôt ce ne furent plus seulement d'humbles artisans ou des bourgeois paisibles, mais des gentilshommes et des grands seigneurs qui embrassèrent la nouvelle doctrine. Avant la mort d'Henri II, deux princes du sang, Antoine de Bourbon, devenu roi de Navarre par son mariage avec Jeanne d'Albret, et son frère le prince de Condé étaient déjà protestants, ou, comme on disait "huguenots." Il en était de même des Châtillons, d'Andelot et son frère l'amiral de Coligny, neveux du connétable duc de Montmorency, le plus puissant seigneur du royaume. L'adhésion des nobles à la Réforme fut d'importance capitale. Les nobles firent du parti calviniste un parti politique et militaire, déterminé à défendre sa foi par les armes. De là les guerres de religion.

François II. — Au moment même où, pour prévenir des troubles intérieurs, un souverain énergique eût été plus que jamais nécessaire, la mort soudaine d'Henri II faisait roi un enfant de moins de seize ans, François II (1559–1560). François II marié à la reine d'Écosse, Marie Stuart, se laissa entièrement diriger par les oncles de sa femme, François de Guise et Charles, cardinal de Lorraine. Les Guises, catholiques fougueux, redoublèrent de rigueur dans les poursuites contre les protestants. Ceux-ci complotèrent alors d'enlever le roi au château d'Amboise pour le soustraire à l'influence des Guises; un gentilhomme inconnu, la Renaudie, fut le chef nominal du complot dont le chef secret était le prince de Condé. Mais la "conjuration d'Amboise" fut découverte: surpris dans les forêts voisines, les conjurés furent noyés, décapités, pendus jusqu'aux merlons du château (mars 1560). Condé lui-même, arrêté et condamné à mort pour haute trahison, ne fut sauvé que par la mort du jeune roi qu'une brusque maladie emporta en quinze jours (5 décembre 1560).

Charles IX et Catherine de Médicis. — Du coup la domination des Guises se trouva ruinée. Comme le nouveau roi Charles IX, second fils d'Henri II, était un enfant de dix ans, le pouvoir revint à la reine mère Catherine de Médicis, une Italienne rusée, sans foi et sans scrupules, indifférente en matière de religion, et par-dessus tout avide du pouvoir dont elle avait été jusque-là écartée.

Pour s'assurer la possession du pouvoir, elle essaya d'abord de la politique de bascule, et contre les Guises elle se procura l'appui des Bourbons en grâciant le prince de Condé. Elle crut même possible de réconcilier les partis et d'établir un régime de tolérance selon les très nobles conseils du chancelier Michel de l'Hôpital. "Qu'y a-t-il besoin, disait celui-ci, de tant de bûchers et de tortures? C'est avec les armes de la charité qu'il faut aller à tel combat. Le couteau vaut peu contre l'esprit." Dans ce but fut réuni à Poissy un "colloque" d'évêques et de pasteurs (1561). Les calvinistes y eurent pour principal représentant un ami de Calvin, Théodore de Bèze; les catholiques, le cardinal de Lorraine. L'irréductible opposition des croyances sur le point fondamental de l'Eucharistie rendit toute réconciliation impossible. Catherine de Médicis fit néanmoins promulguer l'édit de janvier 1562 par lequel elle accordait aux protestants le droit de célébrer publiquement leur culte dans les faubourgs des villes et dans les campagnes.

Massacre de Vassy. — Cette politique n'avait aucune chance de succès. L'idée de tolérance était étrangère, hostile même à presque tous, calvinistes et catholiques. Partout éclataient des rixes sanglantes. Dans le Midi, là où ils avaient la majorité, les calvinistes chassaient des églises les catholiques: ils en tuèrent une trentaine dans la cathédrale de Montpellier (20 octobre 1561). Un mois après l'édit de janvier, le 1er mars 1562, le duc de Guise passant à Vassy, les gens de son escorte cherchèrent querelle à des calvinistes qui célébraient le culte dans une grange. D'où une bagarre qui finit en massacre: il y eut plus de cent calvinistes tués et blessés.

Le massacre de Vassy déchaîna les haines et fut le signal d'une furieuse guerre civile.

Caractères des guerres de religion. — On devait compter huit guerres de religion, quatre sous Charles IX, quatre sous Henri III et Henri IV.

Les guerres traînèrent parce qu'aucun des adversaires ne pouvait prendre un avantage décisif. Les calvinistes, une minorité, étaient hors d'état de triompher de la masse catholique de la nation. Les catholiques ne pouvaient en finir avec les calvinistes parce que ceux-ci étaient dispersés par toute la France et que si la région du sud-ouest et du sud, l'ancienne Aquitaine, depuis la Vienne jusqu'aux Pyrénées, était, avec le Languedoc, le principal foyer de leur résistance, on les trouvait aussi bien en Auvergne, en Bourgogne, dans le Nivernais: il n'y avait pas un centre vital où un seul coup frappé pût les abattre. De là le décousu, et par suite l'absence d'intérêt des opérations, jusqu'à la dernière guerre où Henri IV poursuit un objectif bien défini, la prise de Paris, sa capitale.

La violence des passions religieuses produisit comme une éclipse du sentiment national. Des deux côtés on n'hésita pas à faire appel à l'étranger: les catholiques reçurent des secours du roi d'Espagne, Philippe II; les protestants de la reine d'Angleterre Élisabeth, et des princes allemands.

Les Premières Guerres. — La première guerre dura un an (1562–1563). Il y eut une grande bataille à Dreux où Guise fut vainqueur. Mais deux mois après, sous les murs d'Orléans, il fut assassiné d'un coup de pistolet par un protestant, Poltrot de Méré. La guerre se termina par l'édit d'Amboise, moins libéral que l'édit de janvier, mais qui valut cependant à la France quatre années de paix.

Une deuxième guerre éclata en 1567. Le vieux connétable de Montmorency, chef de l'armée catholique, fut tué au combat de Saint-Denis près Paris. La paix rétablie en 1568 fut presque aussitôt rompue et une troisième guerre commença. Les protestants subirent deux défaites, à Jarnac, puis à Moncontour. A Jarnac le prince de Condé, blessé, fut assassiné comme il venait de se rendre. Mais Coligny, tenace, reforma une armée et reprit l'avantage. Lasse de cette guerre sans résultats, Catherine signa un nouvel édit de pacification analogue à l'édit d'Amboise et accorda aux protestants quatre places de sûreté où ils purent mettre garnison (1570).

La Saint-Barthélemy. — La réconciliation paraissait se faire entre les deux partis. Comme pour l'achever, on prépara le mariage de la sœur de Charles IX, Marguerite de Valois, avec le jeune roi Henri de Navarre, devenu par la mort du prince de Condé le chef des calvinistes. Les gentilshommes protestants revinrent en grand nombre à la Cour. Charles IX avait appelé à son conseil l'amiral de Coligny, réputé pour sa grande expérience de la guerre et de la politique et pour la noblesse de son caractère; bientôt nul ne fut plus écouté du roi qui le nommait "son père".

Cette faveur de Coligny devait être fatale aux protestants. Catherine de Médicis, dont l'influence diminuait, crut que le pouvoir allait lui échapper. Elle s'entendit avec le duc Henri de Guise pour se débarrasser de Coligny par un meurtre. Le coup manqua: Coligny ne fut que blessé et le roi furieux jura de le venger "d'une horrible façon". Il fit aussitôt commencer une enquête sur l'attentat (22 août 1572).

De plus en plus inquiète pour elle-même, Catherine projeta alors, de concert avec Guise, un massacre général des chefs protestants. Ella alla trouver le roi, qui était de caractère faible et irritable. Elle l'affola en lui faisant croire que les huguenots s'armaient, qu'ils complotaient contre sa vie, qu'il y allait du salut public si on ne faisait périr tous les chefs. Après une longue résistance, le roi finit par s'écrier: "Tuez-les, mais tuez-les tous pour qu'il n'en reste pas un pour me le reprocher!" C'était le soir du 23 août. On prit aussitôt les mesures nécessaires: le massacre devait avoir lieu dans la matinée du dimanche 24 août, jour de la Saint-Barthélemy.

L'égorgement commença avant l'aube. Guise se précipita au logis de Coligny. Un de ses domestiques, un Allemand nommé Besme et trois Suisses entrèrent dans la chambre du blessé: "Es-tu bien l'amiral? demanda Besme. — C'est moi." Besme lui plongea une épée dans le ventre. En bas, le duc de

Guise, qui pensait venger l'assassinat de son père, criait: "Besme, as-tu achevé? — C'est fait." Et, par la fenêtre, le corps de Coligny était jeté sur le pavé. Le jour se levait. Le duc se pencha sur le cadavre, examina la face, puis il le poussa du pied et partit poursuivre les assassinats.

Au Louvre, Henri de Navarre, beau-frère du roi, était sommé de choisir entre la mort ou la messe: il abjura. C'est le seul qu'on épargna. Les escaliers, les salles, les antichambres du palais étaient ensanglantés. On ne devait tuer que les chefs: mais bientôt la populace se joignit aux soldats et le massacre devint général. Les huguenots, surpris, étaient tirés hors des maisons, jetés par les fenêtres, poignardés ou arquebusés. Avant midi il y avait deux mille morts; on pillait et on volait en même temps qu'on égorgeait. Vainement le roi épouvanté voulut essayer d'arrêter ces horreurs; le massacre dura jusqu'au mardi 26.

L'example de Paris fut imité dans un grand nombre de villes. Le nombre total des victimes fut d'environ 8,000. Cependant quelques gouverneurs royaux refusèrent d'exécuter les ordres venus de Paris et parvinrent à empêcher les massacres.

Quatrième Guerre. — Ce crime abominable fut sans résultat. Privés de leurs chefs, mais nullement découragés, les calvinistes dans les provinces prirent les armes. Pour mieux se défendre ils s'organisèrent fortement, et formèrent l'Union calviniste, divisée en gouvernements dont chacun eut son chef de guerre et son conseil, chargé d'administrer et de lever les impôts. Ainsi les protestants constituaient au milieu du royaume une sorte de république fédérative, et, comme devait dire plus tard Richelieu, un État dans l'État. Ils se défendirent si bien dans la Rochelle, devenue leur grande place forte et comme leur capitale, que Charles IX dut leur accorder la paix et la liberté de conscience (1573).

Cependant, depuis la Saint-Barthélemy, le faible roi, tourmenté par les remords, vivait dans un perpétuel cauchemar où il lui semblait voir "ces corps massacrés, les faces hideuses et couvertes de sang." Il mourut à l'âge de vingt-quatre ans, en 1574.

Henri III. Cinquième Guerre. — La couronne passa au troisième fils d'Henri II, Henri, duc d'Anjou, l'enfant préféré de Catherine de Médicis. Henri III était alors en Pologne où il avait été élu roi l'année précédente. Mais aussitôt qu'il connut la mort de Charles IX il s'enfuit secrètement de Cracovie pour rentrer en France. C'était un prince de vingt-trois ans, intelligent, mais fourbe comme sa mère, sans énergie et de mœurs efféminées. Ses dépenses folles, ses vices, l'insolence de ses favoris, les "mignons" le rendirent vite impopulaire.

Le royaume avec un tel roi tomba bientôt dans la plus complète anarchie. Les huguenots recommencèrent la guerre dès 1574; ils avaient cette fois pour alliés un groupe de seigneurs catholiques, partisans de la paix religieuse, qui se rangeaient autour du dernier frère d'Henri III, le duc d'Alençon; on les appelait les *malcontents* ou les *politiques*. Avec 30,000 hommes, les protestants et les malcontents marchèrent sur Paris et forcèrent Henri III à signer l'édit de Beaulieu (1576) qui leur accordait des avantages considérables. Les protestants eurent la liberté du culte dans toute la France, sauf à Paris. Les principaux chefs obtinrent des gouvernements et des charges.

La Ligue. — Quand on connut l'édit de Beaulieu, la majorité des catholiques considéra que le roi trahissait les intérêts du royaume et de la religion. De toutes parts, des associations se formèrent "pour restaurer le saint service de Dieu et l'obéissance à Sa Majesté." Puis elles se groupèrent en une association générale, qu'on appela la Ligue (1576). Le chef reconnu de la Ligue fut le duc Henri de Guise, surnommé le Balafré, à la suite d'une blessure au visage reçue dans un combat contre les protestants.

La formation de la Ligue était un péril pour la royauté. Les ligueurs juraient bien de garder au roi l'obéissance qui lui était due. Mais ils juraient aussi "de restituer aux provinces du royaume les droits, franchises et libertés anciennes." Autant qu'un parti religieux, les ligueurs formaient donc un parti politique qui visait à limiter le pouvoir royal, à ruiner l'absolutisme. Ils avaient leur organisation militaire, leur chef, nommé par eux et auquel ils juraient l'obéissance la plus absolue. Comme les calvinistes, ils tendaient à constituer un État dans l'État.

Sixième et Septième Guerres. — Poussé par la Ligue, Henri III reprit sans enthousiasme la lutte contre les protestants. Ceux-ci avaient de nouveau pour chef Henri de Navarre qui s'était enfui de la Cour en 1576 et était revenu au calvinisme. Il y eut une sixième guerre (1576-1577), puis une septième guerre (1579–1580). Les protestants finirent par accepter une paix qui restreignait un peu les avantages concédés à Beaulieu, mais qui leur laissait un grand nombre de places de sûreté.

Extension de la Ligue. — La France eut alors quatre années de paix. Mais en 1584, la mort du duc d'Alençon ralluma toutes les passions. C'est que, par cette mort, Henri de Navarre, chef des protestants, hérétique relaps, devenait l'héritier légitime de la couronne. La Ligue prit alors une immense extension; le peuple des villes, fanatisé par les moines, y entra en masse. Les ligueurs conclurent un traité secret avec Philippe II. Ils obtinrent du pape qu'il déclarât Henri de Navarre incapable de succéder à la couronne de France. Enfin, ils forcèrent le roi à prononcer l'interdiction du culte calviniste (1585).

Ce fut le signal de la huitième et dernière guerre; elle devait durer près de dix ans. Depuis la guerre de Cent Ans, la France n'avait pas traversé pareilles épreuves: son unité, son indépendance, sa dynastie nationale coururent alors les plus grands dangers.

Guise contre Henri III. — Tandis qu'un favori du roi se faisait écraser à Coutras par Henri de Navarre, Henri de Guise remporta deux légers succès en Champagne. Ces succès, transformés en grandes victoires, ajoutèrent encore à sa popularité qui devint immense. Les ligueurs et le duc de Guise lui-même pensèrent à déposer Henri III.

Malgré les ordres du roi, Guise entra dans Paris aux acclamations de la foule. Le 12 mai 1588, journée des Barricades, la ville qui était tout entière ligueuse, se souleva contre les troupes royales. Henri III s'enfuit en toute hâte.

Sans force contre son rival, le roi eut recours à la ruse. Il feignit une réconciliation et le nomma lieutenant général du royaume. Aux États Généraux réunis à Blois parce que le roi avait besoin d'argent, le duc apparut comme le vrai souverain. Mais le 23 décembre 1588, mandé par Henri III dans son cabinet, il fut poignardé par huit gentilshommes de la garde des Quarante-Cinq.

Mort d'Henri III. — "A présent je suis roi", écrivait Henri III aussitôt après l'assassinat. Le lendemain Paris était en pleine insurrection. Le comité ligueur parisien appelé le Conseil des Seize, parce que les seize quartiers de la ville y avaient chacun un représentant, s'organisa en gouvernement révolutionnaire; il prononça la déchéance d'Henri III comme "parjure, assassin, sacrilège, fauteur d'hérésie, magicien, dissipateur du trésor public, ennemi de la patrie", et nomma sous le nom de lieutenant général un véritable régent du royaume, le duc de Mayenne, frère de Guise. La plus grande partie de la France adhéra à cette décision.

Il ne restait d'autre parti à Henri III que de se réconcilier avec Henri de Navarre. Les deux rois vinrent assiéger Paris. Mais le 1er août 1589, un moine fanatique, Jacques Clément, assassina Henri III d'un coup de couteau dans le ventre.

CHAPITRE VI

HENRI IV

Henri IV et la Ligue. — Avec Henri III s'éteignait la famille des Valois. La couronne revenait à Henri de Navarre, chef de la famille des Bourbons, qui descendaient en ligne directe de saint Louis. Henri de Navarre prit le nom de Henri IV.

Le nouveau roi avait à conquérir presque tout son royaume. "Plutôt mourir de mille morts que d'obéir à un roi huguenot!" tel fut le cri général quand on apprit la mort d'Henri III. La Ligue reconnut comme roi le vieux cardinal de Bourbon, oncle d'Henri IV. Elle était soutenue par le roi d'Espagne Philippe II, qui lui fournissait soldats et argent. Henri IV ne pouvait compter que sur les protestants et sur un petit nombre de catholiques loyalistes. Mais il n'était pas homme à désespérer. Habile politique autant que vaillant soldat, c'était un Gascon séduisant, gai, hardi, spirituel, fait pour la popularité. A force d'énergie, de patience, de souplesse et de modération, il finit par triompher de toutes les difficultés.

Arques et Ivry. — Au lendemain de la mort d'Henri III, son armée étant réduite de moitié par les défections, Henri IV dut lever le siège de Paris. Mais au lieu de se retirer vers le sud où se trouvaient les principales forces des calvinistes, il voulut rester dans la région de la Seine, à portée de Paris, dont la possession lui paraissait essentielle, parce qu'elle était la capitale du royaume et la citadelle principale de ses adversaires.

Poursuivi par le duc de Mayenne en Normandie, Henri le battit à Arques (1589), et tenta aussitôt sur Paris un coup de main qui échoua. L'année suivante après la brillante victoire d'Ivry, près d'Evreux, il put venir assiéger Paris. Mais les habitants fanatisés tinrent quatre mois avec un mois de vivres, et une armée espagnole eut ainsi le temps de venir les délivrer.

Abjuration d'Henri IV. — Les événements traînèrent ensuite jusqu'à 1593. A cette date Mayenne et les ligueurs convoquèrent les États Généraux à Paris pour élire un roi, car le cardinal de Bourbon était mort en 1590.

Le roi d'Espagne, Philippe II, qui avait déjà réussi à faire entrer à Paris une garnison espagnole, essaya de faire proclamer reine de France sa fille Isabelle, petite-fille d'Henri II par sa mère. Mais devant les prétentions espagnoles, il y eut un brusque réveil du sentiment national. Sauf une poignée de fanatiques, les ligueurs hésitèrent. C'était l'occasion que guettait Henri IV: le 25 juillet 1593, il abjura solennellement entre les mains de l'archevêque de Bourges dans la basilique de Saint-Denis.

L'abjuration décida tout. Elle ruina les espérances de Philippe II et désorganisa la Ligue. Le pays, qui n'aspirait plus qu'à la paix, accueillit la nouvelle avec joie. Une grande partie du royaume reconnut immédiatement le roi converti, et Henri IV, plutôt que de continuer une guerre ruineuse, préféra acheter la soumission du reste. Il lui en coûta plus de vingt millions de livres. Le gouverneur de Paris, moyennant le titre de maréchal et deux cent mille écus, lui livra la ville (1594); Henri IV y entra sans coup férir.

La guerre continua encore quatre ans contre les Espagnols. Les deux ennemis épuisés étaient incapables de se porter des coups décisifs. Ils signèrent en 1598 le traité de Vervins, simple réédition du traité de Cateau-Cambrésis.

L'Édit de Nantes. — La question la plus difficile à régler était la question religieuse. L'Union calviniste s'était séparée d'Henri IV après son abjuration et se tenait à l'écart dans une réserve hostile: ce n'est qu'après de longues et pénibles négociations que le roi parvint à lui faire accepter l'édit de Nantes (1598).

L'édit garantissait aux protestants la liberté de conscience dans tout le royaume; la liberté de culte partout où il était établi avant 1597 et dans deux localités par baillage; l'égalité absolue avec les catholiques et l'accès à tous les emplois; la création dans les Parlements de chambres mi-parties, c'est-à-dire composées de juges catholiques et calvinistes. En outre l'édit reconnaissait aux protestants le droit de se réunir en synodes pour délibérer sur leurs intérêts. Ils devaient pendant plusieurs années conserver une centaine de places fortes comme places de sûreté.

On a dit de l'édit de Nantes "qu'il méritait de faire date dans l'histoire du monde" parce qu'il inaugurait l'ère de la tolérance. A cette date en effet, dans tous les États, en Allemagne, en Angleterre, en Espagne, les sujets étaient contraints, sous peine de bannissement, quand ce n'était pas sous peine de mort, de pratiquer la religion de leur souverain, catholique ou protestant. La France la première adopta le régime de la liberté religieuse. A vrai dire elle l'adopta non pas spontanément, par véritable respect des droits de la conscience, mais contrainte par la sagesse et la prévoyance d'Henri IV. L'édit de Nantes, si juste et si heureux dans ses parties essentielles, fut mal accueilli et difficilement accepté par les catholiques.

La France après les guerres de religion. — Les guerres de religion avaient couvert la France de ruines, ruines politiques, ruines matérielles. Non seulement le pays était dévasté, dépeuplé et appauvri, mais de l'autorité absolue de François Ier et de Henri II, il ne restait à peu près rien et l'unité même de la France était mise en péril.

Dans leurs provinces, les gouverneurs se comportaient en souverains, levant des troupes, établissant et percevant des impôts, rendant la justice et visant à transformer leurs charges révocables en charges héréditaires. C'était comme une nouvelle féodalité qui se reformait. Les Parlements, qui avaient presque tous été ligueurs, avaient pris des habitudes d'indépendance et d'opposition à la royauté. Les villes avaient chassé les officiers royaux et recommencé à s'administrer librement et à élire leur municipalité. Alors que cinquante ans auparavant nul ne songeait à contester l'autorité absolue des rois, plusieurs livres avaient paru au temps de la Ligue dans lesquels il était écrit que la nation est supérieure au roi, qu'elle peut le déposer s'il est un tyran ou s'il est hérétique, et même qu'on a le droit de le tuer.

Henri IV. — Aussitôt après l'édit de Nantes et le traité de Vervins, Henri IV entreprit l'œuvre de réorganisation de la France et de restauration de l'autorité royale.

Il était alors dans toute la vigueur de l'âge et la maturité de l'esprit: il avait quarante-cinq ans. Il était réputé pour son éclatante bravoure, ses réels talents d'homme de guerre, ses allures familières et simples, sa bonhomie un peu moqueuse. Il avait l'esprit fin, jugeait vite et bien les hommes. Tout à fait incapable de rancune — du reste presque aussi incapable de reconnaissance —, il employait volontiers ses ennemis de la veille, s'il leur reconnaissait des capacités, et pensait qu'ils le serviraient bien. Autour de lui, il groupa des hommes de tous les partis, huguenots comme Sully et Olivier de Serres; catholiques comme le cardinal d'Ossat; ligueurs comme le président Jeannin.

Il répugnait aux coups d'autorité et nul ne s'entendait mieux à commander. Il savait donner à ses ordres l'apparence de la prière et toujours remerciait qui lui obéissait. Mais il avait la ferme volonté d'être obéi: "Venez me trouver bien résolu de suivre mes volontés, écrivait-il au duc d'Épernon, gouverneur de Provence; car le serviteur qui veut être aimé de son maître lui témoigne toute obéissance. Votre lettre est d'homme en colère, ajoutait-il, je n'y suis pas encore, je vous prie de ne m'y mettre pas."

Restauration du pouvoir royal. — Sans rien brusquer et tout en prodiguant les bonnes paroles, Henri IV reprit peu à peu toutes les concessions faites aux uns et aux autres, et rétablit dans tout le royaume son autorité absolue. Les États Généraux, qui avaient été réunis à plusieurs reprises pendant les guerres de religion et qu'Henri IV lui-même avait promis de réunir, ne furent jamais convoqués. Exclus du Conseil, où se traitaient les affaires du gouvernement, les princes du sang et les grands seigneurs durent se contenter de charges de Cour purement honorifiques. A ceux qui étaient gouverneurs de provinces, il fut rappelé que leurs fonctions étaient militaires et qu'ils ne devaient "se mesler du fait des finances, non plus que du fait de la justice." Quant aux libertés des villes, Henri IV n'en tint aucun compte et les restreignit à sa guise.

Sully.— Dans l'œuvre de réorganisation le roi n'eut pas de meilleur collaborateur que Maximilien de Béthune, duc de Sully. En 1598 il lui remit le soin des finances avec le titre de surintendant. Puis successivement il le nomma grand voyer de France, surintendant des fortifications et des bâtiments, grand maître de l'artillerie. Par une gestion honnête et sévèrement économe, Sully parvint à rétablir l'ordre dans les finances. Ce fut son principal mérite. Il remboursa de grosses sommes, fit régulièrement face à toutes les dépenses et sut mettre de côté, chaque année, dans les caves de la Bastille, à peu près un million de livres.

L'Agriculture. — "Pâturage et labourage, disait Sully, sont les deux mamelles dont la France est alimentée, les vrais mines et trésors du Pérou." Aussi de nombreuses mesures furent prises en faveur des paysans. Les plus utiles furent celles qui eurent pour objet de protéger leur travail: l'interdiction faite aux seigneurs de chasser dans les blés et dans les vignes, la répression rigoureuse de toute pillerie commise par les soldats, la défense de saisir les animaux et les outils de labour pour non-payement des impôts. Grâce à la vigilance royale, le paysan eut douze années de paix: cela fit plus qu'aucune mesure pour l'amélioration de son sort.

En même temps le roi s'efforçait d'éloigner la noblesse de la Cour et de la ramener aux champs. Il essaya de mettre la campagne à la mode et quand, sur sa demande, Olivier de Serres eut écrit son *Théâtre d'agriculture*, chaque jour, à table, le roi, dit-on, s'en faisait lire quelque partie.

L'Industrie et le commerce. — Henri IV s'efforça aussi de faire de la France un pays industriel. Il voulait non seulement restaurer les industries françaises tombées en décadence, comme la draperie et la tapisserie, mais introduire des industries nouvelles, spécialement la fabrication des soieries et des velours qui prit une certaine importance à Tours et à Lyon. Il espérait par là empêcher l'argent de sortir de France au profit des Italiens. Sur ce point Sully n'était pas d'accord avec lui, il n'aimait pas les industries de luxe: ses instincts d'économie lui faisaient détester "les babioles, superfluités et excès en habits". Mais surtout il craignait que le travail des manufactures n'attirât les paysans vers les villes et ne dépeuplât les campagnes.

Par contre, comme grand voyer, Sully fit restaurer les routes, reconstruire les ponts, pour le plus grand bien du commerce intérieur. On commença de creuser un canal, le canal de Briare, pour rejoindre la Seine à la Loire par le Loing. Henri IV conclut aussi des traités de commerce avec l'Angleterre et avec la Turquie.

La Colonisation. — Le roi désirait en effet que la France s'adonnât au grand commerce par mer et qu'elle possédât des colonies comme le Portugal et l'Espagne.

Déjà sous François Ier un Français de Saint-Malo, Jacques Cartier, avait exploré la région du Saint-Laurent dans l'Amérique du Nord (1535). Mais les premiers établissements français dans cette région n'avaient pas prospéré et finalement avaient été abandonnés. Sous Henri IV de nouvelles tentatives furent faites pour créer sur les rives du Saint-Laurent, au Canada, une nouvelle France. Samuel Champlain établit une "habitation" sur un plateau rocheux qui domine le fleuve au point où commence son estuaire: ce fut l'origine de la ville de Québec (1608).

Politique extérieure. — Depuis le traité de Vervins, et sauf en 1602 une courte guerre contre le duc de Savoie qui dut céder au roi de France la Bresse et le Bugey, Henri IV avait suivi constamment au dehors une politique pacifique et prudente. En 1609, son attitude se modifia: il voulut intervenir en Allemagne dans le règlement de la succession de Clèves et de Juliers, et au début de 1610, il faisait de grands préparatifs de guerre contre l'empereur et le roi d'Espagne.

Assassinat d'Henri IV. — Cependant la fièvre de la Ligue n'était pas encore complètement tombée. Les plus fanatiques ne pardonnaient pas au roi d'avoir été huguenot et de tolérer les huguenots dans le royaume. Leur irritation grandit quand, en 1610, ils apprirent qu'Henri IV, allié aux protestants allemands, se préparait à faire la guerre à l'Espagne et à l'Autriche. On disait même dans le peuple qu'il voulait faire la guerre au pape.

Ces bruits achevèrent de déranger l'esprit d'un halluciné nommé Ravaillac. Il vint à Paris pour tuer le roi. Henri IV devait partir le 16 mai pour aller prendre le commandement de ses troupes. Le 14 mai, dans l'après-midi, il sortit en carrosse pour rendre visite à Sully. Rue de la Ferronnerie, le carrosse fut arrêté par une charrette de foin qui barrait le passage. Ravaillac, qui suivait depuis le Louvre, s'approcha et frappa rapidement le roi de deux coups de couteau. Le second coup atteignit le cœur. Le roi murmura: "Ce n'est rien"; le sang lui emplit la bouche; il était mort. Ce fut une immense douleur par tout le royaume.

CHAPITRE VII
LOUIS XIII ET RICHELIEU

La Régence. — La mort soudaine d'Henri IV provoqua un désarroi général et fut le point de départ d'une nouvelle période de troubles qui allait durer près de quatorze ans. Le fils aîné d'Henri IV, Louis XIII, n'avait pas neuf ans; il était mineur, il fallait donc organiser une régence. La reine mère, Marie de Médicis, s'adressa en hâte au Parlement, suprême autorité judiciaire du royaume, qui la déclara régente "avec toute puissance et autorité."

La France, selon l'expression de Sully, "tombait en d'étranges mains." La régente, une femme superstitieuse et d'esprit borné, donna toute sa confiance à un couple d'aventuriers italiens, Léonora Galigaï et son mari Concini. Concini fut fait marquis d'Ancre, maréchal, et sous le nom de Marie de Médicis, ce fut lui qui gouverna la France.

Gouvernement de Concini. — Concini était un incapable. Les grands seigneurs, qui avaient à leur tête le prince de Condé, premier prince du sang, pensèrent que l'occasion était excellente pour reprendre un peu de l'indépendance perdue sous Henri IV. D'abord, ils se firent payer de grosses pensions, et le trésor qu'avait constitué Sully à force d'économie fut mis au pillage. Puis quand la régente commença à se montrer moins généreuse, en 1614, ils prirent les armes et réclamèrent la convocation des États Généraux. Au lieu de marcher sur les rebelles, Concini traita avec eux, leur versa des sommes importantes et leur donna des gouvernements. Les États Généraux furent réunis cette même année 1614, mais ils n'aboutirent à rien, par suite des querelles entre les députés du Tiers qui réclamaient la suppression des pensions payées aux nobles et les députés de la Noblesse qui demandaient l'abolition de l'hérédité des offices. Un matin, la régente fit fermer la salle des séances, et l'on renvoya les députés chez eux. Les Etats Généraux ne devaient plus être convoqués jusqu'à 1789.

Bien que Louis XIII eût été déclaré majeur, Concini continua à gouverner. Il y eut une nouvelle prise d'armes de Condé et des grands, auxquels se joignirent les protestants du Midi qu'inquiétait le mariage du roi avec l'infante Anne d'Autriche, fille du roi d'Espagne. Condé et ses complices obtinrent encore de l'argent, quelques millions.

Gouvernement de Luynes. — En 1617 le jeune roi Louis XIII, qui était tenu à l'écart, presque isolé de tout et de tous, voulut montrer qu'il était le maître. Il fit tuer Concini, brûler la Galigaï comme sorcière, et donna le pouvoir à un de ses favoris, de Luynes, son dresseur d'oiseaux de chasse.

Mais Luynes, avec un peu plus d'esprit politique que Concini, était comme lui avide surtout d'honneurs et d'argent. Les désordres continuèrent, provoqués d'abord par la reine mère, qui avait été écartée des affaires, puis par les protestants, ceux-ci d'autant plus redoutables qu'ils avaient reconstitué leur organisation du temps des guerres de religion. De Luynes leur fit la guerre, échoua devant Montauban et mourut peu après (1621). L'année suivante, Louis XIII en personne fut arrêté devant Montpellier et se résigna à traiter avec les protestants qui conservèrent leurs libertés et privilèges (1622).

Richelieu ministre. — Luynes mort, il y eut trois années pleines d'intrigues, au cours desquelles Marie de Médicis reprit une certaine influence sur Louis XIII. En 1624, elle réussit à faire entrer au Conseil du roi celui qu'elle considérait comme son homme de confiance, le cardinal de Richelieu: trois mois après il était le maître du gouvernement et le demeura jusqu'à sa mort (1642).

Armand du Plessis de Richelieu était né à Paris en 1585. Destiné d'abord à la carrière militaire et élevé en futur soldat, il entra cependant dans les ordres en 1606. A vingt-deux ans, il fut nommé évêque de Luçon, en Vendée. Son évêché était, à son dire, "le plus pauvre et le plus crotté de France." Il y resta jusqu'en 1614. Député cette année-là aux États Généraux, il y joua un rôle important. Marie de Médicis le prit alors pour aumônier et Concini, en 1616, le fit secretaire d'État de la guerre. Après la mort de Concini, Richelieu suivit la reine mère dans son exil et contribua à la réconcilier avec Louis XIII: il reçut en récompense, en 1622, le chapeau de cardinal. Il avait trente-neuf ans quand il devint ministre. Louis XIII ne l'aimait pas, mais il le jugea à sa valeur et, l'ayant trouvé seul capable de mener à bien les affaires, il le maintint envers et contre tous.

Bien qu'il eût jusqu'alors fait preuve de beaucoup de souplesse et d'habileté, Richelieu était de caractère violent, brutal, autoritaire, dur de cœur et incapable de pitié. Il avait la plus haute idée de la nature de la puissance royale. Pour lui les rois étaient "la vivante image de la Divinité; la Majesté royale était la seconde après la divine." Aussi considérait-il que, dans le royaume, tous, sans exception, devaient l'obéissance au roi: "Les fils, frères et autres parents du Roi sont sujets aux lois comme les autres, écrivait-il, et principalement quand il est question du crime de lèse-majesté." En revanche, il avait également la plus haute idée des devoirs de la royauté: "Les intérêts publics, écrivait-il encore, doivent être l'unique fin du prince et de ses conseillers."

Programme de Richelieu. — Richelieu avait en outre l'intelligence claire et la vue très nette de l'état intérieur du royaume et de sa situation au dehors au moment où il prenait le pouvoir. Il les résumait plus tard en ces termes: "Les huguenots partageaient l'État avec le roi; les grands se conduisaient comme s'ils n'eussent pas été ses sujets, et les plus puissants gouverneurs de province, comme s'ils eussent été souverains en leurs charges. Les alliances étrangères étaient méprisées, les intérêts particuliers préférés aux publics; en un mot, la dignité de la majesté royale était tellement ravalée et si différente de ce qu'elle devait être, qu'il était presque impossible de la reconnaître."

Cette situation constatée, Richelieu présenta au roi le programme suivant: "Ruiner le parti huguenot; rabaisser l'orgueil des grands; réduire tous les sujets en leur devoir et relever le nom du roi dans les nations étrangères au point où il devait être."

Siège de la Rochelle. — Le centre de la résistance protestante était le port de la Rochelle. Richelieu bloqua la place une première fois en 1625, mais ne se sentant pas assez fort pour en finir, il signa une trêve. En 1627, la lutte recommença. Les Rochellois avaient cette fois des alliés, les Anglais. La place était forte et la défense était dirigée par un homme d'une farouche énergie, le maire Guiton. "Pourvu qu'il reste un homme pour fermer les portes, c'est assez," disait-il, et il avait juré de poignarder quiconque parlerait de se rendre. Le siège dura quatorze mois. Richelieu dirigeait lui-même les opérations, casque en tête et cuirasse au dos, en qualité de lieutenant général. Du côté de la terre il enveloppa la ville d'un retranchement de 12 kilomètres. Du côté de la mer, pour fermer le port et empêcher l'entrée de tout secours anglais, il fit construire en six mois une digue de pierres, longue de 1,500 mètres et large de 8 mètres au sommet. Deux flottes anglaises qui tentèrent de troubler les travaux et de ravitailler la place, furent repoussées. La faim contraignit les défenseurs à capituler: 15,000 avaient péri, il en restait 154 valides.

La Grâce d'Alais. — La guerre continua encore quelque temps dans le Vivarais et le Languedoc, où les villes prises furent affreusement mises à sac par l'armée royale.

Enfin, le 28 juin 1629, tous les rebelles ayant fait leur soumission, Richelieu publia la grâce d'Alais. Le titre était significatif; Richelieu n'admet pas qu'un roi puisse traiter avec des sujets rebelles; il leur impose ses conditions et leur accorde des grâces.

D'ailleurs la grâce d'Alais n'était d'aucune façon un acte d'intolérance: Richelieu se bornait à faire rentrer les protestants dans le droit commun. Il leur enlevait tous ceux des privilèges concédés par l'édit de Nantes qui leur avaient permis de constituer un parti politique, places de sûreté, droit de tenir des assemblées générales, etc. En revanche la liberté du culte et l'égalité absolue avec les catholiques leur étaient garanties.

Les Complots. — La lutte contre les grands fut plus longue: elle dura jusqu'à 1642, c'est-à-dire jusqu'à la veille de la mort de Richelieu. Il eut à faire face à des complots dirigés contre lui et à des révoltes à main armée. Le centre de toutes les intrigues fut le duc Gaston d'Orléans, frère du roi. Ce personnage, par sa lâcheté l'un des plus méprisables du dix-septième siècle, dut son importance à ce qu'il fut, jusqu'à 1638, l'héritier présomptif de la couronne: Louis XIII en effet n'eut pas d'enfant jusqu'à cette date. Aussi tous les mécontents, tous les adversaires de Richelieu et de sa politique se groupaient-ils autour de Gaston. A côté de lui, la reine Anne d'Autriche, et la reine mère Marie de Médicis, brouillée avec Richelieu parce qu'il ne voulait pas être le serviteur de ses caprices, furent aussi des ennemies du cardinal.

Complots et révoltes furent réprimés sans pitié. En 1626, un complot pour empêcher le mariage de Gaston avec Mlle de Montpensier, mariage voulu par Richelieu, aboutit à l'arrestation des frères naturels du roi, les deux Vendôme, à la condamnation à mort et à l'exécution du comte de Chalais.

En 1630, le 10 novembre, Marie de Médicis essaya d'arracher à Louis XIII le renvoi de Richelieu: elle crut avoir réussi. Mais le soir même Louis XIII appelait le cardinal auprès de lui. Ce fut ce que l'on appela la Journée des Dupes. Le lendemain les amis de Marie de Médicis étaient en prison ou exilés. Elle-même fut exilée quelques mois après. Elle s'enfuit à l'étranger: elle y mourut dans la gêne, douze ans plus tard.

En 1632, le duc de Montmorency, gouverneur du Languedoc, essaya de soulever sa province, de concert avec Gaston d'Orléans, allié aux Espagnols. Fait prisonnier au combat de Castelnaudary, le duc de Montmorency "premier chrétien et premier baron du royaume," filleul d'Henri IV, fut condamné à mort et décapité à Toulouse. Ce terrible exemple valut à Richelieu à peu près dix années de paix.

Enfin en 1642, quelques mois avant la mort de Richelieu, tandis que l'armée française assiégeait Perpignan, alors place espagnole, le favori de Louis XIII, Cinq-Mars, un ambitieux de vingt-deux ans, complota de renverser le cardinal, signa un traité secret avec l'Espagne, c'est-à-dire avec l'ennemi. Richelieu eut copie de ce traité. Cinq-Mars et son ami de Thou qui avait été initié au complot, l'avait blâmé mais ne l'avait pas révélé, furent décapités à Lyon.

Les Intendants. — Les agents préférés de Richelieu furent les intendants. C'était le nom qu'on donnait maintenant aux commissaires départis, secrétaires du Conseil envoyés dans les provinces en tournées d'inspection. Richelieu employa les intendants plus qu'on ne l'avait fait avant lui et leur donna les pouvoirs les plus étendus, les autorisant à décider, ordonner et exécuter "tout ce qu'ils verront bon être," spécialement en matière de police, de justice et de finances. De là plus tard leur titre d'intendants de police, justice et finances. A plusieurs reprises on vit les intendants de Richelieu juger et condamner eux-mêmes, sans aucune intervention des tribunaux réguliers, ceux qu'ils estimaient coupables. Leurs pouvoirs dictatoriaux parurent intolérables et soulevèrent de vives protestations, en particulier de la part des Parlements.

Grandeur et misère du royaume. — Richelieu avait l'esprit vaste et s'intéressait à toutes les parties du gouvernement. Il aurait voulu développer le commerce et enrichir le royaume: comme Henri IV il protégea les compagnies de commerce et les entreprises coloniales; des établissements français furent fondés aux Antilles, au Sénégal, à Madagascar. Il protégea les lettrés et institua en 1635 l'Académie française; lui-même parlait et écrivait dans une belle langue, claire, sobre et ferme. Mais presque tout son temps et son activité furent absorbés par la politique extérieure et c'est là sortout qu'il fut grand: il poursuivit avec ténacité la lutte contre les Habsbourg d'Autriche et d'Espagne, mit sur pied de fortes armées et créa de toutes pièces une flotte de guerre. A sa mort les troupes françaises occupaient l'Alsace, le Roussillon et l'Artois: la France était en passe de devenir la première puissance de l'Europe.

Mais ces longues guerres, ces grandes entreprises épuisaient le trésor du royaume. Les impôts devinrent écrasants; les paysans pressurés, réduits à l'extrême misère, se soulevèrent en plusieurs régions. Aussi Richelieu mourut-il détesté de tous, du peuple aussi bien que des nobles.

CHAPITRE VIII

MAZARIN

Anne d'Autriche régente. — Sept mois après Richelieu, le 14 mai 1643, Louis XIII mourut, laissant pour lui succéder un enfant de moins de cinq ans, Louis XIV. Louis XIII par testament avait donné la régence à sa femme Anne d'Autriche. Mais comme il se méfiait de sa capacité, il lui avait adjoint un conseil dont elle devait suivre les avis en toutes circonstances.

Anne d'Autriche, comme Marie de Médicis en 1610, s'adressa au Parlement. Celui-ci annula le testament royal et déclara la reine mère régente "avec pleine et entière autorité" (18 mai 1643). Le soir même Anne d'Autriche, l'ancienne ennemie de Richelieu, désignait comme chef du Conseil le cardinal Mazarin. Ce fut une stupeur universelle et une amère désillusion pour beaucoup.

Mazarin. — Mazarin était un Italien de naissance obscure: ses ennemis l'appelaient le Gredin de Sicile. Il avait fait tous les métiers, étudiant, officier, chanoine, diplomate, et s'était poussé peu à peu dans le monde grâce à une souplesse et à une habileté merveilleuses. Il avait été d'abord au service du pape, puis Richelieu l'ayant apprécié l'avait fait passer au service du roi de France (1636). Il était entré au Conseil et en 1641 avait reçu le chapeau de cardinal.

Anne d'Autriche, qui eut pour lui un attachement passionné, le soutint contre toutes les cabales de Cour et lui confia entièrement la charge des affaires. De 1643 jusqu'à sa mort (1661), il fut maître absolu, autant et peut-être plus que Richelieu, mais non pas à la façon de Richelieu. Au ministre impérieux, "âpre et redoutable", succédait un Napolitain souple et fourbe, "doux et bénin", qui tirait à chacun son chapeau, craignait d'attirer l'attention sur lui et s'en allait par les rues seul "avec deux petits laquais derrière son carrosse." D'ailleurs il n'était ni vindicatif ni violent et jamais ne songea à faire mettre à mort ses adversaires. C'était surtout un remarquable diplomate et dans la politique extérieure il continua fort habilement l'œuvre commencée par Richelieu, amenant successivement l'Autriche et l'Espagne à composition. Par contre ce n'était pas un homme d'État: il n'entendait rien au gouvernement intérieur, rien aux finances, les siennes exceptées: il était avare, âpre au gain, et ce fut un effronté voleur.

La Détresse financière. — Aussi la détresse financière, si lamentable déjà à la fin du règne de Louis XIII, ne fit-elle que s'aggraver. Pour trouver l'argent qui lui manquait, Mazarin recourut à toutes sortes d'expédients, vente d'offices nouveaux, dont beaucoup ridicules, emprunts forcés, taxes diverses qui frappèrent surtout les Parisiens et les exaspérèrent. Cela dura six ans environ. En 1648 le mécontentement était à son comble et Paris en vint à la révolte ouverte contre la régente et Mazarin.

La révolte fut provoquée et dirigée par les officiers même du roi, les juges du Parlement de Paris. Le Parlement jouissait d'un grand prestige, parce qu'il était le plus haut tribunal du royaume. En outre,par l'enregistrement des édits et le droit de remontrances, il avait part aux affaires d'État et y intervenait sans cesse. C'est lui qui avait conféré la régence à Marie de Médicis, puis à Anne d'Autriche. Depuis 1643 il avait systématiquement résisté à l'enregistrement des taxes nouvelles et ne s'était jamais soumis à la volonté de la régente qu'après avoir obtenu pour ses membres l'exemption de ces taxes.

Déclaration des vingt-sept articles. — Pour avoir le droit de transmettre leurs charges à leurs enfants, les officiers de justice et de finances payaient une taxe annuelle, appelée la Paulette. La Paulette avait été établie en 1604 par Sully, mais seulement à titre provisoire. En avril 1648, Mazarin à bout de ressources annonça que la Paulette et par suite l'hérédité des charges seraient maintenues pour une nouvelle période de neuf ans. Mais en compensation de cette faveur, on retiendrait quatre années de gages aux officiers des Cours souveraines, Cour des Comptes, Cour des Aides et Grand Conseil.

Cette mesure n'atteignait pas les membres du Parlement, mais ils se déclarèrent solidaires des Cours souveraines, et par un arrêt dit *Arrêt d'Union*, ils les invitèrent à venir délibérer en commun sur la réforme du royaume. La régente interdit la réunion: elle eut lieu quand même et les parlementaires y rédigèrent une déclaration en vingt-sept articles (juin 1648). Ils demandaient que les intendants et tous les agents à pouvoirs extraordinaires fussent supprimés; qu'aucun impôt ne fût établi sans le consentement du Parlement; qu'aucun sujet du roi ne pût être retenu prisonnier plus de vingt-quatre heures sans avoir été interrogé et remis à ses juges naturels.

Cette déclaration n'allait à rien moins qu'à limiter l'absolutisme royal.

Journée des barricades. — La régente qui n'avait pas de troupes, fit d'abord semblant de céder et promit de s'inspirer de la déclaration. Mais deux mois plus tard, profitant de ce qu'on célébrait à Paris la victoire de Lens, elle tenta un coup de force et fit arrêter plusieurs parlementaires, entre autres le vieux Broussel, très populaire parce qu'il était un des opposants les plus énergiques.

Une formidable émeute éclata aussitôt (26 août). Des centaines de barricades, faites de tonneaux, de charrettes et de pavés, s'élevèrent en quelques heures, empêchant tout mouvement de troupes. Le Palais-Royal fut bloqué pendant deux jours. Prudemment, le cardinal détermina la reine à mettre en liberté Broussel (28 août 1648).

Peu après, la paix ayant été signée en Westphalie, la régente put appeler des troupes commandées par Condé, le vainqueur de Rocroi et de Lens. Dès qu'elles approchèrent, Anne d'Autriche s'échappa de nuit (6 janvier 1649) avec Mazarin et le jeune roi. La guerre civile commença.

La Fronde. — Cette révolte avait de justes motifs: elle ne fut pourtant qu'une folle aventure et elle était vouée, par son origine même, à un échec certain. Le Parlement de Paris semblait vouloir imiter le Parlement d'Angleterre qui au même moment brisait la royauté à Londres, car l'exécution du roi Charles Ier a lieu le 30 janvier 1649. Mais entre les deux Parlements il n'y avait qu'une similitude de noms. Le Parlement anglais était composé de députés de la nation. Le Parlement de Paris n'était qu'un tribunal. Il usurpait le rôle des États Généraux. Ses membres n'étaient pas des députés de la France, mais seulement des fonctionnaires du roi ayant vis-à-vis de lui le devoir strict d'obéissance.

En outre le Parlement eut tout de suite des alliés compromettants, le bas peuple de Paris qui ne cherchait qu'une occasion de remuer et de crier, surtout les princes et leur clientèle de seigneurs qui s'engagèrent dans la révolte par jeu, par humeur romanesque ou par cupidité vulgaire. De là le nom de Fronde donné à cette guerre civile; on appelait ainsi un jeu d'enfants interdit par la police comme dangereux, qui consistait à lancer des pierres avec des frondes.

Il y eut deux Frondes successives, appelée l'une la Fronde parlementaire, l'autre la Fronde des Princes, bien qu'en réalité dans l'une et l'autre on retrouve cette étrange coalition du Parlement, du populaire et des princes.

La Fronde parlementaire. — La Fronde parlementaire dura deux mois à peine. Condé, resté fidèle à la régente, bloqua Paris avec quinze mille hommes. Le Parlement, aidé de Paul de Gondi, coadjuteur de l'archevêque de Paris, plus tard célèbre sous le nom de cardinal de Retz, organisa la résistance. Les Parisiens, les princes et les grandes dames, après avoir joué quelque temps à la guerre, se lassèrent vite. Le Parlement conclut avec la Cour la paix de Rueil (30 mars 1649).

La Fronde des Princes. — Condé, après la paix de Rueil, se considéra comme le sauveur de la royauté. Aussi orgueilleux et arrogant qu'il était brave, il ne jugeait aucune récompense assez grande pour ses services. Ses exigences et ses insolences exaspérèrent Anne d'Autriche: elle le fit arrêter (janvier 1650). Ce fut l'occasion d'une nouvelle révolte.

Aussitôt la femme de Condé et sa sœur, la duchesse de Longueville, soulevèrent les provinces dont il était gouverneur, la Bourgogne et la Guyenne. Puis l'intrigant Paul de Gondi, mécontent de n'avoir pas encore reçu le chapeau de cardinal, entraîna de nouveau Paris et le Parlement dans la révolte (février 1651).

Mazarin parut céder: il remit Condé en liberté, quitta la Cour et passa en Allemagne. Il en revint bientôt et trouva la France dans une étrange confusion. Les Parisiens étaient brouillés avec Condé; mais en même temps, ils tenaient leurs portes fermées au jeune roi Louis XIV. Condé s'était allié aux Espagnols et tenait la campagne contre Turenne, qui commandait l'armée royale.

L'épisode principal de la guerre se déroula devant Paris. Turenne attaqua Condé dans le faubourg Saint-Antoine. Pris entre l'armée royale et les murs de la ville, Condé semblait perdu quand le canon de la Bastille se mit à tonner contre les troupes royales. En même temps la porte Saint-Antoine était ouverte et Condé pouvait se réfugier dans la ville. Ce coup de théâtre était l'œuvre de la cousine germaine du roi, Mlle de Montpensier, la Grande Mademoiselle, fille de Gaston d'Orléans, une personne romanesque de vingt-cinq ans qui voulait jouer un grand rôle dans le royaume (juillet 1652).

Mais la discorde était parmi les Frondeurs. Les Parisiens, las du désordre, chassèrent Condé qui s'enfuit aux Pays-Bas rejoindre les Espagnols. Ce fut la fin de la guerre civile. A la demande du Parlement, le jeune roi rentra avec sa mère dans la capitale, au milieu de l'enthousiasme général (octobre 1652). Mazarin, pour donner aux colères qu'il inspirait le temps de s'apaiser, ne revint que quelques mois plus tard (février 1653); la Cour et la ville lui firent alors un accueil triomphal.

Dernières Années de Mazarin. — Mazarin vécut encore huit années, "puissant comme Dieu le père au commencement du monde", disait-on. Il termina la guerre avec l'Espagne et signa le glorieux traité des Pyrénées. Au dedans son seul acte important fut le rétablissement des intendants: ceux-ci devinrent dès lors les agents réguliers et permanents du roi dans les provinces.

Quand il mourut le 8 mars 1661, le trésor royal était à peu près vide, mais Mazarin laissait à ses héritiers une cinquantaine de millions, qui feraient aujourd'hui plus de deux cents millions.

Conséquences de la Fronde. — La Fronde avait produit les maux habituels des guerres civiles; elle accumula les ruines dans toute la France. Les armées, mal payées, s'en tiraient en ravageant le pays; en outre, elles traînaient la peste derrière elles. Pour soulager les souffrances des misérables, il y eut un bel élan de charité: un modeste prêtre, un vieillard de près de quatre-vingts ans, saint Vincent de Paul, le fondateur de l'ordre des Lazaristes, de l'ordre des Filles de la Charité, de l'hospice des Enfants trouvés, de l'hospice de la Salpêtrière pour les vieillards, organisa un véritable service d'assistance publique. Mais la charité était insuffisante pour tant de misère.

La Fronde eut une autre conséquence, inattendue: elle acheva d'amener la France à la monarchie absolue. Tant de désordres avaient lassé le clergé, les bourgeois, les paysans, même les nobles qui achevèrent de se ruiner dans la guerre civile. Toute idée d'opposition au roi fut abandonée. Au dire d'un témoin, "on ne voulait plus entendre parler d'aucun remuement."

CHAPITRE IX

LA LUTTE CONTRE LES HABSBOURG DE 1624 À 1659

Origine de la guerre de Trente Ans. — La mort d'Henri IV, la politique maladroite et incertaine suivie après lui par Concini et par Luynes favorisèrent les ambitions de la maison d'Autriche. Ces ambitions furent l'origine d'une longue guerre qui, limitée d'abord à l'Allemagne, s'étendit ensuite à toute l'Europe occidentale. On l'a appelée, en raison de sa durée (1618-1648) la guerre de Trente Ans.

Le chef de la maison d'Autriche était alors l'empereur Ferdinand II. Élevé par les Jésuites, gardant toujours près de lui un confesseur jésuite, Ferdinand II était d'une piété ardente, d'un catholicisme intransigeant. Il avait entrepris de restaurer le catholicisme d'abord dans ses États, où les protestants étaient nombreux, ensuite dans toute l'Allemagne. Mais la religion n'était pas l'unique fin de sa politique; Ferdinand II songeait aussi à transformer la constitution de l'Allemagne et à faire du titre d'empereur une réalité. A la place d'un empire morcelé en près de quatre cents États, il rêvait d'organiser un empire uni, obéissant à une seule volonté, comme le royaume de France, et que l'étendue de son territoire, le grand nombre de ses habitants auraient fait formidable à l'Europe.

Les projets de Ferdinand II mettaient donc en péril non seulement le protestantisme allemand, mais l'équilibre européen. Ainsi s'explique que la guerre de Trente Ans, d'abord guerre religieuse et allemande, se soit transformée rapidement en une guerre générale européenne.

Succès de Ferdinand II. — Ferdinand II commença par écraser les Tchèques de Bohême, qui, en majorité protestants, s'étaient soulevés contre lui (1618-1620). Puis, les Tchèques ayant été soutenus par un prince protestant allemand, l'électeur palatin Frédéric V, Ferdinand porta la guerre en Allemagne.

L'Allemagne était alors divisée en deux camps: un certain nombre d'États protestants s'étaient groupés pour former l'Union évangélique dont le chef était l'électeur palatin. Les princes catholiques avaient riposté en formant la Sainte-Ligue dirigée par le duc de Bavière, Maximilien. Celui-ci avait une armée bien organisée, commandée par un bon capitaine, Tilly.

L'empereur s'allia avec Maximilien, qui lui prêta l'armée de Tilly. Grâce à ce concours, il put s'emparer du Palatinat. Puis, de sa propre autorité, il déclara Frédéric déchu: son titre d'électeur, avec toutes ses possessions, furent transférés au duc de Bavière (1623).

Cette mesure était comme le prélude d'un prochain écrasement des réformés. Effrayés, ceux-ci appelèrent à leur aide le roi de Danemark, Christian IV (1625). Mais Christian ne fut pas plus heureux que Frédéric V. Il fut attaqué par deux armées, l'armée bavaroise de Tilly et une armée nouvelle que venait de constituer pour le compte de l'empereur un aventurier ambitieux et populaire parmi les soldats, Wallenstein. Vaincu dans toutes les rencontres, Christian fut contraint, par la paix de Lübeck, de s'engager à ne plus intervenir en Allemagne (1629).

Alors se révélèrent toutes les ambitions de l'empereur Ferdinand. Disposant de la puissante armée de Wallenstein, il était en état d'imposer ses volontés à l'Allemagne. Par l'édit de restitution, il obligea les protestants à lui rendre tous les domaines d'Église qu'ils avaient confisqués depuis 1552; il allait acquérir ainsi d'immenses territoires dans toutes les parties de l'Allemagne. Wallenstein le poussait à entreprendre sans plus tarder la réforme de l'empire: "L'empereur doit être maître en Allemagne, disait-il, comme le sont chez eux les rois de France et d'Espagne."

Diplomatie de Richelieu. — Mais depuis 1624, Richelieu avait pris la direction de la politique française et surveillait attentivement les affaires d'Allemagne. Avec sa grande clairvoyance, il se rendait compte que la transformation de l'Empire au profit des Habsbourg d'Autriche était particulièrement dangereuse pour la France, d'autant plus dangereuse que d'autres Habsbourg régnaient en Espagne et que, par leurs possessions d'Italie par le Milanais, il s'en fallait de peu qu'ils pussent opérer la jonction de leurs forces avec celles des Habsbourg d'Autriche. Si cette jonction venait à s'opérer, alors, selon le mot de Wallenstein, "tous les ennemis de la maison d'Autriche seraient dans le sac". C'était l'empire de Charles-Quint reconstitué et la France mise au même péril où elle s'était trouvée cent ans plus tôt avec François Ier. Il était donc nécessaire qu'elle intervînt.

Seulement les difficultés intérieures ne laissaient pas à Richelieu la liberté d'agir énergiquement au dehors. Il dut recourir d'abord à la diplomatie et se borner aux mesures de sécurité indispensables. C'est ainsi qu'en 1624 il fit occuper dans les Alpes la Valteline, couloir ouvert par l'Adda entre le Milanais espagnol et le Tyrol autrichien. De même, depuis 1627, il luttait pour assurer la succession vacante du duché de Mantoue à un prince ennemi des Habsbourg. En 1630, en même temps qu'il s'efforçait de détacher de l'empereur les princes catholiques allemands que les ambitions de Ferdinand commençaient à inquiéter, il négociait avec le roi de Suède Gustave-Adolphe qui se préparait à intervenir en Allemagne. Ces négociations aboutirent à Berwald à un traité de subsides et d'alliance (janvier 1631).

La Guerre suédoise. — Le roi de Suède était un grand homme de guerre. Il avait déja révélé son génie dans des campagnes heureuses contre la Russie et la Pologne. Il débarqua en Allemagne en 1630, et conquit la Poméranie. L'armée de Tilly fut complètement battue par les Suédois à Breitenfeld, en Saxe (1631). Gustave-Adolphe traversa toute l'Allemagne dans une marche victorieuse. Il occupa les villes principales de la région du Rhin, puis il envahit la Bavière dont il se rendit maître par la bataille du Lech, où Tilly fut de nouveau vaincu, et blessé à mort (avril 1632).

Mais le roi de Suède se heurta alors à Wallenstein, que l'empereur avait rappelé en toute hâte pour défendre Vienne. La rencontre eut lieu à Lützen, en Saxe (novembre 1632). Les Suédois furent encore vainqueurs, mais Gustave-Adolphe, en chargeant à la tête de sa cavalerie, fut tué de deux coups de feu.

La mort de Gustave-Adolphe mit fin aux succès des Suédois. En 1634, ils éprouvèrent un désastre complet a Nordlingen. Ferdinand II se trouvait de nouveau maître de la situation. Pour être plus sûr de son armée, il avait fait assassiner Wallenstein qui intriguait avec la France et la Suède.

Intervention de la France. — C'est alors seulement que Richelieu se décida à intervenir par les armes. Très habilement, en invoquant l'équilibre européen menacé par les Habsbourg, il sut grouper autour de la France la plupart des petits États. Il signa en 1635 une série de traités d'alliance avec la Suède, les Provinces-Unies, les princes protestants allemands, Bernard de Saxe-Weimar, un lieutenant de Gustave-Adolphe, qui s'était constitué une armée à lui; enfin, avec plusieurs princes italiens et les Suisses. En même temps, Richelieu mettait sur pied cinq armées et déclarait la guerre au roi d'Espagne, Philippe IV (mai 1635).

Dès lors il ne s'agissait plus simplement de la liberté de l'Allemagne: c'était la lutte des maisons de France et d'Autriche qui recommençait. Les Français combattaient pour acquérir celles de leurs provinces qu'occupait encore l'Espagne: Artois, Roussillon, Franche-Comté. Ils luttaient pour atteindre les frontières naturelles, et, selon l'expression de Richelieu, pour "mettre la France en tous lieux où fut l'ancienne Gaule".

La Guerre française. — La lutte fut longue et acharnée, car l'Espagne, qui avait été au seizième siècle la première puissance militaire de l'Europe, était encore redoutable. Elle eut des théâtres multiples: la frontière des Pyrénées, la Franche-Comté, la frontière de la France et des Pays-Bas, l'Allemagne et l'Italie.

Au début, la France fut envahie sur deux points: en Bourgogne, où Saint-Jean-de-Losne, assailli par les Impériaux, repoussa toutes les attaques; en Picardie, où les Espagnols occupèrent quelque temps Corbie (août 1636). Mais, dès 1637, la France prit partout l'offensive. De 1637 à 1642, elle enleva à l'Espagne, au sud le Roussillon, au nord l'Artois.

Les Espagnols essayèrent vainement, à plusieurs reprises, de reprendre l'Artois. Au lendemain de la mort de Louis XIII, ils furent battus par le duc d'Enghien (Condé), cousin du roi, à

Rocroi (1643). En 1648, à la veille de la paix de Westphalie, ils subirent une nouvelle défaite à Lens. La grande victoire de Rocroi révéla le génie de Condé, tout d'audace et d'inspiration; elle fut le début de la prééminence militaire de la France.

Du côté de l'Allemagne, plusieurs villes d'Alsace s'étaient mises d'elles-mêmes dès 1635 sous la protection du roi de France. Richelieu, il est vrai, signa une convention par laquelle il promettait à Bernard de Saxe-Weimar la possession de l'Alsace. Mais Bernard de Saxe-Weimar étant mort en 1639, Richelieu acheta son armée et la France resta seule maîtresse de l'Alsace.

Pour contraindre l'empereur à signer la paix, les généraux français et suédois projetèrent une marche combinée sur Vienne, capitale des États autrichiens. Les Français venant de l'ouest devaient arriver par le Danube; les Suédois venant du nord devaient arriver par la Bohême. Ce plan fut conçu dès 1639, mais les quatre premières tentatives faites pour le réaliser échouèrent. Enfin, en 1648, Turenne put opérer sa jonction avec le Suédois Wrangel. Tous les deux gagnèrent la victoire de Susmarshausen. Menacé dans sa capitale, l'empereur se décida à la paix.

Les Traités de Westphalie. — Depuis 1645 les envoyés des puissances belligérantes s'étaient réunis en congrès dans deux villes de Westphalie, Münster et Osnabrück. Après de laborieuses négociations, ils conclurent les traités de Westphalie (1648).

Les traités furent signés simultanément à Münster et à Osnabrück, le samedi 24 octobre 1648. La Suède et la France, les deux puissances victorieuses, obtenaient les principaux avantages. A la Suède l'empereur dut abandonner les embouchures du Weser, la Poméranie occidentale, les embouchures de l'Oder, c'est-à-dire la rive allemande de la Baltique. La France se fit reconnaître définitivement la possession des Trois Évêchés; elle se fit céder tous les droits de l'empereur sur l'Alsace, particulièrement sur dix villes libres au nombre desquelles ne figurait d'ailleurs pas Strasbourg. La situation de Strasbourg, mal définie, devait donner lieu à de nouveaux conflits entre la France et l'Empire.

En outre, les traités de Westphalie, ruinant les prétentions des Habsbourg, maintenaient la constitution anarchique de l'Allemagne. Les électeurs firent de nouveau garantir leur indépendance absolue dans leurs États. Ils eurent même le droit de conclure des alliances avec qui bon leur semblerait. L'empereur n'eut plus absolument qu'un vain titre. Comme d'autre part la constitution allemande était placée sous la garantie de toutes les puissances signataires, la France et la Suède avaient légalement le droit d'intervenir dans les affaires intérieures de l'Empire.

Les traités de Westphalie étaient une grande victoire française, non seulement parce que la France atteignait pour la première fois la frontière naturelle du Rhin, mais encore parce qu'ils rendaient impossible toute tentative d'unification de l'empire et réduisaient ainsi l'Allemagne à l'impuissance pour le plus grand profit de la France. Le maintien de ces traités, considérés comme le chef-d'œuvre de la diplomatie, devait être, jusqu'à la Révolution, la préoccupation principale de tous les politiques français.

Guerre contre l'Espagne. — Le roi d'Espagne cependant avait refusé de signer la paix avec la France. Des troubles graves, la Fronde, venaient d'éclater à Paris (1648). Les Espagnols espérèrent à la faveur de ces désordres recouvrer ce qu'ils avaient perdu. On sait comment, à dater de 1651, ils trouvèrent un allié dans la personne même du vainqueur de Rocroi, le prince de Condé, révolté contre son roi et contre Mazarin.

La guerre fut ainsi prolongée de douze années. Le nord et l'est de la France furent cruellement ravagés. La lutte se prolongeait sans qu'aucun des adversaires parvînt à prendre un avantage marqué sur l'autre. Pour triompher de la résistance espagnole, Mazarin n'hésita pas à négocier avec le dictateur que la Révolution d'Angleterre avait porté au pouvoir, Cromwell: en 1657 il obtint l'alliance anglaise, d'ailleurs à très haut prix, moyennant la promesse de la cession de Dunkerque, alors place espagnole. Cromwell fournit un corps de 6,000 hommes. Ce renfort permit à Turenne de gagner sur les Espagnols et Condé, près de Dunkerque, la victoire des Dunes (14 juin 1658). Le roi d'Espagne n'avait plus d'armée: il consentit à traiter.

Paix des Pyrénées. — La paix fut négociée et signée dans une petite île de la Bidassoa, à la frontière de la France et de l'Espagne. On l'appela la paix des Pyrénées (1659).

La France recevait au sud le Roussillon et la Cerdagne, au nord l'Artois, avec quelques places de la Flandre et du duché de Luxembourg, parmi lesquelles Thionville. Le traité stipulait en outre le mariage de Louis XIV avec la fille aînée de Philippe IV, Marie-Thérèse. Cette clause devait être par ses conséquences la disposition capitale du traité, et toute la politique extérieure de Louis XIV, cinquante années d'intrigues diplomatiques et de guerre, en devaient sortir.

La paix des Pyrénées marquait le triomphe de la maison de France sur les Habsbourg d'Espagne, comme la paix de Westphalie avait consacré son triomphe sur les Habsbourg d'Autriche. Agrandie de trois provinces, Alsace, Artois, Roussillon, en face d'adversaires à bout de forces, la France, à la fin de 1659, dans l'Europe occidentale, était vraiment la puissance prépondérante.

CHAPITRE X

LOUIS XIV. LE ROI, LA COUR, LE GOUVERNEMENT

Règne personnel de Louis XIV. — Louis XIV avait vingt-deux ans en 1661. Au lendemain de la mort de Mazarin, il réunit les secrétaires d'État. "Jusqu'à présent, leur dit-il, j'ai bien voulu laisser gouverner mes affaires; je serai, à l'avenir, mon premier ministre. Vous m'aiderez de vos conseils, quand je vous les demanderai. Je vous prie et je vous ordonne de ne rien sceller que par mes ordres, de ne rien signer sans mon consentement." Cette volonté ne se démentit pas un instant pendant tout le règne.

Le Roi. — Louis XIV était de taille moyenne; mais il en imposait à tous par un air de noblesse et de majesté sans fierté, qui se retrouvait dans ses moindres gestes, et qui, au dire du duc de Saint-Simon, son contemporain, "en robe de chambre comme dans les fêtes", au billard comme à la tête de ses troupes, le faisait paraître "le maître du monde." Il n'avait point de brillantes qualités d'esprit et son intelligence était ordinaire. Mais il avait un solide bon sens; il était réfléchi et tenait à ne rien décider qu'après s'être bien renseigné auprès de ceux qui savaient. Il avait aussi beaucoup de courage moral et une fermeté de cœur qui parut surtout dans les dernières années de sa vie, aux temps désastreux de la guerre de Succession d'Espagne. Les pires catastrophes le frappèrent alors: il vit ses armées vaincues, la France envahie, sa capitale menacée, la mort de son fils le Grand Dauphin, puis celle de son petit-fils, le duc de Bourgogne, de sa petite-fille, de son arrière-petit-fils, tous les trois enlevés en quelques jours par un mal soudain et mystérieux. Tant de malheurs, cruellement ressentis, ne purent l'abattre; pas un instant il n'abandonna la direction des affaires; il espéra contre toute espérance, "il se montra inaltérable et supérieur à tout, sans la plus petite affectation," et cette fermeté si noble lui gagna l'admiration de ses ennemis eux-mêmes.

Les Idées de Louis XIV. — Louis XIV avait peu d'idées personnelles. Il en était une fortement enracinée dans son esprit et qui domina toute sa vie. On lui avait dit dans son enfance qu'il était une "divinité visible," un "vice-Dieu." Le premier modèle d'écriture qu'il eut à copier était ainsi conçu: "L'hommage est dû aux rois; ils font ce qui leur plaît." Il s'était donc pénétré de cette idée qu'il était un être à part, tenant sa couronne de la volonté divine, roi par la grâce de Dieu, son "lieutenant" sur terre. A Dieu, mais à Dieu seul, il aurait un jour à rendre des comptes.

De cette idée, que presque tout le monde admettait alors, Louis XIV tirait deux conséquences. D'abord, lieutenant de Dieu, il devait être le maître absolu, libre de disposer des biens, de la personne, de la vie même de ses sujets, lesquels avaient le devoir de lui obéir "sans discernement." En second lieu, il ne devait user de son omnipotence que pour "tout rapporter au bien de l'État"; il avait l'obligation de remplir en conscience "son métier de roi," — le mot est de lui.

Ce métier de roi, Louis XIV l'exerça en effet avec une conscience scrupuleuse et une rare application.

Il entendait voir lui-même toutes les affaires; il les étudiait chaque jour plusieurs heures le matin, plusieurs heures le soir, soit seul, soit avec ses secrétaires d'État. L'emploi de son temps était minutieusement déterminé et il se conformait exactement au règlement qu'il avait établi pour chaque jour et chaque heure. "Avec un almanach et une montre, a écrit Saint-Simon, on pouvait, à trois cents lieues de lui, dire avec justesse ce qu'il faisait."

L'idée qu'il était le lieutenant de Dieu avait inspiré à Louis XIV le plus prodigieux orgueil. Il prit pour emblème un soleil resplendissant: d'où son surnom de Roi Soleil. Sans la crainte du diable, prétend Saint-Simon, il se serait fait adorer. S'il l'eût essayé, il aurait trouvé des adorateurs: pour traverser sa chambre vide les courtisans se découvraient et, devant le lit royal ils faisaient une révérence, comme à l'église devant le tabernacle. Louis XIV organisa le culte de la majesté royale, et chacun des actes ordinaires de sa vie quotidienne, lever, dîner, promenade, chasse, souper, coucher, devint un épisode du culte, une cérémonie publique dont tous les détails étaient minutieusement réglés: c'est ce qu'on appelait l'étiquette.

La Cour. — La Cour, déjà si brillante sous François Ier, mais désorganisée pendant les guerres de religion, et redevenue très simple, presque militaire avec Henri IV, prit, sous Louis XIV, une étonnante extension. Elle comprenait la maison militaire, dix mille hommes aux uniformes resplendissants, et la maison civile, quatre mille personnes environ, partagées en six services. Ces services étaient dirigés par six grands officiers: grand aumônier, grand maître de France, grand chambellan, grand écuyer, grand veneur, grand fauconnier. Le seul service de la bouche du roi, c'est-à-dire, l'ensemble des gens employés pour la table du roi, comptait, partagées en sept offices, quatre cent quatre-vingt-dix-huit personnes.

Les chefs des services étaient de la plus haute noblesse: le grand maître de France, chef des services de la bouche, était le premier prince du sang, le prince de Condé. La plupart remplissaient réellement leurs fonctions, servaient à table, donnaient la chemise. C'étaient encore des nobles qui remplissaient les charges secondaires, gentilshommes panetiers, gentilshommes échansons, gentilshommes écuyers tranchants, etc. Ceux qui n'appartenaient pas à la maison, les courtisans, rêvaient de servir: on attendait comme la plus rare faveur, le soir après le jeu de cartes, d'être désigné par le roi pour lui porter son bougeoir quand il se rendrait à sa chambre à l'heure du coucher.

Le roi domestiquait ainsi la noblesse: il voulait la voir tout entière autour de lui dans l'immense château qu'il s'était fait construire à Versailles. Quiconque ne venait pas à la Cour n'avait nulle faveur à espérer: "C'est un homme qu'on ne voit jamais, répondait Louix XIV, quand on sollicitait pour un absent; je ne le connais pas."

Le Gouvernement. — Pour la noblesse, qui devint ainsi réellement sa noblesse, Louis XIV n'admit que trois façons de vivre: au service de sa personne; à ses armées ou sur ses vaisseaux; à la Cour, dans l'oisivité. Il n'employa pas de nobles dans le gouvernement et dans l'administration du royaume, les réduisit à des rôles de parade. Louis XIV gouverna et administra avec des bourgeois. "Il n'était pas de mon intérêt de choisir des hommes de dignité plus éminente, a-t-il écrit à propos de ses ministres. Il était important que le public connût par le rang de ceux dont je me servais que je n'étais pas en dessein de partager avec eux mon autorité."

Les principaux offices de gouvernement étaient ceux de chancelier, de contrôleur général des finances, et de secrétaire d'État. Le chancelier était le chef de la justice; il était en même temps le président de tous les Conseils en l'absence du roi. Le contrôleur général était le ministre des finances. Les quatre secrétaires d'État, secrétaire de la maison du Roi, secrétaire des affaires étrangères — on disait de l'étranger — secrétaire de la guerre, secrétaire de la marine, conservaient chacun, outre la direction de leurs ministères spéciaux, la haute main sur l'administration générale d'une portion de France, comme sous Henri II. En théorie, ces secrétaires d'État n'étaient que des "commis" chargés de préparer le travail, de présenter les affaires au roi, d'entendre ses décisions "sans une seule réplique", et d'en assurer l'exécution.

Le roi était assisté en outre de ministres d'Etat et de conseillers d'État qui composaient les Conseils. Il y avait sept fois par quinzaine "Conseil d'en haut" où étaient examinées toutes les grandes affaires et où le roi n'appelait que les ministres en faveur; le lundi, tous les quinze jours, Conseil des dépêches où le roi prenait connaissance de la correspondance des intendants et par suite examinait tout ce qui concernait l'administration des provinces; deux fois par semaine, le mardi et le samedi, Conseil des finances; enfin quotidiennement Conseil des parties, sorte de tribunal suprême en matière civile et en matière administrative.

Les agents du roi dans les provinces étaient les gouverneurs et les intendants. Les gouverneurs étaient comme auparavant choisis dans la plus haute noblesse. Mais le roi les gardait le plus souvent auprès de lui à Versailles, et leur titre était presque purement honorifique. La réalité des pouvoirs était aux mains de l'intendant placé à la tête de la généralité, division administrative plus petite que la province. L'intendant levait les troupes, les cantonnait, les payait. Il présidait, s'il le voulait, les tribunaux, et pouvait au besoin juger lui-même. Il avait la haute main sur les finances, sur l'administration des villes, grandes ou petites, sur tous les travaux publics. "L'intendant, a-t-on dit, c'était le roi présent en la province"; il resta tel jusqu'à la Révolution de 1789.

Disgrâce de Fouquet. — Louis XIV n'admit d'abord que trois ministres au Conseil d'en haut; le surintendant des finances Fouquet, le secrétaire de la guerre Le Tellier et le secrétaire des affaires étrangères Hugues de Lionne. Fouquet aspirait ouvertement à la succession de Mazarin. Fastueux et prodigue, mais usant du trésor public comme du sien propre, pensionnant écrivains, artistes, courtisans, il éclipsait le jeune roi par sa richesse et sa magnificence. Il s'était fait construire à Vaux près de Melun un château dont Le Nôtre avait dessiné les jardins et qui lui avait coûté neuf millions de livres. Mais Louis XIV, méfiant et jaloux, avait hâte de se débarrasser de lui: il le fit arrêter brusquement dès septembre 1661, juger et condamner pour malversations à la peine du bannissement que la "clémence" royale commua en emprisonnement perpétuel. La charge de surintendant fut supprimée.

Le principal artisan de la disgrâce de Fouquet était l'ancien intendant de Mazarin, Colbert, qui avait su devenir en peu de temps l'homme de confiance de Louis XIV.

Colbert. — Jean-Baptiste Colbert avait alors quarante-deux ans. Il était le fils d'un marchand drapier de Reims. Entré au service de Mazarin et devenu son intendant, il avait géré avec habileté et honnêtement sa malhonnête fortune. Aussi le cardinal, dans son testament, recommanda au roi "de se servir de lui, étant fort fidèle." Après la disgrâce de Fouquet, il fut nommé contrôleur général des finances. Plus tard il reçut les charges de surintendant des bâtiments, secrétaire d'État de la maison du roi et de la marine.

Colbert aimait le travail avec passion et il aurait voulu que tout le monde travaillât dans le royaume. Quant à lui il déclarait qu'il ne vivrait pas six ans s'il avait le malheur d'être condamné à l'oisiveté. En entrant dans son cabinet le matin à cinq heures et demie, s'il apercevait son bureau surchargé de dossiers, il se frottait les mains de plaisir, comme un gourmet devant une table bien servie; il ne travaillait guère moins de seize heures par jour.

But de Colbert. — L'idée qui inspira tous les actes de Colbert fut la suivante: faire la France plus riche, "lui assurer l'abondance d'argent" en empêchant le numéraire de sortir de France et en attirant le numéraire étranger: cela pour augmenter les ressources applicables à la politique, appauvrir les États voisins et par suite porter la France au plus haut degré de puissance dans le monde.

Pour atteindre ce résultat, il travailla à réorganiser les finances, à développer l'industrie, à accroître le commerce.

Les Finances. — En matière de finances, Colbert commença par poursuivre ceux qui, à l'exemple de Mazarin, avaient volé l'État. Quelques centaines de financiers furent condamnés par un tribunal spécial, la Chambre ardente, à restituer cent dix millions de livres.

En même temps, il s'efforçait de mettre de la clarté et de l'ordre dans l'administration financière, où l'on n'avait presque jamais vu que la plus extrême confusion. Les finances furent de tout temps le point faible de la monarchie, et ce furent les difficultés financières qui amenèrent en fin de compte la Révolution et la ruine de la royauté. Ces difficultés tenaient pour une bonne part à ce que les rois dépensaient au jour le jour sans compter, sans songer au lendemain, sans même s'assurer que les recettes suffiraient pour payer les dépenses. De là le déficit, les emprunts et les dettes. Colbert fit tenir des comptes exacts, quotidiens, distincts, des recettes et des dépenses. Ces comptes, arrêtés chaque année, devaient servir de guide pour l'année suivante. Ils devaient permettre d'établir ce que Colbert appelait *l'état de prévoyance*, c'est-à-dire de régler les dépenses de telle sorte qu'elles ne fussent pas supérieures aux recettes et qu'on ne fût pas obligé de s'endetter. Ce système très prudent fut appliqué pendant une dizaine d'années.

Mais à partir de 1672, les guerres perpétuelles, la construction du château de Versailles firent croître démesurément les dépenses; les recettes furent insuffisantes et bientôt plus rien ne resta de la bonne organisation ébauchée par Colbert.

L'Industrie. — Ses efforts pour développer l'industrie furent plus heureux, et c'est vraiment à Colbert que la France doit d'être devenue une grande puissance industrielle. Il reprit et compléta l'œuvre commencée par Henri IV. Il développa les industries déjà existantes: draps, tapisseries, soieries; il créa les industries qui manquaient à la France: glaces, porcelaines, dentelles, acier. Abbeville, Elbeuf, Louviers, Sedan, Carcassonne devinrent les plus grands centres de tissage des draps; les Gobelins à Paris, Aubusson, Beauvais fabriquèrent d'admirables tapisseries; Lyon, des tissus de soie, des étoffes d'or incomparables. Sèvres fabriqua des porcelaines que l'on achetait auparavant en Saxe; Saint-Gobain en Picardie, les glaces que l'on tirait de Venise; Alençon, Chantilly, le Havre, les dentelles qu'on faisait venir d'Angleterre et de Venise; Saint-Étienne, l'acier de Suède.

Pour ces créations Colbert attira, à prix d'argent et par des concessions de privilèges, des industriels et des ouvriers étrangers.

Les Règlements de Colbert. — Colbert ne voulait pas seulement que la France ne fût plus en rien la cliente de l'étranger; il voulait que l'étranger devînt en tout le client de la France. Pour gagner cette clientèle, il voulut que les produits de l'industrie française fussent excellents, les plus solides et les plus élégants du monde. Aussi intervint-il pour régler et pour surveiller la fabrication. Il n'a pas publié moins de trente-deux règlements et de cent cinquante édits à ce sujet. Par exemple, il régla minutieusement la longueur, la largeur des pièces de drap, le nombre des fils de la trame et de la chaîne, la façon d'appliquer la teinture, "âme de l'étoffe". Il obligea chaque ouvrier et chaque fabricant à signer son travail, en y apposant une marque.

Le Commerce. — Il travailla de son mieux, mais parfois inutilement, à améliorer les conditions du commerce intérieur, et à donner un grand essor au commerce extérieur, spécialement au commerce par mer.

Le commerce intérieur était entravé par de nombreux obstacles. La France présentait alors en petit le spectacle que présente aujourd'hui l'Europe: les provinces avaient chacune leurs douanes, leurs poids, leurs mesures: elles formaient comme autant d'États. Les marchandises d'Auvergne payaient pour entrer en Languedoc, celles de Champagne pour entrer en Bourgogne, etc. En outre, les routes étaient rares et en mauvais état.

Colbert ne put ni unifier les poids et mesures, ni faire disparaître toutes les douanes intérieures: elles subsistèrent jusqu'à 1789. Mais il put améliorer les voies de communication. Il fit réparer les routes, et s'efforça surtout de développer les voies navigables qui permettaient le transport des marchandises à moindres frais. Il fit achever le canal d'Orléans commencé par Henri IV; il décida la construction du canal du Midi, proposé par Riquet et destiné à rejoindre l'Atlantique à la Méditerranée.

Le commerce de mer était aux yeux de Colbert le plus fructueux, donc le plus important. Il voulait que la France ajoutât, au commerce de ses propres marchandises, le commerce des produits rares de l'Asie et de l'Amérique. Il créa successivement, à l'imitation de ce qui existait en Hollande, cinq compagnies de commerce maritime, véritables sociétés par actions. La plus importante de toutes fut la Compagnie des Indes orientales qui reçut le privilège de la navigation dans les mers d'Orient depuis le cap de Bonne-Espérance jusqu'au détroit de Magellan, avec la concession à perpétuité de Madagascar où les Français avaient pris pied sous Richelieu et de toutes les îles et terres qu' elle pourrait conquérir. Colbert essaya d'en faire une entreprise nationale, d'y intéresser la France entière et non plus seulement les gens des ports; il y intéressa le roi lui-même et la famille royale. La Compagnie créa alors en Bretagne une ville à elle, Lorient. Elle fonda des établissements dans l'Île Bourbon, aujourd'hui la Réunion, et dans l'Inde le comptoir de Pondichéry (1676).

D'ailleurs aucune des compagnies créées et protégées par Colbert ne réussit à prospérer véritablement, et la France ne parvint pas à enlever aux Hollandais, comme il le souhaitait, le commerce du monde. Pourtant ses efforts ne furent pas sans résultats: le commerce de la France devint beaucoup plus actif, et la flotte marchande fit plus que doubler entre 1670 et 1680.

Les Colonies. — Colbert fut aussi le premier homme d'État français qui comprit toute l'importance de la colonisation. Il projetait de donner à la France un immense empire colonial. Il signalait comme points à occuper: Sainte-Hélène, le Cap, l'île Maurice, Ceylan, Singapour, Aden, c'est-à-dire les étapes principales sur les principales routes du globe, qui sont aujourd'hui entre les. mains des Anglais.

S'il n'eut pas le temps de réaliser ces vastes projets, du moins il fit beaucoup pour développer dans l'Amérique du Nord l'œuvre commencée sous Henri IV; le Canada fut organisé comme une province française, administré par un gouverneur et un intendant. Environ quatre mille paysans, laboureurs de Normandie, de Bretagne et d'Anjou, furent, par les soins du ministre, transportés dans la Nouvelle France de 1667 à 1672.

D'autre part de hardis explorateurs s'enfonçaient dans l'intérieur, parcouraient les grands lacs, exploraient les pays riverains. En 1673 un négociant de Québec, Louis Jolliet et un jésuite, le père Marquette, partis du lac Michigan, atteignirent le Mississipi et, dans deux canots d'écorce, descendirent le fleuve jusqu'à son confluent avec l'Arkansas. En 1681, un Rouennais, Cavelier de la Salle, entreprit avec vingt-trois Français de descendre le Mississipi. Le 7 avril 1682 il atteignit le delta du Mississipi et le golfe du Mexique. Prenant possession de tous les pays découverts, il leur donnait en l'honneur du roi de France le nom de Louisiane.

La Marine. — Pour protéger la flotte de commerce, assurer les relations avec les colonies, il fallut organiser une flotte de guerre. Mazarin avait laissé tomber en ruine celle qu'avait créée Richelieu. En 1660, la flotte se composait de dix-huit mauvais navires. A la mort de Colbert la flotte comptait deux cent soixante-seize vaisseaux: galères employées seulement sur la Méditerranée, vaisseaux de ligne portant jusqu'à cent vingt canons, et frégates légères. L'activité et l'énergie de Colbert assurèrent à la France la suprématie sur mer pendant les vingt-cinq premières années du règne de Louis XIV.

Grandeur de l'œuvre de Colbert. — Finances, industrie, commerce, marine, tout cela ne représente qu'une portion du domaine immense où s'exerça l'activité de Colbert. Il remania toute la législation. Afin "de rendre l'expédition des affaires plus prompte par le retranchement de plusieurs délais et actes inutiles," il publia une série d'ordonnances: ordonnance civile (1667), ordonnance criminelle (1670), ordonnance du commerce (1673), qui transformèrent les diverses procédures et qui furent un acheminement à l'unité de législation, l'un des projets chers à Colbert. Une ordonnance de la marine (1681), une ordonnance des colonies (1685), ou code noir, furent jugées si parfaites que l'Angleterre les fit siennes dans leurs dispositions principales.

Colbert s'intéressa aux lettres, aux sciences, aux arts. A côté de l'Académie française, créée par Richelieu, il fit fonder l'Académie des inscriptions (1663), l'Académie des sciences (1666). Puis ce furent l'Académie de musique, celle de peinture et de sculpture, celle d'architecture, l'École de Rome où de jeunes artistes, désignés par les Académies de peinture et d'architecture, allèrent compléter leur éducation devant les chefs-d'œuvre de l'Italie. Il fonda le *Journal des Savants*, accrut les collections de la Bibliothèque royale, créa le Cabinet des Médailles. Il n'est guère de grandes institutions scientifiques, littéraires, artistiques, où l'on ne trouve trace de l'action de Colbert.

L'œuvre accomplie qui fut immense fut cependant moindre que l'œuvre rêvée. Entre l'effort et le résultat, la disproportion fut souvent très grande, et les échecs ont été nombreux. Il n'en reste pas moins que Colbert fut de tous les ministres de la monarchie celui dont le génie fut le plus original et le plus complet, celui dont l'action eut les conséquences les plus durables. Plus qu'aucun autre il fut l'artisan de la gloire de Louis XIV.

Cependant, à la fin de sa vie, il avait perdu son influence sur le roi. Celui-ci, gonflé d'orgueil par ses victoires, ne voulait plus entendre aucun conseil de modération. Colbert, épuisé de travail, attristé par le désordre grandissant des finances, par les tendances nouvelles du roi, par la faveur croissante de Louvois, mourut désespéré (1683).

CHAPITRE XI

LES AFFAIRES RELIGIEUSES

Louis XIV et les protestants. — Depuis la grâce d'Alais, les protestants n'avaient cessé de se conduire en loyaux sujets du roi. Groupés surtout dans l'ouest et le midi de la France, au nombre d'environ 1,200,000, ils formaient une population honnête, laborieuse, où l'on comptait maintenant beaucoup plus de paysans et de bourgeois que de nobles. En effet, la plus grande partie des seigneurs huguenots, pour gagner la faveur du roi, étaient revenus au catholicisme.

La mort de Mazarin mit fin à cette période de paix religieuse. L'esprit de Louis XIV était entièrement fermé aux idées de tolérance. Comme la plupart des souverains de son temps, il considérait que l'unité de religion était la condition indispensable de l'unité politique, et que, selon le mot d'un protestant, " la différence de religion défigurait un État."

Aussi manifesta-t-il dès le début la ferme volonté d'extirper l'hérésie du royaume. Il pensait y parvenir par la méthode suivante: point de "rigueurs"; application stricte de l'édit de Nantes, mais "rien au delà"; "en renfermer même l'exécution dans les plus étroites limites que la justice et la bienséance pouvaient permettre." Ce sont les paroles mêmes de Louis XIV. Quant aux grâces, aux faveurs "qui dépendaient du roi seul," aucune.

La Persécution. — L'application de cette méthode aboutit à une persécution de vingt-cinq ans. Sous prétexte de renfermer l'exécution de l'édit "dans les plus étroites limites que la justice pouvait permettre," on interdit aux protestants tout ce que l'édit ne leur garantissait pas en termes exprès. L'édit de Nantes ne disait pas que les protestants pourraient enterrer leurs morts quand et comme ils le voudraient; assister aux mariages et aux baptêmes en tel nombre qu'il leur plairait.

Des ordonnances royales défendirent donc qu'aucun enterrement protestant eût lieu après six heures du matin ou avant six heures du soir, que le cortège comptât plus de trente personnes; que pour un baptême ou un mariage plus de douze protestants fussent réunis.

Puis vinrent des mesures plus graves. Les enfants protestants furent autorisés à se convertir au catholicisme, malgré leurs parents, dès l'âge de sept ans, "âge auquel ils sont capables de raison et de choix," disait l'édit (1681). Ces nouveaux convertis étaient libres de quitter leurs familles s'ils le voulaient, en exigeant de leurs parents une pension. Successivement on interdit aux protestants toutes les fonctions publiques, puis toutes les professions libérales.

Les Dragonnades. — Pour hâter les conversions, en 1680, un intendant du Poitou, Marillac, imagina de recourir aux "missionnaires bottés": il appela des dragons et les logea chez les protestants. L'armée se recrutait alors en majeure partie dans la lie de la population. Les dragons se conduisirent comme en pays conquis, saccageant les maisons, torturant les habitants qui, pour échapper à leurs bourreaux, se hâtèrent d'abjurer. Le système des dragonnades fut alors appliqué par ordre de Louvois, secrétaire d'État à la guerre, à toutes les provinces protestantes. La terreur inspirée par les troupes était telle que, à la seule nouvelle de leur mise en route, les villages, les villes mêmes se convertissaient en masse et presque sur l'heure. En Guyenne, en deux semaines, il y eut soixante mille abjurations.

La Révocation de l'édit de Nantes. — Après la mort de la reine Marie-Thérèse (20 juillet 1683), Louis XIV épousa Mme de Maintenon. Dès lors sa dévotion, son zèle orthodoxe ne cessèrent de croître; il se résolut à en finir avec l'hérésie et à révoquer l'édit de Nantes. Chaque jour lui apportant d'ailleurs d'interminables listes de conversions, il pouvait croire sincèrement qu'il ne restait plus en France que quelques centaines "d'obstinés."

Le 18 octobre 1685 le roi signa l'édit de révocation. Tous les temples devaient être démolis. Les pasteurs devaient quitter le royaume sous quinze jours, à peine des galères. Les protestants non encore convertis ne seraient inquiétés en aucune façon; mais ils encourraient la peine des galères s'ils essayaient d'émigrer, et leurs enfants seraient élevés dans la religion catholique.

La révocation fut accueillie avec enthousiasme par la presque unanimité de la nation.

Les Conséquences. — Un grand nombre de protestants émigrèrent, deux cent mille probablement, peut-être davantage. Ces hommes étaient une élite dont la disparition affaiblit singulièrement la France. Ils furent un élément de force et de prospérité pour les pays qui leur donnèrent asile, l'Angleterre la Hollande, le Brandebourg surtout, où plus de vingt mille vinrent s'établir: Berlin, sa capitale, la future capitale du royaume de Prusse, fut comme recréé par les réfugiés français.

Aux conséquences économiques s'ajoutèrent des conséquences politiques non moins désastreuses. La révocation excita en Europe la haine de tous les États protestants contre la France. Elle fut pour beaucoup dans la formation de la redoutable coalition qu'eut à combattre Louis XIV, la Ligue d'Augsbourg.

Les Camisards. — Malgré toutes les persécutions, le protestantisme ne disparut pas du royaume. Il subsista dans les Alpes et surtout dans les Cévennes. Là, en 1703, au début de la guerre de Succession d'Espagne, les paysans calvinistes se soulevèrent. On les appela les *Camisards*, parce que, pour se reconnaître, ils portaient une chemise blanche par-dessus leurs vêtements.

Sous la direction d'un jeune ouvrier boulanger, Jean Cavalier, l'insurrection dura deux ans: elle immobilisa de nombreuses troupes et le maréchal de Villars, un des rares bons généraux qu'eût alors Louis XIV.

Les Jansénistes. — Parmi les catholiques eux-mêmes, tous ceux qui s'écartaient de la stricte orthodoxie, étaient pareillement considérés comme suspects et exposés à des mesures de persécution. Tel fut le cas des Jansénistes.

Aux premiers temps de la minorité de Louis XIV, des hommes, pour la plupart avocats ou anciens conseillers au Parlement, éminents par leur savoir et leurs qualités morales, s'étaient réunis pour vivre en commun dans un couvent de la vallée de Chevreuse, près de Paris, à Port-Royal des Champs. Ces solitaires, comme on les appelait, vivaient dans la prière et le travail, labourant, écrivant, enseignant; ils eurent parmi leurs élèves le grand poète Racine. La dignité et la pureté de leur existence leur avaient gagné de nombreuses sympathies, en particulier parmi les parlementaires, et devaient forcer jusqu'à l'admiration de leurs ennemis.

On les appelait Jansénistes parce qu'ils suivaient la doctrine exposée dans un livre sur saint Augustin par un évêque d'Ypres, Jansen. Cette doctrine concerne principalement la question du salut. Jansen disait que l'homme, dégradé par le péché originel, est par lui-même totalement impuissant à se racheter; que par suite il ne peut obtenir son salut que s'il possède la grâce efficace, c'est-à-dire si la grâce divine s'impose à lui d'une façon irrésistible. A ceux qui n'ont pas cette grâce, la pratique du vrai bien est impossible et, puisque tous ne la reçoivent pas, Jésus-Christ n'est pas mort pour tous les hommes. Les Jésuites soutenaient que cette doctrine ressemblait à celle de Calvin; ils la qualifiaient de "calvinisme rebouilli."

D'autre part, les Jansénistes étaient gallicans, c'est-à-dire que d'après eux les clergés des divers pays et spécialement le clergé de France, l'Église gallicane, devaient garder une large autonomie en face du pape. Tout en protestant de leur respect pour "la dignité suprême du siège apostolique," ils professaient que ses jugements, en matière de foi, n'étaient pas sans appel et que les conciles universels lui étaient supérieurs. C'était la doctrine traditionnelle du clergé français qui en partie la professait encore. Mais elle avait été condamnée au seizième siècle par le Concile de Trente.

Persécution des Jansénistes. — Aussi les Jansénistes eurent-ils pour adversaires implacables les Jésuites, défenseurs nés de la suprématie pontificale. Ceux-ci dénoncèrent au pape la doctrine janséniste sur la grâce: le pape la condamna en 1653. Une violente polémique éclata alors: les Jansénistes eurent pour défenseur l'un des esprits les plus puissants du dix-septième siècle, Blaise Pascal. Ses *Petites lettres à un Provincial* tournèrent l'opinion contre les Jésuites (1656–1657).

Mais sur ces entrefaites, les Jansénistes commirent la faute d'entrer en relation avec quelques-uns des anciens Frondeurs, en particulier avec le cardinal de Retz, exilé à Rome. Dès lors les Jansénistes furent suspects au roi. Les solitaires durent se disperser. Dans la suite, plusieurs furent emprisonnés ou contraints de s'exiler, entre autres le plus célèbre des Jansénistes, Arnauld, surnommé le grand Arnauld.

Malgré la persécution, le Jansénisme subsista, et en 1702, les Jésuites recommencèrent la lutte. Une nouvelle condamnation fut prononcée par le pape. Vingt-deux vieilles religieuses — la plus jeune avait plus de soixante-cinq ans — établies à Port-Royal des Champs, en furent expulsées par le lieutenant général de police, assisté de trois cents soldats (1709). En 1713, le pape ayant par la bulle *Unigenitus*, condamné une fois de plus le Jansénisme, Louis XIV, qui avait un Jésuite pour confesseur, mit un véritable acharnement à imposer la décision du pape à tous ses sujets: plus de deux mille personnes étaient emprisonnées pour cause de Jansénisme quand le roi mourut (1715).

Louis XIV et la papauté. — Louis XIV, si prompt dans ses dernières années à imposer à ses sujets la soumission aux décrets du pape, était cependant à diverses reprises entré en conflit avec la papauté. Le plus important de ces conflits se produisit entre 1677 et 1682 à propos du droit de régale.

On appelait ainsi le droit qu'avait le roi, quand un évêché devenait vacant, d'en toucher les revenus jusqu'à l'installation du nouvel évêque. Le droit de régale n'existait pas dans les évêchés du Midi. En 1673, Louis XIV voulut faire disparaître cette exception et décida qu'il exercerait à l'avenir le droit de régale dans tous les diocèses du royaume. La décision du roi fut blâmée par le pape: ce fut l'occasion du conflit.

En 1682, le Saint-Siège persistant dans son intransigeance, Louis XIV invita le clergé de France à affirmer les "libertés de l'Église gallicane." L'assemblée du clergé adopta, non sans beaucoup d'hésitation, un exposé de principes rédigé par Bossuet et devenu célèbre sous le nom de Déclaration des Quatre Articles (1682).

Le premier article disait que les papes n'ont reçu puissance de Dieu que sur les choses spirituelles et qui concernent le salut," et que les rois "ne leur sont soumis en rien dans les choses temporelles."

Le second article portait qu'en matière spirituelle les conciles universels étaient supérieurs aux papes; le troisième que l'exercice du pouvoir apostolique doit être tempéré en France par "les règles, coutumes et constitutions" admises dans l'Église gallicane.

Enfin le quatrième article déclarait qu'en matière de foi les décrets du pape, valables pour toutes les églises, ne sont cependant "irréformables" qu'avec le consentement de l'Église.

La déclaration des Quatre Articles ne fit qu'envenimer le conflit qui se prolongea pendant onze ans. Enfin en 1693 on se résigna de part et d'autre à un compromis: Louis XIV informa le pape que la déclaration ne serait plus enseignée; en échange le pape reconnut l'extension du droit de régale à tout le royaume.

CHAPITRE XII

LES GUERRES DE LOUIS XIV

La Politique de Louis XIV. — Quand commença le règne personnel de Louis XIV, en 1661, la France tenait la première place entre tous les États. Maître absolu dans son royaume, possédant la meilleure armée d'Europe commandée par des généraux comme Turenne et Condé, Louis XIV jouissait d'une puissance incomparable.

Cette puissance, il entendait s'en servir pour continuer l'œuvre de Richelieu et de Mazarin.

Mais si le but était le même que celui de Richelieu et de Mazarin, les moyens furent tout différents. Les deux ministres, à force d'habileté, de prudence et de modération, avaient su, dans la lutte contre les Habsbourg, rallier presque toute l'Europe autour de la France. Louis XIV, au contraire, dès le début, suivit une politique de prééminence et de suprématie. Ses prétentions orgueilleuses inquiétèrent et irritèrent toutes les puissances, et c'est contre la France que se formèrent désormais les coalitions européennes.

Les Guerres. — De 1660 jusqu'à la date de 1688 — l'année de la révolution d'Angleterre — Louis XIV domina l'Europe sans conteste et deux guerres successives, la guerre de Dévolution (1667–1668), la guerre de Hollande (1672–1678), valurent à la France d'importantes annexions. Mais dans la période suivante, marquée par les guerres de la Ligue d'Augsbourg (1688–1697) et de la Succession d'Espagne (1701–1714), l'hégémonie de Louis XIV fut attaquée par des coalitions européennes de plus en plus puissantes, et fut finalement ruinée.

Louvois. — Ces trente années de guerre entraînèrent de profondes transformations du système militaire, en France d'abord, puis par contre-coup dans la plupart des grands États. De cette transformation d'où sortit l'armée moderne, l'essentiel fut la substitution des armées permanentes et régulières aux armées improvisées et temporaires, employées jusqu'alors.

Les réformes militaires furent l'œuvre de Michel Le Tellier, secrétaire d'État à la guerre depuis 1640 et de son fils Louvois qui lui succéda dès 1662 et détint le secrétariat de la guerre pendant près de trente ans (1662–1691). Louvois fut avec Colbert le principal ministre de Louis XIV. C'était un homme brutal, violent, impérieux et dur avec affectation. Son influence politique fut détestable, car, pour conserver la faveur du roi, il flatta toutes ses passions. Mais, administrateur remarquable et à l'égal de Colbert travailleur acharné, il fit de l'armeé française le plus puissant outil de guerre et le plus perfectionné.

Les Généraux. — Servi dans ses négociations par des diplomates excellents, Louis XIV eut pour commander ses armées plusieurs générations de grands hommes de guerre. D'abord, ce furent, pendant la guerre de Dévolution et la guerre de Hollande, les plus remarquables de tous, Condé et Turenne. Le rôle qu'avait joué Turenne dans la guerre d'Espagne, sa victoire des Dunes, cause déterminante de la paix des Pyrénées, l'avaient fait élever à la dignité unique et créée pour lui de maréchal-général des camps et armées de France. Très ménager du sang de ses soldats qui l'appelaient *Notre Père*, Turenne ne voulait rien laisser au hasard, mais il exécutait avec une magnifique audace ses desseins longuement médités. Il avait le génie de la vraie guerre, celle que pratiquèrent plus tard les généraux de la Révolution et Napoléon, et qui a pour but non point la conquête de "positions," mais par des marches rapides et des attaques poussées à fond l'anéantissement des forces vives de l'adversaire, la destruction de ses armées.

Après Turenne et Condé vinrent, pendant la guerre de la Ligue d'Augsbourg, le maréchal de Luxembourg et Catinat; le premier, "un nain bossu," un improvisateur du champ de bataille, comme Condé, un homme aux "illuminations soudaines," intrépide, payant de sa personne aux heures critiques, menant lui-même à soixante-cinq ans les charges décisives, glorieusement surnommé "le Tapissier de Notre-Dame," tant il y avait, pendus aux voûtes de la cathédrale, de drapeaux enlevés par ses soldats à l'ennemi; — Catinat, un bourgeois, un moment avocat, puis engagé volontaire, parvenu à force de bravoure et de mérite à la dignité de maréchal, un méditatif, avare du sang de ses hommes qui l'appelaient *le Père la Pensée*.

Dans la guerre de Succession d'Espagne parurent le duc de Vendôme, un arrière-petit-fils d'Henri IV; le maréchal de Berwick, un fils de Jacques II d'Angleterre, naturalisé français; enfin le maréchal de Villars, le seul de tous les généraux de Louis XIV qui par ses conceptions stratégiques se rapprochât de Turenne, l'homme qui à la fin de la guerre de Succession d'Espagne, alors que tout semblait presque désespéré, sauva la France à Denain et permit à Louis XIV de terminer son règne par une paix honorable.

Vauban. — Mais la stratégie de Turenne et de Villars, pour qui l'essentiel de la guerre était la destruction des armées ennemies, ne comptait que peu de partisans. Pour Louis XIV et ses contemporains, la guerre c'était la conquête méthodique et progressive du territoire ennemi, citadelle par citadelle. Aussi les sièges se comptent presque par centaines dans les campagnes de Louis XIV.

La guerre de sièges eut son Turenne, le marquis de Vauban. Vauban dirigea personnellement plus de cinquante sièges sans subir un seul échec, et l'on disait que toute citadelle assiégée par lui était citadelle prise.

Mais plus qu'un preneur de citadelles, il fut un constructeur de citadelles. Nommé commissaire général des fortifications après 1678, il dirigea les travaux de près de trois cents places fortes. Son œuvre principale fut la construction des places du nord, la création, là où nul obstacle naturel ne défend la France, de ce qu'on a appelé "la frontière de fer." Il imagina alors tout un système nouveau de fortifications.

Au lieu d'élever les murs au-dessus du sol, il les enterra. Le mur, "l'escarpe," très élevé, précédé d'un fossé très large, n'était plus visible du dehors. Il était surmonté d'un parapet, talus de terre gazonnée, très épais, où les boulets s'enfonçaient sans produire de dégâts sérieux. Il était couvert en avant de l'autre côté du fossé par un second mur, la "contrescarpe," et de nouvelles masses de terre formant le glacis dont les pentes doucement allongées allaient se confondre au loin avec la campagne environnante. De sorte que ces fortifications, dites fortifications rasantes, sans relief au-dessus du sol, n'offraient presque aucune prise aux coups de l'ennemi.

Le système de Vauban fut bientôt imité par toute l'Europe; on l'employa pendant deux siècles jusqu'à nos jours, jusqu'à la récente invention des armes à longue portée et des explosifs à grande puissance.

La Guerre de Dévolution. — La "grande affaire" du règne de Louis XIV, ce fut l'affaire de la succession d'Espagne. Elle s'ouvrit dès 1664, quand mourut le roi d'Espagne Philippe IV.

Philippe IV laissait pour successeur un fils né d'un second mariage, Charles II. Louis XIV, en cas de mort de Charles II, avait des droits sur la succession d'Espagne, car sa femme Marie-Thérèse, était la fille aînée de Philippe IV. Il préféra ne pas attendre et résolut de prendre tout de suite une partie de l'héritage, la Flandre. Pour justifier cette entreprise, il invoqua le droit de dévolution: c'était une coutume du Brabant en vertu de laquelle les enfants nés d'un premier mariage, en la circonstance Marie-Thérèse, étaient seuls héritiers de leurs parents, à l'exclusion des enfants nés d'un second mariage, en la circonstance Charles II.

En juin 1667, sans déclaration de guerre, soixante mille hommes commandés par Turenne pénétrèrent en Flandre. En août, toutes les places étaient occupées. Lille, qui résista le mieux, avait tenu neuf jours. La reine-régente d'Espagne, se refusant à reconnaître le fait accompli, une seconde armée, commandée par Condé, envahit la Franche-Comté et l'occupa en quatorze jours (février 1668).

Ces conquêtes rapides alarmèrent l'Europe, surtout la Hollande et l'Angleterre. Les Hollandais convoitaient les Pays-Bas pour eux-mêmes. Quant aux Anglais, ils ne voulaient à aucun prix — ils s'y sont toujours opposés — voir la France s'établir à l'embouchure de l'Escaut. Avec la Suède, dont ils achetèrent le concours, ils formèrent la triple alliance de la Haye et essayèrent d'imposer leur médiation. Mais Louis XIV se hâta de traiter directement avec l'Espagne: par la paix d'Aix-la-Chapelle, il rendit la Franche-Comté et garda onze places de la Flandre, parmi lesquelles Douai et Lille (1668).

La Guerre de Hollande. — Louis XIV n'avait signé la paix que pour préparer une nouvelle guerre. D'instinct le Grand Roi détestait la Hollande calviniste et républicaine et son gouvernement de "marchands de fromage." Puisque la Hollande prétendait faire obstacle à ses projets de conquête, il résolut de briser la puissance hollandaise. Cette puissance n'était pas médiocre, car la République des Provinces-Unies s'était enrichie par le grand commerce; elle avait enlevé au Portugal ses plus précieuses colonies, et ses flottes tenaient sur les mers une place comparable à celle que tiennent aujourd'hui les flottes anglaises.

La guerre fut soigneusement et secrètement préparée. Une habile campagne diplomatique, dirigée par de Lionne, continuée après sa mort (1671) par Arnauld de Pomponne, isola la Hollande et assura à Louis XIV l'alliance de l'Angleterre, de la Suède, des princes allemands des bords du Rhin, ainsi que la neutralité de l'empereur, qui, disait un de ses ministres, manquait d'argent "pour faire bouillir sa marmite." Le secrétaire d'État à la guerre, Louvois, réunissait pendant ce temps une armée de plus de cent mille hommes.

Quand tout fut prêt (mai 1672), les troupes françaises, commandées par Turenne et Condé, prirent brusquement l'offensive, forcèrent le passage du Rhin au gué de Tolhuys et envahirent la Hollande. Celle-ci semblait perdue, car rien n'y était organisé pour la défense. Les Hollandais n'avaient pas prévu le péril; uniquement occupés de leurs intérêts commerciaux, ils n'avaient pas voulu entretenir d'armée permanente, sous prétexte que c'eût été gaspiller de l'argent.

Mais pour sauvegarder leur indépendance, ils surent prendre une résolution héroïque. Ils ouvrirent les écluses et percèrent les digues qui défendaient le bas pays contre la mer: une grande partie de la Hollande fut inondée, les villes furent transformées en îles, inabordables autrement qu'en bateaux. Les Français durent s'arrêter au bord des pays noyés. En même temps éclatait une révolution: le grand pensionnaire de Hollande, Jean de Witt, chef du gouvernement, fut massacré et tous les pouvoirs furent remis à Guillaume d'Orange, nommé *stathouder*, c'est-à-dire chef de l'armée.

Première Coalition européenne. — Guillaume d'Orange avait vingt et un ans, une intelligence vive, une indomptable ténacité, et un rare talent de diplomate. Il devait être jusqu'à la fin de sa vie (1702) l'adversaire acharné et infatigable de Louis XIV, le chef de toutes les résistances à ses projets. Dès 1673 il parvint à former contre la France une première coalition européenne qui comprit la Hollande, l'électeur de Brandebourg, l'empereur, puis l'Espagne et l'Empire.

Telle était cependant la puissance militaire de la France qu'elle résista victorieusement aux efforts des coalisés. La Hollande fut abandonnée, mais la Flandre et la Franche-Comté furent de nouveau conquises sur les Espagnols. A l'est, Turenne, par l'admirable compagne d'Alsace, rejeta les Impériaux au delà du Rhin (1675); il fut malheureusement tué a Saasbach par un boulet comme il se préparait à envahir l'Allemagne.

Sur mer, les flottes françaises, réorganisées par Colbert et bien commandées par Duquesne, étaient également victorieuses. L'amiral hollandais Ruyter fut vaincu et tué dans une grande bataille au large de Syracuse (1676).

La coalition, impuissante, se résigna à signer la paix de Nimègue (1678). La Hollande, prétexte de la guerre, ne perdait rien. Ce fut l'Espagne qui paya: elle dut céder à Louis XIV la Franche-Comté et douze places de la Flandre, entre autres Valenciennes, Maubeuge et Cambrai. Ces places formèrent à la France une frontière régulière au nord, à peu près la frontière actuelle. Soigneusement fortifiées par Vauban, elles furent désormais comme un bouclier couvrant Paris.

Les Chambres de réunion. — La paix de Nimègue marqua l'apogée de la puissance de Louis XIV. La ville de Paris l'appela Louis le Grand, et pendant dix ans, de 1678 à 1688, il fut réellement le maître de l'Europe occidentale. Alors son orgueil ne connut plus de mesure et lui inspira les actes les plus audacieux.

Les traités de Westphalie et de Nimègue portaient que les territoires cédés à la France l'étaient avec leurs dépendances. S'emparant de cette formule vague, Louis XIV chargea des tribunaux français, les Chambres de réunion, de rechercher quels pays avaient, à une date quelconque, relevé des territoires nouvellement acquis. Les Chambres de réunion attribuèrent ainsi à Louis XIV un grand nombre de territoires, entre autres Montbéliard, et une partie du Luxembourg. Ces territoires, qui appartenaient à des princes étrangers, furent occupés et annexés en pleine paix. L'annexion qui eut le plus de retentissement fut celle de Strasbourg, qui jusqu'alors était restée ville libre (1681). Strasbourg avait une grande valeur militaire parce qu'elle gardait l'un des rares ponts qu'il y eût alors sur le Rhin, fleuve difficile à franchir. Elle fut occupée, du reste, non pas en vertu d'une décision des Chambres de réunion, mais parce qu'elle n'avait pas su défendre sa neutralité et par deux fois avait laissé les Allemands pénétrer en Alsace.

Ces annexions indignaient et effrayaient les puissances. Elles ne bougeaient pas cependant, parce qu'elles savaient Louis XIV plus fort qu'elles. L'empereur, comme autrefois Charles-Quint, était paralysé par une invasion turque arrivée jusqu'à Vienne (1681). Mais les États qui se sentaient menacés commençaient à se rapprocher et à conclure des alliances particulières.

La Ligue d'Augsbourg. — La révocation de l'édit de Nantes (1685) tourna contre Louis XIV tous les États protestants et ajouta aux colères politiques les haines religieuses. Guillaume d'Orange n'eut pas de peine à réunir dans une nouvelle coalition les divers groupes d'alliés déjà formés. En 1686, les rois d'Espagne et de Suède, la Hollande, l'empereur, plusieurs électeurs, le duc de Savoie formèrent la Ligue d'Augsbourg, en vue de se garantir réciproquement contre les violences possibles de Louis XIV. La ligue n'avait encore qu'un caractère défensif. Mais Louis XIV, loin de reculer, multiplia les provocations. En 1688, l'électorat de Cologne étant vacant, il y installa par la force le candidat de son choix. En même temps, il fit occuper par ses troupes le Palatinat sur lequel la duchesse d'Orléans, sa belle-sœur, avait certains droits. Ce fut le signal de la guerre générale.

La guerre eût été une seconde guerre de Hollande si, au moment même où elle commençait, une révolution n'avait fait Guillaume d'Orange roi d'Angleterre. Jusqu'alors, sous les rois Charles II et Jacques II Stuart, l'Angleterre avait toujours été neutre ou même alliée de la France. A partir de 1688, dirigée par Guillaume d'Orange, elle employa toutes ses forces à lutter contre la France. Grâce à son concours, les coalisés purent dès lors contre-balancer la puissance de Louis XIV.

Guerre de la Ligue d'Augsbourg. — Louis XIV, sans un allié, eut à faire tête à l'Europe entière. La guerre dura neuf ans, soutenue sur toutes les frontières, aux Pyrénées, aux Alpes, sur le Rhin et aux Pays-Bas.

Les armées françaises soutinrent vaillamment le choc et eurent presque toujours l'avantage. Louvois réunit plus de 200,000 hommes. A défaut de Turenne et de Condé, la France avait Luxembourg et Catinat. La flotte était commandée par un officier de grand mérite, Tourville, et les ports français comptaient de hardis corsaires, comme Duguay-Trouin et Jean-Bart dont les exploits sont restés légendaires.

Du côté du Rhin, pour couvrir la France, Louvois recourut à un atroce moyen: ce fut de créer un désert au nord de l'Alsace. Par son ordre le Palatinat fut totalement dévasté, les villes et les villages furent rasés, les arbres arrachés, les habitants expulsés (1688–1689). Les haines que ces dévastations soulevèrent contre la France furent si violentes que, après deux siècles écoulés, le souvenir en restait vivace.

Aux Pays-Bas, le duc de Luxembourg remporta trois brillantes victoires sur les Allemands et sur Guillaume d'Orange à Fleurus (1690), à Steinkerque (1692) et à Neerwinden (1693). En Italie, Catinat par les victoires de Staffarde (1690) et de la Marsaille (1693), conquit les États du duc de Savoie. Par contre, toutes les tentatives faites pour restaurer le roi détrôné d'Angleterre, Jacques II, aboutirent à des échecs; Guillaume d'Orange le chassa d'Irlande, et la flotte française de Tourville, chargée de frayer la voie à une nouvelle expédition, fut, après un combat glorieux et inégal, vaincue à la bataille de la Hougue (1692).

La lassitude et l'épuisement des combattants amenèrent la paix. Elle fut signée à Ryswick, près de la Haye (1697). Louis XIV fit preuve d'une modération qui surprit ses adversaires: il reconnut Guillaume d'Orange comme roi d'Angletrere; il rendit la plupart des territoires annexés depuis la paix de

Nimègue. Il exigea seulement que l'empereur et l'Allemagne lui reconnussent la possession définitive de Strasbourg.

La Succession d'Espagne. — Si Louis XIV s'était montré très modéré à Ryswick, c'est d'abord qu'il avait besoin de la paix pour refaire ses armées et ses finances; c'est ensuite qu'il voulait régler à l'avance le partage de la succession d'Espagne.

Le roi Charles II était mourant. A qui allait échoir cet immense empire qui comprenait l'Espagne, les Baléares, la Sardaigne, la Sicile, le royaume de Naples, le Milanais, les Pays-Bas, enfin la moitié de l'Amérique avec les mines du Pérou et du Mexique? Il y avait plusieurs prétendants à la succession, parmi lesquels Louis XIV et l'empereur, tous les deux fils et maris de princesses espagnoles. Mais Anne d'Autriche et Marie-Thérèse, mère et femme de Louis XIV, étaient l'une et l'autre filles aînées des rois d'Espagne: la mère et la femme de l'empereur Léopold étaient des filles cadettes. Les droits de Louis XIV étaient donc supérieurs à ceux de Léopold. Il est vrai qu'en 1659, lors de la paix des Pyrénées, Marie-Thérèse s'était vu imposer une renonciation à ses droits d'héritière. Mais cette renonciation était nulle parce qu'elle était contraire aux lois successorales de l'Espagne et parce que sa validité était liée au payement d'une dot de 500,000 écus d'or que Philippe IV n'avait jamais versée.

Cependant Louis XIV savait qu'il ne pouvait pas espérer recueillir la totalité de la succession. Il croyait que le roi Charles II léguerait tous ses États à l'empereur ou à un prince de la famille impériale. C'est pourquoi il négocia secrètement avec la Hollande et l'Angleterre un traité de partage: ce traité, signé à Londres (mars 1700), attribuait au second fils de l'empereur, l'archiduc Charles, la succession d'Espagne, exception faite du royaume de Naples, de la Sicile et du Milanais. Ces territoires étaient réservés à Louis XIV qui les échangerait contre la Savoie et la Lorraine: ainsi, de la succession d'Espagne, Louis XIV tirerait l'achèvement de la France, et rien de plus.

Le Duc d'Anjou roi d'Espagne. — Mais Charles II ne voulait pas qu'à sa mort la monarchie espagnole fût démembrée. Il jugea que seul un prince français, soutenu par Louis XIV, serait capable de maintenir l'intégrité de son empire. Quand il mourut (1er novembre 1700), on apprit que son testament était en faveur de Philippe, duc d'Anjou, le second petit-fils de Louis XIV.

Le testament fut communiqué à Louis XIV le 9 novembre. Le roi hésita cinq jours s'il l'accepterait ou s'il s'en tiendrait au traité de Londres. L'intérêt national lui commandait de s'en tenir au traité puisqu'il assurait l'achèvement de la France. L'intérêt dynastique lui conseillait d'accepter le testament, puisqu'il mettait à la tête de la plus vaste monarchie du monde un de ses petits-fils. Le 15 novembre, au château de Versailles, Louis XIV disait aux courtisans, en leur montrant le duc d'Anjou: "Messieurs, voilà le roi d'Espagne." Il avait accepté le testament par orgueil dynastique, mais aussi par désir de la paix: en renonçant aux agrandissements que le traité de Londres assurait à la France, il faisait preuve de modération. Les Anglais et les Hollandais en jugèrent ainsi, et le duc d'Anjou fut reconnu comme roi d'Espagne, sous le nom de Philippe V, par tous les souverains, l'empereur excepté.

La Grande Alliance. — Une fois de plus Louis XIV, par des mesures les unes imprudentes, d'autres justifiées, mais que ses ennemis exploitèrent toutes habilement retourna contre lui l'Europe entière.

Il alarma toutes les puissances en garantissant à Philippe V, par une déclaration solennelle, ses droits éventuels à la couronne de France. Il irrita les Hollandais en faisant occuper par ses troupes les places de la Barrière: c'étaient les citadelles espagnoles des Pays-Bas, disposées le long de la frontière française, où les Hollandais, depuis Ryswick, avaient obtenu le droit de tenir garnison. Enfin Louis XIV souleva contre lui l'opinion anglaise jusqu'alors pacifique, en reconnaissant comme roi d'Angleterre, à la mort de l'ex-roi Jacques II, son fils Jacques III. Cette dernière mesure ne fut du reste qu'une riposte à la conclusion d'une coalition formée neuf jours auparavant contre la France, sur l'initiative de Guillaume d'Orange.

Celui-ci qui, depuis longtemps, voulait la guerre, avait en effet organisé la Grande Alliance de la Haye où entrèrent l'Angleterre et la Hollande, l'empereur, l'électeur de Brandebourg et la plupart des princes allemands (septembre 1701). Il mourut quelques mois plus tard (mars 1702), sans avoir pu assister au triomphe de sa politique et à l'humiliation de son ennemi.

Guerre de la Succession d'Espagne. — La guerre devait durer treize ans (1701–1714). Ce fut la plus longue et la plus terrible du règne de Louis XIV. Elle eut pour théâtres à la fois l'Espagne, l'Italie, l'Allemagne, les Pays-Bas, l'est et le nord de la France. Elle fut conduite du côté des alliés par deux grands hommes de guerre, l'Anglais Marlborough et le prince Eugène de Savoie, un Français passé au service de l'Autriche. Du côté des Français, il y avait encore de bons généraux, le maréchal de Villars, le duc de Vendôme. Mais Louis XIV, vieilli, mal conseillé, leur préférait des favoris incapables, comme Villeroi et La Feuillade.

Les armées françaises prirent d'abord l'offensive: en Italie, Vendôme battit le prince Eugène à Luzzara (1702). Dans l'Allemagne du sud, Villars fut vainqueur à Friedlingen (1702) et à Hochstaedt (1703). Mais le duc de Savoie, d'abord allié de la France, passa à la coalition, forçant Vendôme à se retourner contre lui. En Allemagne, Villars fut rappelé et remplacé par des généraux qui ne le valaient pas, Tallard et Marsin.

Alors commence la série des désastres: le prince Eugène et Marlborough, ayant opéré leur jonction, accablent l'armée française d'Allemagne à la seconde bataille de Hochstaedt (1704). Les Anglais s'emparent de Gibraltar (1704) et entreprennent la conquête de l'Espagne pour le compte de l'archiduc Charles. Les Pays-Bas espagnols sont perdus par la défaite de Villeroi à Ramillies (1706), l'Italie par la défaite de La Feuillade devant Turin (1706). En 1708 une armée commandée par le duc de Bourgogne, tenta de reprendre la Belgique: elle fut vaincue à Oudenarde. Les coalisés envahirent la France et prirent Lille, malgré la belle défense que fit le vieux maréchal de Boufflers.

Le royaume et le roi étaient à bout de ressources. L'hiver terrible de 1709 mit le comble à la misère et réduisit le pays presque entier à la famine. Aux malheurs publics s'ajoutaient pour Louis XIV les malheurs domestiques. Dans ces dernières tristes années du règne, il perdit successivement son fils, ses deux petits-fils et l'aîné de ses arrière-petits-fils; il ne lui restait plus comme héritier qu'un enfant malingre, le duc d'Anjou.

Fin de la guerre. — Dans cette situation critique, Louis XIV montra une inaltérable fermeté de cœur. Il fut admirablement soutenu par la nation qui répondit à son appel en lui fournissant des milliers de volontaires, paysans pour la plupart. Le roi put ainsi reconstituer une armée qu'il confia à Villars: l'invasion ennemie fut arrêtée par la sanglante bataille de Malplaquet (11 septembre 1709).

Louis XIV avait déjà essayé de traiter; il redemanda la paix. Mais les coalisés exigèrent — outre l'abandon de l'Alsace et de la Flandre — qu'il détrônât lui-même son petit-fils Philippe V. "Puisqu'il faut faire la guerre, répondit Louis XIV, mieux vaut la faire à mes ennemis qu'à mes enfants."

La France fut sauvée par deux victoires et par un changement survenu dans la politique anglaise. A la fin de 1710, Vendôme écrasa à Villaviciosa, en Espagne, l'armée anglo-autrichienne; Philippe V coucha le soir sur un matelas fait des drapeaux pris à l'ennemi. Il était désormais maître de l'Espagne. D'autre part, l'archiduc Charles étant devenu empereur par la mort de son frère Joseph Ier (1711), les Anglais qui ne voulaient pas travailler à la réunion des couronnes d'Espagne et d'Autriche, résolurent de se retirer de la coalition et rappelèrent Marlborough. Enfin, en 1712, le prince Eugène fut surpris et vaincu par Villars à Denain, près de Valenciennes. La victoire de Denain eut une influence décisive sur la conclusion de la paix.

La Paix d'Utrecht. — La paix fut signée à Utrecht en 1713, avec l'Angleterre, la Hollande et la Savoie; à Rastadt en 1714 avec l'empereur. Les traités d'Utrecht et de Rastadt réglèrent ainsi la succession d'Espagne:

Philippe V gardait l'Espagne et ses colonies; il renonçait solennellement à tous ses droits à la couronne de France.

L'empereur recevait les Pays-Bas, et, en Italie, le Milanais, la Sardaigne, le royaume de Naples.

Le duc de Savoie recevait la Sicile et prenait le titre de roi.

L'Angleterre se faisait concéder par l'Espagne d'importants privilèges commerciaux dans les colonies; plus Minorque et Gibraltar, c'est-à-dire la porte de la Méditerranée. Elle se faisait céder par la France Terre-Neuve et l'Acadie, c'est-à-dire l'entrée du Saint-Laurent.

Ainsi le petit-fils de Louis XIV gardait la couronne d'Espagne. Mais c'était une vaine satisfaction d'amour-propre. En acceptant le testament de Charles II, Louis XIV avait fait banqueroute à sa politique. La guerre de Succession d'Espagne avait été stérile et ruineuse: non seulement la France n'avait retiré aucun profit de cette entreprise, mais elle avait perdu sa prépondérance en Europe; elle était épuisée de sang et d'argent. Et la véritable triomphatrice des traités d'Utrecht, c'était l'Angleterre, qui s'acheminait à la suprématie maritime.

CHAPITRE XIII
LE GRAND SIÈCLE

Éclat des lettres françaises. — Le dix-septième siècle — le "siècle de Louis XIV," selon l'expression de Voltaire — fut pour les lettres françaises une époque de plein épanouissement et de chefs-d'œuvre. Des ouvrages parurent alors qui furent admirés à l'étranger autant qu'en France et que, pendant près d'un siècle, on tint pour des modèles seuls dignes d'être imités. C'est alors que la langue française commença de devenir dans le monde moderne ce que le grec avait été jadis dans le monde romain, une sorte de langue universelle, la langue commune de tous les esprits cultivés en Europe.

Formation de la langue classique. — Au milieu de l'anarchie de la fin du seizième siècle, la langue avait souffert autant que le royaume. Elle avait subi l'invasion des mots grecs et latins, introduits de force, sous prétexte de l'enchérir, par Ronsard et les écrivains de la Renaissance; l'invasion des mots provinciaux et des patois picards, normands, languedociens, gascons, venus en compagnie des gens de guerre, soldats d'Henri III et d'Henri IV; l'invasion même des mots étrangers, italiens, espagnols, allemands, apportés par les mercenaires.

Au début du dix-septième siècle, la langue eut comme le royaume son Henri IV: le poète Malherbe (1555–1628). Il entreprit l'épuration de la langue, dans le même temps que le roi poursuivait la réfection du royaume. Il la voulut sobre, précise, claire, homogène surtout et nationale. Il voulait qu'on la tirât du peuple même, "des crocheteurs du Port au Foin," disait-il.

L'œuvre commencée par Malherbe fut continuée par l'Académie française. Au temps de Richelieu, un jeune lettré, Conrart, réunissait chez lui un petit groupe d'amateurs de belles-lettres et d'écrivains. En 1635 Richelieu qui s'intéressait à la littérature invita Conrart et ses amis à constituer une société officielle qui s'occuperait "d'épurer la langue et d'en fixer le bon usage." Ainsi fut créée l'Académie française à qui Richelieu donna pour tâche essentielle la composition d'un dictionnaire, qui devait être un catalogue de tous les mots admis par les bons écrivains avec leur signification précise.

Les Premiers Chefs-d'Œuvre. — Une année à peine après la constitution de l'Académie française, paraissait le premier chef-d'œuvre de la poésie dramatique en France, une tragédie, *le Cid* (1636). L'auteur était un jeune avocat de Rouen, Pierre Corneille. Au *Cid* succédèrent trois tragédies non moins admirables: *Horace*, *Cinna*, *Polyeucte*. En 1643 Corneille faisait jouer la première bonne comédie, le *Menteur*.

Le premier chef-d'œuvre de la prose française parut presque en même temps que *le Cid*, en 1637. C'est le *Discours de la méthode pour bien conduire sa raison et chercher la vérité dans la seience*, œuvre du philosophe et du savant Descartes (1596–1650). Son influence fut immense sur tous les esprits réfléchis, en particiulier sur les grands écrivains du règne de Louis XIV, qui lui durent en grande partie les habitudes d'ordre méthodique, de clarté, de précision, de bon sens, caractéristiques de leur génie. Elle s'étendit d'ailleurs bien au delà du dix-septième siècle et s'exerça sur les savants autant que sur les littérateurs.

La prose atteignit au plus haut degré de perfection dans les *Lettres à un Provincial* et les *Pensées* de Pascal (1623–1662).

Louis XIV et les écrivains. — Louis XIV s'intéressait aux lettres et manifesta de la bienveillance aux écrivains. A partir de 1664, sur les conseils de Colbert, il accorda des pensions aux principaux écrivains et savants du royaume, et même à des écrivains et à des savants étrangers. Ces pensions furent d'ailleurs payées très irrégulièrement faute d'argent à partir de la guerre de Hollande.

Plus importants que les pensions furent les témoignages de haute estime personnelle que le roi donna à certains écrivains. Beaucoup furent reçus à la Cour au même titre que les nobles les plus titrés; quelques-uns furent admis dans l'intimité du roi. Racine fut gentilhomme de la Chambre. Il fut, avec Boileau, nommé historiographe du roi. La tradition était que Louis XIV avait un jour, devant tous les courtisans, fait asseoir Molière à sa table. Il est certain, en tout cas, qu'il consentit à être le parrain d'un fils de Molière, en 1664, et qu'il intervint pour ordonner la représentation d'une de ses pièces, *Tartufe*, interdite par le Parlement. La bienveillance royale, publiquement manifestée à maintes reprises, changea la condition des écrivains, des savants et des penseurs. Médiocrement considérés jusqu'alors, réduits parfois, comme Corneille, à solliciter les présents d'un banquier, ils prirent dans l'estime publique la place que leur doit un pays civilisé.

Les Quatre Poètes. — Les chefs-d'œuvre se groupent dans cette période en un ensemble harmonieux et vraiment complet, car il n'est presque aucun genre littéraire qui n'y soit représenté. Au premier rang figurent quatre poètes qu'on ne saurait séparer, "les quatre amis" comme ils s'appelaient eux-mêmes, car ils étaient liés entre eux par une étroite amitié, Molière, Boileau, Racine et La Fontaine.

Molière eut le génie de la comédie. A la fois directeur, acteur, auteur, il écrivit et joua de 1659 à 1673, année de sa mort, près de trente pièces, parmi lesquelles d'immortels chefs-d'œuvre, *Tartufe*, *le Misanthrope*, *l'Avare*, *le Bourgeois gentilhomme*, *les Femmes savantes*.

Boileau (1636–1711) eut surtout le mérite de redresser "le mauvais goût" du public et de le guider dans la bonne voie. En 1666, il publia ses premières *Satires*; en 1674 l'*Art Poétique*.

Jean Racine (1639–1699) fut le second des grands tragiques français. On a dit de ses tragédies, *Andromaque*, *Britannicus*, *Bérénice*, *Phèdre*, *Athalie*, etc.: "Le temps glisse sur ces merveilles sans les diminuer, et même, comme il n'arrive que pour les chefs-d'œuvre de l'art, en y ajoutant."

Les *Fables* de La Fontaine, le plus délicat et le plus spirituel des poètes français, parurent entre 1668 et 1690.

Les Prosateurs. — Le plus grand nom de la prose française est alors Bossuet (1627–1704), en même temps le plus éloquent des orateurs. Ses œuvres les plus célèbres furent ses *Oraisons funèbres*, prononcées à la mort de grands personnages: la duchesse d'Orléans, la reine Marie-Thérèse, et surtout le grand Condé.

La Bruyère et Fénelon appartiennent déjà à une autre génération chez laquelle s'éveille l'esprit critique. L'un et l'autre écrivirent après 1680, alors que se faisaient sentir cruellement les néfastes conséquences de l'ambition de Louis XIV. Le premier recueil des *Caractères* de La Bruyère parut en 1688; la publication du *Télémaque* de Fénelon, critique à peine déguisée du gouvernement de Louis XIV, est de 1699.

Caractères généraux des lettres sous Louis XIV. — Chez tous les écrivains du règne de Louis XIV, on trouve un certain nombre de traits communs. Tous eurent une profonde connaissance des écrivains anciens qu'ils jugeaient des modèles impossibles à égaler et qu'en fait ils surpassèrent maintes fois. Tous eurent le sentiment de l'ordre et de la composition, le souci de la clarté et de la simplicité. Chez tous, le style fut sobre et précis, débarrassé de tout ornement qui n'eût été qu'un ornement. Chez tous aussi, il y eut l'instinct de la grandeur et de la noblesse, le respect de l'écrivain pour le lecteur et pour lui-même, une allure de dignité, souvent même de majesté.

L'Art français au dix-septième siècle. — Les artistes français du dix-septième siècle sont loin d'avoir, dans l'histoire de l'art, l'importance qu'ont, dans l'histoire des lettres, les écrivains leurs contemporains. Pourtant leur grand nombre, leurs qualités de goût, de mesure et d'élégance, le prestige aussi de la puissance de Louis XIV commencèrent d'assurer à la France une prééminence artistique qu'elle n'a jamais perdue depuis.

L'art français au dix-septième siècle a pour caractères essentiels le triomphe définitif de l'influence italienne et le culte superstitieux de l'antiquité romano-grecque.

On a vu comment, au seizième siècle, les artistes français avaient commencé de s'écarter des traditions nationales. Par la suite, architectes, peintres et sculpteurs, dans une admiration exclusive et inintelligente de l'art antique, professèrent le plus absolu mépris pour les œuvres "gothiques," c'est-à-dire barbares "de nos grossiers aïeux."

En architecture on n'admit plus que les coupoles et les dômes à l'italienne comme à la Sorbonne et aux Invalides; les voûtes en plein cintre à la romaine, les frontons triangulaires et les colonnades à la grecque, comme au Louvre. On en vint même, contre tout bon sens, dans un pays de neige et de pluies abondantes, à supprimer, comme au Louvre et à Versailles, les toits à pentes rapides pour les remplacer par les toitures à l'antique, par les terrasses plates des pays de soleil, de sécheresse, vrais lacs suspendus au moindre orage.

Les sculpteurs représentèrent leurs personnages nus ou drapés de la tunique ou de la toge comme dans l'antiquité. Les portraits mêmes des contemporains furent à l'antique: Louis XIV était vêtu en empereur romain, jambes et bras nus, cuirasse de cuir sur la poitrine, jupon de lanières sur les cuisses. Du costume contemporain, rien n'était jugé digne d'être reproduit, sauf la perruque.

En peinture l'influence italienne fut d'autant plus forte que la plupart des peintres séjournèrent longuement en Italie. Le culte de l'antiquité se traduisit encore là par l'anachronisme des costumes, par des allégories et des figures symboliques. Minerve et la Sagesse, Hercule et la Force, Vénus et la Beauté intervinrent couramment dans la représentation des événements contemporains.

Il s'en faut de beaucoup néanmoins que l'art français au dix-septième siècle ait été simplement un art d'imitation. Les artistes eurent précisément les mêmes mérites qui distinguaient les écrivains: l'habileté à composer, c'est-à-dire à disposer les diverses parties de leur œuvre dans un ordre qui la rendît satisfaisante pour la raison, en même temps qu'agréable aux yeux; le goût, le sens de l'élégance et de la grandeur. Il y a un air de parenté certain entre une tragédie de Racine, la façade du château de Versailles, les fresques qui décorent sa grande galerie et aussi le personnage même de Louis XIV.

Influence de Louis XIV. — L'influence de Louis XIV sur les artistes fut du reste immédiate et des plus puissantes. On ne travailla guère que pour lui à partir de 1660, et il fit travailler constamment jusqu'à sa mort, tour à tour occupé du Louvre, des Invalides, de Versailles, de Trianon, de Marly, etc. Les artistes travaillèrent presque sous sa direction; leurs plans et leurs projets devaient tous lui être soumis. Il fallait donc travailler selon son goût, et son goût allait à l'ordre, à la régularité, au solennel, au majestueux.

Les Monuments. Versailles. — Parmi les artistes français du dix-septième siècle, il y eut de grands peintres comme Poussin, Le Lorrain, Le Sueur, Philippe de Champaigne et Le Brun qui fut "premier peintre du roi" et présida à tous les travaux de décoration de Versailles. Il y eut quelques grands sculpteurs, Girardon, Coysevox et surtout Pierre Puget. Mais les œuvres les plus remarquables sont des monuments. Ce sont les monuments surtout qui fondèrent la réputation de l'art français et que l'Europe imita. Trois sont particulièrement célèbres, la colonnade du Louvre, l'Hôtel des Invalides et le château de Versailles.

Le château de Versailles est l'œuvre principale de l'architecte Mansart (1645–1708). Commencé en 1664, il ne fut achevé qu'en 1695, bien que Louis XIV y résidât depuis 1682. Les travaux avaient occupé, certaines années, jusqu'à trente mille hommes, coûté environ soixante-quatre millions de livres, et des milliers de vies humaines. Le château avec ses dépendances pouvait recevoir près de dix mille personnes. Il s'élevait à l'entrée d'un parc de plus de huit mille hectares, coupé de quarante-quatre kilomètres de routes.

Sur une immense terrasse où l'on accède par deux escaliers hauts de cent trois marches, larges de vingt mètres, s'allonge la façade, longue d'un demi-kilomètre. Le rez-de-chaussée, soubassement solide, mais sans lourdeur, construit en larges assises régulières, est percé de baies arrondies très rapprochées. Les fenêtres du premier étage, très élevé, sont séparées par des pilastres ou des colonnes. Au-dessus un second étage très bas est couronné par une balustrade qui masque le toit en terrasse. La décoration est très sobre, élégante, et de haut style. L'ensemble laisse une impression de surprenante et monotone grandeur. Les immenses perspectives du parc, dessiné par un jardinier de génie, Le Nôtre, les tapis verts déroulés à travers bois, le long canal fuyant jusqu'à l'horizon, les bassins aux eaux jaillissantes, un peuple de statues, une profusion de marbres et de bronzes achèvent de faire de ce palais la plus grandiose demeure royale qui soit au monde.

Les Charges financières. — Mais voici l'envers de la médaille. Le tableau du Grand Siècle ne serait ni complet ni exact si l'on n'y faisait pas figurer les charges fiscales et la misère publique. La politique de Louis XIV, les guerres constantes, les bâtiments de magnificence déjouèrent tous les calculs de Colbert qui s'était flatté d'enrichir le royaume. Rarement les impôts accablèrent plus les contribuables, rarement la France connut plus de misère que pendant le règne de Louis XIV, surtout dans la dernière période, de 1688 à 1715.

Les Impôts nouveaux. — Le trésor avait été d'abord alimenté par les seuls impôts que la royauté du Moyen Age eût légués à la monarchie moderne: un impôt direct, la taille dont étaient exemptés les nobles, le clergé et les officiers royaux, c'est-à-dire les propriétaires de fonctions publiques; les impôts indirects, parmi lesquels la gabelle ou monopole de la vente du sel, les aides prélevées surtout sur les boissons, les traites ou droits de douane.

Le revenu des tailles, de la gabelle et des aides suffit jusque vers 1672 au payement des dépenses annuelles. Mais à partir de 1672 et de la guerre de Hollande, il fallut chercher des ressources supplémentaires. Louis XIV emprunta. Après la mort de Colbert, quand vint la guerre de la Ligue d'Augsbourg, le roi, de plus en plus pressé d'argent, se résolut à établir un nouvel impôt direct, dont personne, sauf lui, ne serait exempt. Ce fut la capitation. Les sujets étaient partagés en vingt-deux classes d'après leur condition et payaient une somme proportionnelle à leur rang. Le dauphin figurait en tête de la première classe et payait deux mille livres. En fait et malgré les apparences, les privilégiés s'en tirèrent généralement à bon compte et le nouvel impôt retomba de tout son poids sur le peuple. La capitation, supprimée à la paix, fut presque immédiatement rétablie, dès le début de la guerre de Succession d'Espagne (1701).

Au cours de cette guerre un troisième impôt direct fut appliqué, l'impôt du dixième, prélevé sur les revenus de toute espèce. Comme son établissement nécessitait une enquête sur les ressources de chacun, son caractère inquisitorial amena une résistance acharnée des contribuables. On avait escompté un rendement de quatre-vingts millions; on en tira difficilement vingt-cinq.

Cette multiplication des impôts fit doubler les recettes: mais les dépenses avaient triplé. Dans les dernières années du règne de Louis XIV les recettes furent chaque année inférieures aux dépenses de soixante-dix à quatre-vingts millions de livres. Pour combler ce déficit on eut recours, comme sous Mazarin, aux affaires extraordinaires, c'est-à-dire à la vente par milliers d'offices inutiles et ridicules et surtout aux emprunts. Quand Louis XIV mourut en 1715, la situation financière était plus lamentable encore qu'à son avènement. La dette montait à près de trois milliards de livres; les caisses de l'État étaient vides; le pays était épuisé, la France paraissait acculée à la banqueroute.

La Fin du règne. — Pendant tout le règne de Louis XIV, la misère du peuple, et particulièrement des paysans, fait-elle contraste avec la splendeur de la Cour. A la fin, par suite de la guerre de Succession d'Espagne, la misère devint à peu près générale et atteignit la plus grande partie de la nation. Selon le mot de Saint-Simon, on avait recherché l'argent "jusque dans les os des sujets." En 1709, on eut faim même à Versailles et l'on vit, aux grilles du château, les laquais du roi mendier.

De cette misère Louis XIV, à la fin de sa vie, eut le sentiment qu'il était responsable, et il en eut le tardif repentir. La veille de sa mort, après avoir demandé pardon à ses courtisans "des mauvais exemples qu'il leur avait donnés" et leur avoir adressé ses adieux, il se fit amener celui qui allait être son successeur, le futur Louis XV, son arrière-petit-fils, un enfant de cinq ans: "Mon enfant, lui dit-il, vous allez être un grand roi; ne m'imitez pas dans le goût que j'ai eu pour les bâtiments, ni dans celui que j'ai eu pour la guerre. Tâchez de soulager vos peuples, ce que je suis assez malheureux pour n'avoir pu faire." Il expira le 1er septembre 1715, âgé de soixante-dix-sept ans en ayant régné soixante-douze.

Quand ils connurent la mort de Louis XIV, ses peuples "tressaillirent de joie," et, dit Saint-Simon, rendirent "grâces à Dieu d'une délivrance" ardemment désirée.

CHAPITRE XIV

LA FRANCE SOUS LOUIS XV

La Régence. — Louis XV, arrière-petit-fils de Louis XIV, avait cinq ans quand il devint roi. Louis XIV avait confié la régence à son plus proche parent, son neveu le duc Philippe d'Orléans. Le régent était un homme aimable, généreux, fort intelligent, mais paresseux, insouciant et corrompu. Aussi vit-on à la Cour sous son influence une violente réaction contre les mœurs du règne précédent. Sous Louis XIV les courtisans, à l'exemple du maître, s'étaient, en apparence au moins, jetés dans la dévotion. Sous la régence, au lieu des dévots on eut les "roués," fanfarons d'incrédulité et de vice, passionnés de plaisirs, même les plus grossiers, à l'exemple de Philippe d'Orléans qui se plaisait chaque soir à de "petits soupers" d'où les convives sortaient le plus souvent emportés aux bras des laquais.

Les Difficultés financières. — Le Régent eut à faire face aux plus graves difficultés financières, héritées du règne précédent. La dette était de près de 3 milliards de livres. Les recettes nettes de l'État se montaient à 75 millions de livres et les dépenses à 140 millions. Le déficit annuel atteignait 65 millions.

On essaya de toutes sortes d'expédients. Tout fut insuffisant. Alors le Régent se décida à essayer le système que proposait un banquier écossais, John Law.

Le Système de Law. — Law voulait transformer en un usage universel un usage particulier aux commerçants. Ceux-ci ne payent pas toujours comptant les marchandises qu'ils achètent. Lorsque l'acheteur est honorablement connu et réputé solvable, le payement est remis à une date ultérieure, à terme, par exemple à trois mois. En pareil cas l'acheteur remet au vendeur un billet par lequel il reconnaît sa dette et s'engage à payer à la date convenue. Il arrive que le vendeur, ayant lui-même des achats à faire, donne ce billet en payement à un autre commerçant, lequel peut à son tour l'employer de même façon. Le billet circule ainsi comme une véritable somme d'argent; il se transforme momentanément, jusqu'au terme fixé pour le payement, en une vraie monnaie.

Ce système n'est praticable qu'entre gens qui se connaissent. Pour que le billet soit accepté par n'importe qui, il faudrait qu'il fût signé d'un nom universellement connu. C'est ce que Law voulut réaliser.

Il imagina de créer, avec le concours d'un certain nombre de gens riches, une grande banque qui, disposant, au su de tout le monde, de grosses sommes d'argent, pourrait inspirer confiance à tout le monde. Cette banque accepterait, moyennant un léger escompte, les billets des commerçants et les garderait jusqu'au jour du payement. En échange, elle leur remettrait d'autres billets signés par elle, qu'ils pourraient aisément faire circuler comme de l'argent. Pour augmenter la confiance du public, ces billets de banque, à la différence des billets de commerce, seraient payables à vue; quiconque le voudrait pourrait se les faire payer séance tenante en or ou en argent. C'est le système actuel des billets de la Banque de France.

Lorsque, par suite de la confiance générale, les billets de banque seraient transformés en une vraie monnaie acceptée partout comme le numéraire, Law comptait, avec cette monnaie de papier, rembourser les créanciers de l'État.

La Banque royale. — La Banque fut fondée en 1716. C'était à l'origine une entreprise privée où l'État n'avait aucun intérêt. Le public trouva immédiatement la légère monnaie de papier plus commode que la lourde et encombrante monnaie de métal. On en arriva à ne plus vouloir que des billets; la banque prospéra. Alors, en 1718, deux ans aprés sa création, elle fut transformée en Banque royale, appartenant à l'État.

Les Compagnies de commerce. — Mais la Banque n'était qu'un des éléments du système de Law. Il projetait encore de relever le commerce, et d'éteindre la dette au moyen de compagnies, auxquelles le roi accorderait des monopoles. En 1717, il créa la Compagnie des Indes occidentales. qui reçut le monopole de l'exploitation de la Louisiane. Puis il racheta le monopole commercial de la Compagnie des Indes orientales et de la Chine; il obtint le monopole de la frappe des monnaies, de la vente du tabac, et la perception des impôts indirects.

Le capital nécessaire au fonctionnement des compagnies était divisé en parts égales ou actions, que pouvait acheter qui voulait et dont la possession donnait droit à une part des bénéfices. Law mettait les actions en vente au prix de 500 livres, payables en partie avec les titres de la dette de l'État, ce qui permettait de diminuer la dette. Comme on prévoyait de gros bénéfices, comme on parlait de mines d'or, de rochers de pierres précieuses découverts en Louisiane, tout le monde voulut avoir des actions: on accourait à Paris de toutes les provinces et même de l'étranger. Les actions haussèrent donc très vite. Les spéculateurs aidant — on disait les agioteurs, — elles montèrent à la fin de 1719 jusqu'à 20,000 livres, quarante fois leur valeur primitive.

La Chute du système. — Pour ceux qui achetèrent les actions à ce prix, les bénéfices, lorsqu'on les partagea (30 décembre 1719) se trouvèrent ramenés au chiffre ridicule de une livre pour cent livres. On se mit aussitôt à vendre les actions avec la même fièvre qu'on avait mise à les acheter. Elles baissèrent, et l'on commença de n'avoir plus confiance dans la Compagnie; puis, par contre-coup, dans la Banque elle-même. Certains spéculateurs jugèrent donc prudent de réaliser, c'est-à-dire qu'ayant vendu leurs actions, et en ayant touché le prix en billets, ils allèrent aux guichets de la Banque se faire rembourser leurs billets en numéraire. Un prince du sang, le duc de Bourbon, emmena d'un seul coup soixante millions d'or dans trois voitures. Tout le monde prit peur et voulut se faire rembourser. Or, la Banque avait mis en circulation pour trois milliards de billets, alors que tout le numéraire existant en France, d'après les calculs faits quinze ans plus tôt par Vauban, ne montait pas à un demi-milliard. On était donc dans l'impossibilité de rembourser. Law dut s'enfuir de Paris (décembre 1720), laissant la capitale presque en émeute et tout le pays profondément remué par cette crise.

Malgré la banqueroute finale, la tentative de Law eut par

certains côtés d'heureux résultats. D'abord une partie de la dette fut réellement remboursée. Puis la création des compagnies ranima l'industrie et donna une activité nouvelle au commerce. On commença à mettre en valeur la Louisiane; et les ports de l'Atlantique, Bordeaux, Nantes, le Havre connurent une prospérité plus grande qu'aux jours les meilleurs de l'administration de Colbert.

Majorité de Louis XV. — En 1723, Louis XV, âgé de treize ans, fut proclamé majeur. Le duc d'Orléans mourut quelques mois plus tard. Louis XV, guidé par son précepteur, l'évêque de Fréjus, Fleury, désigna pour prendre la direction des affaires, le premier prince du sang, le duc de Bourbon, arrière-petit-fils du grand Condé. Celui-ci resta au pouvoir trois ans environ. Pour assurer le plus promptement possible la succession au trône, il maria Louis XV à quinze ans, avec Marie Leczinska, fille de Stanislas, roi de Pologne détrôné.

Gouvernement du cardinal Fleury. — En 1726, le duc de Bourbon, d'ailleurs très impopulaire, fut soudainement exilé et remplacé par Fleury, devenu cardinal presque en même temps que ministre, à l'âge de soixante-douze ans.

Par sa douceur et sa bonhomie, Fleury avait su prendre une grande influence sur son élève; il fut une des rares personnes pour qui Louis XV éprouva une sincère affection. Aussi demeura-t-il ministre, et ministre tout-puissant, jusqu'à sa mort (1743).

Fleury, prudent et pacifique par nature, rendu par son âge avancé plus prudent et plus pacifique encore, ne voulait pas "que son ministère fut un ministère historique." Il pratiqua une politique d'économie, et avec le concours du financier Orry, il travailla à remettre l'ordre dans les finances. Il y parvint un moment en 1738. Cette année-là on vit le budget en équilibre, fait qui ne s'était point produit depuis 1672 et Colbert, et qui ne devait plus se reproduire jusqu'au dix-neuvième siècle et à Napoléon Ier. Pendant le ministère de Fleury et quoiqu'elle ait été engagée dans la guerre de Succession de Pologne, la France épuisée put reprendre haleine.

Louis XV. — Lorsque Fleury mourut en 1743, beaucoup pensaient que Louis XV allait enfin gouverner lui-même. Il avait trente-trois ans. Il était beau; au dire d'un de ses ministres, d'Argenson, "lors de son sacre il ressemblait à l'Amour." Ses sujets lui étaient passionnément attachés. En 1745, le roi étant tombé malade à Metz, par toute la France le peuple se précipita dans les églises. Ce fut alors qu'on le surnomma Louis le Bien-Aimé.

Jamais souverain ne fut plus indigne d'un pareil dévouement. Il était intelligent, mais paresseux, abandonnant le soin du gouvernement à ses ministres, qui eux-mêmes dépendaient des favorites. Rarement il présidait le Conseil. Ses occupations, c'étaient la chasse, ses favorites, la confection du café dans l'appartement de ses filles, la tapisserie, la lecture des rapports de basse police et des correspondances privées qu'il faisait intercepter; ce roi de France eut des habitudes de laquais malhonnête. Aussi sa popularité ne dura pas.

La Marquise de Pompadour. — De 1743 à 1774, pendant trente et un ans, au lieu de gouvernement du roi, on eut le gouvernement des favorites. Les ministres furent généralement leurs créatures et leurs instruments. La plus célèbre de ces favorites et celle dont l'influence se maintint le plus longtemps fut la marquise de Pompadour. Son nom de famille était Jeanne Poisson: c'était une bourgeoise intelligente et jolie, artiste et lettrée.

Officiellement présentée à la Cour, ayant son appartement au château de Versailles, faite marquise de Pompadour, la favorite fut jusqu'à sa mort, pendant près de vingt ans, de 1745 à 1764, la vraie souveraine. Elle fit et défit les ministres, qui prenaient ses ordres; elle donna et retira les commandements d'armées. Elle décida entre autres mesures importantes, à l'intérieur, l'abolition de la Compagnie de Jésus en France. Au dehors elle poussa le roi à s'allier avec l'Autriche contre Frédéric II, et par là jeta la France dans la néfaste guerre de Sept Ans.

La marquise s'intéressait d'ailleurs aux lettres et aux arts; Voltaire, Diderot et les Encyclopédistes furent un temps ses protégés. Elle acquit de la sorte une certaine popularité parmi les écrivains. Mais le peuple lui imputait avec raison le gaspillage des finances et les conséquences désastreuses de la politique extérieure, et il la détestait.

Les Ministres. — Parmi les nombreux ministres qui furent au pouvoir de 1743 à 1774, il y eut quelques hommes de valeur, Machault, Choiseul, Maupeou, mais leurs efforts furent en général impuissants, leur bonne volonté paralysée par l'insouciance du roi et les caprices des favorites.

Machault d'Arnouville, successivement contrôleur général des finances, garde des sceaux, secrétaire d'État de la marine, le tout en onze ans (1745–1757), eut en matière de finances des idées originales et sages. Il essaya d'assurer l'amortissement de la dette à l'aide d'un impôt spécial, le vingtième, qui devait en principe être payé par tous les sujets du roi sans exception; mais en raison de l'opposition acharnée des privilégiés, cet impôt finit par retomber sur le Tiers-État seul. Machault fut disgrâcié pour avoir essayé de faire renvoyer la marquise de Pompadour (1757).

Par la suite, le principal ministre fut le duc de Choiseul, un protégé de la marquise. D'abord aux affaires étrangères, il prit ensuite les portefeuilles de la guerre et de la marine. Choiseul fut, sinon un grand homme d'État, du moins un ministre actif et un habile diplomate. Il ne parvint pas à arrêter les revers de la France pendant la guerre de Sept Ans, mais il travailla énergiquement à préparer la revanche, en reconstituant une bonne armée et une flotte. Il annexa deux importants territoires, la Lorraine en 1766, et la Corse, achetée à la République de Gênes, en 1768. En 1770, une nouvelle favorite, la du Barry, le fit disgrâcier.

Toute l'influence passa à Maupeou, chancelier depuis 1768. Avec l'abbé Terray et le duc d'Aiguillon il forma le ministère connu sous le nom de Triumvirat. Maupeou était un homme énergique et d'esprit hardi. Il tenta en 1771 une révolution dans l'organisation judiciaire en abolissant le Parlement de Paris et la vénalité des charges de judicature. Mais la mort de Louis XV entraîna sa chute et l'échec de sa réforme.

Le Désordre des finances. — L'échec de toutes les tentatives de réforme, la politique de bon plaisir, les favorites, les constructions, les fêtes, les pensions aux courtisans, s'ajoutant à trois grandes guerres, amenèrent la totale désorganisation des finances. Jamais le trésor ne fut plus misérablement gaspillé.

La maison du roi absorbait chaque année la meilleure part des revenus de l'État, de 68 à 70 millions, alors que les revenus nets montaient à peine à 147 millions.

Mme de Pompadour reçut trente-six millions en dix-neuf ans; une autre favorite dix-huit millions en trois ans.

En revanche, en pleine paix, l'on n'avait pas d'argent pour payer les troupes. Même les domestiques du roi attendaient parfois leurs gages depuis trois ans. Le déficit était constant.

L'Opposition parlementaire. — Le détestable gouvernement de Louis XV provoqua, ce que l'on n'avait jamais vu sous Louis XIV, une sérieuse opposition et même à partir de 1750 d'énergiques tentatives de résistance à la volonté royale. L'opposition, comme un siècle plus tôt au temps de Mazarin, eut pour centre le monde des parlementaires. Les Parlements, réduits sous Louis XIV à l'obéissance passive, n'avaient rien abandonné cependant de leurs prétentions politiques. Sous Louis XV, ils revendiquèrent de nouveau le droit de surveiller et de contrôler les actes du gouvernement.

Les prétextes d'opposition ne manquaient pas. Les principaux furent les affaires religieuses et le gaspillage des finances.

En matière de religion, les parlementaires étaient en grande majorité jansénistes, gallicans, par suite ennemis acharnés des Jésuites. Ce fut l'occasion d'incessants conflits avec le clergé, et avec le roi, qui ne voulait pas reconnaître aux Parlements le droit d'intervenir dans les affaires religieuses. Cependant les Parlements, soutenus par l'opinion publique, finirent par l'emporter. En 1762, à propos d'un procès auquel était mêlée la Compagnie de Jésus, le Parlement de Paris déclara ses constitutions "contraires aux lois du royaume" et ordonna la suppression de l'ordre en France. Sous l'influence de Mme de Pompadour et de Choiseul, qui étaient hostiles aux Jésuites, Louis XV, après deux ans d'hésitation, ratifia l'arrêt du Parlement: les Jésuites furent obligés de quitter le royaume (1764).

En matière de finances, les Parlements s'opposèrent systématiquement à la création d'impôts nouveaux. Ils refusèrent à plusieurs reprises d'enregistrer les édits de finances. Le roi passa outre en tenant, selon l'usage, des lits de justice où il faisait en sa présence transcrire les édits sur les registres du

Parlement. Mais alors les parlementaires imaginèrent un nouveau procédé de combat. Pour protester contre les lits de justice, ils firent grève: ils refusèrent de rendre la justice, ou bien démissionnèrent en masse. Le fait se produisit à cinq reprises, de 1750 à 1770. Le roi riposta d'abord en exilant les démissionnaires. Puis, au bout d'un certain temps, cédant au mécontentement public, il rappela les exilés.

Mais, en 1771, le conflit eut une tout autre solution. A la suite d'un édit interdisant aux Parlements de suspendre le cours de la justice, les magistrats de Paris firent grève. Le chancelier Maupeou les exila aussitôt par lettres de cachet, puis remplaça le Parlement de Paris par six Conseils supérieurs, dont les membres nommés par le roi n'étaient plus propriétaires de leurs charges. La réforme était bonne et fut étendue à plusieurs Parlements de province. Mais, faite par un gouvernement détesté, elle parut détestable et l'opinion soutint énergiquement les parlementaires qui avaient osé tenir tête au roi.

Mort de Louis XV. — Le règne se termine ainsi au milieu d'une agitation profonde, entretenue par d'innombrables pamphlets et libelles. Jamais roi n'avait été aussi impopulaire en France. Quand Louis XV mourut, en 1774, on n'osa même pas faire passer son cercueil à Paris pour le transporter à Saint-Denis. On l'emmena de nuit et, tandis que le corbillard traversait au grand trot le Bois de Boulogne, sur les côtés de la route des spectateurs criaient: "*Taïaut! Taïaut!*," le cri du chasseur poussant les chiens à la curée.

Une simple constatation suffit à juger ce règne: Louis XV meurt en 1774. Quinze ans plus tard, en 1789, la Révolution commençait.

Signes précurseurs de la Révolution. — La ruine de l'ancien régime par la Révolution, telle est en effet la principale conséquence du règne de Louis XV. En faisant éclater aux yeux de tous les vices de la monarchie absolue, il a rendu la Révolution inévitable et prochaine.

Tous les contemporains d'esprit clairvoyant signalent, au cours du règne de Louis XV, les premiers symptômes de la crise. Ils voient l'abîme se creuser entre le peuple et le roi et son entourage: "Le gouvernement n'est plus estimé ni respecté, écrit d'Argenson dès 1751, et qui pis est, il fait tout ce qu'il faut pour se perdre. Le clergé, le militaire, les Parlements, le peuple haut et bas, tout murmure, se détache du gouvernement et a raison."

D'autre part le peuple avait pris conscience de sa force. Dès 1750 de graves émeutes avaient éclaté à Paris. Depuis ce temps les émeutes étaient devenues fréquentes et presque habituelles. "Si l'on ne diminue pas le prix du pain, disait-on dans les rues de Paris en 1770, et si l'on ne met ordre aux affaires de l'État, nous saurons bien prendre un parti, nous sommes vingt contre une baïonnette."

CHAPITRE XV

LES SALONS. LES ARTISTES. LES PHILOSOPHES

La Vie mondaine. — Le dix-huitième siècle est par excellence le siècle de la vie mondaine. Jamais celle-ci ne fut plus brillante ni plus raffinée: "Qui n'a pas vécu avant 1789, disait Talleyrand, ne connaît pas la douceur de vivre."

Parmi les plaisirs à la mode, il y en eut de délicats, comme celui de la conversation. Mais la conversation prenant généralement, selon l'esprit du siècle, le tour libre et frondeur, le centre de cette vie à la fois intellectuelle et mondaine ne fut plus la Cour comme au dix-septième siècle, ce fut les salons parisiens. Là se rencontraient et se rapprochaient grands seigneurs, gens d'église, écrivains, artistes et financiers. C'est dans les salons de Paris que se forma une puissance nouvelle qui n'existait pas au siècle précédent, l'opinion publique.

Les Salons. — Vers le milieu du dix-huitième siècle les salons les plus réputés furent ceux de Mme Geoffrin, de Mme du Deffand et de Mlle de Lespinasse.

Mme Geoffrin était une riche bourgeoise. Spirituelle et bonne — elle avait pris pour devise: "Donner et pardonner" — elle recevait à dîner rue Saint-Honoré deux fois par semaine, le lundi des artistes, le mercredi des gens de lettres et des gentilshommes. Son salon, dans tout son éclat pendant la dernière partie du règne de Louis XV, entre 1750 et 1775, fut proprement le quartier général des Philosophes et des Encyclopédistes. Les habitués en renom étaient d'Alembert, Diderot, Marmontel, Morellet. "La bonne Mme Geoffrin," comme on l'appelait, présidait aux réunions avec dignité et aussi avec une sage prudence, arrêtant d'un simple "Voilà qui est bien!" les conversations trop libres et trop audacieuses.

Aux samedis de la marquise du Deffand, la société était plus aristocratique et les philosophes n'y eurent accès que pendant un temps. Devenue aveugle à l'âge de quarante ans, elle n'avait d'autre plaisir que la conversation, et la vivacité de son esprit, souvent mordant, l'avait fait appeler *Madame Voltaire* ou l'*aveugle clairvoyante*. Le marquis et le comte d'Argenson, Choiseul, Montesquieu furent ses hôtes de prédilection. Elle eut pour lectrice, pendant dix ans, Mlle de Lespinasse. Un jour elle découvrit que certains de ses familiers, les Philosophes, goûtaient plus encore que les siens les entretiens de sa lectrice; elle la renvoya (1763).

Les amis de Mlle de Lespinasse lui furent fidèles. Pauvre, ne pouvant donner à dîner, elle "donnait à causer" chaque jour de cinq à neuf. Son salon fut, avec celui de Mme Geoffrin, le plus important des salons philosophiques et l'influence qu'il exerça dans le monde des lettres finit par être telle qu'on l'appelait l'*antichambre de l'Académie*.

Les Artistes. — Les goûts et les mœurs du temps trouvèrent dans tous les arts leur fidèle reflet. Sous l'inspiration du Grand Roi, les arts plastiques avaient produit dans le siècle précédent des œuvres majestueuses et un peu froides. Les œuvres françaises du dix-huitième siècle, surtout la peinture et la sculpture, se distinguent par leur libre fantaisie, leur poésie, leur grâce souple et leur élégance.

L'art français, brillant, fécond, novateur, exerce alors en Europe une prépondérance indiscutée. Comme l'écrivait un architecte de ce temps, travaillant lui-même en Allemagne, "Paris fut à l'Europe ce qu'était la Grèce lorsque les arts y triomphaient: il fournit des artistes à tout le reste du monde."

Parmi les peintres, Watteau — sous la Régence —, Lancret, Boucher et Fragonard furent les maîtres des "Fêtes galantes" et des "Pastorales." Le chef-d'œuvre du genre, l'*Embarquement pour Cythère* de Watteau fut exposé en 1717: par la fraîcheur de son coloris, l'exquise lumière du paysage, l'harmonie avec laquelle se groupent les personnages aux silhouettes élégantes et fines, il offre le plus séduisant mélange de rêve et de réalité. D'autres artistes, comme le bon peintre Chardin, surent représenter avec une simplicité vigoureuse et sincère les scènes familières de la vie bourgeoise. Greuze, avec ses tableaux moraux tels que le *Retour de l'enfant prodigue*, émut les âmes sensibles qui lisaient Diderot et Jean-Jacques. Quentin de La Tour, psychologue autant que peintre, fut le maître incomparable du pastel et du portrait.

La sculpture est représentée par un grand nombre d'artistes d'un talent non moins souple et varié. Du ciseau de Pigalle et de Falconet sortirent aussi bien de gracieuses sculptures de genre, "Bacchantes" et "Baigneuses," que des œuvres de grand style, telles que le tombeau du maréchal de Saxe à Strasbourg et la statue équestre de Pierre le Grand à Saint-Pétersbourg. Le plus grand maître fut Houdon, élève de Pigalle. En dehors de ses bustes, où il sut mettre autant de vérité morale que La Tour en mettait dans ses pastels, deux œuvres entre toutes l'ont placé hors de pair, la *Diane chasseresse* qu'il tailla dans le marbre pour Catherine II et dont le Louvre possède une réplique en bronze, et surtout le *Voltaire* décharné et railleur de la Comédie-Française, peut-être le plus saisissant portrait qu'on ait jamais tiré du marbre.

Jusque dans les arts décoratifs, mobilier, décor des appartements, lignes des jardins, on peut apercevoir clairement la transformation des mœurs. Le dix-huitième siècle sacrifie moins à l'apparat, plus au confort et à l'intimité; les meubles sont plus légers, de formes plus souples et plus gracieuses, les appartements, peints en couleurs plus claires, sont plus gais et plus resserrés. Quel contraste plus saisissant que de passer à Versailles des grandes pièces majestueuses de Louis XIV aux petites pièces aimables et coquettes de Louis XV?

Les Sciences. — Un des caractères distinctifs du dix-huitième siècle est le goût des sciences. Par là le dix-huitième siècle prépare et annonce le dix-neuvième.

La science avait déjà fait dans la période précédente de très grands progrès. On peut même dire que c'est au dix-septième siècle que s'est définitivement constituée la science moderne, avec ses méthodes, ses idées directrices et ses principaux instruments de travail. A aucune autre époque on ne compte un aussi grand nombre de savants de génie, tels que Descartes et Pascal en France, Huygens en Hollande, Leibnitz en Allemagne et Newton en Angleterre. Mais leurs travaux et leurs découvertes n'avaient été connus que d'un petit nombre d'initiés. C'est seulement à la fin du dix-septième siècle que commencèrent à paraître des ouvrages de vulgarisation scientifique révélant au grand public les immenses progrès accomplis. Dès lors il s'y intéressa passionnément. On se mit à discuter dans les salons sur le système de Newton, comme on discutait auparavant sur une tragédie de Corneille. Tous les écrivains célèbres du dix-huitième siècle s'occupèrent de sciences: Montesquieu communiquait à l'Académie de Bordeaux un mémoire sur les causes de l'écho; Voltaire eut un laboratoire chez Mme du Châtelet, une grande dame qui préférait la physique à la poésie; le comte de Buffon fut aussi savant naturaliste que grand écrivain.

Au cours du siècle, de nouvelles découvertes eurent lieu qui firent sur les esprits une impression profonde; la plus remarquable fut en 1752 celle de l'Américain Franklin qui, par la célèbre expérience du cerf-volant, démontra l'identité de l'étincelle électrique avec la foudre. Par la suite l'année 1783 devait voir en France la première ascension d'un aérostat, invention des frères Montgolfier, et l'expérience décisive par laquelle le grand chimiste Lavoisier parvint à reconstituer l'eau par synthèse de l'hydrogène et de l'oxygène.

Les Idées nouvelles. — Les progrès des sciences donnèrent aux gens instruits l'impression que le pouvoir de la raison humaine était sans limites. La science prétendait expliquer tous les phénomènes de la nature sans avoir recours à des considérations religieuses. De même, à l'ancien régime politique que Bossuet fondait sur l'Ecriture sainte, les écrivains du dix-huitième siècle connus sous le nom de "philosophes" prétendirent opposer un système nouveau fondé sur la seule raison et conforme aux "lois naturelles." Ils démontrèrent théoriquement les vices de la monarchie absolue et de l'organisation sociale en même temps que les faits les démontraient pratiquement. Leurs écrits préparèrent, autant que la mauvaise administration royale, la Révolution de 1789.

C'est d'Angleterre que vint la doctrine: là, dès le dix-septième siècle, l'ancien régime politique et religieux, le régime de la monarchie absolue et de l'intolérance, avait été détruit par deux révolutions successives. Pour justifier leurs actes et mettre d'accord la théorie et la pratique, les Anglais furent amenés à formuler des principes nouveaux. Un médecin philosophe, Locke, rechercha dans l'*Essai sur le gouvernement civil* (1690) les origines des gouvernements; il établit que l'homme avait des droits naturels, que ces droits primordiaux étaient la liberté et la propriété; que tout gouvernement était issu d'un contrat social, c'est-à-dire d'une convention que les citoyens d'un État ont conclue entre eux dans leur intérêt commun et surtout pour protéger leurs droits; que par conséquent les gouvernements n'étaient que les délégués du peuple, et que le principe fondamental était le principe de la souveraineté du peuple. Dans ses *Lettres sur la tolérance* (1690), Locke étudia le rôle social de la religion et de l'Église; il montra que la religion devait être considérée comme matière privée; que l'État, ayant pour fonction de garantir à tous ses membres l'égalité des droits, ne devait pas intervenir pour imposer une religion, mais devait les tolérer toutes. En bon citoyen anglais, Locke exceptait d'ailleurs le catholicisme.

Montesquieu. — Les relations franco-anglaises s'étant beaucoup développées après 1715, la doctrine de Locke parvint à la connaissance de la société française. L'œuvre de critique se poursuivit en France avec d'autant plus de vigueur et de hardiesse que la royauté se discréditait davantage. Trois grands écrivains surtout, Montesquieu, Voltaire, Rousseau, exercèrent l'action la plus profonde.

Le premier en date fut Montesquieu (1689–1755). Né aux environs de Bordeaux, Montesquieu, baron de la Brède, était de noblesse de robe et fut président au Parlement de Bordeaux. Il se fit d'abord connaître par les *Lettres Persanes* (1721). Sous la forme d'une correspondance échangée entre deux Persans qui visitaient Paris et leurs amis, il présentait une vive satire de la société française, des mœurs, des institutions. Après un voyage en Europe, un séjour de deux ans en Angleterre et vingt ans de travail continu, il publia son grand ouvrage l'*Esprit des lois* (1748). C'était un ouvrage de philosophie politique, une analyse systématique et détaillée de toutes les formes de gouvernement, des conditions dans lesquelles ils se créent, des principes sur lesquels ils reposent. Montesquieu présentait comme l'organisation idéale l'organisation de la monarchie anglaise qui garantissait à tous les citoyens la "liberté politique." Il établissait qu'il doit y avoir dans un État bien réglé trois pouvoirs distincts et indépendants les uns des autres: le législatif, l'exécutif, le judiciaire, et que cette distinction est la garantie indispensable de la liberté. Il faisait ainsi la critique de la monarchie française, où tous les pouvoirs étaient confondus; il mettait en circulation l'idée que la royauté devait être limitée et contrôlée par les représentants de la nation.

L'*Esprit des lois* eut un énorme succès: il en fut fait vingt-deux éditions en dix-huit mois. On a dit justement qu'il fut "plus qu'un livre, un grand acte historique."

Voltaire. — Voltaire (1694–1778) — son vrai nom était Arouet — était fils d'un notaire de Paris. Une satire contre le Régent le fit enfermer à vingt-trois ans, pendant onze mois, à la Bastille (1717–1718). Huit ans plus tard (1726), il fut une seconde fois emprisonné pendant six mois, parce qu'ayant été bâtonné par un gentilhomme, il avait osé réclamer justice ou réparation par les armes. Au sortir de la Bastille, il dut s'exiler en Angleterre: il y passa quatre années. Comme Montesquieu, il admira la liberté dont jouissaient les Anglais. Rentré en France, il publia ses *Lettres philosophiques* ou *Lettres sur les Anglais*, dans lesquelles il vantait l'organisation d'un pays, où, disait-il, "le prince tout-puissant pour faire du bien a les mains liées pour faire le mal." Il exposait en même temps les théories de Locke; il attaquait l'arbitraire, l'intolérance religieuse, l'autorité du clergé. Le livre parut subversif; il fut, par jugement du Parlement, brûlé de la main du bourreau, et Voltaire n'échappa à un troisième emprisonnement que par la fuite (1735).

Après vingt années, au cours desquelles il s'occupa surtout de sciences, de théâtre, d'histoire, et fut tour à tour attaché comme historiographe à Louis XV, comme chambellan à Frédéric II, Voltaire, possesseur d'une très grosse fortune, s'établit à Ferney dans une grande propriété à cheval sur la frontière de France et de Suisse (1755). De la sorte il lui était facile d'échapper à toute tentative d'arrestation. Il avait soixante ans passés; jamais cependant son activité ne fut plus prodigieuse; et il exerça alors en Europe une sorte de souveraineté intellectuelle qui le fit appeler le *roi Voltaire.* Pendant vingt-trois ans, il mena une perpétuelle campagne contre l'arbitraire, les abus et les iniquités judiciaires, la torture, et contre l'Église. Dans cette période de sa vie il publia peu d'œuvres de longue haleine, mais il écrivit d'innombrables brochures inspirées par les événements du moment; son rôle fut celui d'un journaliste, le plus brillant et le plus mordant qui ait jamais été. Il ne construisit pas de système politique. Son esprit fut tout entier employé à combattre: son œuvre, ironique et destructive, a contribué plus que toute autre à répandre l'incrédulité.

Rousseau. — Le rôle de Rousseau (1712–1778) fut tout différent: il fut un créateur de système politique, le théoricien d'une organisation nouvelle de la société. Tandis que Montesquieu et Voltaire, tous les deux membres des classes privilégiées, se bornaient à désirer des modifications politiques et la limitation de l'arbitraire, Rousseau, fils d'un horloger de Genève, plébéien dont la jeunesse fut dure, conclut de ses souffrances à la nécessité d'une refonte totale de l'État et de la société. Il exposa successivement ses idées dans un discours sur l'*Origine de l'inégalité parmi les hommes* (1755), dans un traité sur l'éducation intitulé *Émile*, et dans son œuvre capitale, le *Contrat social* (1762). Il établissait, comme Locke, mais d'une manière plus rigoureuse et plus absolue, que tous les hommes sont égaux et libres; que toute organisation sociale et politique ne peut avoir pour objet que de sauvegarder les droits de chacun; que cependant chacun doit se soumettre à l'intérêt et à la volonté du plus grand nombre; que le peuple est seul souverain. Ces idées de Rousseau conduisaient à l'établissement de la République; elles devaient trouver leur application pendant la Révolution; elles sont aujourd'hui même au fond de toutes les doctrines socialistes.

Les Économistes. — Tandis que les philosophes attaquaient l'ancien régime politique et religieux, les "économistes" s'en prenaient à l'ancien régime du travail et à toute l'organisation économique. Depuis Colbert on professait qu'en matière d'industrie il était nécessaire de surveiller le travail et de guider les ouvriers et les fabricants par des règlements minutieux; qu'en matière de commerce on appauvrissait le pays lorsqu'on achetait des marchandises au dehors, et qu'il fallait, par des droits de douane, gêner ou rendre impossible l'entrée des produits étrangers. Réglementation et prohibition, tels étaient les deux aspects du "Colbertisme."

Au dix-huitième siècle au contraire on fut d'avis qu'en matière économique l'État ne devait pas intervenir, mais qu'il fallait laisser agir en toute liberté les "lois naturelles." Ces nouvelles doctrines furent formulées d'abord par Quesnay et Gournay. Ayant passé sa jeunesse à la campagne, Quesnay (1694–1774), médecin de Mme de Pompadour, estimait que l'agriculture était la source de la richesse. Gournay (1712–1759), un commerçant, la faisait dériver de l'industrie. L'un et l'autre avaient constaté que les douanes multipliées, les tarifs protecteurs, les règlements des corporations entravaient l'activité de l'agriculteur et de l'industriel. Ils résumaient leurs observations dans deux formules analogues: "Ne pas trop gouverner, ne point réglementer," disait Quesnay. — "Laisser faire, laisser passer," disait Gournay. L'un et l'autre concluaient en matière économique à un régime de liberté.

Quesnay et Gournay eurent de nombreux disciples; deux furent des esprits supérieurs qui dépassèrent leurs maîtres: en France Turgot, en Angleterre Adam Smith.

La Propagande philosophique. — Les philosophes et les économistes eurent une influence énorme, non pas sans doute sur le peuple, trop ignorant et généralement illettré, mais sur les classes instruites, en particulier sur la bourgeoisie.

Pour répandre les idées nouvelles, comme il n'y avait pas encore de grands journaux politiques, ils se servirent du théâtre, des livres et des brochures anonymes, dont le succès était d'autant plus grand que le Parlement les poursuivait ou que la police les saisissait. Voltaire surtout excella à ce jeu: en sûreté à Ferney, il lança une multitude de libelles satiriques, tantôt signés de noms connus, tantôt signés de noms imaginaires et tous dirigés contre le despotisme ou contre l'Église.

A la même époque, la publication de l'*Encyclopédie* servait puissamment la propagande des philosophes et des économistes.

L'*Encyclopédie* fut, d'après les termes mêmes du prospectus qui l'annonçait, "un tableau général des efforts de l'esprit humain dans tous les genres et dans tous les siècles," une sorte de dictionnaire universel, où l'on trouvait des renseignements sur la fabrication du fard, aussi bien que des études sur les organisations politiques, les religions, etc. La publication fut entreprise par Diderot, un philosophe (1713–1784), aidé de d'Alembert, un mathématicien (1717–1783); ils eurent pour collaborateurs à peu près tous les écrivains, les savants connus et les hommes les plus compétents en toutes matières. Voltaire, Montesquieu, Turgot leur donnèrent des articles. L'Encyclopédie ne parut pas sans difficultés. Elle fut interdite à deux reprises, et pendant huit ans Diderot ne put rien publier. Commencée en 1751, la publication était achevée en 1772: elle comprenait vingt-huit volumes. C'était une lourde, mais puissante machine de guerre, destinée à saper par la base tout l'ancien régime, et à répandre, avec l'irréligion, toutes les idées maîtresses de la philosophie nouvelle.

CHAPITRE XVI

LA FRANCE EN EUROPE 1715–1774

L'Europe en 1715. — Quand Louis XIV, mourut, en 1715, la situation de l'Europe était profondément différente de ce qu'elle était à son avènement, en 1643. A cette époque il y avait cinq grandes puissances continentales: la France, l'Autriche, l'Espagne, la Suède, la Turquie. L'Angleterre, engagée dans une terrible révolution, ne jouait plus qu'un rôle effacé. La petite république marchande de Hollande exerçait sur les mers une véritable suprématie.

En 1715, seules la France et l'Autriche comptent encore parmi les puissances de première grandeur; mais l'ère de la prépondérance française est close. L'Angleterre, définitivement organisée en monarchie constitutionnelle, revendique à son tour la domination des mers. Et tandis que l'Espagne, la Suède, la Turquie, la Hollande reculent au second rang, on voit apparaître sur la scène de l'Europe deux États nouveaux, en pleine croissance: la petite Prusse — l'ancien électorat de Brandebourg — que le roi Frédéric-Guillaume Ier (1713–1740) dote d'une belle armée de quatre-vingt mille hommes, et l'immense Russie dont le tsar Pierre le Grand (1689–1725) vient de fonder la puissance sur les ruines de l'empire suédois.

Règlement de la succession d'Espagne. — Les traités d'Utrecht et de Rastadt n'avaient pas réglé définitivement la succession d'Espagne. L'empereur Charles VI, le roi d'Espagne Philippe V avaient refusé de signer la paix. L'empereur continuait à prétendre à la couronne d'Espagne. Philippe V n'acceptait pas la perte des Pays-Bas et surtout de l'Italie.

De leur côté la France et l'Angleterre, épuisées par la guerre de Succession d'Espagne, tenaient à la paix. Ce commun besoin de repos amena un rapprochement entre les adversaires de la veille. L'abbé Dubois, principal conseiller du régent, signa en 1716, à Hanovre, un traité d'alliance franco-anglaise. L'alliance devait subsister pendant près d'un quart de siècle, jusqu'à 1740. Son but immédiat était d'assurer l'observation des traités d'Utrecht et "de travailler à procurer une paix fixe et permanente entre l'empereur et le roi d'Espagne."

Philippe V refusa d'abord d'entendre les propositions des alliés de Hanovre. Il fut cependant contraint de les accepter après une guerre malheureuse (1717–1720) et d'interminables négociations. Il renonça à revendiquer Naples, la Sicile, la Sardaigne et le Milanais. Par contre il obtint pour un de ses fils, don Carlos, les duchés de Parme et de Toscane. D'autre part l'empereur prit la riche Sicile au roi-duc de Savoie qui reçut en échange la maigre Sardaigne. Ces conditions de paix furent enregistrées définitivement au traité de Vienne par qui fut achevé le règlement de la succession d'Espagne (1725).

Guerre de Succession de Pologne. — Après 1725 la paix, maintes fois menacée, fut maintenue grâce à l'entente franco-anglaise et à la sagesse de ministres pacifiques entre tous, l'Anglais Walpole et le cardinal Fleury. Pourtant, en 1733, la France fut entraînée dans une guerre contre l'Autriche, à propos de la succession de Pologne.

La couronne élective de Pologne étant devenue vacante par la mort d'Auguste II, deux candidats se présentèrent: le fils d'Auguste II, l'électeur de Saxe, Auguste III, neveu de l'empereur; Stanislas Leczinski, beau-père de Louis XV. Stanislas fut élu, mais il fut chassé de Pologne presque aussitôt par les armées austro-russes, intervenues en faveur d'Auguste III (1733).

Louis XV voulut venger son beau-père. Ne pouvant envoyer par mer une armée en Pologne, il déclara la guerre à l'empereur et s'allia avec le roi d'Espagne et don Carlos. Fleury mit d'ailleurs fin au conflit le plus rapidement possible. Après quelques succès remportés en Italie et sur le Rhin, des négociations furent entamées dès 1735 qui aboutirent en 1738 à un nouveau traité de Vienne. Stanislas Leczinski gardait le titre de roi, mais renonçait à la Pologne, moyennant le duché de

Lorraine. Le duc François de Lorraine recevait en compensation Parme, Plaisance et la Toscane. Quant à don Carlos, il prenait Naples et la Sicile avec le titre de roi des Deux-Siciles. Il était entendu qu'à la mort de Stanislas, la Lorraine reviendrait à la France.

Ainsi la guerre de Succession de Pologne aboutit à des résultats inattendus: d'abord l'établissement d'une troisième maison royale de Bourbon, les Bourbons de Naples, puis l'achèvement de l'unité française par l'annexion de la Lorraine. C'est la seule des guerres du règne de Louis XV qui ait été profitable à la France.

La Succession d'Autriche. — Tous les frais de la guerre avaient été payés par l'empereur Charles VI. En échange l'empereur avait obtenu l'adhésion de ses adversaires à la Pragmatique Sanction. A ses yeux cela compensait tous les sacrifices.

Charles VI était, en effet, dominé par une idée fixe: assurer la succession d'Autriche à sa fille Marie-Thérèse. Une disposition antérieure, que Charles avait juré d'observer, attribuait la couronne après sa mort aux filles de son frère aîné Joseph qui avait régné avant lui (1705–1711). Mais dès 1713 Charles VI, violant son serment, avait rédigé la Pragmatique Sanction, par laquelle la succession était attribuée d'abord à sa fille, puis à son défaut aux filles de Joseph. Il employa dès lors toute son activité à essayer d'assurer le respect ultérieur de cet acte injuste. Il obtint successivement, au prix de multiples concessions, l'adhésion de tous les États à la Pragmatique. Quand il mourut en 1740, il laissait à Marie-Thérèse des liasses de traités de garantie. Mais pour imposer aux signataires la fidélité à leurs engagements, il n'y avait pas quatre-vingt mille soldats dans toute l'étendue de la monarchie; il n'y avait pas trois cent mille francs dans le trésor.

La Coalition contre l'Autriche. — Aussi le règne de Marie-Thérèse s'ouvrit-il par une crise dans laquelle la monarchie autrichienne parut devoir être anéantie: la guerre de Succession d'Autriche (1740–1748).

En dépit de tous les traités de garantie, une formidable coalition se forma contre Marie-Thérèse. Elle comprit l'électeur de

Bavière, le nouveau roi de Prusse Frédéric II, qui venait de succéder à son père le Roi-Sergent (1740), la France, les Bourbons d'Espagne et d'Italie.

L'électeur de Bavière et le roi d'Espagne prétendaient avoir des droits à la succession d'Autriche en vertu de conventions antérieures et supérieures à la Pragmatique. La France soutint les prétendants pour rester fidèle à une tradition qui remontait au temps de François Ier et qui faisait de l'écrasement de la maison d'Autriche le but essentiel de la politique française: mais au dix-huitième siècle, après les changements survenus en Europe, cette tradition n'avait plus guère de raison d'être. Quant à Frédéric II, il attaqua parce qu'il était fort, que Marie-Thérèse était faible et qu'il voulait profiter de l'occasion.

La Guerre. — Les débuts de la guerre furent lamentables pour Marie-Thérèse. A la fin de 1741 sa ruine paraissait certaine. Frédéric II était maître de la Silésie et avait battu à Molwitz la première armée envoyée pour le déloger. D'autre part, l'électeur de Bavière avec le concours de quarante mille Français avait pris la Bohême et Prague.

Mais Marie-Thérèse, bien qu'elle fût âgée de vingt-trois ans à peine, ne se découragea pas. Elle fit preuve d'énergie et d'habileté. Elle sut exalter le loyalisme de ses sujets, acquérir des alliances, mener vigoureusement la campagne contre les coalisés, enfin dissoudre la coalition. Les Hongrois, émus par les malheurs de leur reine, lui votèrent un secours de cent mille hommes. L'Angleterre et la Hollande s'allièrent avec Marie-Thérèse. Elle désarma Frédéric II en lui cédant la Silésie par le traité de Breslau (1742). Alors elle put tourner toutes ses forces contre l'électeur de Bavière. Successivement ses armées reprirent la Bohême (1742), envahirent la Bavière (1743). Elles avancèrent jusqu'au Rhin et menacèrent l'Alsace.

Ces rapides succès amenèrent Frédéric II à signer avec Louis XV une nouvelle alliance et à rentrer en campagne. En même temps, Louis XV, qui jusqu'alors avait agi seulement comme auxiliaire de l'électeur, déclara la guerre pour son propre compte à Marie-Thérèse, à l'Angleterre et à la Hollande (mars-avril 1744). La mort de l'électeur de Bavière, survenue peu de temps après en 1745, mit fin à la guerre de Succession proprement dite, et l'on ne se battit plus que pour la Silésie, les Pays-Bas autrichiens et l'Italie.

La question de Silésie fut réglée la première. Frédéric II, par deux brillantes victoires à Friedberg et Kesselsdorf, imposa à Marie-Thérèse le traité de Dresde qui confirmait le traité de Breslau (1745). Aux Pays-Bas, Louis XV eut à combattre non pas des armées autrichiennes, mais les armées anglo-hollandaises. Les Français, commandés par un bon capitaine, le maréchal de Saxe, conquirent les Pays-Bas en trois étapes, les trois grandes batailles de Fontenoy (1745), Raucoux (1746) et Lawfeld (1747). L'invasion de la Hollande, puis la prise de Maëstricht (1748) déterminèrent Marie-Thérèse et ses alliés à demander la paix.

Paix d'Aix-la-Chapelle. — La paix conclue à Aix-la-Chapelle fut la plus stupide que la France ait jamais signée . Louis XV, victorieux, rendait toutes ses conquêtes et jusqu'au matériel de guerre pris dans les places conquises. Par contre, la possession de la Silésie était garantie à Frédéric II, et un prince espagnol reçut le duché de Parme. La France avait travaillé "pour le roi de Prusse" et pour les Bourbons d'Espagne. Il y eut une violente explosion de colère à Paris quand on connut les clauses du traité. Les femmes de la halle se jetaient à la tête comme suprême injure: "Tu es bête comme la paix!"

Le Renversement des alliances. — La paix d'Aix-la-Chapelle ne fut en réalité qu'une simple trêve. Deux puissances voulaient la guerre: l'Autriche, pour reprendre la Silésie qu'un odieux abus de la force lui avait ravie; l'Angleterre, pour ruiner la concurrence commerciale et coloniale de la France. Deux guerres étaient donc imminentes: une guerre allemande, d'une part; une guerre maritime et coloniale, de l'autre. Le malheur voulut que la France, au lieu de se donner tout entière à la seconde, se laissa en même temps entraîner dans la guerre continentale où elle n'avait que faire. Elle perdit à ce double jeu toutes ses colonies et le reste de son prestige.

Ce fut l'habileté de Marie-Thérèse de vaincre toutes les préventions de la diplomatie française et de substituer, à une politique de lutte constante vieille de deux siècles, l'union intime de la France et de l'Autriche. Louis XV résista longtemps, car il prétendait demeurer l'allié de la Prusse. Mais en janvier 1756, Frédéric II s'allia avec le roi d'Angleterre Georges II, qui était en même temps électeur de Hanovre. Louis XV répondit à cette défection en signant un traité d'alliance avec l'Autriche. Le renversement des alliances était accompli. Presque aussitôt la guerre commençait.

La Guerre de Sept Ans. — C'était non seulement le renversement des alliances, mais le renversement de la situation de 1740. Cette fois la coalition cernait Frédéric II, et en face de l'Autriche, de la France, de la Russie, des princes allemands et de la Suède, le petit royaume de Prusse semblait perdu.

Frédéric II fut sauvé par son génie, sa ténacité, la supériorité de l'armée prussienne et la médiocrité de ses adversaires. Pour ne pas être écrasé, il prit l'offensive et força d'abord l'armée saxonne à capituler à Pirna (octobre 1756), puis il envahit la Bohême, battit les Autrichiens et investit Prague. Mais les coalisés se ressaisirent: tandis que, dans l'Allemagne de l'ouest, les Français occupaient le Hanovre et acculaient l'armée anglaise à la capitulation de Closterseven, Daun, le meilleur général autrichien, battit Frédéric II à Kollin (juillet 1757) et le chassa de la Bohême.

C'est alors que, réduit à la situation la plus critique, pris entre une armée autrichienne et une armée franco-allemande, Frédéric II fit la célèbre campagne de l'automne de 1757, qui consacra sa réputation militaire. L'armée franco-allemande fut surprise et écrasée à Rossbach en Saxe (5 novembre 1757). L'armée autrichienne fut complètement battue un mois plus tard à Leuthen ou Lissa en Silésie (5 décembre 1757). La Prusse était dégagée de l'invasion.

De 1757 à 1762, Frédéric dut renouveler plusieurs fois ce tour de force, mais chaque fois avec plus de difficulté, les ressources de la Prusse s'épuisant graduellement. Sans cesse il voyait surgir contre lui de nouvelles armées autrichiennes au sud, russes à l'est. Quant aux armées françaises, chassées du Hanovre par le duc de Brünswick, elles luttaient péniblement en Westphalie. Frédéric II parvint à sortir des situations les plus désespérées: complètement battu par les Austro-Russes à Künersdorf (1759), où il perdit 20,000 hommes et 165 canons, il put encore repousser Daun l'année suivante à Liegnitz et Torgau (1760). Cependant il était à bout de forces, quand un événement le sauva: la mort de la tsarine Élisabeth et l'avènement de Pierre III, son fervent admirateur, qui rappela immédiatement l'armée russe (1762) et même signa un traité d'alliance avec la Prusse. L'Autriche épuisée se résigna alors à laisser la Silésie entre les mains de Frédéric II par le traité d'Hubertsbourg, tandis que la France abandonnait ses colonies à l'Angleterre par le traité de Paris (1763).

Annexion de la Lorraine et de la Corse. — Les traités d'Hubertsbourg et de Paris rétablirent pour quelques années la paix générale en Europe. Choiseul en profita pour réorganiser les forces militaires de la France, et pour essayer de réparer, par de nouvelles acquisitions territoriales, les pertes subies dans la guerre de Sept Ans. Dans les dernières années de son ministère (1763–1770), il eut la bonne fortune et le mérite de réunir à la France la Lorraine et la Corse.

L'annexion de la Lorraine se fit sans difficulté aucune en 1766, à la mort de Stanislas Leczinski, en vertu des conventions qui avaient terminé vingt-huit ans plus tôt laguerre de Succession de Pologne. Mais l'acquisition définitive de cette province avait une grande importance, parce qu'elle couvrait la Champagne et la Franche-Comté et rattachait solidement au corps français l'Alsace jusqu'alors isolée.

L'annexion de la Corse fut l'œuvre personnelle de Choiseul. L'île appartenait à la République de Gênes. Mais Corses et Génois étaient en perpétuel conflit, et dès le début du dix-huitième siècle la domination génoise en Corse n'était plus que nominale. Les Anglais songeaient à s'y établir. Choiseul les prévint en achetant à Gênes ses droits de suzeraineté sur la Corse (1768), dont les troupes françaises prirent aussitôt possession. La France eut ainsi un poste dans la Méditerranée sur le chemin de l'Italie et de l'Afrique, poste qui lui est devenu plus précieux encore au dix-neuvième siècle depuis l'occupation de l'Algérie.

Partage de la Pologne. — Une nouvelle favorite, la du Barry, fit disgracier Choiseul en 1770. Pourtant la politique française, à ce moment plus que jamais, avait besoin d'un guide prudent et avisé, car Frédéric II et la tsarine Catherine II préparaient en Europe de nouveaux bouleversements. Deux ans plus tard, en 1772, eut lieu le premier partage de la Pologne.

La Pologne, jadis État puissant, était depuis près de deux siècles en proie à l'anarchie. Le roi, élu par les nobles, n'avait aucun pouvoir. Dans l'assemblée des nobles ou Diète, qui avait le pouvoir souverain, l'opposition d'un seul suffisait à tout arrêter et à tout annuler. Il n'y avait ni armée, ni administration, ni finances organisées. Aussi les États voisins, devenus plus puissants, songèrent-ils dès le début du dix-huitième siècle à profiter de la faiblesse de la Pologne pour la démembrer.

Trois États étaient particulièrement intéressés au démembrement: la Russie, parce qu'elle se rapprocherait ainsi de l'Europe; la Prusse, parce que l'acquisition de la Prusse polonaise lui permettrait de réunir le Brandebourg à la Prusse proprement dite; enfin l'Autriche, parce qu'elle cherchait une compensation à la perte de la Silésie. En 1772, Frédéric II et Catherine II réussirent à vaincre les derniers scrupules de Marie-Thérèse et les trois souverains signèrent à Saint-Pétersbourg, "au nom de la Très Sainte Trinité," un traité de partage de la Pologne; Marie-Thérèse prit pour l'Autriche la Galicie, Frédéric II eut la Prusse polonaise, Catherine II une partie de la Lithuanie. La Pologne se trouva réduite de quinze millions d'âmes à dix millions.

Conséquences du partage de la Pologne. — Les affaires de Pologne eurent, au point de vue de la politique européenne, d'importantes conséquences. D'abord la communauté du crime créa un lien étroit et durable entre la Russie, la Prusse et l'Autriche. Les trois complices formèrent dès lors une triple alliance qui, ennemie acharnée de la France pendant l'Empire, prétendit après 1815 commander à l'Europe.

En France le partage de la Pologne fit une impression profonde et fut considéré par l'opinion presque comme une défaite française. C'est qu'il y avait entre la France et la Pologne des liens séculaires d'amitié, et que la diplomatie française était à plusieurs reprises intervenue en faveur de la Pologne. En 1768, alors que les troupes russes envahissaient la Pologne, Choiseul avait envoyé une mission militaire chargée de réorganiser les bandes polonaises; il avait poussé la Turquie à déclarer la guerre aux Russes. Ces efforts furent rendus vains, d'abord par la disgrâce de Choiseul en 1770, ensuite par l'infériorité militaire des Turcs qui furent complètement vaincus sur terre et sur mer.

Ainsi à la mort de Louis XV la France ne paraissait plus jouer qu'un rôle secondaire en Europe.

CHAPITRE XVII

LA POLITIQUE COLONIALE

Rivalité de la France et de l'Angleterre. — A l'entente franco-anglaise qui avait duré jusque vers 1740, succéda une longue rivalité, déterminée surtout par les questions commerciales et coloniales, de sorte que chacune des grandes guerres continentales, guerre de la Succession d'Autriche et guerre de Sept Ans, se doubla d'une guerre sur mer et aux colonies.

Déjà, de 1689 à 1697 et de 1701 à 1713, on avait vu deux guerres entre les colons français et anglais d'Amérique.

Au début du dix-huitième siècle, après les traités d'Utrecht, l'empire colonial français comprenait: dans l'Amérique du Nord, le Canada et la Louisiane; dans l'Amérique centrale, plusieurs petites Antilles et la partie occidentale de Saint-Domingue; dans l'Amérique du Sud, la Guyane; en Afrique, le Sénégal; dans l'océan Indien, les établissements de Madagascar, de l'île Bourbon, de l'île de France, et surtout de l'Inde.

L'empire colonial anglais comprenait: dans l'Amérique du Nord, Terre-Neuve et l'Acadie et treize colonies échelonnées sur la côte orientale depuis le Canada jusqu'à la Floride; dans les Antilles, la Jamaïque, la Barbade et Saint-Christophe; dans l'Inde, des établissements sur le golfe du Bengale.

Les Compagnies de commerce. — Si l'on en excepte le Canada français et l'Amérique anglaise, tous les autres établissements coloniaux étaient exploités par des compagnies de commerce.

Les compagnies de commerce étaient constituées par actions. Un certain nombre de particuliers, généralement des commerçants des ports, des banquiers, de riches bourgeois, parfois les municipalités des villes, par exemple en France les municipalités de Lyon, de Rouen, de Bordeaux, de Nantes, de Grenoble, etc., mettaient en commun des capitaux. Ces capitaux servaient à faire construire et à équiper des navires; à payer des employés, les uns restant en Europe, les autres, les agents, envoyés sur les lieux de commerce; enfin à acheter les marchandises. La compagnie se faisait donner en Europe par le gouvernement le monopole du commerce avec le pays qu'elle voulait exploiter, le droit de recruter et d'entretenir des troupes pour la police et la défense des comptoirs qu'elle y fonderait. Dans ce pays, elle obtenait du souverain indigène, généralement à prix d'argent, moyennant le payement d'un tribut annuel et en se reconnaissant vassale, une concession, c'est-à-dire une certaine étendue de territoire où elle établissait un comptoir.

Les Compagnies dans l'Inde. — Les plus importantes de ces compagnies de commerce étaient celles qui faisaient le commerce de l'Inde.

Dans l'Inde, la Compagnie anglaise avait fondé en 1639 sur le golfe du Bengale le comptoir de Madras qui devint bientôt une ville importante et le centre de toutes les opérations de la Compagnie.

Sur la côte du golfe du Bengale également, au sud de Madras, la Compagnie française avait fondé Pondichéry (1676) qui fut le plus important de ses établissements. Peu après (1688), elle créait Chandernagor sur l'une des embouchures du Gange. En 1719 la Compagnie fut réorganisée par Law. Alors commença pour elle une période de grande prospérité. Elle dut cette prospérité à deux circonstances. D'abord l'alliance qui venait d'être conclue entre la France et l'Angleterre donnait la sécurité sur mer; d'autre part la situation politique dans l'Inde était exceptionnellement favorable à la pénétration des étrangers et au développement de leur influence même politique.

L'Inde avait été tout entière soumise au seizième et au dix-septième siècle à une dynastie musulmane d'origine mongole: de là le nom de Grand Mogol donné au souverain de l'empire hindou. La puissance des Grands Mogols avait atteint son apogée à la fin du dix-septième siècle, avec Aureng Zeb (1658–1707). A sa mort l'empire commença de se démembrer, comme au Moyen Age après Charlemagne s'était démembré l'empire franc. Les fonctionnaires de l'empereur, ses vassaux, — rajahs, nababs, soubabs — s'efforcèrent de se rendre indépendants et entrèrent en lutte les uns contre les autres.

Progrès de la Compagnie française. — Cette situation inspira à quelques agents de la Compagnie française l'idée de transformer son rôle. D'abord on dégagerait la Compagnie de ses liens de vassalité et on la rendrait indépendante dans ses comptoirs. Ensuite elle se mêlerait aux querelles des princes indigènes; elle leur vendrait son appui, le concours de ses soldats, moyennant de grosses sommes d'argent ou des cessions de territoire. La Compagnie se transformerait ainsi peu à peu en un véritable souverain hindou, dont la fortune ne serait plus assurée seulement par les revenus aléatoires du commerce, mais par la perception régulière des impôts sur les indigènes.

Cette politique nouvelle commença à être pratiquée de 1735 à 1741 par le gouverneur Dumas. Celui-ci créa à la Compagnie une petite armée composée d'indigènes ou cipayes exercés à l'européenne; il la prêta et se fit céder en échange Karikal. Il reçut en outre le titre de Nabab qui faisait de lui et par conséquent de la Compagnie française un grand personnage hindou.

D'autre part, la Compagnie s'emparait peu à peu du commerce d'Inde en Inde, c'est-à-dire dans l'océan Indien.

Au même moment la Compagnie anglaise était réduite à deux comptoirs sur le golfe du Bengale: Madras, à moins de cent cinquante kilomètres de Pondichéry; Calcutta, à vingt-cinq kilomètres du comptoir français de Chandernagor. La proximité de leurs établissements avivait les jalousies entre les Compagnies et aurait suffi à elle seule à provoquer un conflit.

Les Colonies d'Amérique. — La rivalité était encore beaucoup plus vive entre les colons anglais et les colons français d'Amérique.

En Amérique c'étaient les colonies anglaises qui étaient sans comparaison les plus importantes et les plus peuplées. Elles étaient au nombre de treize et vers 1740 leur population s'élevait à environ un million d'habitants, actifs et énergiques, la plupart d'origine anglaise.

A la même époque la colonie du Canada, qui depuis Colbert était administrée comme une province française, ne comptait pas quatre-vingt mille habitants. Il est vrai qu'elle possédait deux villes bien fortifiées, Québec et Montréal, et en outre, à l'embouchure du Saint-Laurent, dans l'île du Cap Breton, un puissant arsenal maritime, Louisbourg, créé à grands frais pour couvrir le Canada du côté de la mer et servir de point d'appui à la flotte française. Quant à la Louisiane, Law en 1717-1718 y avait envoyé quelques milliers de colons; il avait fait jeter à l'embouchure du Mississipi les premières fondations de la Nouvelle-Orléans. Mais la mise en valeur de la colonie était à peine commencée.

Si peu peuplées que fussent les colonies françaises, elles mettaient en péril le développement ultérieur des colonies anglaises parce qu'elles les enveloppaient et leur fermaient l'accès de l'intérieur. Les colons anglais avaient le sentiment très net de cette situation et du péril qu'elle présentait pour eux; dans l'Amérique du Nord comme dans l'Inde un conflit était inévitable entre la France et l'Angleterre.

Les Antilles. — Rivaux dans l'Amérique du Nord et aux Indes, Français et Anglais se trouvaient encore en concurrence aux Antilles. Les uns et les autres s'y étaient établis au dix-septième siècle pendant les guerres contre l'Espagne, et y pratiquaient toutes sortes de cultures riches et rémunératrices: tabac, coton, cacao, indigo, et surtout canne à sucre. A l'exemple des Espagnols, pour travailler sur leurs plantations ils importaient des noirs d'Afrique. Le sucre et les esclaves étaient les deux principales matières du commerce des "Îles." Mais depuis la renaissance commerciale qui avait suivi le système de Law, les Français avaient distancé tous leurs concurrents. En 1750 un Anglais écrivait: "Les Français fournissent tous les marchés étrangers avec leur sucre, à la ruine presque complète de nos colonies de sucre, comme la Jamaïque et la Barbade." Le port de Nantes qui faisait le commerce des Îles était en pleine prospérité.

Les Anglais voyaient cette prospérité se développer à leurs dépens et s'en irritaient. Aussi industriels, commerçants, armateurs, colons, tous se trouvaient d'accord pour demander qu'on fît la guerre à la France et qu'on les débarrassât d'une concurrence ruineuse.

Le Conflit de 1743 à 1748. — La lutte s'engagea indirectement; elle débuta par une guerre anglo-espagnole, que les commerçants anglais imposèrent à Walpole, parce que les Espagnols prétendaient empêcher leur contrebande dans les colonies espagnoles de l'Amérique du Sud. D'autre part, l'Angleterre soutenait Marie-Thérèse sur le continent. La France, alliée de l'Espagne et adversaire de Marie-Thérèse, se trouva entraînée à la guerre contre l'Angleterre. Louis XV la déclara en 1744.

Il n'y eut dans l'Amérique du Nord qu'un épisode important, la prise de Louisbourg par les colons anglais (1745). Les coups les plus retentissants furent frappés dans l'Inde par Dupleix et La Bourdonnais.

Mahé de La Bourdonnais, un marin de Saint-Malo, devenu gouverneur de l'Île de France, en avait fait une des plus riches possessions de la Compagnie; il y avait d'autre part, avec ses seules ressources, construit et armé une flotte de guerre. Dupleix venait de succéder à Dumas dans le gouvernement général de l'Inde française (1741). Il voulut, avec le concours des vaisseaux de La Bourdonnais, détruire Madras. La Bourdonnais s'empara de la ville; mais au lieu de la détruire comme Dupleix lui en avait donné l'ordre, il la laissa se racheter, moyennant dix millions. La ville ainsi sauvée fut rendue aux Anglais à la paix d'Aix-la-Chapelle en échange de Louisbourg (1748).

Les Conquêtes de Dupleix. — Aussitôt la paix signée, Dupleix reprit la politique inaugurée par Dumas et pendant six ans environ, de 1747 à 1754, il en poursuivit l'application avec une rare audace et une inlassable activité. Nul mieux que lui ne connaissait l'Inde, où il avait séjourné presque continuellement depuis 1715.

Deux successions, celle du Carnatic et celle du Décan, le plus puissant des États de la péninsule, disputées par plusieurs prétendants, donnèrent à Dupleix l'occasion d'agir. Les deux prétendants qu'il soutint triomphèrent. En reconnaissance de ce concours, le souverain du Carnatic reconnut la suzeraineté de la Compagnie; le souverain du Décan se plaça sous son protectorat et lui céda le pays des Circars (1749–1751). Les tribus des Mahrattes se déclarèrent à leur tour vassales de la Compagnie.

En 1754, les pays appartenant directement à la Compagnie ou placés sous son influence occupaient toute la largeur de l'Inde péninsulaire, du golfe de Bengale au golfe d'Oman, et couvraient une superficie deux fois égale à celle de la France; on y comptait trente millions d'habitants. Ces résultats extraordinaires avaient été obtenus avec de faibles moyens, moins de deux mille Européens et trois ou quatre mille cipayes. Le principal lieutenant de Dupleix, Bussy, un admirable soldat, avait à diverses reprises, à la tête de quelques centaines d'hommes, mis en déroute des dizaines de milliers d'indigènes. Mais la véritable force de Dupleix avait été sa parfaite connaissance des Hindous et ses talents diplomatiques. Les efforts de la Compagnie anglaise pour entraver son action avaient presque partout échoué.

La Perte de l'Inde. — Par malheur la politique de Dupleix coûtait cher. Aussi elle mécontenta les actionnaires français qui entendaient faire du commerce, non pas la guerre, toucher des dividendes, non pas conquérir des provinces. D'autre part, les Anglais se plaignaient aigrement à Versailles et déclaraient que les entreprises de Dupleix amèneraient inévitablement la reprise des hostilités. Louis XV et ses ministres voulaient la paix. Dupleix, méconnu du gouvernement, qui le considérait comme un ambitieux dangereux et sans scrupules, fut donc rappelé et remplacé par un gouverneur ignorant, Godeheu. Celui-ci, à peine arrivé dans l'Inde, signa avec le gouverneur anglais un traité par lequel les deux Compagnies s'engageaient à renoncer à tous leurs protectorats et droits de suzeraineté sur les princes indigènes. Ce traité, en apparence équitable, était la pire duperie pour la Compagnie française. D'un trait de plume, celle-ci renonçait à l'Inde péninsulaire. Au contraire, la Compagnie anglaise, renonçant à tout, ne perdait rien, parce qu'elle ne possédait rien, hors ses comptoirs (26 septembre 1754).

Ce terrible sacrifice fait à la paix n'empêcha pas la guerre d'éclater l'année suivante. Les Anglais la commencèrent sans la déclarer, par un coup de brigandage; ils saisirent tous les navires français qui se trouvaient dans leurs ports et tous ceux que l'amiral Boscawen, avec la flotte de guerre, rencontra en haute mer.

Après beaucoup d'hésitations, le gouvernement français envoya dans l'Inde au secours de la Compagnie trois mille hommes commandés par un officier irlandais au service de la France,

Lally-Tollendal (1758). Celui-ci était brave, mais brutal, inintelligent, plein de mépris pour les croyances et les sentiments traditionnels des Hindous, qu'il traitait de "misérables noirs." Ses violences lui aliénèrent toutes les populations que Dupleix, quelques années avant, avait su gagner à la cause française. D'autre part, Lally-Tollendal ne reçut pas de renforts. Il finit par être bloqué dans Pondichéry, et, après une défense héroïque de cinq mois, il dut capituler (1761). La capitulation de Pondichéry marquait la fin de la domination française dans l'Inde péninsulaire. Les Anglais avaient déjà commencé à s'étendre dans l'Inde continentale, et avant même la capitulation de Pondichéry, le gouverneur Clive, reprenant pour le compte de la Compagnie anglaise la politique de Dupleix, avait réussi à s'emparer du Bengale.

La Perte du Canada. — Dans l'Amérique du Nord, la paix d'Aix-la-Chapelle était apparue à tous comme une simple trêve: en effet, elle ne réglait même pas la question des frontières contestées entre le Canada et les colonies anglaises. Cette question avait une gravité particulière dans la vallée de l'Ohio. Cette vallée était la route directe du Canada à la Louisiane. Les Français tenaient donc à en rester les maîtres, et, à partir de 1749, ils la jalonnèrent de forts. C'était dans cette même vallée que les Anglais voulaient percer la ligne d'investissement que les colonies françaises traçaient autour d'eux. Pour s'assurer un débouché vers l'Ohio, ils élevèrent un fort qu'ils appelèrent le fort Nécessité, et ils essayèrent en 1754 d'empêcher la construction du fort Duquesne élevé tout en face par les Français. Ce fut l'occasion d'un combat et le début des hostilités alors que les gouvernements de France et d'Angleterre se croyaient toujours en paix.

Les Anglais, poussés par le grand ministre William Pitt, firent pour s'emparer du Canada un puissant effort, auquel concoururent les colons et la métropole. Ils mirent en ligne, pendant plusieurs années, 60,000 hommes. Au Canada, les Français avaient à couvrir une frontière de plusieurs centaines de lieues, à armer vingt forts, avec 5,300 hommes de troupes de ligne, 2,000 hommes des compagnies de la marine et 3,000 miliciens ou paysans mobilisés; au total, 10,300 hommes. Point de chaussures, à peine de vivres, de rares munitions. Mais pour mettre en œuvre ces faibles ressources, il y avait un grand homme de guerre, le marquis de Montcalm, un précurseur des hardis généraux de la Révolution. Attaqué simultanément sur trois points, aux deux extrémités de sa ligne de défense, sur l'Ohio et à l'estuaire du Saint-Laurent, puis au centre sur le lac Champlain, il fit victorieusement front partout, jusqu'à 1758. Mais les Anglais s'emparèrent de Louisbourg (25 juillet 1758) et envoyèrent sans cesse de nouvelles troupes. Une armée que commandait un général audacieux, Wolfe, fut amenée par bateaux jusque sous les murs de Québec. Le 13 septembre 1759, dans une suprême bataille où Montcalm et Wolfe furent tués, les miliciens français ne purent pas tenir contre les réguliers anglais. Un lieutenant de Montcalm, le chevalier de Lévis, se défendit encore avec habileté dans Montréal jusqu'en 1760. Mais il fallut finalement mettre bas les armes et livrer le pays aux Anglais.

La Guerre maritime. — En même temps qu'en Inde et au Canada, la guerre anglo-française s'était déroulée dans les mers d'Europe. Après une victoire des vaisseaux de La Galissonnière devant Minorque, et l'enlèvement de Fort-Mahon, point d'appui des Anglais aux Baléares (mai-juin 1756), la guerre navale, par suite de l'incapacité des amiraux français, n'avait été marquée que par des défaites.

En 1759, un projet de débarquement en Angleterre, qui nécessitait la concentration des escadres françaises dans la Manche, n'eut d'autre conséquence que leur destruction en détail avant qu'elles eussent pu se joindre, aux batailles de Lagos sur la côte d'Espagne (17 août 1759) et de Belle-Ile sur la côte bretonne (20 novembre 1759): les pertes pour les deux journées montaient à soixante-quatre navires.

Traité de Paris. — La ruine de la marine française, la perte du Canada, puis de l'Inde, n'amenèrent pas cependant la fin des hostilités.

La guerre se prolongea par suite de l'intervention de l'Espagne. Le duc de Choiseul, en effet, avait amené les Bourbons d'Espagne et de Naples à s'allier avec Louis XV (1761); ce fut ce qu'on appela le pacte de famille. Cette alliance n'eut d'autre résultat que de rendre complète la ruine de l'empire colonial français. Car les Espagnols s'étant vu enlever la Floride par l'Angleterre, Louis XV leur céda en dédommagement le dernier lambeau de l'Amérique française, la Louisiane.

La paix fut signée en 1763. Par le traité de Paris, Louis XV abandonnait aux Anglais le Canada et tous les territoires de la rive gauche du Mississipi. Il renonçait à toute prétention politique sur l'Inde. Cinq villes, Pondichéry, Chandernagor, Karikal, Yanaon et Mahé, étaient rendues à la Compagnie, à condition qu'elles resteraient à perpétuité démantelées et que la France n'y entretiendrait jamais de garnison. Les Anglais se faisaient en outre céder la plupart des îles possédées par la France aux Antilles et les établissements créés jadis par Richelieu et Colbert sur la côte du Sénégal en Afrique.

Ainsi la France, qui, en 1753, était en voie d'acquérir le plus bel empire du monde, se voyait dix ans plus tard fermer le monde et rejeter dans l'étroite Europe. Le traité de Paris est le plus désastreux que la France ait jamais subi. Il marque une date dans l'histoire universelle; il est l'acte de naissance de la puissance "mondiale" de l'Angleterre.

TROISIÈME PARTIE
LA RÉVOLUTION ET L'EMPIRE

CHAPITRE PREMIER

LOUIS XVI. LES PRÉLIMINAIRES DE LA RÉVOLUTION

Louis XVI. — Louis XVI à son avènement avait vingt ans. Sa femme Marie-Antoinette en avait dix-neuf. Tous les deux eurent le même cri quand ils apprirent la mort de Louis XV "Quel malheur! Nous régnons trop jeunes." Louis XVI était, en effet, tout à fait ignorant du gouvernement, et on ne s'était pas occupé de lui apprendre son métier de roi. C'était un gros garçon, lourd, robuste, ayant fort appétit, passionné pour les exercices physiques, la chasse ou le travail du serrurier ou du forgeron.

Il était honnête et bon, il avait le désir du bien. Mais il était de caractère faible: sa femme le qualifiait elle-même de "pauvre homme." Il était peu intelligent et timide parce que, au témoignage d'un de ses ministres, Malesherbes, il avait le sentiment de son insuffisance et de la grandeur de sa responsabilité. Par suite il se décida rarement par lui-même et il subit toute sa vie l'influence des uns et des autres. Au début ce fut l'influence bienfaisante de Turgot, plus tard ce fut l'influence néfaste de Marie-Antoinette.

Marie-Antoinette. — La reine Marie-Antoinette était fille de l'impératrice Marie-Thérèse. Son mariage avec Louis XVI, en 1770, avait eu pour objet de rendre plus étroite l'entente établie depuis 1756 entre les Cours de France et d'Autriche. Elle était aussi vive que son mari était lourd. Mais elle manquait de qualités sérieuses et ne rappelait en rien sa mère. Elle était ignorante, frivole, impatiente de toute contrainte. Très honnête, elle se laissa entraîner par sa passion du plaisir à des imprudences compromettantes; on la reconnut dans la foule mêlée des danseurs, un soir de bal masqué à l'Opéra. Elle aussi subissait aisément l'influence de ceux à qui elle avait donné son affection. Comme elle se laissa gagner par une bande de gens de Cour rapaces et qui profitaient de tous les abus, elle fut avec eux l'ennemie de toutes les réformes, et inconsciemment elle contribua à aggraver la situation financière, et à hâter l'heure de la Révolution.

Turgot. — Au début de son règne, Louis XVI prit pour principal ministre un vieux courtisan, Maurepas. Celui-ci fit renvoyer l'abbé Terray et Maupeou. Puis, pour donner satisfaction à l'opinion publique, il fit rétablir les Parlements supprimés depuis 1771. En même temps il désignait à Louis XVI pour occuper les divers ministères des hommes de valeur et généralement estimés. Le roi "se barricada d'honnêtes gens": Vergennes, ancien ambassadeur à Constantinople, diplomate habile et qui fut un remarquable ministre des affaires étrangères; Malesherbes, secrétaire d'État de la maison du roi; enfin et surtout Turgot, contrôleur général des finances.

Turgot avait fait de longues études d'économie politique: il avait collaboré à l'*Encyclopédie* et publié un important ouvrage: les *Réflexions sur la formation et la distribution des richesses*. Intendant, il avait appliqué en Limousin une partie de ses idées de réformes, et d'une province misérable il avait fait en treize années une province prospère.

Turgot voulait faire en grand dans le royaume ce qu'il avait fait en petit dans le Limousin. Il voulait y opérer les réformes dont les études des économistes avaient établi l'utilité, appliquer les principes de Quesnay et de Gournay: il voulait tenter l'expérience de la liberté. Le résultat devait être, dans sa pensée, le rétablissement des finances.

Programme de Turgot. — La situation financière héritée de Louis XV était des plus difficiles. Les dépenses normales dépassaient les recettes de 22 millions. Ce déficit était encore accru par ce fait que 78 millions des recettes futures avaient été dépensés par anticipation. En outre, il était dû 235 millions immédiatement exigibles. C'était au total 335 millions qui manquaient à l'État. L'abbé Terray ne trouvait pas d'autre solution que la banqueroute.

"Point de banqueroute, point d'augmentation d'impôts, point d'emprunts," tel fut le programme que Turgot présenta au roi. Il espérait tirer le royaume de ses embarras financiers par deux moyens. D'abord en "réduisant la dépense au-dessous de la recette," c'est-à-dire en pratiquant des économies; ensuite, en augmentant le rendement des anciens impôts par le développement de la richesse publique. Le développement de la richesse résulterait de la liberté donnée à l'agriculture, à l'industrie, au commerce, c'est-à-dire de l'application des réformes.

Économies et réformes. — La politique d'économie permit de réduire très rapidement les dépenses de vingt-quatre millions, c'est-à-dire d'une somme supérieure au déficit ordinaire. Sur ces vingt-quatre millions, dix environ provenaient de suppressions opérées dans la maison du roi, spécialement dans la maison militaire qui n'était plus qu'un corps de parade.

La première réforme fut, en faveur de l'agriculture, un édit du 13 septembre 1774 relatif au commerce des grains. La crainte de la disette avait fait prendre, depuis des siècles, des mesures qui, selon l'expression d'un historien, aboutissaient à l'"emprisonnement du blé." Les commerçants en blé étaient surveillés par la police; sous peine d'amende ils ne pouvaient vendre ou acheter qu'à des jours, à des heures fixes sur des marchés expressément désignés. D'autre part des droits de douane empêchaient le blé de passer d'une province à l'autre. Le résultat de cette réglementation était qu'en certaines années, le blé pourrissait dans les greniers des provinces où la récolte avait été abondante, tandis qu'on mourait de faim dans les provinces voisines. D'autre part les paysans n'avaient pas intérêt à accroître leur production puisqu'ils n'étaient pas certains de pouvoir vendre. L'édit du 13 septembre 1774 abolit toute réglementation, proclama libre le commerce des grains.

Deux autres réformes capitales furent opérées au mois de janvier 1776. Un édit abolit les corporations et leurs règlements. L'existence des corporations limitait le nombre des ateliers. D'autre part leurs règlements qui remontaient au Moyen Age, fixant d'une façon stricte les conditions de la fabrication, ordonnant la destruction de tout objet qui n'était pas conforme au modèle traditionnel, paralysaient tout esprit d'initiative. L'édit qui abolissait les corporations devait être pour l'industrie ce qu'avait été pour l'agriculture l'édit sur la libre circulation des grains.

Enfin un édit abolit la corvée royale, c'est-à-dire l'obligation pour les paysans de venir travailler gratuitement à l'entretien et à la construction des routes. Tout travail de ce genre devait être désormais payé, et il serait fait face à la dépense au moyen d'un impôt qu'on appellerait la subvention territoriale, et qui serait perçu indistinctement sur tous les propriétaires, privilégiés et non privilégiés. Turgot posait ainsi le principe de l'égalité de tous devant l'impôt.

Chute de Turgot. — Les économies avaient irrité la Cour. L'édit sur les grains exaspéra les spéculateurs, qui organisèrent des émeutes — la "guerre des farines" — rapidement réprimées. L'édit sur les corporations mécontenta les maîtres et tous les gens de routine. L'édit sur la corvée et la subvention territoriale souleva tous les privilégiés. Le Parlement, au mois de mars 1776, résuma, dans de solennelles remontrances, leur protestation et établit la théorie de leur égoïsme: "Tout système, y était-il dit, qui, sous une apparence d'humanité et de bienfaisance, tendrait, dans une monarchie bien ordonnée, à établir entre les hommes une égalité de devoirs et à détruire les distinctions nécessaires, amènerait bientôt le désordre et produirait le renversement de la société."

L'attaque contre Turgot fut conduite par Marie-Antoinette. Le roi, qui voyait le bien, mais n'avait pas la force de le vouloir, résista quelque temps: "Il n'y a que M. Turgot et moi qui aimions le peuple," disait-il. Il finit par céder aux instances de sa femme et demanda à Turgot sa démission (31 mai 1776).

Toutes les mesures prises par Turgot furent rapportées. La direction des finances fut confiée à un banquier originaire de Genève, Necker. C'était un homme honnête, et un financier habile, à qui sa femme, dont le salon était un des plus célèbres de Paris, avait fait une réputation très supérieure à son mérite réel. Necker était comme Turgot partisan des économies. Mais il se trouva aux prises avec de nouvelles difficultés et entraîné à de lourdes dépenses, par suite de la guerre d'Amérique qui éclata en 1778.

La Guerre d'Amérique. — La déclaration d'indépendance américaine, dès qu'elle fut connue en France, y souleva un grand enthousiasme. Et la cause de ceux qu'on appelait les

Insurgents devint extraordinairement populaire. De jeunes officiers nobles, même des courtisans, parmi lesquels le marquis de La Fayette, les ducs de Lauzun et de Noailles, le comte de Ségur, allèrent comme volontaires se mettre aux ordres du général en chef de l'armée américaine, Washington (1777). D'autre part il semblait à beaucoup que les événements d'Amérique pouvaient fournir à la France une excellente occasion de prendre sa revanche du traité de Paris. Le gouvernement hésita cependant à s'engager: il se borna d'abord à faciliter l'envoi d'armes, d'équipements et de numéraire aux insurgés. En 1778 enfin, après la capitulation d'une armée anglaise à Saratoga, une mission américaine, dont faisait partie l'illustre et populaire Franklin, réussit à conclure avec Vergennes un traité de commerce et un traité d'alliance. L'Espagne se joignit aux alliés en 1779. Vergennes fut assez habile pour maintenir cette fois la paix continentale et isoler l'Angleterre.

Yorktown. — La lutte fut acharnée et longtemps indécise, marquée par des alternatives de succès et de revers.

Mais, en 1781, la France envoya un corps de 7,000 hommes, sous le commandement de Rochambeau en même temps qu'une escadre de 38 navires, dirigée par l'amiral de Grasse. Ces forces aidèrent Washington à bloquer dans Yorktown, petite place de l'État de Virginie, la principale armée anglaise et la forcèrent à mettre bas les armes (19 octobre 1781). Cette victoire décida de l'indépendance des États-Unis.

Hors d'Amérique, la guerre se fit presque uniquement sur mer. Il y eut alors comme une résurrection de la marine française. Toute puissante au temps de Colbert, elle avait pour ainsi dire disparu pendant le dix-huitième siècle, sacrifiée d'abord à l'alliance anglaise, puis aux guerres continentales. Entre 1777 et 1783, de nombreuses escadres rapidement construites, bien armées, commandées par des officiers d'élite, se montrèrent de nouveau capables de tenir victorieusement tête à la flotte anglaise, la première du monde. Les succès les plus brillants furent remportés sur les côtes de l'Inde, par le bailli de Suffren. Dans les mers d'Europe la lutte fut indécise. Les Français et les Espagnols mirent le siège devant Gibraltar, mais ne parvinrent pas à en déloger les Anglais.

Paix de Versailles. — A la fin de 1782, les Anglais firent des propositions de paix qu'on entendit volontiers en France parce qu'on était à court d'argent. Les négociations aboutirent à la signature de la paix à Versailles (1783). Les Anglais reconnaissaient l'indépendance des États-Unis et leur abandonnaient l'arrière-pays jusqu'au Mississipi. Ils rendaient à la France la faculté de fortifier Dunkerque, quelques îles aux Antilles et le Sénégal. Ils rendaient à l'Espagne Minorque et la Floride.

Conséquences de la guerre d'Amérique. — La guerre d'Amérique eut en France des répercussions politiques immédiates et des plus graves: la révolution américaine fut un exemple, elle contribua à hâter la révolution française.

D'autre part la guerre coûta beaucoup d'argent, plus d'un milliard et demi; elle accrut le déficit, nécessita des emprunts et acheva de désorganiser les finances; elle est ainsi à l'origine de la crise qui se termina par la convocation des États Généraux.

Renvoi de Necker. — Pour subvenir aux dépenses de la guerre, Necker avait eu recours aux emprunts. Après trois ans de guerre, en 1781, le total des emprunts montait à quatre cent cinquante millions de livres.

Comme les adversaires de Necker essayaient de détruire son crédit, le ministre, pour donner confiance au public, imagina de publier un compte rendu des finances, c'est-à-dire un tableau des recettes et des dépenses. Il y montrait, inexactement du reste, que les recettes — 264 millions — étaient supérieures aux dépenses de dix millions. Mais c'était en elle-même une mesure audacieuse que cette publication et la Cour se scandalisa que l'on dévoilât aux sujets le mystère des finances. L'indignation était d'autant plus vive que Necker avait fait figurer dans son compte rendu la liste des pensions — vingt-huit millions de livres — payées aux courtisans, à ceux que d'Argenson appelait les *frelons*, sans qu'aucun service rendu par eux justifiât de pareilles largesses. Marie-Antoinette et les frelons obtinrent le renvoi de Necker (1781).

La Crise financière. — Alors commença le pillage des finances. La reine fit nommer contrôleur général Calonne (1783), ancien intendant comme Turgot. Jamais les courtisans ne connurent plus délicieux ministre; leurs désirs étaient satisfaits aussitôt qu'exprimés. L'argent coulait à flot. En trois ans, en pleine paix, il emprunta quatre cent quatre-vingt-sept millions, plus que n'avait fait Necker lui-même pendant toute la guerre d'Amérique.

Mais au mois d'août 1786, le trésor était vide et tout emprunt nouveau se trouvait impossible. Calonne prit un parti héroïque: il présenta au roi un mémoire tendant à l'établissement d'une subvention territoriale qui frapperait tous les sujets sans distinction.

Les Notables. — Certain que son projet rencontrerait au Parlement la même opposition qu'avait rencontrée dix ans plus tôt le projet de Turgot, Calonne imagina de la faire approuver par une assemblée de Notables. Ceux-ci, soigneusement choisis par lui, ne devaient pas manquer, pensait-il, de se montrer complaisants.

Les Notables se réunirent à Versailles, le 22 février 1787. A l'extrême surprise du ministre et du public, ils refusèrent d'examiner les projets d'impôts tant qu'ils ne connaîtraient pas l'origine et l'importance du déficit. Plusieurs, entre autres le marquis de La Fayette, demandèrent même la convocation des États Généraux. Calonne dut donner sa démission.

L'Opposition du Parlement. — L'archevêque de Toulouse, Loménie de Brienne, le remplaça sur la désignation de Marie-Antoinette. Il ne fut pas plus heureux auprès des Notables et les renvoya. Il se décida alors à présenter le projet d'impôt à l'enregistrement du Parlement. Le Parlement déclara que le roi n'avait pas droit de créer seul des impôts nouveaux et conclut également à la convocation des États Généraux (30 juillet 1787). Brienne l'exila à Troyes. Le Parlement y fut reçu en triomphe. A Paris des émeutes éclataient; le peuple insultait la reine qu'on n'appelait plus que Madame Déficit ou l'Autrichienne, et traînait dans le ruisseau des mannequins qui représentaient ses amies. "On mettrait les gens en prison par milliers, écrivait l'ambassadeur d'Autriche, on n'aurait point raison du mal. Le prestige du roi est profondément ébranlé et ne pourra être relevé sans beaucoup de peine et de temps." Les projets d'impôts furent abandonnés et l'on rappela le Parlement.

Brienne en vint alors à l'idée d'un grand emprunt réparti sur cinq années, à la fin desquelles les Etats Généraux seraient convoqués. Le 19 novembre 1787, le roi et Brienne se rendirent au Parlement pour y porter les édits nécessaires. La séance dura neuf heures. Le roi ayant répondu aux parlementaires qui le suppliaient de convoquer les États, par l'ordre sec d'enregistrer l'édit, son cousin le duc d'Orléans dit: "C'est illégal. — Cela m'est égal, reprit le roi. Si! c'est légal, parce que je le veux." Après le départ du roi, le Parlement déclara que l'enregistrement était nul. Brienne fit aussitôt arrêter deux des conseillers, et le duc d'Orléans fut exilé. Brienne espérait ainsi intimider les opposants.

L'Arrêt du 3 mai 1788. — L'opposition n'en devint que plus énergique: Brienne se prépara à supprimer le Parlement comme avait fait Maupeou dix-sept ans plus tôt. Averti, le Parlement, le 3 mai 1788, rendit un arrêt qui était une véritable déclaration de guerre à la monarchie absolue et une sorte de déclaration des droits de la nation:

"La France, disait l'arrêt, est une monarchie gouvernée par le roi suivant les lois. De ces lois, plusieurs, qui sont fondamentales, embrassent et consacrent: le droit de la nation d'accorder librement les subsides par l'organe des États Généraux régulièrement convoqués;... le droit, sans lequel tous les autres sont inutiles, de n'être arrêté, par quelque ordre que ce soit, que pour être remis sans délai entre les mains des juges compétents..."

Cet arrêt fut accueilli avec enthousiasme à Paris, où le Parlement apparut comme le défenseur de la liberté. En même temps l'opposition s'organisait en province, et tous les Parlements y suivaient l'exemple du Parlement de Paris. Dans le Dauphiné, on alla plus loin. Le 21 juillet 1788, six cents députés, de la Noblesse, du Clergé, du Tiers État, se réunirent au château de Vizille et y rédigèrent un appel à toutes les provinces, les invitant à s'unir pour résister au despotisme et refuser le payement des impôts tant que les États Généraux n'auraient pas été convoqués.

Convocation des États Généraux. — Il restait alors quatre cent mille francs dans les caisses de l'État. Il fallait céder ou faire banqueroute. Brienne, le 8 août, annonça la convocation des États Généraux pour le 1er mai 1789. Comme d'ici là il fallait trouver de l'argent et que Brienne était universellement déconsidéré, on le renvoya et on rappela Necker. Les banquiers consentirent immédiatement à avancer de l'argent à l'État.

La convocation des États Généraux était une première satisfaction accordée au peuple. Il se passionna aussitôt pour deux questions: combien de députés aurait le Tiers État? comment voterait-on aux États Généraux?

Le Parlement consulté demanda que les États Généraux fussent organisés comme en 1614. Or, en 1614, les trois ordres avaient délibéré et voté séparément. Dans ces conditions, le Tiers État, qui représentait les quatre-vingt-dix-huit centièmes de la nation, n'aurait qu'une voix contre les deux voix de la Noblesse et du Clergé. Aucune réforme ne serait donc possible. Il fallait, pour que les États Généraux ne fussent pas une vaine comédie, que le Tiers État eût une double représentation, c'est-à-dire autant de députés à lui seul que les deux autres ordres réunis. Il fallait ensuite que les délibérations eussent lieu en commun et que les votes fussent comptés par tête et non par ordre. Necker n'osa pas trancher toutes ces questions; il se borna à faire décider par le roi, le 27 décembre 1788, que le Tiers État aurait une double représentation. Du jour de cette décision, la ruine de l'ancien régime était certaine, la Révolution était commencée.

CHAPITRE II

LE GOUVERNEMENT ET LA SOCIÉTÉ EN 1789

Absolutisme et arbitraire. — La Révolution qui va éclater et d'où la France devait sortir complètement transformée a eu pour causes profondes les vices de l'ancienne organisation politique et sociale.

Politiquement le régime n'avait pas changé depuis Louis XIV. Le roi de France prétendait ne tenir sa couronne que de Dieu: la monarchie était, disait-on, de droit divin. Par suite l'autorité du roi ne pouvait être ni contrôlée, ni limitée par personne sur la terre. Le roi "n'était comptable qu'à Dieu de l'exercice du pouvoir suprême."

La monarchie était donc absolue. Le roi seul faisait les lois, appelées ordonnances royales; il dépensait à son gré les revenus de l'État, déclarait la guerre, faisait la paix, contractait des alliances quand et comme il lui plaisait.

Tout Français était sujet du roi et entièrement dans sa dépendance. La liberté individuelle n'existait pas: par un ordre appelé lettre de cachet, le roi pouvait faire emprisonner — sans jugement — qui bon lui semblait. La liberté de religion n'existait pas: la religion du roi, le catholicisme, était obligatoire. La liberté d'écrire n'existait pas: nul livre, nul journal ne devait paraître sans avoir été examiné par une commission royale dite de censure.

Parasitisme. — Bien que la capitale du royaume fût Paris, Louis XVI comme Louis XIV vivait au château de Versailles, entouré d'une Cour brillante et nombreuse, dix-sept ou dix-huit mille personnes, dont seize mille environ attachées à son service personnel ou au service de sa famille et mille à deux mille courtisans sans fonctions définies.

La Cour était devenue de plus en plus odieuse à la nation

parce qu'elle consommait en fêtes et en parades inutiles une bonne part des revenus du royaume. Necker calculait que de 1774 à 1789 le roi avait donné à sa famille ou à ses courtisans 228 millions de livres — qu'il faudrait estimer aujourd'hui à plusieurs milliards.

Toujours entouré par cette foule de parasites, le roi ne connaissait plus son peuple: la Cour le séparait de la nation.

Absence d'unité. — Autant que de l'arbitraire on se plaignait de l'absence d'unité dans l'administration du royaume, de la confusion extraordinaire qui régnait partout, des complications inutiles et de la routine.

Ainsi les poids et les mesures variaient de noms et de valeurs d'une province à l'autre, parfois d'un canton à l'autre: la perche valait 24 mètres carrés dans Paris; 51 mètres ailleurs; ailleurs encore 42 mètres.

De même, "on changeait de lois, disait Voltaire, en changeant de chevaux de poste." Les Français du Midi étaient jugés selon les règles du droit romain. Le Nord était pays de droit coutumier, et on y comptait 285 coutumes, c'est-à-dire 285 codes différents.

Le régime des impôts était aussi peu uniforme. Il y avait sept tarifs différents et sept groupes différents de territoires pour la gabelle, l'impôt du sel. Par exemple, le tarif n'était pas le même dans le nord et le sud de la province d'Auvergne, à Clermont et à Aurillac.

Tandis que treize provinces — dites les cinq grosses fermes — laissaient circuler les marchandises librement entre elles, dix-neuf autres provinces, dites provinces étrangères, avaient chacune leurs lignes de douanes, où l'on percevait des droits d'entrée sur tout produit venu des provinces voisines, comme aujourd'hui aux frontières sur tout produit venu de l'étranger.

Par bien des points, la France ressemblait à une Europe en miniature: les provinces y formaient comme autant d'États distincts, qui annexés successivement par les rois, avaient conservé leurs coutumes et leurs privilèges locaux. L'achèvement de l'unité française devait être l'œuvre de la Révolution.

Les Impôts. — Mais c'était le régime des impôts surtout qui était inique et qui paraissait intolérable aux populations.

Le principal des impôts directs était toujours la taille, levée exclusivement sur les roturiers, bourgeois, ouvriers et paysans. Dans la plupart des provinces, la taille était établie d'après la fortune présumée, de la façon la plus arbitraire. Ainsi un répartiteur d'impôt augmentait les impositions d'un village "parce qu'il y avait remarqué le paysan plus gras qu'ailleurs."

Les autres impôts directs, capitation et vingtième, étaient payés en principe par tous les Français, nobles ou non nobles. En fait les premiers étaient dégrevés, les seconds surchargés. Les trois impôts directs enlevaient aux non-privilégiés de 50 à 57 francs par 100 francs de revenu. La moitié au moins de ce que gagnait le bourgeois, l'ouvrier, le paysan s'en allait aux caisses de l'État. Encore n'était-ce pas là tout ce que prenait l'Etat.

En effet, il y avait aussi les impôts indirects, surtout l'aide sur le vin et la gabelle, monopole de la vente du sel, qui donnaient lieu à d'odieux abus. Toute personne au-dessus de sept ans était tenue d'acheter au moins sept livres de sel par an: c'était le sel de devoir. Ne pas l'acheter était un délit, fût-on dans la misère.

Le mal était devenu si violent que les privilégiés eux-mêmes dénonçaient la souffrance publique et y demandaient remède. "Il est de la plus cruelle, mais de la plus constante vérité, disait la Noblesse d'Albret dans son cahier aux États Généraux, que la dégradation du pays, la misère des cultivateurs, la ruine des propriétaires, sont le produit du régime fiscal... Tout est parmi nous livré à l'arbitraire le plus révoltant, à l'injustice la plus criante, à l'oppression la plus scandaleuse."

L'Inégalité sociale. — L'organisation de la société était, en 1789, la même que cinq cents ans plus tôt, au treizième siècle, sous Philippe le Bel: elle avait toujours pour principe l'inégalité. Elle comprenait officiellement trois classes ou ordres: le Clergé, la Noblesse, le Tiers État. Les deux premiers ordres étaient privilégiés. Leurs privilèges étaient honorifiques, comme le droit d'être admis à la Cour, ou réels, comme l'exemption de la taille, le droit pour le Clergé de percevoir la dîme, pour la Noblesse de toucher les redevances féodales.

On ne sait pas avec précision, parce qu'on ne faisait pas alors de recensements, quel était le chiffre de la population: on admet en général qu'il y avait 25 millions d'habitants. L'ordre du Clergé et celui de la Noblesse comptaient chacun de 130,000 à 140,000 personnes: soit environ 270,000 privilégiés, auxquels il faut ajouter un nombre à peu près égal de bourgeois pourvus d'offices et jouissant par suite d'importantes exemptions. Au total la population française comprenait moins de 600,000 privilégiés et plus de 24 millions de non-privilégiés.

Le Clergé. — Le Clergé était le premier ordre de l'État en raison de ses fonctions sacrées. Il disposait d'une énorme fortune. Ses propriétés, estimées à trois milliards environ, occupaient le cinquième du territoire français. Au revenu de ces terres s'ajoutait le revenu de la dîme prélevée sur tous les produits agricoles; puis les droits féodaux prélevés sur les habitants des terres d'Église. Le revenu total dépassait 200 millions de livres.

De ce revenu une partie était consacrée à l'entretien des églises, des hôpitaux et des services d'assistance publique. Mais la plus grosse part allait au haut clergé, archevêques, évêques, abbés, en tout 5 ou 6,000 personnes dont beaucoup vivaient à la Cour. L'évêque de Strasbourg, par exemple, disposait de 600,000 livres par an; il avait 180 chevaux dans ses écuries. Ce haut clergé était alors presque exclusivement recruté dans la Noblesse.

Le bas clergé, au contraire, 60,000 curés ou vicaires, se recrutait dans le Tiers État et il était fréquemment misérable. Tandis que les revenus de la cure allaient à quelque courtisan, le prêtre desservant touchait ce qu'on appelait la portion congrue, 700 livres pour les curés, 350 livres pour les vicaires. Encore celle-ci n'était jamais entièrement payée. Aussi dans beaucoup de régions, le bas clergé en 1789 ressentait une vive irritation contre ses supérieurs "qui nagent dans l'opulence et qui l'ont vu toujours souffrir avec tranquillité"; il était prêt à lier sa cause à la cause du peuple.

La Noblesse. — La Noblesse était le second ordre privilégié. Exempts de la taille, les nobles avaient en outre conservé des temps lointains de la féodalité le droit de percevoir sur les paysans certaines taxes appelées droits féodaux. A eux seuls étaient réservés les charges de Cour, commandements aux armées, ambassades, gouvernements.

On distinguait la noblesse d'épée, qui était la noblesse de sang, et la noblesse de robe qui était une noblesse de fonctions — il y avait en France environ 4,000 charges qui donnaient la noblesse à leurs titulaires —. La noblesse d'épée se divisait elle-même en grande noblesse de Cour et petite noblesse de province.

Le Tiers État. La Bourgeoisie. — Le Tiers État, l'ordre non privilégié, comprenait la masse de la nation. En fait il se divisait en trois classes distinctes: bourgeois, artisans et paysans.

La bourgeoisie comprenait tous ceux qui ne travaillaient pas de leurs mains: professeurs, médecins et avocats: "gens de loi," notaires, greffiers et procureurs; gens de finances; grands commerçants et chefs d'industrie.

La bourgeoisie s'était beaucoup enrichie au cours du dix-huitième siècle. Malgré les guerres, le commerce n'avait pas cessé de croître et le chiffre des exportations avait plus que triplé en soixante ans. Aussi était-ce la bourgeoisie qui avait fourni au roi la majeure partie des sommes empruntées, elle aussi qui s'était chargée des grands travaux publics. Elle était donc directement atteinte par le désordre financier, les payements irréguliers, les menaces de banqueroute. De là chez les bourgeois le désir d'une transformation politique qui leur permît de surveiller et de contrôler les dépenses de l'État.

Ces bourgeois étaient en outre généralement cultivés. Ils avaient lu Montesquieu, Voltaire, Rousseau surtout, l'apôtre de l'égalité. Ils avaient le sentiment de valoir, par leur culture et leur force de travail, les nobles que certains d'entre eux fréquentaient. De là le désir d'une réforme sociale qui fît du bourgeois l'égal du noble. Une brochure, publiée au début de 1789, par l'abbé Siéyès, résumait ainsi dans son titre la situation et les aspirations de la bourgeoisie: "Qu'est-ce que le Tiers-État? Tout. — Qu'a-t-il été jusqu'à présent dans l'ordre politique? Rien. — Que demande-t-il? A y devenir quelque chose."

Les Paysans. — Les Français en 1789 étaient un peuple de paysans. Près des neuf dixièmes des habitants, plus de vingt et un millions, vivaient du travail de la terre. Il y avait encore un million de serfs environ. Les paysans en majorité étaient métayers et journaliers. Le métayer partageait avec le propriétaire les produits de la culture, mais il partageait également les charges. Le journalier, ouvrier agricole payé au jour le jour, gagnait à peine 10 sous par jour. Beaucoup de paysans étaient propriétaires, mais presque tous restaient soumis aux redevances féodales.

Ces droits féodaux étaient innombrables, vexatoires et, à la veille de la Révolution, plus oppressifs que jamais. Le paysan payait presque partout le cens, redevance en argent, et le champart, redevance en nature. Le champart perçu sur les récoltes était à peu près l'équivalent de la dîme; le paysan ne pouvait rentrer sa moisson tant que le seigneur n'avait pas fait compter les gerbes; qu'un orage survînt, la moisson était perdue. Le paysan devait en outre quelques jours de corvée, redevance en travail. Il subissait l'odieux droit de chasse, privilège du seigneur. Il payait les banalités, taxes perçues pour l'usage — obligatoire — du moulin, du four, du pressoir seigneurial.

Impôts royaux, dîme et droits féodaux une fois payés, que restait-il au paysan pour vivre? Quelquefois rien, en général peu de chose, à peine le cinquième du produit de son travail, moins de vingt francs quand il en gagnait cent.

La Misère publique. — Aussi le paysan n'avait-il point de réserves; une mauvaise récolte le réduisait à la disette. C'était le cas en 1789. Au moment où allaient s'ouvrir les États Généraux, la France traversait précisément une redoutable crise de misère. Les paysans, disait l'archevêque de Paris, "étaient réduits aux dernières extrémités de l'indigence." Il y avait par la France des centaines de milliers de mendiants, rôdeurs affamés, à moitié brigands. A Paris, sur 650,000 habitants, on comptait environ 120,000 indigents, une armée toute prête pour l'émeute.

CHAPITRE III

LES ÉTATS GÉNÉRAUX. L'ASSEMBLÉE CONSTITUANTE

Élections aux États Généraux. — Les élections des députés aux États Généraux commencèrent en février 1789.

Dans chaque bailliage, le Clergé et la Noblesse élirent directement leurs députés. Pour le Tiers État, les élections furent à deux degrés: chaque paroisse élut des délégués qui, à leur tour, réunis au bailliage, élirent les députés. Les électeurs des paroisses devaient être âgés d'au moins vingt-cinq ans, et payer un impôt direct. En vertu de la décision royale du 27 décembre 1788, le Tiers devait avoir autant de députés à lui seul que les deux autres ordres réunis. Il y eut en tout 1,196 députés, dont 578 du Tiers. En outre, sur les 291 députés du Clergé, il y avait plus de 200 curés ou moines, roturiers d'origine et très disposés à s'entendre avec le Tiers contre les privilégiés.

Suivant la coutume, les électeurs de chaque ordre dans chaque paroisse ou chaque bailliage avaient rédigé les "cahiers," c'est-à-dire l'exposé de leurs doléances et de leurs vœux. Les trois ordres étaient à peu près unanimes sur les points suivants:

Ils attribuaient tous les maux de la nation "au pouvoir arbitraire" du roi. Ils concluaient donc à la nécessité d'établir une constitution qui "définirait les droits du roi et de la nation." Sur ce point, la volonté générale était formelle. Cette constitution devait garantir à tous les Français la liberté individuelle, la liberté de penser et d'écrire. Les États Généraux seraient régulièrement convoqués. Ils participeraient à la confection des lois. Ils voteraient les impôts que le roi ne pourrait lever sans leur consentement.

Les impôts seraient payés par tous; le Clergé et la Noblesse, presque unanimement, renonçaient à toute exemption et acceptaient l'égalité devant l'impôt.

Tous les cahiers étaient rédigés, d'ailleurs, dans un esprit de modération remarquable. Il n'y avait pas la moindre pensée de révolution violente. Le roi avait promis, en 1788, la plupart des réformes que souhaitait la nation; celle-ci n'avait pour lui que reconnaissance et amour. On avait l'espérance que tous les maux allaient finir, que le bonheur universel était proche: "Le naufrage est passé, disaient les cahiers d'Auxerre, et nous arrivons dans une terre qui présente l'image du Paradis."

Le Roi. — Ainsi la révolution paraissait inévitable, mais elle pouvait être pacifique. C'est la faiblesse de caractère de Louis XVI qui le perdit, détacha de lui le peuple et fut la cause des premiers conflits.

Louis XVI avait alors trente-cinq ans. Il était resté honnête et bon, mais il était alourdi par les excès de table, et surtout totalement dénué de volonté. Au moment où allaient se réunir les États Généraux, il était retombé sous l'influence de Marie-Antoinette. Sans plus tenir compte des promesses faites en 1788, il était résolu à maintenir l'absolutisme.

Le Tiers Assemblée nationale. — Le 5 mai 1789, dans la grande salle de l'Hôtel des Menus à Versailles, le roi procéda solennellement à l'ouverture des États. Dans un discours bref, il annonça que les États étaient réunis pour rétablir l'ordre dans les finances. Il ne dit pas un mot de ce qui était le souci de tous, la constitution. Ce fut une immense déception parmi les députés du Tiers.

Dès le lendemain, quand il s'agit de vérifier les pouvoirs des députés, un conflit s'engagea entre le Tiers et la Noblesse, sur la question du vote par ordre ou par tête. Question capitale, car, si on votait par ordre, le Tiers n'avait qu'une voix contre les deux voix des ordres privilégiés, et le nombre double de ses membres ne lui servait de rien. Le Tiers proposa donc la vérification en commun, avec le vote par tête. Par vanité, la Noblesse s'y refusa obstinément. Pendant six semaines, on négocia sans parvenir à une entente. Enfin, le 17 juin, le Tiers, considérant qu'il représentait les quatre-vingt-seize centièmes de la nation, se déclara Assemblée nationale: l'Assemblée décréta aussitôt qu'elle autorisait la perception provisoire des impôts jusqu'à sa séparation; mais par la suite aucun impôt ne pourrait être perçu qui n'aurait été formellement accordé par elle.

C'était le premier acte révolutionnaire, le premier échec à la toute-puissance royale. Cette toute-puissance était désormais abolie en un point essentiel, les finances, où plus rien ne pourrait être fait à l'avenir sans le consentement de la nation.

Le Serment du jeu de paume. — Louis XVI, poussé par la Cour et contre l'avis de Necker, décida de riposter par un coup d'autorité. Le samedi 20 juin, les députés trouvèrent la salle des Menus gardée par la troupe et fermée sous prétexte d'aménagements pour la prochaine séance royale. Les députés se réunirent aussitôt dans une salle de jeu de paume, près du palais. Là, sous la présidence de Bailly, ils prêtèrent le serment solennel de ne jamais se séparer et de se rassembler partout où les circonstances l'exigeraient jusqu'à ce que la constitution du royaume fût établie.

Le surlendemain, la majorité des députés du Clergé vint siéger à l'Assemblée nationale.

La Séance du 23 juin. — Le 23 juin, la séance royale eut lieu. Louis XVI annonça d'une voix altérée qu'il annulait les décisions prises par les députés le 17; il leur ordonna de se retirer aussitôt la séance terminée, et de siéger dorénavant en trois chambres distinctes.

Le roi parti, les députés du Tiers demeurèrent à leur place. Le grand maître des cérémonies, le marquis de Dreux-Brezé, s'approcha: "Vous avez entendu, Messieurs, l'ordre du roi. — Il me semble que la nation assemblée ne peut pas recevoir d'ordres," répondit Bailly. Un noble, que son ordre avait repoussé et que le Tiers d'Aix avait élu député, le comte de Mirabeau, apostropha Dreux-Brezé: "Allez dire à votre maître que nous sommes ici par la volonté du peuple, et qu'on ne nous en arrachera que par la force des baïonnettes."

Cependant le peuple avait envahi les cours du palais. Dans les rangs des gardes françaises, on criait: "Vive le Tiers!" Le roi n'osa pas agir, et céda. "Eh bien, dit-il, si'ils ne veulent pas s'en aller, qu'ils restent!" La victoire restait au Tiers.

Quatre jours plus tard, le roi lui-même ordonnait à tous les députés de se joindre à l'Assemblée nationale. Celle-ci, se mettant à l'œuvre aussitôt, décida d'élaborer une constitution et prit le nom d'Assemblée Constituante (9 juillet). La révolution politique était accomplie, l'absolutisme était ruiné.

Prise de la Bastille. — Jusqu'ici, nulle violence, sinon dans les paroles. C'est le roi le premier qui essaya de recourir à la force. Mécontent d'avoir cédé, il prépara un coup d'État militaire: 25,000 hommes de troupes — surtout des régiments étrangers — se concentrèrent autour de Versailles. Le 11 juillet, Louis XVI manifesta clairement ses intentions en renvoyant Necker, le ministre populaire, partisan des réformes.

L'intervention du peuple de Paris sauva l'Assemblée et assura le triomphe de la Révolution.

Dès que le renvoi de Necker fut connu à Paris, le peuple commença à s'agiter. Au Palais-Royal, un jeune homme, Camille Desmoulins, prononça un vibrant appel aux armes. Le 12, l'agitation tourna à l'émeute. La foule, exaspérée par des charges de cavalerie, pilla les boutiques des armuriers. Le 13, tout Paris était en armes; les électeurs réunis à l'Hôtel de Ville constituèrent une commission permanente, et organisèrent une milice civique qui compta bientôt 12,000 hommes. Enfin, le mardi 14 juillet, toute la fureur populaire se tourna contre l'énorme forteresse royale, la Bastille, dont les canons étaient braqués sur la ville. Au bout de quatre heures d'un combat où les assaillants eurent environ 200 hommes tués ou blessés, la faible garnison de la Bastille, près d'être forcée, capitula.

La prise de la Bastille fut aussitôt suivie de la capitulation du roi. Elle fut complète. Le 15, il venait annoncer lui-même la dislocation des troupes aux députés qui, depuis le 13, siégeaient en permanence, dormant la nuit sur leurs bancs ou sur le plancher. Le 16, il rappelait Necker. Le 17, il se rendait à Paris à l'Hôtel de Ville: il sanctionnait par sa présence les faits accomplis. Reçu par Bailly, chef de la municipalité révolutionnaire, il recevait des mains de La Fayette, commandant en chef de la milice appelée dès lors garde nationale, une cocarde nouvelle, bleue, blanche et rouge, faite des couleurs de Paris et du roi, emblème de la liberté nouvelle.

La Bastille apparaissait au peuple comme le symbole de l'arbitraire. Sa chute parut le signe visible de l'effondrement du régime absolu et ébranla la France entière. Toutes les villes eurent bientôt à l'exemple de Paris leurs municipalités élues et leurs gardes nationales: les fonctionnaires royaux, les intendants et leurs subordonnés, perdirent tout pouvoir. Dans les campagnes la commotion ne fut pas moins profonde. Un phénomène bizarre se produisit qu'on a appelé la "Grande Peur": le bruit se répandit que des troupes de brigands accouraient, saccageant tout sur leur passage. Partout les paysans s'armèrent en hâte. La panique passée, il y eut une véritable jacquerie: les paysans se jetèrent sur les châteaux, brûlèrent les archives seigneuriales pour effacer toute trace des contrats qui établissaient les redevances féodales; plusieurs châteaux furent incendiés.

La Nuit du 4 août. — Pour arrêter les désordres, l'Assemblée inquiète se décida à ratifier les volontés populaires. Le 4 août, dans une séance de nuit, un député noble, le vicomte de Noailles, déclara que la crise ayant pour cause unique les droits seigneuriaux, le seul remède était de les abolir. La proposition fut accueillie avec enthousiasme. "C'était, dit un député du Tiers, à qui offrirait, donnerait, remettrait aux pieds de la nation." Jusqu'à deux heures du matin, au milieu des larmes, des embrassements, des applaudissements, les députés, dans une sorte de délire de désintéressement, votèrent la suppression des droits féodaux, le rachat des dîmes et des banalités, l'abolition des corporations, des privilèges des provinces, des privilèges des individus, de la vénalité des offices, l'établissement d'une justice gratuite, l'admissibilité de tous les Français à tous les emplois.

Ainsi la révolution politique était complétée par une révolution sociale, le régime du privilège remplacé par l'égalité entre tous les Français.

Déclaration des droits de l'homme. — L'Assemblée pouvait dès lors reconstruire l'État et la société sur des bases nouvelles. La majorité décida de proclamer d'abord, comme avaient fait les Américains, les principes philosophiques sur lesquels serait fondé l'ordre nouveau. C'est la célèbre *Déclaration des droits de l'homme et du citoyen*, votée le 27 août 1789. Elle se compose d'un préambule, rédigé par Mounier, député de Grenoble, et de dix-sept articles dont les principaux rédacteurs furent La Fayette, Talleyrand, l'abbé Siéyès et Mounier.[1]

Les Journées d'octobre. — Dans les semaines qui suivirent, l'Assemblée vota les principaux articles de la constitution. Mais le roi, circonvenu par son entourage, n'avait ratifié ni la Déclaration ni les résolutions de la nuit du 4 août. Il paraissait de nouveau songer à un coup de force. D'autre part, le peuple de Paris était surexcité par la crainte de la disette, les vivres devenaient rares, on se battait aux portes des boulangeries.

Le 4 octobre, le bruit se répandit à Paris que, dans un banquet offert à Versailles par les gardes du corps, la cocarde tricolore avait été foulée aux pieds en présence de la reine. Cela déchaîna la fureur populaire. Le 5 octobre, des milliers de femmes en armes, suivies bientôt par des milliers d'hommes, se portèrent sur Versailles pour demander, disaient-elles, du pain au roi. Le palais fut bloqué par la foule. Le 6 au matin, les émeutiers forcèrent les grilles, tuèrent quelques gardes du corps et envahirent l'appartement de la reine qui s'enfuit près du roi. Louis XVI, pour apaiser les troubles, décida de se rendre à Paris. Entourée par la foule où des bandits portaient au bout de leurs piques les têtes des gardes du corps, la famille royale quitta le château de Versailles et vint s'installer aux Tuileries.

Dix jours plus tard l'Assemblée à son tour se transporta à Paris: elle siégea dans la salle du Manège, près des Tuileries.

Le Peuple et l'Assemblée. — Les journées d'octobre firent du peuple de Paris le maître de la situation. Obligés de résider au milieu de ce peuple en armes, le roi et l'Assemblée se trouvèrent en réalité sous sa dépendance.

L'action du peuple s'exerça directement sur l'Assemblée au cours même des séances. Les tribunes de l'Assemblée, les abords de la salle étaient toujours remplis d'un public passionné qui manifestait son opinion par des huées ou des applaudissements. Plus tard même, sous prétexte de pétitions à présenter, des cortèges populaires furent admis à défiler devant l'Assemblée.

L'Assemblée Constituante tenait des séances quotidiennes.

---

[1]Voir, pour le préambule et les dix-sept articles de la Déclaration des droits de l'homme, pages 487–9.

Elle s'était divisée en trois groupes principaux: les Aristocrates, partisans de l'ancien régime, qui siégeaient à droite du président; les Impartiaux au centre, partisans du régime anglais, c'est-à-dire d'un Parlement à deux chambres; à gauche les Patriotes, partisans de la toute-puissance de la nation représentée par une assemblée unique. Chaque groupe avait ses orateurs réputés: l'abbé Maury à droite, Barnave à gauche. Le plus éloquent de tous était le célèbre Mirabeau. Mirabeau avait été d'abord l'orateur de la nation contre la Cour et s'était acquis ainsi une immense popularité. Mais, en 1790, il jugea que l'Assemblée limitait l'autorité du roi plus qu'il n'était utile pour le bien de l'État: il devint le défenseur de la puissance royale et se rapprocha secrètement de Louis XVI, qui, d'ailleurs, ne suivit pas ses conseils. Il mourut en avril 1791 et, bien qu'il eût été violemment attaqué, sa mort fut un deuil public.

Fête de la Fédération. — Tandis que l'Assemblée poursuivait à Paris la rédaction de la constitution, les Patriotes de province ne restaient pas inactifs. Les gardes nationaux des différentes régions fraternisaient dans des fêtes, appelées *fédérations*, parce qu'ils juraient de rester unis ou "fédérés" pour la défense de la liberté.

Le mouvement, parti du Dauphiné, gagna peu a peu toute la France et aboutit à une fête grandiose de fédération nationale, célébrée à Paris le 14 juillet 1790. La cérémonie eut lieu au Champ de Mars, transformé en sept jours, par le travail de la population parisienne tout entière, en un colossal amphithéâtre, où 200,000 personnes trouvèrent place. Toutes les gardes nationales de France avaient envoyé des délégations. En leur nom La Fayette jura sur l'autel de la Patrie d'être à jamais fidèle à la Nation, à la Loi, au Roi.

La Fête de la Fédération est un des événements capitaux de la Révolution: non seulement, par cette cérémonie solennelle, toutes les provinces de France manifestaient leur adhésion au nouveau régime, mais l'unité nationale se trouvait fondée sur une base nouvelle, la volonté librement exprimée des populations.

Constitution civile du clergé. — Après La Fayette, le roi avait juré sur l'autel de la Patrie "qu'il maintiendrait la constitution." Peut-être alors était-il sincère, mais l'influence de son entourage et la politique religieuse de l'Assemblée amenèrent dans son esprit un nouveau revirement.

Dès le mois de novembre 1789, la banqueroute devenant imminente, l'Assemblée avait décidé de vendre au profit de l'État les biens du clergé. Ces biens qualifiés plus tard "biens nationaux" devaient servir de garantie à un papier-monnaie, les assignats. En revanche l'État s'engageait "à pourvoir aux frais du culte, à l'entretien de ses ministres et au soulagement des pauvres." Indifférente au clergé à portion congrue, la mesure avait atteint surtout et irrité profondément le haut clergé. Le vote de la "Constitution civile du clergé" en juillet 1790 eut des conséquences plus graves. Cette Constitution avait été rédigée par des catholiques gallicans, hostiles à la suprématie pontificale; elle établissait que le nombre des évêchés serait ramené de 134 à 83, un par département, que les évêques et les curés seraient élus par les assemblées électorales de département et de district. Le pape ne donnait même pas l'investiture spirituelle; il était simplement informé de l'élection.

Quelques mois plus tard, devant l'opposition des évêques, l'Assemblée voulut contraindre le clergé à prêter serment de fidélité à la Constitution. Mais tous les évêques, sauf quatre, des milliers de prêtres, refusèrent le serment. On les appela les réfractaires. Ceux qui se soumirent furent les jureurs ou constitutionnels. Par un bref d'avril 1791, le pape les condamna comme schismatiques. Aux discordes civiles vinrent alors s'ajouter les discordes religieuses, provoquées par la lutte, de plus en plus âpre et passionnée, entre les prêtres constitutionnels et les prêtres réfractaires.

La Fuite à Varennes. — Louis XVI était profondément pieux: bien qu'il eût sanctionné la Constitution civile, il n'osa pas s'y conformer, surtout après qu'elle eut été condamnée par le pape. Troublé dans sa conscience, il prit alors la décision de s'échapper, d'aller rejoindre l'armée qui se trouvait en Lorraine sous le commandement du marquis de Bouillé et de reconquérir son autorité par les armes.

Louis XVI dissimula quelque temps, puis, dans la nuit du 20 au 21 juin 1791, déguisé en valet de chambre, il s'échappa des Tuileries avec sa famille. La lourde berline qui l'emportait parvint sans encombre jusqu'à Varennes, un petit bourg de l'Argonne, où elle entrait vers minuit. Là, en vertu d'ordres lancés de Paris et que venait d'apporter le fils du maître de poste de Sainte-Menehould, Drouet, la voiture fut arrêtée. Le roi, ramené à Paris comme un prisonnier, fut tenu sous bonne garde aux Tuileries et provisoirement suspendu de ses pouvoirs par l'Assemblée qui décida d'assumer seule tout le gouvernement jusqu'à l'achèvement de ses travaux.

La Fusillade du Champ de Mars. — Cette tentative de fuite acheva de ruiner les sentiments de fidélité à Louis XVI, restés jusqu'alors très vivaces. Bien plus elle commença d'ébranler la foi en la monarchie. Elle créa le parti républicain.

Jusque-là il n'y avait eu que quelques républicains isolés. On ne croyait pas à la possibilité de la république dans un grand État comme la France. Mais, pendant l'absence du roi, après son retour, on fit comme l'expérience de la république: l'Assemblée assura seule tous les services qui fonctionnèrent sans encombre. Dès lors les républicains devinrent de plus en plus nombreux, surtout à Paris.

Pour empêcher que l'Assemblée ne rétablît Louis XVI dans ses pouvoirs, de grandes manifestations furent organisées. Les républicains allèrent en masse au Champ de Mars signer sur l'autel de la Patrie une pétition qui invitait l'Assemblée à mettre en jugement Louis XVI et à organiser un nouveau gouvernement. Mais l'Assemblée, restée monarchiste, envoya contre les manifestants la garde nationale. Une bagarre éclata: la garde tira sur la foule, il y eut un grand nombre de tués et de blessés (17 juillet 1791). Les principaux meneurs du mouvement furent arrêtés ou s'enfuirent: le parti républicain se trouva pour un temps désorganisé.

La Fin de la Constituante. — Deux mois plus tard l'Assemblée achevait ses travaux. Le 14 septembre, le roi, rétabli dans ses pouvoirs, vint prêter devant l'Assemblée le serment solennel de maintenir la constitution. Il y eut des acclamations en son honneur, mais aussi des murmures.

Le vendredi 30 septembre, l'Assemblée Constituante déclara "que sa mission était remplie et que ses séances étaient terminées."

La Constitution de 1791. — Depuis le mois de juillet 1789, l'Assemblée avait travaillé à rédiger la constitution. Acceptée par le roi dès 1790, la constitution fut à plusieurs reprises remaniée et promulguée définitivement en 1791.

Le régime nouveau établi par l'Assemblée était la monarchie constitutionnelle fondée sur deux principes essentiels, la souveraineté du peuple et la séparation des pouvoirs. La nation souveraine délègue le pouvoir executif au roi, le pouvoir législatif à une Assemblée élue, le pouvoir judiciaire à des juges élus.

Le roi, hier maître absolu par la grâce de Dieu, n'est donc plus que le délégué héréditaire de la nation à l'exécutif. Il reçoit sous le nom de liste civile un traitement de vingt-cinq millions. Il nomme les ministres, les ambassadeurs, les officiers. Il est inviolable et irresponsable; les lois doivent être sanctionnées par lui et il a le droit de veto suspensif, c'est-à-dire qu'il peut, pendant deux législatures, refuser sa sanction. Mais la loi passe, même sans la sanction royale, si une troisième Assemblée la vote.

Le pouvoir législatif appartient à 745 députés élus pour deux ans, qui forment l'Assemblée législative. L'Assemblée est indissoluble. Elle vote les lois, fixe le chiffre des contributions, les répartit entre les départements, ordonne et surveille l'emploi des fonds publics, et décide de concert avec le roi la guerre et la paix.

Les tribunaux réorganisés sont formés de juges élus comme les députés. En outre, dans les procès criminels, la nation exerce presque directement la puissance judiciaire: ce ne sont pas les juges, mais des citoyens tirés au sort, les jurés, qui proclament l'innocence ou la culpabilité de l'accusé.

La conséquence logique de la Déclaration des droits, c'eût été le suffrage universel, le droit de vote accordé à tous les citoyens. Mais les Constituants, pour la plupart des bourgeois, se défiaient du peuple; ils n'osèrent pas établir le suffrage universel et organisèrent le suffrage restreint, à deux degrés. Les Français furent divisés en citoyens passifs qui ne votaient pas, et citoyens actifs qui votaient. Pour être citoyen actif, il fallait payer une contribution égale à la valeur de trois journées de travail. Il y eut environ 4 millions de citoyens actifs contre

3 millions de citoyens passifs. Les citoyens actifs, réunis en assemblées de canton, désignaient les électeurs. Pour être électeur, il fallait posséder un revenu foncier égal à la valeur de 150 à 200 journées de travail. Ces électeurs, au nombre de 42,980, élisaient les députés et les juges.

L'Œuvre de la Constituante. — La constitution de 1791 ne représente qu'une partie de l'œuvre de la Constituante qui fut immense, puisque, tout étant détruit dans l'État, tout était à reconstruire. L'Assemblée s'efforça de régler toute la vie nationale sur les principes nouveaux.

A l'ancien régime administratif confus, compliqué et centralisé, elle substitua une nouvelle organisation, uniforme, simplifiée et décentralisée. La France fut divisée en 83 départements, le département subdivisé en districts, le district en cantons, le canton en communes. Dans les départements et leurs subdivisions, l'autorité administrative fut confiée, non pas à des fonctionnaires nommés par le gouvernement central, mais à des délégués élus par les citoyens actifs.

Tous les anciens impôts ayant été abolis, la Constituante établit de nouvelles contributions: le mot *contribution*, substitué au mot *impôt*, indiquait le payement librement consenti par la nation, substitué au payement imposé par le roi. Les contributions directes furent de trois sortes: la contribution foncière, perçue sur les terres et les maisons; la contribution personnelle et mobilière, calculée sur la fortune du citoyen d'après son loyer; les patentes, payées par les commerçants et industriels. Les contributions indirectes furent réduites aux droits d'enregistrement, perçus sur la valeur des actes dont les particuliers font constater l'existence par l'État; au timbre et aux douanes, toutes contributions encore perçues aujourd'hui.

Conformément à la Déclaration, toutes les libertés fondamentales furent garanties. Grâce à la liberté de la presse et à la liberté de réunion, les journaux et les clubs de toute opinion se multiplièrent rapidement. En vertu de la liberté de religion, les protestants, tenus à peu près hors la loi depuis la révocation de l'édit de Nantes, recouvrèrent tous leurs droits civiques et même leurs biens confisqués; les Israélites reçurent le titre et les droits de citoyens.

Enfin la Constituante décréta qu'il serait organisé "une instruction publique, commune à tous les citoyens, gratuite pour les enseignements indispensables pour tous les hommes." Mais elle n'eut pas le temps de l'organiser et légua cette tâche aux Assemblées qui lui succédèrent.

CHAPITRE IV

L'ASSEMBLÉE LÉGISLATIVE

L'Assemblée et les clubs. — Les Constituants avaient décidé avant de se séparer qu'aucun d'eux ne pourrait faire partie de l'Assemblée Législative. Les députés élus étaient donc presque tous des hommes nouveaux, peu connus et sans grande expérience politique. Hors de l'Assemblée ils se retrouvaient dans les clubs qui s'étaient formés au temps de la Constituante. Ces clubs étaient en 1791 au nombre de trois, tirant leurs noms des couvents désaffectés où ils siégeaient: les Jacobins, les Feuillants, les Cordeliers.

Presque unanimement les députés étaient royalistes. Mais les uns voulaient qu'on s'en tînt à application stricte de la constitution: ceux-ci siégèrent à droite, ils appartenaient au club des Feuillants. D'autres se méfiaient du roi et voulaient réduire la puissance royale au point que le roi fût simplement un président de république héréditaire. Ceux-là siégèrent à gauche, ils appartenaient au club des Jacobins. Ce club avait été créé le premier, en 1789, et il était resté le plus important. Il était même devenu une véritable puissance dans le royaume, car dans toute la France des sociétés analogues s'etaiént formées et s'étaient affiliées à la société de Paris, de sorte que les Jacobins eurent, dans la plupart des départements, des agents volontaires qui recevaient le mot d'ordre de Paris. L'orateur le plus écouté du club était déjà Robespierre, ancien député du Tiers d'Arras.

Parmi les Jacobins se distinguait bientôt le groupe des députés Girondins, qui allait jouer le rôle principal à l'Assemblée. Le meilleur orateur de la Législative, Vergniaud, appartenait à ce groupe.

A l'extrême gauche, sur les bancs les plus élevés, siégeaient quelques députés adhérant au club des Cordeliers. Ce club avait un caractère plus populaire; il réunissait en grand nombre boutiquiers et ouvriers des faubourgs parisiens. Les Cordeliers étaient franchement républicains: c'étaient eux qui, en juillet 1791, avaient pris l'initiative de la pétition du Champ de Mars.

Troubles intérieurs et menaces de guerre. — Quand la Législative commença ses travaux, le 1er octobre 1791, la situation intérieure et extérieure était extrêmement troublée.

Dans l'ouest, en Vendée surtout, les paysans poussés par les prêtres réfractaires, avaient commencé la guerre religieuse. Ils donnaient la chasse aux prêtres jureurs et tenaient tête aux gardes nationaux envoyés contre eux. L'Assemblée décréta le 21 novembre 1791 que tous les prêtres devraient prêter le serment civique, sous peine d'être privés de leurs pensions et traités comme suspects. Le roi mit son veto à ce décret.

Tandis que s'allumait à l'intérieur la guerre religieuse, la question des émigrés allait bientôt provoquer la guerre étrangère. La Révolution à ses débuts avait été profondément pacifique; en 1790, la Constituante avait décrété solennellement que "la nation française renonçait à toute guerre de conquêtes." Mais les nobles émigrés qui avaient quitté la France plutôt que de se soumettre aux lois nouvelles, s'étaient groupés à Coblentz autour des frères du roi, le comte de Provence et le comte d'Artois; ils avaient formé un gouvernement et une armée, ne cessaient d'intriguer près des souverains étrangers et d'annoncer qu'ils viendraient bientôt rétablir le roi dans sa toute-puissance avec l'appui de l'empereur et du roi de Prusse, dont ils avaient obtenu en août 1791 la menaçante déclaration de Pillnitz. Ces menaces enflammèrent les esprits en France; on commença à parler dans les clubs "de faire la guerre aux rois pour l'émancipation des peuples". Déjà la Constituante avait protesté auprès de l'empereur contre l'attitude de l'électeur de Trèves qui laissait les émigrés s'assembler en armes dans son électorat. La protestation devint plus vive dès que la Législative fut réunie. L'Assemblée décréta le 9 novembre 1791 que les émigrés qui ne seraient pas rentrés au 1er janvier 1792 seraient déclarés "suspects de conjuration contre la patrie" et poursuivis comme tels. Le roi mit également son veto à ce décret.

Déclaration de guerre. — Les Girondins et avec eux la majorité des Jacobins étaient partisans de la guerre contre l'Autriche. Mais Louis XVI et Marie-Antoinette, qui n'avaient pas accepté sincèrement leur rôle de souverains constitutionnels, négociaient secrètement avec l'empereur. Les Girondins s'en doutaient: Brissot, Isnard, Vergniaud tinrent à l'Assemblée des discours de plus en plus belliqueux et menaçants pour la Cour. Ils firent décréter d'accusation le ministre des affaires étrangères. Le roi, effrayé, céda une fois de plus et constitua un ministère formé d'amis des Girondins, Dumouriez et Roland (12 mars 1792). Quelques semaines plus tard le ministère girondin faisait voter par l'Assemblée la guerre à l'Autriche (20 avril).

La déclaration de guerre est une date capitale dans l'histoire de la Révolution: en effet, c'est la guerre qui amena la chute de la royauté; c'est la guerre qui amena l'établissement de la Terreur; c'est d'elle enfin que sortiront la dictature napoléonienne et l'Empire. Dès lors chaque événement militaire eut son contre-coup à Paris.

Journée du 20 Juin. — On croyait en France n'avoir à combattre que les Autrichiens et on espérait conquérir facilement la Belgique, mais le roi de Prusse se joignit à l'empereur. Les armées françaises, mal commandées, désorganisées par l'émigration des officiers, éprouvèrent dès les premières rencontres des paniques qui rendirent impossible toute offensive en Belgique. Bientôt on craignit l'invasion étrangère. En même temps les troubles religieux s'aggravaient dans l'ouest et le midi. L'Assemblée prit alors des mesures énergiques: le 27 mai, elle décréta que tous les prêtres réfractaires seraient déportés; le 8 juin, elle ordonna la formation à Soissons d'un camp de 20,000 fédérés ou gardes nationaux volontaires. Par un nouveau revirement le roi refusa de sanctionner les décrets et renvoya le ministère girondin (12 juin). L'agitation grandit.

Pour effrayer le roi et le forcer à céder, une grande manifestation populaire fut organisée le 20 juin 1792, jour anniversaire du Serment du jeu de paume. Les manifestants se portèrent sur les Tuileries, forcèrent les portes, et envahirent les appartements du roi. Louis XVI, surpris, fut pendant trois heures bloqué par la foule dans l'embrasure d'une fenêtre. On lui criait de retirer son veto, de rappeler les ministres patriotes. "Monsieur, lui dit un des chefs des manifestants, le boucher Legendre, vous êtes un perfide, vous nous avez toujours trompés, vous nous trompez encore. Mais prenez garde, la mesure est comble!"

Par hasard la volonté de Louis XVI ne fléchit pas: pour apaiser la foule, il accepta de se coiffer du bonnet rouge, but à la santé des "sans culottes", mais refusa de retirer son veto. La manifestation n'eut aucun résultat.

Le Manifeste de Brunswick. — Cependant en juillet les dangers s'aggravèrent encore. Une forte armée prussienne s'approchait de la frontière. Le 11 juillet, l'Assemblée proclama la patrie en danger et ordonna une levée générale de volontaires.

Dans toute la France, le peuple commença à s'armer pour la défense de la patrie. Mais en même temps son irritation croissait contre Louis XVI qu'il accusait de trahison, d'entente secrète avec les ennemis. Les sentiments de défiance et d'hostilité à l'égard du roi furent exasperés par le manifeste de Brunswick. Dans ce manifeste, connu à Paris le 3 août, le duc de Brunswick, généralissime des armées ennemies, annonçait que tout garde national pris les armes à la main, tout Français qui oserait se défendre contre les envahisseurs serait puni comme rebelle au roi, et que si Louis XVI était outragé de nouveau aux Tuileries, Paris serait livré à une exécution militaire et à une subversion totale.

Ces menaces arrogantes soulevèrent Paris et la France dans un élan de colère patriotique contre l'étranger et contre le roi, évidemment complice.

Révolution du dix août. — L'insurrection fut préparée, en dehors de l'Assemblée dont la majorité restait monarchiste, par les délégués des sections — divisions administratives de Paris — et par les fédérés de province venus à Paris malgré le veto du roi. Parmi ces fédérés, un bataillon de Marseillais joua un rôle particulièrement actif. Il était entré à Paris en chantant l'hymne guerrier qu'un jeune officier, Rouget de l'Isle, venait de composer à Strasbourg pour l'armée du Rhin. Cet hymne, qui allait devenir l'hymne national. s'appela dès lors *la Marseillaise*.

Dans la nuit du 9 au 10 août une Commune insurrectionnelle, dont Danton fut le véritable chef, prit possession de l'Hôtel de Ville et fit sonner le tocsin à tous les clochers. Au matin, les forces insurgées, Marseillais, gardes nationaux, ouvriers des faubourgs, se portèrent sur les Tuileries. Vers dix heures, le roi avec sa famille quittait le palais par les jardins et venait demander asile à l'Assemblée.

Presque aussitôt le combat commençait entre les insurgés et les défenseurs du palais, 2,500 hommes environ dont 900 gardes suisses. Ce furent ces derniers qui soutinrent tout l'effort d'une lutte qui dura près de deux heures et qui avait déjà tourné en faveur des insurgés, quand un ordre de Louis XVI enjoignant aux Suisses de cesser le feu y mit fin. Les Tuileries furent saccagées, mais les insurgés ne laissèrent rien voler. La bataille avait fait douze cents victimes environ.

Suspension du roi. — Le 10 août marque la fin de la monarchie constitutionnelle. L'Assemblée, sous la pression de l'insurrection victorieuse, dut voter la suspension du roi. Pour statuer définitivement sur son sort et "assurer le règne de la liberté et de l'égalité," elle décréta la convocation d'une convention nationale, élue au suffrage universel, sans distinction de citoyens actifs ou passifs.

Provisoirement, le gouvernement était confié à un conseil exécutif dont les membres furent élus par l'Assemblée: le plus influent des nouveaux ministres fut Danton, qui avait été un des principaux organisateurs de l'insurrection.

En fait, au milieu de l'agitation qui suivit le 10 août, les pouvoirs réguliers, Assemblée et Conseil exécutif, durent sans cesse composer avec le pouvoir insurrectionnel, la Commune de Paris. Appuyée sur les clubs et les sections populaires, celle-ci exerça une véritable dictature. Malgré l'Assemblée, qui avait décrété l'internement de Louis XVI et de la famille royale au palais du Luxembourg, elle les fit enfermer dans la tour du Temple. Bientôt des milliers de "suspects" furent emprisonnés.

Massacres de septembre. — Les mesures prises par la Commune, l'affolement provoqué par les nouvelles de la guerre et l'approche des Prussiens déterminèrent alors les plus déplorables excès, les massacres de Septembre.

Le 2 septembre, on apprit à Paris l'investissement de Verdun, la dernière place forte qui couvrît la capitale: on savait qu'elle ne pouvait tenir plus de deux jours. La Commune fit sonner le tocsin, tirer le canon d'alarme, battre la générale: elle invitait les Parisiens à former une armée de 60,000 hommes. Cependant un journaliste haineux et sanguinaire, Marat, ne cessait d'exciter le peuple à égorger les traîtres avant de marcher à l'ennemi. La populace, déchaînée, se porta sur les prisons où étaient enfermés les suspects. Pendant quatre jours et quatre nuits, jusqu'au 6 septembre, des bandes d'égorgeurs poursuivirent méthodiquement la hideuse besogne dans toutes les prisons, à l'Abbaye, à la Force, au Châtelet, à la Conciergerie, etc. Il y eut près de 1,200 victimes, parmi lesquelles des vieillards, des prêtres, des femmes, une amie de la reine, la princesse de Lamballe.

L'Assemblée avait blâmé les massacres sans pouvoir les empêcher. Plus tard seulement les Girondins flétrirent les "septembriseurs" et se séparèrent du reste des Jacobins.

Le 20 septembre, l'Assemblée Législative cédait la place à la Convention et le même jour l'invasion prussienne était arrêtée à Valmy.

Importance de la journée de Valmy. — La bataille de Valmy n'était en elle-même qu'une affaire de médiocre importance: il y avait eu une canonnade et non pas même un combat. Les Français avaient 300 tués, les Prussiens moins de 200. Pourtant, les conséquences morales furent immenses. Avoir contraint à s'arrêter une armée réputée invincible exalta le courage de la jeune armée républicaine et la rendit propre aux plus audacieuses entreprises.

CHAPITRE V

LA CONVENTION

La République. — La Convention, formée de 750 députés, avait été élue au suffrage universel. Mais la plupart des électeurs ne votèrent pas et les Jacobins, seuls organisés, furent presque partout les maîtres des élections. Aussi la Convention était-elle de tendances beaucoup plus démocratiques que la Législative.

Dès la première séance, le 21 septembre 1792, la Convention, à l'unanimité, décréta l'abolition de la royauté. Le soir, Paris fut illuminé et le peuple cria dans les rues: "Vive la République!" Le lendemain 22, la Convention décréta que les actes publics seraient dorénavant datés de l'an I de la République. Le 25, Danton fit décréter que "la République française était une et indivisible."

Girondins et Montagnards. — Presque aussitôt commença la furieuse lutte des partis, qui était le mal dont devait périr la République.

Deux groupes, acharnés l'un contre l'autre se disputèrent la prépondérance dans l'Assemblée: les Girondins, qui siégeaient maintenant à droite, et les Montagnards, membres des Jacobins ou des Cordeliers, qui siégeaient à gauche. Au centre, la masse des députés, gens hésitants, prêts à céder à l'influence des plus énergiques, formait la Plaine ou le Marais.

Girondins et Montagnards étaient républicains et démocrates. Mais les Girondins, se méfiaient de Paris et ne voulaient plus de la dictature de la Commune. Ils avaient le souci de la légalité et le respect des formes légales: "Plutôt la mort que le crime!" dira le girondin Vergniaud.

Au contraire, les Montagnards, appuyés sur la Commune et les clubs, acceptaient la dictature parisienne, qu'ils jugeaient nécessaire. Pour eux, le salut public devait tout primer; il justifiait toutes les mesures d'exception: "Dussent nos noms être flétris, répondra Danton à Vergniaud, nous sauverons la liberté." Les trois principaux membres de la Montagne étaient Danton, Marat et Robespierre. Seul, Danton, patriote clairvoyant, fit des efforts sincères pour réconcilier les deux partis, mais les Girondins repoussèrent toutes ses avances.

Exécution du roi. — La royauté abolie, il restait à régler le sort du roi. La Convention était hésitante. Mais en novembre on découvrit aux Tuileries une armoire à porte de fer où se trouvèrent de nouvelles et abondantes preuves des relations de Louis XVI avec les émigrés. Alors l'Assemblée décida que le roi serait jugé par elle.

Commencé le 11 décembre, le procès se termina le 20 janvier. La Convention déclara "Louis Capet" coupable de conspiration contre la liberté de la nation et d'attentat contre la sûreté de l'État. Comme tel elle le condamna à mort. Le samedi 20 janvier 1793, à trois heures du matin, par 380 voix contre 310, elle décida que la sentence serait exécutée dans les vingt-quatre heures.

Le dimanche 21 janvier, sur la place Louis XV devenue la place de la Révolution, aujourd'hui la place de la Concorde, au milieu d'un carré de troupes et de gardes nationaux, la guillotine était dressée face aux Tuileries. Louis XVI monta à l'échafaud à dix heures, avec un tranquille courage. Il essaya de parler au peuple qui se pressait derrière les soldats. Un roulement de tambour couvrit sa voix.

Le Gouvernement révolutionnaire. — L'exécution de Louis XVI accrut redoutablement les périls où la France était engagée. Elle provoqua une coalition générale de toutes les grandes puissances. En France même, cent mille paysans vendéens se soulevèrent. Aux armées Dumouriez se déclara contre la Convention et prépara un coup d'État, dont le patriotisme des troupes empêcha l'exécution (mars).

Pour parer à tant de dangers, la Convention organisa un gouvernement dictatorial. Elle créa successivement un Comité de Sûreté générale, pour rechercher les suspects; pour les punir, un Tribunal révolutionnaire, qui jugeait sans appel; enfin le 6 avril, un Comité de Salut public qui disposa souverainement des moyens de défense intérieure et extérieure et qui, concentrant tous les pouvoirs, devint promptement un dictateur à plusieurs têtes. Il était composé de neuf membres élus par la Convention. Dans les départements et aux armées, la Convention délégua plusieurs de ses membres, avec pleins pouvoirs: on les appela *représentants en mission.*

La Convention vota d'autre part, en juin 1793, une constitution nouvelle pour remplacer la constitution de 1791. La constitution de 1793 était très démocratique: elle établissait le suffrage universel et soumettait les lois à la ratification du peuple. Mais on ajourna sa mise en vigueur en raison de la crise que traversait la République, et la Convention décréta que le gouvernement de la France serait "révolutionnaire jusqu'à la paix."

Chute des Girondins. — Cependant la lutte était devenue de plus en plus âpre entre la Gironde et la Montagne. Comme les Girondins avaient proposé, lors du procés du roi, la ratification de la sentence par le peuple, les Montagnards les accusèrent d'avoir voulu sauver le roi; ils les accusaient aussi de vouloir une république fédérative. Par contre, la Gironde accusait Marat et Robespierre d'aspirer à la dictature. Elle fit envoyer Marat devant le Tribunal révolutionnaire qui l'acquitta. Elle essaya de briser la Commune et fit arrêter un de ses membres, Hébert. A la fin de mai, la Commune de Paris et les Jacobins résolurent de se débarrasser des Girondins.

Le 2 juin 1793, la Commune fit cerner la Convention par 80,000 hommes avec 60 canons, et réclama l'arrestation des principaux députés girondins. L'Assemblée essaya de résister et sortit en corps des Tuileries où elle siégeait. Aussitôt Hanriot, le général de la Commune, commanda: "Canonniers, à vos pièces!" La Convention dut céder: elle décréta d'arrestation 27 de ses membres. Les Montagnards étaient désormais les maîtres de l'Assemblée.

La Terreur. — Le coup de force du 2 juin provoqua dans plusieurs régions, en Normandie, à Bordeaux, à Lyon, à Marseille, des insurrections girondines. Au mois de juillet, en comptant la Vendée royaliste, soixante départements, les trois quarts de la France, étaient en armes contre Paris. Au même moment, toutes les frontières étaient forcées par les armées de la coalition.

La Convention, sans se laisser effrayer par la grandeur du péril, résolut de poursuivre contre tous ses ennemis la lutte à outrance. Elle confia le pouvoir aux Montagnards les plus intransigeants, Robespierre et ses amis, Couthon et Saint-Just: ils remplacèrent au Comité de Salut public Danton, discrédité par sa politique de conciliation (juillet 1793). Quant à Marat, il était mort, poignardé par une jeune fille, Charlotte Corday, qui avait voulu venger les Girondins. Carnot, élu aussi membre du Comité, prit la direction de la défense nationale.

Le Comité de Salut public et la Convention voulurent décourager leurs adversaires par l'épouvante et forcer par la peur le pays tout entier à s'armer contre l'étranger. Ce fut le régime de la Terreur. Déjà les émigrés et les prêtres réfractaires avaient été mis hors la loi. Le 17 septembre, fut votée la loi des suspects qui déclarait prévenus de haute trahison les "partisans de la tyrannie" et les "ennemis de la liberté": définition d'autant plus redoutable qu'elle était plus vague.

Alors les Comités révolutionnaires procédèrent dans toute la France à des arrestations en masse. Au Tribunal révolutionnaire, l'accusateur public, Fouquier-Tinville, envoya chaque jour des fournées de condamnés à la guillotine. Parmi les victimes les plus célèbres furent la reine Marie-Antoinette; Bailly, l'ancien maire de Paris; le duc d'Orléans, qui, député à la Convention, avait pris le nom de Philippe-Egalité et voté la mort de son cousin Louis XVI; Vergniaud et les Girondins arrêtés le 2 juin. Jusqu'à la fin de juillet 1794, 2,596 personnes furent exécutées à Paris. L'ensemble des victimes ayant subi un semblant de jugement fut pour la même période et pour toute la France d'environ douze mille. Dans les régions insurgées on procédait à des exécutions en bloc. D'abominables cruautés furent commises par le représentant Carrier, à Nantes: il fit noyer les prisonniers dans la Loire, sans jugement, par milliers, près de cinq mille en sept mois.

Exécution d'Hébert et de Danton. — A la fin de 1793, grâce à l'énergie des organisateurs de la défense nationale et à la valeur des armées républicaines, le péril extérieur et intérieur était conjuré. Toutes les insurrections étaient vaincues, les armeés ennemies repoussées loin de la frontière. Dès lors les Montagnards se divisèrent; il parut à Danton que le régime de la Terreur n'avait plus aucune raison d'être, qu'il était temps de ramener "le règne des lois et de la justice pour tous." Son ami, Camille Desmoulins, dans son éloquent journal le *Vieux Cordelier*, réclamait la création d'un Comité de clémence. Danton, Desmoulins et un certain nombre de Montagnards formèrent le parti des Indulgents.

D'autres, au contraire, trouvaient Robespierre trop modéré et réclamaient de nouvelles mesures de terreur. Ils avaient pour chef Hébert et pour organe le *Père Duchêne*. Les Hébertistes étaient en outre athées et voulaient déchristianiser la France. Ils avaient fait établir un calendrier nouveau d'où étaient bannis les noms des saints et des fêtes religieuses. Partout où ils dominaient, ils fermaient les églises ou s'amusaient à y célébrer le culte de la Raison. Danton à la Convention flétrit ces "mascarades antireligieuses."

Robespierre, que cette double opposition gênait, se débarrassa par la violence des uns et des autres. Il détestait l'athéisme et la grossièreté des Hébertistes, l'improbité de certains Dantonistes. Les premiers furent arrêtés et guillotinés, sous prétexte de complot tendant à affamer Paris et à provoquer le massacre de la Convention (24 mars 1794). Quelques jours après, les Indulgents, inculpés de comploter le rétablissement de la monarchie, étaient arrêtés et guillotinés à leur tour (5 avril 1794). Danton, prévenu du danger qu'il courait, avait refusé de fuir: "Bah, avait-il répondu, est-ce qu'on emporte sa patrie à la semelle de ses souliers!"

Dictature de Robespierre. — Danton mort, il ne resta plus personne pour contrebalancer l'influence de Robespierre. Celui-ci exerça pendant près de cinq mois (avril-juillet 1794) une véritable dictature.

Robespierre s'était acquis une très grande popularité et le surnom d'Incorruptible, par sa parfaite probité, la dignité et la simplicité de sa vie — il vivait dans la famille d'un menuisier, — son dévouement sincère à la cause du peuple, et le prestige des mots d'innocence et de vertu qu'il avait constamment à la bouche. Il avait un orgueil immense, la conviction que toute vérité était en lui. Ses idées, toutes empruntées à Rousseau, avaient à ses yeux la valeur de dogmes intangibles. Ne pas les partager était d'un mauvais citoyen; les combattre était un sacrilège que seule la mort pouvait expier. C'est pour préparer le "règne de la vertu" qu'il maintint le régime de la Terreur, et la guillotine fut employée, selon le mot de M. Aulard, "à l'amélioration des âmes."

Robespierre prétendit ériger en religion d'État le déisme des philosophes; il organisa le culte de l'Être suprême, et présida lui-même une fête solennelle du nouveau culte (8 juin 1794). Pour exterminer les "impurs," il fit voter la loi de prairial (10 juin), en vertu de laquelle le Tribunal révolutionnaire jugerait désormais sur des preuves morales, sans entendre ni témoins ni défenseurs, et ne pourrait prononcer d'autre peine que la mort. Alors commença la Grande Terreur: en 47 jours, du 10 juin au 27 juillet, il y eut à Paris 1,376 têtes coupées.

Le 9 Thermidor. — Peut-être Robespierre songeait-il à mettre un terme enfin à ces injustifiables boucheries quand il fut renversé par une coalition de tous ses ennemis, violents ou modérés, le 9 thermidor an II (27 juillet 1794). Une conspiration se forma contre le dictateur : la plupart des conjurés, se sentant ou se sachant menacés par Robespierre, avaient hâte de le devancer et de l'abattre. Ils purent gagner les députés du Marais qui avaient jusque là soutenu Robespierre et se distribuèrent les rôles pour la séance du 9 thermidor, à la Convention. Avant que Robespierre eût pu parler, un des conjurés demanda la mise en accusation du "nouveau Cromwell." Robespierre essaya vainement de se défendre: le président, qui était du complot, couvrit du bruit de sa sonnette furieusement agitée la voix de l'accusé. Après une tumultueuse séance, aux cris de "à bas le tyran!," l'arrestation fut décrétée à l'unanimité. Saint-Just et Couthon furent arrêtés en même temps. Cependant la Commune, qui était pour Robespierre, le fit délivrer le soir même et essaya de soulever Paris contre la Convention. Elle n'y réussit pas. A deux heures du matin, le 28 juillet (10 thermidor), les troupes de la Convention bloquaient l'Hôtel-de-Ville où elles arrêtaient sans résistance Robespierre et les principaux membres de la Commune. Le soir vers sept heures et demie il était conduit à la guillotine avec 21 de ses partisans.

La Réaction thermidorienne. — La coalition qui venait de renverser Robespierre comprenait surtout des terroristes. Mais après la victoire ils furent bientôt écartés et le pouvoir revint aux modérés ou aux terroristes repentis.

Une inévitable réaction se produisit alors contre les Montagnards et leur politique : c'est ce qu'on a appelé la réaction thermidorienne. La plupart des lois d'exception furent abrogées, le régime de la Terreur fut aboli. On rappela à la Convention les Dantonistes et les Girondins survivants. On ferma le club des Jacobins. Carrier fut condamné à mort pour les atrocités de Nantes, Fouquier-Tinville pour les monstrueuses parodies de justice du tribunal révolutionnaire. Le tribunal lui-même fut réorganisé, puis supprimé.

Les derniers députés de la Montagne essayèrent de soulever les ouvriers des faubourgs pour reprendre le pouvoir. Le peuple était d'ailleurs exaspéré par le renchérissement des vivres, et par une terrible crise de misère. Deux émeutes éclatèrent successivement le 12 germinal et le 1er prairial an III (1er avril et 20 mai 1795): les insurgés envahirent la Convention en réclamant "du pain et la Constitution de 1793," mais ils furent repoussés et désarmés. Les chefs montagnards furent guillotinés.

Un autre danger menaça alors la Convention. La défaite du jacobinisme avait enhardi les royalistes. A Paris le parti royaliste se recrutait surtout parmi la "jeunesse dorée," c'est-à-dire la jeunesse élégante : les muscadins ou incroyables armés de gourdins, donnaient la chasse dans la rue aux Jacobins. Dans le midi, il y eut une véritable Terreur blanche: on massacra les Jacobins à Lyon, à Tarascon, à Aix, à Marseille. Pour assurer la durée de la République, la Convention inquiète décréta que les deux tiers des députés du futur Corps législatif seraient pris parmi ses membres. Le décret des Deux Tiers ruinant les espérances des royalistes, ceux-ci tentèrent un coup de force. Le 13 vendémiaire (5 octobre 1795), une formidable insurrection éclata: elle fut écrasée, grâce aux habiles dispositions d'un jeune général, Napoléon Bonaparte, mis à la tête des troupes de la Convention.

Trois semaines plus tard, le 26 octobre 1795, la Convention déclara sa session terminée et se sépara aux cris de: "Vive la République!"

Les Conquêtes de 1792. — Au lendemain de Valmy, les armées françaises avaient pris partout l'offensive. En quelques semaines elles occupèrent au sud-est la Savoie et Nice, possessions du roi de Sardaigne, au nord-est, les pays allemands de la rive gauche du Rhin, jusqu'à Mayence (septembre-octobre 1792). Au nord les Autrichiens furent chassés de la Belgique par la victoire de Dumouriez à Jemmapes (6 novembre).

Ces glorieux succès surexcitèrent l'orgueil national, et, tout en prétendant libérer les peuples, les révolutionnaires s'abandonnèrent bientôt à la politique de conquête et d'annexion; ils reprirent la politique traditionnelle de la royauté, l'achèvement de la France par la conquête des frontières naturelles, le Rhin et les Alpes. La Convention décréta d'abord que, dans tout pays occupé par les armées françaises, les droits féodaux et les privilèges seraient abolis. Puis, au début de 1793, elle déclara ces pays réunis à la France: pour sauvegarder les principes, elle fit voter l'annexion par des conventions locales dans chaque pays.

La Première Coalition. — Les conquêtes et les annexions, l'exécution de Louis XVI, qui parut un défi aux souverains, provoquèrent une coalition générale contre la France.

L'Angleterre, gouvernée par le ministre Pitt, ne voulait à aucun prix laisser les Français maîtres de la Belgique et du grand port d'Anvers. Elle déclara la guerre en janvier 1793 et eut pour alliés, avec l'Autriche et la Prusse, la Hollande, l'Espagne, les États italiens et allemands, et même la Russie qui d'ailleurs ne prit aucune part à la guerre.

Les coalisés étaient décidés à démembrer la France et à écraser la Révolution : "Il s'agit, disait un envoyé anglais, de réduire la France à un véritable néant politique." Il semblait, en effet, impossible que la France ne succombât pas devant une ligue aussi formidable.

La France envahie. — Au début, on put croire que la coalition triompherait aisément. De mars à octobre 1793, les armées françaises subirent des revers presque continus.

Au nord, les Autrichiens reprirent la Belgique après la bataille de Neerwinden (18 mars). Dumouriez, vaincu et destitué, passa à l'ennemi. Les Prussiens reprirent Mayence après quatre mois de siège (juillet). La France fut envahie par toutes ses frontières. Les Espagnols occupèrent Perpignan et Bayonne. Toulon fut livré aux Anglais par les royalistes (27 août). Les Autrichiens et les Prussiens pénétrèrent en Alsace, tandis qu'une autre armée autrichienne prenait Valenciennes et assiégeait Maubeuge (septembre). En même temps éclataient les insurrections royalistes et girondines contre la Convention : les trois quarts de la France lui échappaient.

Elle se sauva par des prodiges d'énergie. Le 23 août 1793, les conventionnels votèrent le décret héroïque de réquisition: "Dès ce moment jusqu'à celui où les ennemis auront été chassés du territoire de la République, tous les Français sont en réquisition pour le service des armées. Les jeunes gens iront au combat; les hommes mariés forgeront les armes et transporteront les subsistances; les femmes feront des tentes, des habits et serviront dans les hôpitaux; les enfants mettront les vieux linges en charpie, les vieillards se feront porter sur les places publiques pour exciter le courage des guerriers, prêcher la haine des rois et l'unité de la République." Grâce à cette levée en masse, on put jeter aux frontières neuf armées, dont l'effectif total monta à 750,000 hommes, chiffre prodigieux alors. Les généraux faibles ou suspects furent arrêtés, exécutés, et remplacés par des chefs jeunes et enthousiastes.

Victoires et conquêtes. — Ces mesures énergiques furent efficaces. Dès la fin de l'année 1793, la victoire revint aux troupes françaises. Au nord, Maubeuge fut débloqué par la victoire de Wattignies gagnée après deux jours d'une lutte acharnée où l'on vit le commandant en chef, Jourdan, et le délégué du Comité de Salut public, Carnot, mener, fusil en mains, les charges de l'infanterie française (15-16 octobre). A l'est, l'Alsace fut dégagée par la victoire de Hoche au Geisberg près de Wissembourg (24 décembre). Dans la même période les insurrections étaient écrasées et Toulon repris aux Anglais.

En 1794, les armées françaises prirent de nouveau l'offensive pour reconquérir la Belgique et la rive gauche du Rhin. La Belgique, défendue par le duc d'York et les Anglais établis sur l'Escaut, par Cobourg et les Autrichiens établis sur la Meuse, fut envahie par deux armées, l'armée du Nord commandée par Pichegru, l'armée de Sambre-et-Meuse commandée par Jourdan. Après six tentatives inutiles, Jourdan, ayant pour lieutenants Kléber, Marceau, Championnet et Lefebvre, força le passage de la Sambre à Charleroi, avec environ 80,000 hommes, et battit les Autrichiens à Fleurus (26 juin 1794). Il les rejeta ensuite dans la vallée de la Meuse, puis sur le Rhin, où il occupa Cologne et Coblentz. De son côté, Pichegru rejetait les Anglais sur Anvers (juillet), puis en Hollande, où il les suivit. En moins de trois mois la Hollande était occupée à son tour (janvier 1795), et la flotte hollandaise elle-même, bloquée par les glaces au Helder, tombait au pouvoir de quelques escadrons de hussards (30 janvier 1795).

Traités de Bâle et de la Haye. — Les victoires françaises et les affaires de Pologne amenèrent en 1795 une première dislocation de la coalition. Le roi de Prusse, soucieux de ne pas laisser la Russie et l'Autriche procéder seules à un troisième partage de la Pologne, le roi d'Espagne menacé d'une invasion française, signèrent la paix à Bâle (avril-juillet 1795). La Prusse reconnaissait l'occupation des territoires de la rive gauche du Rhin, Belgique et terres d'Empire, par les armées françaises. A la pacification générale, elle devait recevoir des compensations en Allemagne si la France gardait définitivement ses conquêtes. Le roi d'Espagne céda la partie espagnole de Saint-Domingue aux Antilles. Il devait bientôt s'allier à la France contre l'Angleterre.

De leur côté, les Hollandais traitèrent à la Haye (mai 1795); ils durent céder à la France leurs provinces de la rive gauche du Rhin, s'engager à lui fournir contre les Anglais l'appui de leur flotte, et modifier leur constitution: les Provinces-Unies devinrent la République Batave, démocratique et centralisée à la française.

La Guerre de Vendée. — Pour bien juger la grandeur de l'effort accompli par la France de 1793 à 1795, il faut toujours se rappeler qu'à la guerre contre l'étranger s'ajoutait la lutte contre les insurrections, dont la plus redoutable fut l'insurrection vendéenne.

Commencée en mars 1793, elle dura jusqu'en 1795. Les insurgés, appelés *Vendéens* ou *Chouans*, mirent sur pied jusqu'à 80,000 hommes. Leurs bandes, qui se donnaient le titre d'armée catholique royale, étaient commandées par des hommes du peuple, le garde-chasse Stofflet, le charretier Cathelineau, et aussi par des nobles, la Rochejacquelein, Charette, etc. La lutte entre les bleus — les républicains — et les blancs — les royalistes — prit un caractère d'acharnement incroyable.

Au début l'absence des troupes régulières, appelées toutes aux frontières, facilita les progrès de l'insurrection. Les Vendéens s'emparèrent de Cholet, de Saumur, franchirent la Loire, et essayèrent d'enlever Granville. Mais l'armée republicaine avait été renforcée, elle était commandée par des chefs tels que Kléber et Marceau. Repoussés devant Granville, battus au Mans (13 décembre), les Vendéens subirent, au second passage de la Loire, à Savenay (23 décembre), un épouvantable désastre.

Ce fut la fin de la grande guerre. Les insurgés ne formèrent plus que de faibles bandes, mais presque impossibles à détruire, dans le Marais et le Bocage, pays propres à la guerre de partisans, l'un coupé de mille cours d'eau, l'autre hérissé de bois et de haies épaisses bordant d'étroits chemins creux. On ne vint à bout de l'insurrection qu'en 1795. La pacification fut l'œuvre de Hoche: il l'obtint par la douceur et surtout par de justes concessions en matière religieuse. Par contre, un corps d'émigrés ayant été débarqué par les Anglais et vaincu à Quiberon (juillet 1795), la Convention fit fusiller tous les prisonniers.

Les Comités de la Convention. — L'œuvre intérieure, accomplie en même temps qu'on luttait pour la vie, ne fut pas moins considérable. La Convention fut la plus laborieuse des assemblées politiques. Partagée en de nombreux comités — Comité de législation, Comité de finances, Comité d'instruction publique, etc., — elle toucha à tout, et, si en bien des cas elle ne put achever la tâche entreprise, elle a du moins la gloire d'avoir été partout l'initiatrice: c'est d'elle que datent la plupart des grandes institutions modernes. Poursuivi sans relâche au milieu d'une crise terrible, ce labeur colossal provoque l'admiration.

Principales Créations. — En matière de finances, la Convention décida sur la proposition de Cambon de ne pas répudier la dette héritée de l'ancien régime, mais de la "républicaniser" et de la confondre avec la prodigieuse dette nouvelle résultant des nécessités de la guerre contre l'Europe; elle institua le grand livre de la dette publique.

En matière de législation, elle poursuivit la rédaction d'un code unique, décrétée mais à peine commencée par la Constituante. Elle donna à la France un système de poids et de mesures scientifiquement établi, le système métrique, adopté aujourd'hui par la presque totalité des États civilisés.

Elle étudia avec la plus grande attention toutes les questions d'enseignement. "Après le pain, disait Danton, l'éducation est le premier besoin du peuple." Il fit proclamer le principe de l'obligation et de la gratuité de l'enseignement primaire; on ne put d'ailleurs l'organiser faute d'argent. Pour l'enseignement secondaire, la Convention fit ouvrir, sur le rapport de Lakanal, les "écoles centrales," d'où sont venus les lycées et les collèges de la France d'aujourd'hui. Pour l'enseignement supérieur, elle créa, conserva ou réorganisa les principaux établissements scientifiques ou artistiques, et la plupart des grandes écoles: Collège de France, École des Langues orientales, Bureau des Longitudes, Muséum, où les plus illustres savants, Lamarck, Geoffroy Saint-Hilaire, Jussieu, enseignèrent les sciences naturelles; Conservatoire des Arts et Métiers, Bibliothèque et Archives Nationales, Musée du Louvre, Écoles de Droit et de Médicine, École des Mines, École centrale des Travaux Publics devenue l'École Polytechnique, École Normale, École du Génie de Metz, aujourd'hui à Fontainebleau, École de Mars, la première ébauche de Saint-Cyr, etc. Enfin à la veille de se séparer le 24 octobre 1795, la Convention créa, pour remplacer les anciennes académies, l'Institut de France destiné à être, selon le mot de Daunou, "l'abrégé du monde savant, le corps représentatif de la République des Lettres."

Grandeur de la Convention. — Ces indications sommaires suffisent à faire comprendre combien injuste fut l'accusation de "vandalisme" longtemps portée contre la Convention. Quand elle se sépara, ses ennemis eux-mêmes sentirent, selon l'expression d'un témoin, le général Thiébault, "qu'il s'en allait quelque chose de grand et que la scène allait paraître vide." Trente ans après, en 1825, un illustre orateur royaliste, l'avocat Berryer, devant un auditoire tout enflammé de haine contre la Révolution, portait sur la Convention le jugement de l'histoire: "Je n'oublierai jamais que la Convention a sauvé mon pays."

CHAPITRE VI
LE DIRECTOIRE

La Constitution de l'an III. — La constitution de l'an III, votée par la Convention pendant la réaction thermidorienne était moins démocratique que la constitution de 1793.

Tandis que celle-ci établissait le suffrage universel, la constitution de l'an III établissait le suffrage restreint: pour avoir le droit de vote, il fallait savoir lire et écrire et payer une contribution directe.

Le pouvoir législatif était confié à deux conseils: le Conseil des Cinq Cents, le Conseil des Anciens. Les Cinq-Cents préparaient les lois; les Anciens les adoptaient ou les rejetaient; les deux Conseils étaient renouvelables par tiers annuellement.

Le pouvoir exécutif était confié à un Directoire: de là le nom du régime. Le Directoire, composé de cinq membres, était élu par les Conseils et renouvelable par cinquième chaque année. Le Directoire n'avait pas le droit de dissoudre le Corps législatif, et le Corps législatif n'avait pas le droit de révoquer les Directeurs.

Difficultés politiques et financières. — Le premier Directoire élu comprenait cinq conventionnels: Barras, Carnot, Reubell, Letourneur et La Réveillère-Lépeaux. Il se trouva aussitôt aux prises avec les plus grandes difficultés, d'ordre politique et d'ordre financier.

Au point de vue politique, le Directoire eut à lutter contre les partis extrêmes, les royalistes et les anciens Jacobins démocrates. Quelques-uns de ceux-ci adhéraient au programme communiste de Gracchus Babeuf, un journaliste, qui voulait supprimer la propriété individuelle et faire une révolution sociale. En 1796, il y eut plusieurs conspirations qui échouèrent toutes; Babeuf fut arrêté et exécuté.

Mais, dès 1797, l'opposition conquit la majorité dans les Conseils; alors les Directeurs se défendirent par des coups d'État. Le coup d'État du 18 fructidor (4 septembre 1797) fut dirigé contre les royalistes: la plupart des députés royalistes furent arrêtés et un certain nombre déportés en Guyane; on remit en vigueur les lois d'exception contre les émigrés et les prêtres réfractaires. L'année suivante le coup d'État du 22 floréal (4 mai 1798) fut dirigé contre les Jacobins qui avaient rouvert les clubs et fait élire un grand nombre de députés: le Directoire fit casser l'élection de soixante Montagnards.

D'autre part, les finances étaient désorganisées par suite de la ruine du commerce et de l'arrêt de toute industrie. La monnaie de papier créée par la Constituante — les assignats émis en quantité prodigieuse — avait perdu toute valeur. La détresse financière amena en 1797 une banqueroute partielle; puis, en 1798, l'établissement de l'impôt sur les portes et fenêtres. Ces deux mesures rendirent la bourgeoisie hostile au régime.

Avec cela la France était dans un état moral déplorable, lasse de tout, n'aspirant qu'au repos, au bien-être, au pain quotidien. Une profonde misère dans le peuple; à Paris, chez ceux que d'audacieuses spéculations avaient soudainement enrichis, une rage de plaisir, un luxe insolent dont l'étalage insultait à la misère publique. Parmi les hommes politiques les plus en vue comme Barras, beaucoup d'égoïsme et de corruption. Aussi le régime du Directoire laissa-t-il aux contemporains l'impression d'un régime de décomposition générale et, selon le mot de l'un d'eux, "de pourriture des pourritures."

La Guerre contre l'Autriche. — Tandis que les partis s'usaient en luttes stériles dont la nation se désintéressait, les armées républicaines continuaient leurs exploits. De là peu à peu un profond changement dans l'esprit public: à la passion de la liberté succède la passion de la gloire militaire. Ce n'est plus aux orateurs des clubs ou aux chefs de parti que va la popularité, c'est aux généraux victorieux.

Après les traités de Bâle, l'Angleterre, l'Autriche et la plupart des États italiens n'avaient pas désarmé. Carnot, devenu directeur, conçut le projet de lancer trois armées sur Vienne. Commandées respectivement par Jourdan, Moreau, Bonaparte, elles devaient avancer par trois routes différentes: en Allemagne, par la vallée du Main et la vallée du Danube; en Italie, par la plaine du Pô et les vallées alpestres.

Les opérations commencèrent en 1796. Le plan échoua en Allemagne: Jourdan fut battu et rejeté par l'archiduc Charles sur la rive gauche du Rhin (septembre). Moreau, parvenu dans la région du Danube jusqu'à Munich, fut, par suite de la retraite de Jourdan, obligé de rétrograder et de rentrer en Alsace.

Les coups décisifs furent frappés en Italie par Bonaparte.

Bonaparte. — Napoléon Bonaparte était né à Ajaccio, en Corse, en 1769, peu de temps après que l'île eût été vendue par les Génois à Louis XV. Élevé comme boursier du roi à Brienne, admis à l'École militaire de Paris, il en sortit à seize ans avec le grade de sous-lieutenant d'artillerie. Il détestait alors la France et rêvait d'assurer un jour l'indépendance de la Corse. La Révolution modifia ses sentiments: il devint bon patriote et Jacobin.

Capitaine en 1793, il se distingua au siège de Toulon et décida de la prise de la ville en enlevant un fort qui commandait l'entrée du port. Cette action d'éclat lui valut le grade de général de brigade à vingt-quatre ans. Mais il fut destitué en 1795 pour avoir refusé un commandement en Vendée. Il songeait à prendre du service en Turquie, quand, en octobre 1795, on le chargea de défendre la Convention contre les royalistes insurgés. Général de division au lendemain du 13 vendémiaire, il reçut peu après le commandement de l'armée d'Italie qui, selon le mot d'un de ses lieutenants, Marmont, "lui ouvrit la porte de l'immortalité."

Campagne d'Italie. — La campagne d'Italie dura un an, d'avril 1796 à avril 1797. L'armée française livra dix-huit grandes batailles et soixante-cinq combats. Forte à peine de 36,000 hommes, elle détruisit cinq armées autrichiennes dont la moins nombreuse compta 45,000 hommes.

Le Piémont était occupé par une armée autrichienne et une armée sarde, au total 70,000 hommes. Bonaparte, passant au col de Cadibone, se glissa entre les deux armées ennemies, rejeta à l'est les Autrichiens en leur infligeant trois défaites en trois jours, notamment à Dego (15 avril). Puis il revint sur les Sardes qui, battus à Mondovi, se hâtèrent de traiter. Le roi de Sardaigne reconnut à la France la possession de Nice et de la Savoie.

Bonaparte reprit aussitôt la poursuite des Autrichiens. Par la grande victoire de Lodi (11 mai), il se rendit maître du Milanais. Les princes italiens du nord et le pape, effrayés, traitèrent à leur tour. Bonaparte leur imposa de lourdes contributions de guerre, près de cinquante millions qui, envoyés à Paris, permirent au Directoire de vivre un certain temps.

Les opérations ultérieures eurent pour centre Mantoue, forte place qui commande les débouchés de la vallée de l'Adige, route principale d'Autriche en Italie. Pour sauver Mantoue, assiégée par Bonaparte, les Autrichiens envoyèrent successivement quatre armées qui furent détruites l'une après l'autre. Après la victoire décisive de Rivoli, Mantoue capitula (2 février).

Désormais maître de toute l'Italie du nord, Bonaparte put marcher sur Vienne. Il força le passage du Tagliamento, le col de Tarvis et le col de Neumarkt. Au même moment Hoche et Moreau franchissaient de nouveau le Rhin et refoulaient devant eux les Autrichiens. L'avant-garde de l'armée d'Italie était au col du Semmering, à moins de cent kilomètres de Vienne, quand l'Autriche consentit à signer les préliminaires de paix de Léoben (18 avril 1797).

Traité de Campo-Formio. — Les préliminaires de Léoben furent transformés en traité de paix à Campo-Formio (octobre 1797). C'était Bonaparte qui, imposant ses vues au Directoire, avait dirigé les négociations. Déjà ce général républicain prenait des allures de dictateur: il réorganisait l'Italie à sa guise, inaugurait une politique brutale de conquérant.

Par le traité de Campo-Formio, François II reconnut secrètement à la France la frontière du Rhin. Il renonça à la Belgique et au Milanais dont Bonaparte fit la République cisalpine. En échange Bonaparte lui livra la République de Venise. Pour indemniser les princes dépossédés de la rive gauche du Rhin, un congrès devait se réunir à Rastadt.

Assurant à la France ses frontières naturelles, ce traité était la conclusion de la politique séculaire de la royauté. Mais, dépassant les frontières naturelles, il marquait aussi le début d'une politique d'aventures, la politique napoléonienne.

La Lutte contre l'Angleterre. — De tous les ennemis, l'Angleterre était le plus difficile à atteindre. Depuis le début des hostilités, ses flottes étaient maîtresses des mers. Le Directoire reprit d'abord le projet d'un débarquement en Irlande et confia l'entreprise à Hoche: une tempête la fit échouer (décembre 1796). Bonaparte reçut à son retour d'Italie le commandement de l'armée d'Angleterre.

Bonaparte imagina de frapper les Anglais ailleurs que dans leur île. L'Inde étant la source principale de la fortune anglaise et l'Égypte commandant une des routes traditionnelles de l'Inde, il proposa au Directoire d'entreprendre la conquête de l'Égypte, base d'opérations pour une expédition dans l'Inde. Ce projet grandiose devait hanter Napoléon pendant toute sa carrière.

Le Directoire approuva le projet. Il était d'ailleurs fort heureux de se débarrasser de Bonaparte dont la popularité et les intrigues commençaient à l'inquiéter.

Expédition d'Égypte. — Les préparatifs furent conduits dans le plus grand secret et très rapidement. Le 19 mai 1798 une flotte de près de 300 navires, transportant une armée de 35,000 hommes, quittait Toulon. Bonaparte emmenait comme lieutenants deux des meilleurs généraux de la République, Kléber et Desaix. Quarante jours plus tard, après avoir occupé Malte au passage, l'armée française débarquait à Aboukir et enlevait Alexandrie (30 juin).

L'Égypte, province de l'Empire turc, appartenait en fait à la féodalité militaire des Mamelouks. Les Mamelouks, cavaliers intrépides, essayèrent d'arrêter l'armée française à Gizeh près du Caire. La bataille eut lieu au pied des grandes Pyramides : toutes les charges des Mamelouks vinrent se briser sur les carrés de l'infanterie, qui ne perdit pas 30 hommes et tua plus de 2,000 cavaliers à l'ennemi (21 juillet). Deux jours après, Bonaparte était maître du Caire. Mais le 1er août la flotte française était surprise dans la rade d'Aboukir et anéantie par l'amiral anglais Nelson.

Bonaparte était dès lors coupé de la France et prisonnier en Égypte. Il occupa et organisa le pays, comme s'il y devait demeurer toujours: ainsi commença la renaissance de l'Égypte qui devait redevenir au dix-neuvième siècle un État riche et actif. Bonaparte avait emmené avec lui plusieurs savants illustres qui, constitués en Institut d'Égypte, étudièrent le pays, ses produits, ses monuments.

La situation s'aggrava quand le sultan, poussé par les Anglais, déclara la guerre à la France (septembre 1798) et entreprit de reconquérir l'Égypte. Apprenant qu'une armée turque se concentrait en Syrie, Bonaparte y courut, enleva les ports de Gaza et de Jaffa, écrasa les Turcs près de Nazareth au Mont-Thabor (16 avril 1799), mais, faute d'artillerie, il ne réussit pas à s'emparer de Saint-Jean-d'Acre. Il dut revenir en hâte en Égypte où les Anglais s'apprêtaient à débarquer une seconde armée turque : à peine à terre, elle fut anéantie à Aboukir (24 juillet).

Un mois plus tard, informé de la situation périlleuse où une seconde coalition mettait la République, sans attendre les ordres du Directoire, Bonaparte s'embarquait secrètement pour la France. Il laissait le commandement de l'armée d'Égypte à Kléber.

La Deuxième Coalition. — Pendant l'expédition d'Égypte, l'Angleterre avait réussi à former une nouvelle coalition.

La coalition eut pour cause la politique de propagande et d'empiètements suivie par le Directoire en 1798 : en pleine paix il annexa Mulhouse, Genève, Montbéliard, enfin tout le Piémont. Il intervint à Rome et en Suisse, transformant les États de l'Église en République Romaine et l'ancienne Confédération suisse en République Helvétique centralisée sur le modèle français. Le trésor des papes et 43 millions pris en Suisse servirent à payer les préparatifs de l'expédition d'Égypte.

Mais ces procédés audacieux, qui rappelaient les procédés de Louis XIV au lendemain de la paix de Nimègue, eurent les mêmes conséquences: successivement le roi de Naples, l'empereur, le tsar Paul Ier, le sultan entrèrent dans l'alliance anglaise. A la fin de l'année 1798, la seconde coalition était formée.

Les coalisés mirent en ligne 350,000 hommes, dont 80,000 Russes, tandis que le Directoire disposait à peine de 150,000 soldats et avait à défendre, outre la France agrandie, les "républiques-sœurs," c'est-à-dire la Hollande, la Suisse et la plus grand partie de l'Italie. En outre les armées ennemies étaient commandées cette fois par deux bons généraux, l'archiduc Charles et le Russe Souvorof, héros des guerres de Turquie et de Pologne.

Zurich. — Aussi les premiers mois de la guerre furent-ils marqués par de graves échecs. En Allemagne, l'archiduc Charles battit Jourdan à Stokach et le rejeta sur la rive gauche du Rhin. En même temps Souvorof chassait les Français d'Italie par les victoires de Cassano, de la Trebbia et de Novi (mars-août 1799). Au nord, une armée anglo-russe débarquait en Hollande. La France était de nouveau menacée d'une invasion.

Elle fut sauveé par l'habileté de Masséna. Celui-ci se maintenait en Suisse sur les positions qu'il occupait derrière la Limmat et la Linth, en face d'une armée austro-russe établie à Zurich. Or les alliés décidèrent que le corps autrichien de Suisse irait rejoindre l'archiduc Charles sur le Rhin et serait remplacé par l'armée russe de Souvorof. Mais dans cette sorte de chassé-croisé, il y eut un instant où les Autrichiens étant partis et Souvorof n'étant pas encore arrivé, le corps russe de Zurich se trouva isolé. Saisissant l'occasion, Masséna se jeta sur Zurich et y écrasa les Russes dans une bataille de deux jours (25-26 septembre 1799). Puis il se retourna vivement contre Souvorof qui arrivait d'Italie par le Saint-Gothard: pour échapper à une capitulation, les Russes furent obligés de se jeter dans les massifs des Alpes, abandonnant toute leur artillerie. Après ce désastre, le tsar, furieux, se retira de la guerre.

Au nord les Anglo-Russes, battus et bloqués par Brune, durent signer la capitulation d'Alkmaar et se rembarquer (18 octobre 1799).

Retour de Bonaparte. — Le dégoût causé par la situation intérieure, les angoisses provoquées par le péril extérieur au début de l'année 1799 hâtèrent la chute du Directoire. Le gouvernement semblait impuissant à rétablir l'ordre. Dans l'ouest et dans le midi de nouvelles insurrections royalistes avaient éclaté. Les mesures extrêmes prises par le Directoire — un emprunt forcé de 100 millions sur "la classe aisée," une loi des otages contre les parents d'émigrés ou d'insurgés — rappelaient les mauvais jours de 1793 et effrayaient l'opinion publique. D'autre part le luxe et les mœurs de Barras, le membre le plus influent du Directoire, faisaient scandale. A la lassitude de la politique s'ajoutait le mépris pour les politiciens.

Alors se constitua, autour de Siéyès, un parti qui voulait une revision de la constitution. Mais pour faire cette revision, au besoin par un nouveau coup d'État, il fallait le concours d'un général populaire. Après de longues hésitations Siéyès fit appel à Bonaparte dont la popularité était immense depuis la campagne d'Italie.

Le 8 octobre, Bonaparte, parti d'Égypte avant d'avoir reçu l'ordre de rappel du Directoire, débarquait à Fréjus. Quand la nouvelle parvint à Paris, le 15, il y eut une universelle explosion de joie. Son voyage fut un triomphe. Quand il entra à Paris, l'enthousiasme toucha "au délire." Selon le mot d'un contemporain, le général Mathieu Dumas, "il trouva tous les partis disposés à lui décerner le pouvoir dictatorial."

Le Coup d'État de brumaire. — Siéyès, alors membre du Directoire, et Bonaparte commencèrent aussitôt à préparer le changement de la constitution. Tout fut organisé en trois semaines. Ils eurent pour complices un des directeurs, Roger-Ducos, Talleyrand, qui avait été ministre des affaires étrangères, Fouché, ministre de la police, la majorité du Conseil des Anciens et le président du Conseil des Cinq-Cents, Lucien Bonaparte, frère du général. Le plan des conjurés était le suivant : obtenir la démission des directeurs de telle sorte que le pouvoir exécutif se trouvât vacant; faire nommer par les deux Assemblées, pour remplacer les directeurs, un comité exécutif provisoire dont les membres seraient chargés de reviser la constitution, c'est-à-dire en fait de préparer une constitution nouvelle. Comme on s'attendait à quelque opposition parmi les Cinq-Cents, et par crainte qu'ils ne parvinssent à organiser un mouvement populaire dans les faubourgs, on décida de faire voter par le Conseil des Anciens le transfert des deux assemblées au château de Saint-Cloud, à quelques kilomètres de Paris.

Le samedi 9 novembre 1799 — 18 brumaire an VIII —, le

président des Anciens, qui était du complot, annonçait aux députés la découverte d'une grande conspiration contre les pouvoirs publics. Les Anciens, docilement, décrétèrent le transfert des deux Conseils à Saint-Cloud, et donnèrent à Bonaparte le commandement des troupes de Paris, avec mission de veiller à la sûreté du Corps législatif. En même temps, par la démission de Barras que négociait adroitement Talleyrand, le gouvernement se trouva désorganisé.

A Saint-Cloud, le lendemain 19 brumaire, le complot faillit échouer. La majorité des Cinq-Cents était hostile au projet de revision et au coup d'État. Dès le début de la séance les députés prêtèrent le serment de maintenir la constitution. Quand Bonaparte se présenta dans la salle du Conseil, accompagné de quatre grenadiers, les cris de: "A bas le dictateur! Hors la loi!" éclatèrent de toutes parts. Des députés se précipitèrent sur lui et essayèrent de le frapper à coups de poing. Les grenadiers le couvrirent de leur corps et l'emmenèrent. Il avait complètement perdu la tête et l'aventure allait tourner pour lui en catastrophe, lorsqu'il fut sauvé par le sang-froid de son frère Lucien. Celui-ci présidait les Cinq-Cents. Quand les députés demandèrent le scrutin sur la proposition de mise hors la loi, Lucien abandonna la présidence, et retarda ainsi le vote pendant quelques instants. Il sortit, se présenta aux troupes, leur raconta que les députés avaient voulu poignarder leur général, que l'Assemblée était terrorisée par une poignée de brigands "payés par l'Angleterre," et d'accord avec Siéyès, leur donna l'ordre, en qualité de président des Cinq-Cents, d'entrer dans la salle et d'en chasser les députés. Les grenadiers obéirent. Le soir, un groupe de députés vota la suppression du Directoire et institua pour le remplacer une commission provisoire de trois consuls, Siéyès, Roger-Ducos et Bonaparte.

En fait Bonaparte était seul maître de la situation. Le 19 brumaire marquait la fin non seulement du Directoire, mais de la Révolution et de la République.

CHAPITRE VII
LE CONSULAT ET L'EMPIRE

La Constitution de l'an VIII. — En appelant Bonaparte pour renverser le Directoire, Siéyès et ses amis s'étaient donné un maître. Siéyès avait élaboré un savant projet de constitution; Bonaparte le fit écarter et dicta lui-même les principaux articles de la constitution de l'an VIII qui, sous des apparences républicaines, établissait un véritable régime monarchique.

Le gouvernement était confié pour dix ans à trois consuls désignés par la constitution: Bonaparte, premier consul; Cambacérès et Lebrun, second et troisième consuls; dans l'avenir, les consuls seraient élus par le Sénat. En réalité tout le pouvoir appartenait au premier consul, Bonaparte. Ses collègues n'avaient que voix consultative. Les ministres ne dépendaient que de lui.

Le pouvoir législatif était exercé par le premier consul et plusieurs assemblées. Seul le premier consul avait l'initiative des lois. Les projets de loi étaient rédigés par le Conseil d'État, discutés par le Tribunat, votés par le Corps législatif, qui n'avait pas le droit de discussion. Le Sénat "conserva teur" veillait au maintien de la constitution.

Mais ces assemblées n'étaient pas élues par le peuple. Celui-ci se contentait de dresser des listes de notabilités, comprenant plusieurs milliers de noms. Sur ces listes le Sénat devait choisir les membres du Tribunat et du Corps législatif. En principe le Sénat devait élire lui-même ses membres; en fait les premiers sénateurs furent nommés par Bonaparte. Le Conseil d'État n'était qu'un corps de fonctionnaires. Toutes les assemblées se trouvaient donc dépendre du premier consul.

La constitution devait être soumise à un plébiscite. Repoussée par moins de 1,600 votants, elle fut acceptée par plus de trois millions de suffrages.

La Réorganisation de l'État. — Le Directoire avait laissé la France troublée, ruinée, en proie au brigandage et à l'anarchie. Bonaparte, dès qu'il fut le maître, procéda avec une extraordinaire activité à la réorganisation de l'État.

Pour administrer les départements et leurs subdivisions, les arrondissements et les communes, le premier consul institua des préfets, des sous-préfets et des maires, fonctionnaires nommés par lui (1800). Ainsi fut restauré en France le régime d'omnipotence de l'État et la centralisation que les réformateurs de 1789 avaient voulu détruire.

La justice fut réorganisée aussi dès 1800. Bonaparte conserva à peu près le système des tribunaux établi par la Constituante. Mais les juges, au lieu d'être élus, furent nommés par le gouvernement. Pour assurer leur indépendance, on établit en principe qu'ils seraient inamovibles, c'est-à-dire qu'ils ne pourraient être révoqués.

La situation financière surtout était désastreuse: le 19 brumaire, il y avait dans le trésor public 137,000 francs en tout. Les impôts n'étaient pas payés ou l'étaient mal. Le gouvernement n'avait plus aucun crédit: la rente sur l'État était tombée à 12 francs. Bonaparte créa, onze jours après le coup d'État, l'administration des contributions directes, chargée de percevoir les impôts, et composée exclusivement de fonctionnaires nommés par lui. Sur son initiative un groupe de banquiers fonda la Banque de France, qui eut le privilège d'émettre des billets, papier-monnaie qui bientôt ne fut plus distingué de la monnaie d'or et d'argent. Le pays reprit rapidement confiance; les impôts rentrèrent mieux; la rente remonta peu à peu jusqu'à 68 francs.

Pour former ses fonctionnaires et ses officiers Bonaparte réorganisa l'enseignement secondaire. L'État en eut le monopole. Les Écoles centrales créées par la Convention prirent le nom de lycées et furent soumises à un régime tout militaire (1802).

Pour stimuler le zèle de tous, militaires et civils, le premier consul institua l'ordre de la Légion d'honneur (1802), avec une hiérarchie de légionnaires, officiers, commandeurs, grands officiers.

Le Concordat. — Soucieux de rendre à la France la paix intérieure, Bonaparte désirait mettre fin à la crise religieuse provoquée par la Constitution civile du clergé. D'autre part il était convaincu que la religion était le plus précieux des éléments d'ordre.

Le pape Pie VII, esprit conciliant, se prêta volontiers au rapprochement. Les négociations aboutirent en 1801 à la signature d'un traité ou concordat. Le pape consentait "pour le bien de la paix" à reconnaître la reprise des biens du clergé effectuée par l'État en 1789. En retour le gouvernement français s'engageait à assurer "un traitement convenable aux évêques et aux curés." Quant à la nomination des évêques, elle serait faite à la fois par le gouvernement et par le pape. Le gouvernement les désignerait, le pape leur donnerait l'institution canonique sans laquelle ils n'étaient religieusement rien. Ils devaient prêter serment de fidélité au chef de l'État. Ils nommeraient les curés de canton avec l'assentiment du gouvernement. La nomination par l'État, le traitement, le serment, transformaient les évêques en fonctionnaires et mettaient le clergé dans la main du gouvernement.

Le concordat fut mis en vigueur au mois d'avril 1802. Il devait régir les rapports de l'Église et de l'État pendant plus d'un siècle, jusqu'en 1905.

Le Code civil. — Bonaparte s'occupa de compléter et de coordonner l'œuvre sociale de la Révolution, en faisant réunir dans un recueil unique ou code, l'ensemble des lois qui régissent les rapports des particuliers dans la société nouvelle. La Convention avait entrepris ce travail, mais n'avait pu l'achever. Un nouveau projet fut élaboré et soumis au Conseil d'État. Le premier consul lui-même prit la part la plus active aux discussions et surprit maintes fois les juristes par son sens juridique et sa connaissance du droit. Le code civil, inspiré du droit romain et des ordonnances royales, autant que des lois révolutionnaires, fut achevé en 1804. Toujours en vigueur en France, il a été imité ou même littéralement copié dans la majeure partie des États européens et jusqu'en Amérique et en Asie.

Transformation du consulat. — Au moment du coup d'État, les royalistes avaient pensé que Bonaparte pourrait travailler pour Louis XVIII, le frère de Louis XVI, et ils lui firent des avances. Mais loin de songer à restaurer les Bourbons, Bonaparte ne pensait qu'à se perpétuer au pouvoir et à créer lui-même une dynastie.

Dès 1802, au lendemain de la paix d'Amiens, il profita de la satisfaction générale pour se faire donner, par plébiscite, le consulat à vie. Comme on lui donna en outre le droit de désigner son successeur, la monarchie héréditaire se trouvait en fait rétablie.

Les Conspirations. — Cependant la dictature de Bonaparte avait fait des mécontents, soit parmi les généraux républicains, soit parmi les royalistes déçus dans leurs espérances. Plusieurs complots furent tramés contre "l'usurpateur." Le plus important fut celui de Cadoudal en 1803.

Il avait été organisé, d'accord avec le gouvernement anglais, par des royalistes émigrés. Un ancien chef de chouans bretons, Cadoudal, devait, à la tête d'une bande de gens déterminés attaquer et tuer le premier consul au milieu de son escorte en rase campagne. Le général Pichegru était du complot. Moreau, pressenti, avait refusé de travailler pour les Bourbons.

Le complot fut découvert en janvier 1804. On arrêta Moreau, Pichegru et Cadoudal. La colère de Bonaparte fut terrible: "Suis-je donc un chien qu'on puisse assommer dans la rue!" s'écria-t-il. Pour mettre un terme aux intrigues royalistes, il résolut d'épouvanter les Bourbons. Il fit saisir en territoire badois un prince du sang, le duc d'Enghien, qu'il soupçonnait d'avoir trempé dans le complot. Dans la nuit du 20 au 21 mars, le duc, conduit à Vincennes, fut jugé par un conseil de guerre, condamné et fusillé. Peu après Cadoudal était guillotiné; Pichegru s'était étranglé dans sa prison. Moreau fut banni.

Napoléon empereur. — Le complot de Cadoudal hâta la transformation du consulat en monarchie héréditaire. Le 18 mai 1804, un sénatus-consulte établit que "le gouvernement de la République était confié à l'empereur Napoléon." Le peuple approuva cette nouvelle transformation de la constitution par plus de trois millions et demi de suffrages; il n'y eut pas trois mille opposants.

Napoléon avait alors trente-cinq ans. De taille moyenne — il mesurait 1 m. 68, — un peu voûté, il était alerte, vif, presque toujours debout et en mouvement. La maigreur avait disparu, mais rien n'annonçait encore l'embonpoint prochain. Le visage était d'une beauté mâle avec le menton saillant et volontaire, la bouche d'un dessin parfait, la peau d'un ton d'ivoire jauni sous des cheveux brun foncé, rares et plats, dont une mèche coupait le front comme une virgule. Les yeux bleus, de loin presque noirs, étincelaient. Quand l'homme voulait plaire, l'expression des traits, imposante et toujours grave, s'adoucissait dans un sourire "fascinant." La parole était précise, colorée, pleine d'inattendues et frappantes trouvailles d'expression et, quand il s'animait, véhémente et pressée, "à la manière d'un torrent," disait le légat du pape.

Son intelligence prodigieuse, la plus prompte et la plus lucide qui pût être, était merveilleusement ordonnée et disciplinée. "Les diverses affaires, disait-il, sont casées dans ma tête comme dans une armoire. Quand je veux interrompre une affaire, je ferme son tiroir et j'ouvre celui d'une autre. Elles ne se mêlent point l'une avec l'autre et jamais ne me gênent ni ne me fatiguent."

Cependant, l'imagination était en lui aussi prodigieuse que l'intelligence. "Je ne vis jamais que dans deux ans," disait-il. Son règne fut en grande partie consacré à tâcher de réaliser le plus qu'il put des rêves de son imagination. Ces rêves, révélés par lui-même dans maintes conversations, faisaient de l'empire français, "la mère patrie des autres souverainetés"; de Napoléon, l'héritier de Charlemagne, le chef suprême de l'Europe, distribuant les royaumes à ses généraux, "ayant pour officiers les rois" et pour lieutenant spirituel le pape.

A cette imagination débordante s'ajoutait la passion de la gloire et du pouvoir. Cette passion ne cessa de grandir jusqu'à la catastrophe finale. Aussi, tandis qu'au début de sa carrière, au temps du Consulat, il avait cherché à s'entourer de tous les hommes de mérite et sollicité leurs avis, à partir de 1808 il n'admit plus de conseillers. Il ne voulut dans toutes les fonctions que des serviteurs soumis, incapables d'initiative, exécuteurs aveugles de ses volontés: en sorte qu'il écarta les vrais talents et que, dans la dernière partie de son règne, il gouverna réellement seul la moitié de l'Europe.

Cette tâche colossale, il la remplit grâce à une puissance de travail presque surhumaine. On comprendra quel prodigieux labeur accomplit Napoléon si l'on considère qu'on a publié, en trente-deux volumes, vingt-trois mille pièces de sa correspondance, et qu'il reste cependant encore, dispersées dans les archives, près de cinquante mille lettres dictées par lui.

La Monarchie impériale. — L'empereur, comme jadis le roi, fut entouré d'une hiérarchie de grands personnages dont les titres furent la plupart empruntés à l'ancienne Cour, grands dignitaires, maréchaux de France, colonels-généraux de la cavalerie, grands officiers de la couronne. Tous n'étaient d'ailleurs que personnages d'apparat et aucune autorité réelle ne fut attachée à leurs titres.

La Cour impériale fut aussi brillante que l'ancienne Cour royale. L'empereur était personnellement très simple. Il portait constamment l'uniforme, le plus souvent la tenue très sobre de colonel de chasseurs, habit vert et culotte blanche: les soldats le trouvaient le plus mal habillé de l'armée. Mais, autour de lui, officiers et courtisans étaient chamarrés d'or et de broderies. Aux Tuileries, sa résidence ordinaire, le cérémonial de Versailles était en grande partie rétabli: le costume de l'ancienne Cour, l'habit, la culotte, l'épée, les souliers à boucle, les robes à longue traîne étaient de rigueur. Plusieurs des grands dignitaires furent du reste des hommes de l'ancienne Cour: le grand maître des cérémonies fut le comte de Ségur, qui avait été ambassadeur de Louis XVI.

La constitution remaniée par le sénatus-consulte du 18 mai 1804 — on l'appela la constitution de l'an XII, — avait créé une "famille impériale" et donné aux frères de l'empereur le titre de princes français, celui de princesses à ses sœurs. En 1807 Napoléon décida d'instituer une noblesse impériale. Cette noblesse fut une noblesse de fonctionnaires, la hiérarchie des titres correspondant à la hiérarchie des fonctions. Ainsi les archevêques furent comtes et les évêques barons. La plupart des maréchaux et des grands dignitaires civils reçurent des titres héréditaires de ducs et de princes. Talleyrand fut fait prince de Bénévent; Masséna, duc de Rivoli, puis prince d'Essling; Lannes, duc de Montebello; Ney, duc d'Elchingen, puis prince de la Moskowa; Davout, duc d'Auerstaedt, puis prince d'Eckmühl. A chacun de ces titres, l'empereur ajouta des dotations, souvent considérables; Davout recevait près d'un million par an.

Le Despotisme. — La monarchie impériale fut une monarchie absolue. Napoléon supprima le Tribunat et finit par ne plus réunir le Corps législatif. Quant au Sénat, formé d'hommes à sa dévotion, il fut toujours le docile instrument de ses volontés. L'empereur en vint même en 1813 à régler le budget et à créer des impôts de sa seule autorité.

La liberté individuelle n'était pas plus respectée que les libertés politiques. La police, dirigée par un ancien jacobin, Fouché, avait pris un développement énorme; les citoyens suspects étaient internés sans jugement "par mesure de sûreté." La liberté de la presse fut supprimée. En 1799, 73 journaux politiques paraissaient à Paris; en 1811 il n'y en avait plus que quatre. Encore nul article ne devait-il être publié avant d'avoir été soumis à un censeur nommé par le ministre de la police. Pour les livres aussi, la censure fut rétablie.

L'Œuvre utile. — L'empereur ne fut pas cependant qu'un despote: il poursuivit l'œuvre de réorganisation commencée pendant le Consulat. Il ajouta au code civil le code de commerce et le code pénal. Il organisa l'Université impériale, divisée en académies. Il créa la Cour des Comptes, chargée de contrôler toutes les recettes et dépenses des administrations publiques. Il multiplia les encouragements à l'industrie sous forme de récompenses aux inventeurs et aux manufacturiers, de commandes importantes, parfois même de concours financiers.

Enfin Napoléon fit poursuivre les grands travaux publics inaugurés pendant le Consulat. A Paris, ce furent la construction du Temple de la Victoire, aujourd'hui église de la Madeleine, de la Bourse, de l'arc du Carrousel, de l'arc de l'Étoile, achevé seulement en 1836, l'édification de la colonne Vendôme faite du bronze des canons pris à Austerlitz. Dans les départements, des canaux furent creusés, les ports aménagés, les grandes villes embellies. A ces travaux en France s'ajoutèrent des travaux entrepris en Italie, à Milan, Venise, Rome, jusqu'en Dalmatie.

Tout cela fut l'œuvre de moins de dix ans, et tant d'entreprises menées à bien au milieu de guerres incessantes, au cours de chevauchées presque ininterrompues à travers l'Europe, montrent mieux que tout ce qu'on en peut écrire combien fut prodigieuse l'activité de l'homme et combien souple son génie.

Napoléon et l'Église. — Napoléon avait tenu à donner au nouveau pouvoir impérial une consécration religieuse: sur ses instances le pape Pie VII vint en personne procéder au sacre de l'empereur à Notre-Dame de Paris le 2 décembre 1804. D'autre part le clergé fut chargé de fortifier les sentiments de fidélité à la dynastie. Le catéchisme, à côté des devoirs envers Dieu, énuméra les devoirs envers l'empereur, "l'amour, le respect, l'obéissance, la fidélité, le service militaire, les tributs ordonnés pour la conservation et la défense de l'Empire." On ne pouvait y manquer sans se rendre "digne de la damnation éternelle."

Mais en 1807 un conflit éclata entre l'empereur et le pape. Napoléon voulait obliger Pie VII à adhérer au blocus continental; le pape prétendait rester neutre. Napoléon fit occuper, puis annexa les États pontificaux (1809). Excommunié par le pape, il le fit arrêter et le garda prisonnier à Savone d'abord, puis à Fontainebleau.

Ces événements eurent leur contre-coup en France. Des évêques, des prêtres, des séminaristes qui avaient pris parti pour le pape, furent persécutés, quelques-uns même enfermés dans une prison d'État. Le clergé et les catholiques, d'abord favorables à Napoléon restaurateur du culte, lui devinrent hostiles et se trouvèrent gagnés par avance aux Bourbons, dont ils facilitèrent la restauration en 1815.

Le Mécontentement général. — Napoléon, si populaire au temps du Consulat, finit du reste par mécontenter la majeure partie des Français. Vers 1809, la désaffection commença à se manifester dans toutes les classes de la société.

Les excès du despotisme et l'inquisition policière mécontentèrent la bourgeoisie instruite. Le blocus continental, s'il favorisa le développement de certaines industries, paralysa le grand commerce. Le rétablissement des impôts indirects, sur les boissons, sur les voitures, sur le sel, impôts abolis par la Révolution et dont le souvenir était odieux, irritèrent tous les contribuables. Mais ce fut la conscription surtout, c'est-à-dire le service militaire obligatoire, qui rendit l'Empire impopulaire. A partir de 1808, les jeunes gens par milliers essayèrent de se dérober au service, soit en se mutilant, soit en prenant la fuite dans les montagnes ou les bois.

L'Empire ne vivait et ne se soutenait que par le prestige de Napoléon. Il ne devait pas survivre à la ruine de ce prestige.

CHAPITRE VIII

LES GUERRES DE NAPOLÉON. LA DOMINATION DE L'EUROPE

Campagne de 1800. — Devenu premier consul, Bonaparte commença par offrir la paix au roi d'Angleterre et à l'empereur. Sur leur refus, il prépara une nouvelle campagne pour l'année 1800.

Deux armées autrichiennes menaçaient la France: l'une sur la frontière du Rhin, l'autre en Italie sur la frontière des Alpes. A la première, Bonaparte opposa Moreau avec 100,000 hommes; à l'armée d'Italie, il opposa Masséna avec 25,000 hommes. Masséna avait pour mission de défendre Gênes et de tenir assez longtemps pour que Bonaparte pût former une troisième armée et venir prendre les Autrichiens à dos.

Ayant trente jours de vivres, Masséna tint héroïquement deux mois. Quand il rendit Gênes (4 juin 1800), Bonaparte était déjà en Italie. Avec 40,000 hommes, surmontant des difficultés énormes, il avait franchi les Alpes au col du Grand Saint-Bernard. De là, il courut jusqu'à Milan, puis revint vers l'ouest barrer la route aux Autrichiens. Le 14 juin une bataille décisive s'engagea près d'Alexandrie, à Marengo. Inférieur en nombre, ayant moins de 20,000 hommes contre 40,000, parce que, craignant de voir les Autrichiens lui échapper, il avait lancé de divers côtés des détachements, Bonaparte était battu, quand à cinq heures le plus gros de ces détachements, la division du général Desaix, accourant au canon, déboucha sur le champ de bataille. Desaix tomba mort à la première charge, mais il avait décidé la victoire. Les Autrichiens évacuèrent le Piémont et la Lombardie.

C'est en Allemagne que la paix fut conquise par une victoire plus décisive encore de Moreau. Il avait franchi le Rhin et repoussé les Autrichiens jusqu'en Bavière. Le 3 décembre, il les surprit dans la forêt de Hohenlinden: assaillie simultanément en tête et en flanc, l'armée autrichienne perdit 20,000 hommes et 87 canons. La route de Vienne était ouverte aux Français.

L'empereur demanda la paix. Elle fut signée à Lunéville le 9 février 1801; elle reproduisait simplement le traité de Campo-Formio et stipulait en Italie le rétablissement de la République Cisalpine. En fait, les Français ayant obtenu le droit d'occuper les citadelles du royaume de Naples, l'Italie moins la Vénétie se trouvait placée sous la domination française.

Paix d'Amiens. — La France restait victorieuse sur le continent, l'Angleterre aux colonies et même en Égypte où l'expédition manquée de Bonaparte avait eu une fin malheureuse. Attaqué par 70,000 Anglo-Turcs, Kléber les avait encore battus à Héliopolis (20 mars 1800). Mais le jour même où les Autrichiens étaient vaincus à Marengo, il fut assassiné au Caire par un fanatique musulman (14 juin 1800). Mal commandée, ne recevant aucun renfort, l'armée française finit par signer une capitulation en vertu de laquelle elle évacua l'Égypte (août 1801).

Ces succès avaient coûté cependant à l'Angleterre sept milliards et demi, de sorte que sa dette montait à plus de douze milliards. D'autre part l'Angleterre avait perdu tous ses alliés sur le continent. Elle se décida à traiter. Le 25 mars 1802, fut conclu le traité d'Amiens par lequel elle s'engageait à rendre à la France et à ses alliés toutes les colonies qu'elle leur avait prises, à l'exception de la Trinité aux Antilles et de l'île de Ceylan en Asie.

Rupture avec l'Angleterre. — Mais dès le mois de mai 1803 la paix était rompue et une nouvelle guerre s'engageait entre la France et l'Angleterre, guerre acharnée qui ne devait se terminer qu'en 1815.

La rupture eut surtout des causes commerciales: elle fut voulue et consommée par les Anglais quand Napoléon eut refusé de conclure avec eux un traité de commerce. Le prétexte de la rupture fut la question de Malte que les Anglais ne voulaient pas évacuer malgré les engagements pris à Amiens.

Napoléon prépara une descente en Angleterre. Une armée

de 150,000 hommes fut concentrée au camp de Boulogne, dans le voisinage du Pas de Calais. Pour transporter l'expédition, une flottille de 2,000 bateaux plats fut construite dans les ports de la Manche. Mais la condition essentielle de l'expédition était d'attirer loin de la Manche les escadres anglaises qui y montaient la garde. Toutes les manœuvres ordonnées pour atteindre ce but échouèrent. La principale flotte française, mal équipée, médiocrement commandée par Villeneuve, finit par être détruite par l'amiral anglais Nelson à la bataille de Trafalgar, au sud de l'Espagne (21 octobre 1805).

La Troisième Coalition. — A cette date, d'ailleurs, l'armée française n'était plus au camp de Boulogne, mais en Allemagne. Au mois d'août 1805, une coalition austro-russe, venant au secours de l'Angleterre, avait obligé Napoléon à faire front vers le continent.

Brusquement, sans déclaration de guerre, quand il jugea les armées russes à portée, l'empereur François II jeta ses troupes sur la Bavière, alliée de la France. Une armée autrichienne, forte de 80,000 hommes, commandée par Mack, parvint sur le haut Danube jusqu'à Ulm. "Bonaparte, écrivait un ministre autrichien, ne peut arriver jusqu'à nous avant que nos alliés nous aient rejoints. Cela est calculé de manière qu'il n'y a aucune crainte à avoir à cet égard."

Ces calculs furent déjoués par la soudaineté des manœuvres de Napoléon. En moins d'un mois il transporta son armée, la "Grande Armée," de la Manche au Rhin. Tandis que Mack s'attendait à voir les Français déboucher par la Forêt-Noire, Napoléon prit les routes du Main et du Neckar, puis, tournant brusquement au sud, il coupa aux Autrichiens leur ligne de retraite. Après une série de combats autour d'Ulm, Mack fut bloqué dans la ville et réduit à capituler (20 octobre 1805). La campagne avait duré quatorze jours. Les Français avaient pris 60,000 hommes, 200 canons, 80 drapeaux.

D'Ulm, Napoléon courut sur Vienne qui fut occupée sans résistance. Puis remontant au nord, il se porta au-devant de François II et du tsar Alexandre dont les armées avaient enfin opéré leur jonction. C'est près de Brünn, à Austerlitz, qu'il livra, le 2 décembre 1805, sur un terrain choisi par lui, la plus belle de ses batailles, "la bataille modèle," a dit un historien militaire. Les Austro-Russes perdaient — tués, blessés ou prisonniers — 27,000 hommes sur 90,000; en outre un immense matériel, 40 drapeaux, 180 canons, — à peu près toute leur artillerie. La victoire coûtait a Napoléon 8,000 hommes, dont 1,300 tués. Pas un instant il n'avait eu besoin de faire donner ses réserves fortes de 25,000 hommes: il n'avait pas engagé plus de 45,000 hommes.

L'Empereur d'Occident. — Le triomphe d'Austerlitz permit à Napoléon de jouer ce rôle de moderne Charlemagne et d'empereur d'Occident distributeur de royaumes, auquel se complaisait son imagination.

Deux jours après la bataille, l'Autriche avait demandé la paix. Par le traité de Presbourg, elle fut mise hors d'Allemagne et d'Italie, perdit Venise, la Souabe et le Tyrol. François II, qui était empereur élu d'Allemagne, renonça à ce titre et devint empereur héréditaire d'Autriche.

Venise fut annexée au royaume d'Italie — l'ancienne République cisalpine — dont Napoléon était devenu le roi. Par décret, Napoléon enleva le royaume de Naples aux Bourbons, alliés des Anglais, et le donna à son frère aîné Joseph. Comme le Piémont et Gênes avaient été antérieurement annexés à la France, Napoléon était le maître de toute l'Italie.

L'Allemagne fut entièrement transformée. Déjà plusieurs petits États avaient été supprimés en 1803. Après Presbourg, la Souabe et le Tyrol furent donnés aux électeurs de Wurtemberg et de Bavière qui reçurent le titre de rois. Le Hanovre, possession du roi d'Angleterre, fut donné au roi de Prusse. Le Saint Empire romain germanique qui existait depuis 962 disparut et fut remplacé par la Confédération du Rhin dont Napoléon était le protecteur, c'est-à-dire le chef. Les grands États allemands, l'Autriche et la Prusse, restèrent en dehors de la Confédération. Enfin, au nord, la République batave fut érigée en royaume de Hollande, que Napoléon donna à son second frère, Louis.

Iéna. — Le roi de Prusse, Frédéric-Guillaume III, était un prince d'esprit faible et indécis. Avant Austerlitz, il avait été sur le point de s'allier à l'Autriche. Après Austerlitz, il se rejeta vers l'alliance française. Mais à Berlin il y avait un parti antifrançais qui avait pour chef la reine Louise, belle, énergique, d'imagination vive, animée d'un ardent patriotisme germanique. Le souvenir des victoires de Frédéric II exaltait les têtes: on était persuadé que l'armée prussienne était encore la première du monde. Le roi finit par se décider à la guerre: avec l'Angleterre et la Russie il conclut la quatrième coalition. Au début d'octobre 1806, Napoléon reçut un ultimatum de la Prusse le sommant de repasser le Rhin.

Les forces prussiennes — 107,000 hommes — s'étaient portées en Saxe, sur la rive gauche de la Saale. On espérait surprendre et tourner Napoléon établi sur le Main. C'est le contraire qui eut lieu. Napoléon se jeta sur la rive droite de la Saale et arriva inopinément sur le flanc et en arrière des lignes prussiennes. L'armée prussienne, divisée en deux colonnes, voulut se replier sur Berlin: elle fut écrasée le même jour par Napoléon à Iéna, par Davout à Auerstaedt (14 octobre). Davout prit plus de cent canons, n'en ayant pas lui-même cinquante.

Les débris de l'armée vaincue s'enfuirent dans un affreux désordre, poursuivis sans relâche par les cavaliers de Murat, sans pouvoir se reformer nulle part. Les Français ramassèrent les prisonniers par milliers. Un mois après l'entrée en campagne, il ne restait rien de l'armée prussienne. De l'Elbe à l'Oder toutes les places fortes étaient prises, livrées à la première sommation. Napoléon fit dans Berlin une entrée triomphale, très respectueusement salué par la foule.

Campagne de Pologne. — Restaient les Russes. Napoléon vint les chercher en Pologne. Mais dans ces plaines immenses aux villages clairsemés et pauvres, on eut grand mal à s'approvisionner. La rareté des routes, les marais innombrables, les dégels brusques succédant aux grandes chutes de neige, rendaient impossibles toutes manœuvres rapides: la guerre devint lente et pénible.

Une première rencontre eut lieu à Eylau (8 février 1807); ce fut, au milieu d'une aveuglante tempête de neige, une affreuse boucherie sans résultats: chaque armée eut 25,000 hommes hors de combat. Les opérations ne reprirent qu'au printemps. Le

14 juin 1807, Napoléon réussissait enfin à atteindre l'armée russe de Benningsen à Friedland, dans une position désastreuse, adossée à une rivière. Il la détruisit. Le tsar demanda à traiter.

Paix de Tilsit. — La paix fut signée à Tilsit sur le Niémen (juillet 1807). A la guerre franco-russe succédait l'alliance franco-russe : Napoléon tenait à avoir un allié parmi les grandes puissances, afin d'empêcher les diversions anglaises sur le continent et les coalitions. En échange de l'appui du tsar contre l'Angleterre, il lui proposa le démembrement de l'Empire turc. Alexandre fut séduit par ces projets grandioses.

Ce fut le roi de Prusse qui paya les frais de la guerre. Napoléon lui enleva le Hanovre et les territoires de la rive gauche de l'Elbe dont il forma, pour son troisième frère Jérôme, le royaume de Westphalie. Le roi de Prusse perdit aussi ses provinces polonaises qui formèrent le grand-duché de Varsovie. L'électeur de Saxe fut fait roi de Saxe et grand duc de Varsovie. Enfin la Prusse, humiliée, mutilée, fut frappée de lourdes contributions de guerre.

Le Blocus continental. — L'Angleterre seule, inattaquable dans son île, continuait la guerre. Napoléon, ne pouvant la vaincre par les armes, avait résolu de la ruiner en fermant à son commerce les marchés européens. Il organisa le blocus continental.

Le gouvernement anglais lui-même avait commencé la guerre économique, en proclamant tous les ports français en état de blocus, ce qui équivalait à interdire tout commerce maritime avec la France (mai 1806). Napoléon riposta par le décret de Berlin (21 novembre 1806): il déclarait à son tour les ports anglais en état de blocus, interdisait aux Français et à leurs alliés tout commerce avec l'Angleterre, prohibait la vente de toute marchandise venant de l'Angleterre et de ses colonies.

Mais, pour que le blocus donnât les résultats espérés, il fallait qu'il s'étendît à l'Europe entière, qu'il n'y eût pas la moindre fissure par où pussent passer les marchandises accumulées en Angleterre. C'est ainsi que Napoléon se trouva entraîné à une politique de guerres et d'annexions perpétuelles. En Italie il annexa les États de l'Église. Au nord il annexa la Hollande, son frère Louis ne se montrant pas assez docile; puis la côte allemande de la mer du Nord avec Brême et Hambourg. Le Portugal, ne voulant pas se conformer strictement au blocus, fut occupé par les troupes françaises, tandis que la famille royale s'enfuyait au Brésil. Enfin ce fut pour une bonne part le désir d'assurer l'application complète du blocus qui, en 1808, engagea Napoléon dans une criminelle et désastreuse aventure en Espagne.

Napoléon et l'Espagne. — L'Espagne avait pour roi Charles IV, prince médiocre et sans caractère, qui, depuis longtemps, laissait le pouvoir aux mains du favori de la reine, Godoï. A côté du roi, le prince royal Ferdinand, "très bête et très méchant," disait Napoléon, était populaire cependant parce qu'on le savait l'ennemi de Godoï que le peuple espagnol détestait. L'inimitié entre le fils et le favori était l'occasion de dissensions scandaleuses dans la famille royale.

Le roi d'Espagne était l'allié de la France depuis 1795. Mais Napoléon eut la preuve que Godoï, à la veille d'Iéna, était prêt à abandonner son alliance pour celle de la Prusse. Dès lors la ruine des Bourbons d'Espagne fut résolue dans son esprit. L'expédition de Portugal lui servit de prétexte pour faire entrer des troupes dans la péninsule. Les querelles de la famille royale lui fournirent l'occasion d'agir.

En mars 1808 une émeute éclatait à Aranjuez contre Charles IV et Godoï. Le roi, épouvanté, abdiqua en faveur de Ferdinand. Puis presque aussitôt, sur les conseils de Murat entré avec les troupes françaises à Madrid, il protesta que l'abdication lui avait été arrachée par la force et demanda la protection de Napoléon. D'autre part Murat persuadait à Ferdinand qu'il devait aller au-devant de Napoléon pour obtenir la reconnaissance de son avènement. Le père et le fils se rencontrèrent avec l'empereur à Bayonne. Là, faisant peur à Ferdinand en le menaçant de le traiter en rebelle, Napoléon le détermina à rendre la couronne à Charles IV. Alors celui-ci abdiqua, en son nom et au nom de ses enfants, en faveur de "son ami, le grand Napoléon" (20-30 avril 1808). Joseph Bonaparte fut fait roi d'Espagne; Murat, beau-frère de Napoléon, remplaça Joseph sur le trône de Naples.

Guerre d'Espagne. — L'indigne comédie de Bayonne provoqua une prise d'armes générale en Espagne et fut l'origine d'une guerre qui devait durer plus de cinq ans. Cette guerre devait avoir de graves conséquences pour Napoléon. En effet les Anglais trouvèrent en Espagne un champ de bataille, où ils attirèrent et usèrent à la longue les meilleurs soldats de la France. L'empereur engloutit là plus de 300,000 hommes, une élite qui lui manqua aux heures décisives de 1813.

Pour la première fois aussi Napoléon se heurta à une résistance nationale. Tout le peuple espagnol se leva pour défendre son indépendance. Dans chaque paysan il y eut un soldat, chez qui le fanatisme patriotique fut, comme au temps de la lutte contre les Maures musulmans, décuplé par le fanatisme religieux. Contre Napoléon qui tenait alors le pape emprisonné, le clergé espagnol prêcha une véritable croisade. "Que sont les Français? lisait-on dans le catéchisme enseigné aux enfants. — D'anciens chrétiens devenus hérétiques. — Est-ce un péché de mettre un Français à mort? — Non; on gagne le ciel en tuant un de ces chiens d'hérétiques."

Au début même de la guerre, l'armée française subit un grave échec. En juillet 1808, un corps d'armée, commandé par le général Dupont, se laissa envelopper par les Espagnols près de Bailen, à l'entrée d'un des défilés de la Sierra Morena. Epuisés par la chaleur et la soif, les Français mirent bas les armes. Cette capitulation de soldats réputés invincibles eut un immense retentissement en Europe; elle éveilla chez tous les vaincus des espoirs de revanche et ébranla le prestige de l'Empire.

Pour tâcher de réparer le mal, Napoléon vint prendre lui-même la direction de la guerre en Espagne. Une campagne de moins d'un mois dont l'épisode le plus brillant fut le combat de Somo-Sierra, lui livra le nord de l'Espagne et le conduisit à Madrid. Mais il dut soudain rentrer en France (janvier 1809), pour parer à une nouvelle attaque des Autrichiens.

Wagram. — Depuis Austerlitz, l'Autriche avait reconstitué son armée. Elle avait un bon général, l'archiduc Charles. D'autre part, elle savait que l'alliance franco-russe s'était relâchée et ne craignait pas une intervention du tsar. Quand

Napoléon se fut éloigné en Espagne, elle crut l'occasion propice, conclut avec l'Angleterre et l'Espagne insurgée la cinquième coalition, et attaqua brusquement sans déclaration de guerre.

Comme en 1805, les Autrichiens s'étaient flattés de surprendre Napoléon; comme en 1805, Napoléon déjoua leurs calculs par sa rapidité. L'archiduc Charles, battu à Eckmühl (22 avril), faillit être pris devant Ratisbonne. Mais il parvint à forcer le passage du Danube et à se réfugier sur la rive gauche.

La campagne se poursuivit aux environs de Vienne. Pour atteindre l'archiduc Charles, et sous ses yeux, Napoléon tenta le passage du Danube à l'est de Vienne, à l'île de Lobau, au village d'Essling, mais les ponts de bateaux se rompirent, coupant l'armée française en deux. Malgré leurs attaques furieuses, — il y eut plus de 45,000 hommes hors de combat — les Autrichiens ne purent pas cependant emporter la victoire (21-22 mai 1809). Napoléon se retrancha dans l'île de Lobau. Quarante jours après, à la faveur d'un violent orage, il passa le Danube dans la nuit, et cette fois battit l'archiduc Charles dans la plaine de Wagram (5-6 juillet). Les Autrichiens perdirent 30,000 hommes, mais se retirèrent en bon ordre vers la Bohême.

Cependant l'empereur François demanda la paix. Par le traité de Vienne (octobre 1809), il dut céder au grand-duché de Varsovie sa part de Pologne, à la Bavière la vallée de l'Inn, à Napoléon les provinces de l'Adriatique avec Trieste; au total, près de quatre millions de sujets.

L'Apogée de Napoléon. —La paix de Vienne marqua l'apogée de la puissance de Napoléon. Pendant deux ans il fut le maître de l'Europe centrale et occidentale. Empereur des Français, roi d'Italie, médiateur de la Confédération suisse, protecteur de la Confédération du Rhin, entouré de rois vassaux, il commandait à plus de 70 millions d'hommes, la moité de la population d'Europe. Il avait pour alliés, volontaires ou forcés, le tsar, l'empereur d'Autriche, les rois de Prusse et de Danemark. La Suède, dont la dynastie était près de s'éteindre, prenait pour prince royal un de ses maréchaux, Bernadotte. Napoléon lui-même, ayant divorcé avec l'impératrice Joséphine, obtenait la main de l'archiduchesse Marie-Louise, fille de l'empereur d'Autriche. A la cérémonie du mariage, la traîne de la nouvelle impératrice était portée par cinq reines (1810). L'enfant qui naquit de cette union reçut le titre de Roi de Rome. Il semblait que l'avenir de la dynastie fût assuré et que Napoléon touchât à l'heure du triomphe définitif.

L'Armée impériale. — Ce triomphe, cette incomparable puissance, Napoléon les devait tout à la fois à son propre génie et à la valeur de son armée.

L'armée impériale était restée organisée à peu près comme l'armée républicaine. Elle se recrutait par la loi de la conscription votée en 1798 sous le Directoire: en vertu de cette loi, tous les Français de vingt à vingt-cinq ans formaient cinq classes de conscrits; la classe la plus jeune était appelée la première, les autres suivaient en cas de besoin par rang d'âge. La durée du service était fixée à cinq ans.

L'armée comptait un corps d'élite, la garde impériale. Forte de 9,000 hommes à l'origine, elle finit par devenir une véritable armée de 90,000 hommes, divisée en vieille garde, moyenne et jeune gardes. Elle se recrutait parmi les sous-officiers et les soldats ayant fait plusieurs campagnes et de conduite exemplaire. L'infanterie de la garde se composait de grenadiers, de chasseurs à pied, de voltigeurs; la cavalerie, des grenadiers à cheval, les plus beaux hommes de l'armée, des dragons de l'impératrice, des chasseurs, des Mameloucks, en partie venus d'Égypte, et des gendarmes d'élite. En outre, à partir de 1806, l'armée impériale compta des régiments étrangers, suisses, polonais, croates, etc., dont le nombre alla sans cesse croissant.

Napoléon apportait le plus grand soin à la constitution des cadres inférieurs, officiers et sous-officiers. Il les voulait formés d'hommes rompus au métier des armes: nul ne pouvait être promu sergent avant quatre années de service, sous-lieutenant avant huit années. L'école militaire de Saint-Cyr formait les officiers instruits, destinés aux cadres supérieurs, que l'empereur voulait jeunes. Les colonels et les généraux avaient en moyenne trente-sept ans; beaucoup avaient moins.

CHAPITRE IX
LA CHUTE DE NAPOLÉON

Causes du déclin de l'Empire. — La puissance de Napoléon était plus apparente que réelle et il ne fallut pas deux années pour l'abattre.

L'immense Empire français n'avait été fondé que par la force et ne se soutenait que par la force. Les peuples annexés, Belges, Hollandais, Allemands, Italiens, supportaient avec une impatience croissante la domination étrangère, l'odieux fardeau de la conscription, le blocus continental, ruineux surtout pour les marchands de Hambourg et de Hollande. Enfin la France elle-même, rassasiée de gloire, était lasse: les meilleurs soldats étaient tombés sur les champs de bataille. La guerre d'Espagne, qui se prolongeait sans résultats décisifs, était comme une blessure incurable au flanc de l'Empire.

L'Empire n'était entouré que d'alliés. Mais les alliés, Russes, Prussiens, Autrichiens, avaient tous été conduits à l'alliance par la défaite et n'y demeuraient que par la crainte. Leur unique pensée devait être et était la revanche, et chacun d'eux la préparait de son mieux.

Le Réveil de la nation allemande. — Nulle part la domination française et le despotisme napoléonien n'étaient plus détestés qu'en Allemagne. Dès 1809, des soulèvements partiels, en Tyrol, en Westphalie, réprimés non sans peine, avaient prouvé que le patriotisme s'éveillait parmi les peuples. A la veille de la paix de Vienne, un étudiant saxon avait essayé de poignarder Napoléon, "intimement convaincu, disait-il, qu'en le tuant il rendrait le plus grand service à son pays et à l'Europe." "Vous tuer n'est pas un crime, c'est un devoir," répondit-il à Napoléon qui l'interrogeait. C'était l'état d'esprit des Espagnols et le présage d'un prochain mouvement national germanique.

La Prusse, si lourdement frappée après Iéna, se réorganisait silencieusement. Un groupe de ministres patriotes, Stein, Hardenberg, Scharnhorst, travaillaient depuis 1808 au relèvement du royaume. Ayant constaté quelles prodigieuses ressources militaires la Révolution avait assurées à la France, ils s'efforçaient de procurer les mêmes ressources à la Prusse en intéressant, par des réformes inspirées pour partie de la Révolution, le peuple entier à la guerre future contre Napoléon. C'est ainsi qu'ils avaient aboli les distinctions de droits entre nobles, bourgeois et paysans, délivré le paysan du servage, supprimé les corvées, rendu les grades militaires accessibles à tous, roturiers ou nobles, rendu national le recrutement de l'armée, imaginé enfin pour le soldat un mode d'instruction rapide qui permettait de faire passer chaque année par les casernes deux fois plus d'hommes que ne le croyait Napoléon.

Rupture de l'alliance franco-russe. — Pourtant ce ne fut pas la Prusse, mais la Russie qui donna le signal de la croisade contre Napoléon. L'alliance française n'avait jamais été populaire en Russie. Dans les églises russes, on récitait publiquement des prières contre les Français, et certains pensaient à assassiner le tsar Alexandre pour s'être allié avec eux. Le tsar lui-même se détacha de la France quand il vit les effets ruineux du blocus et quand il s'aperçut que Napoléon ne lui donnerait jamais ni Varsovie, ni Constantinople.

Dès 1810, Alexandre se rapprocha de l'Angleterre et commença ses préparatifs de guerre. Napoléon riposta en annexant en 1811 le grand-duché d'Oldenbourg qui appartenait au beau-frère du tsar; les relations entre les deux empereurs s'envenimèrent d'autant plus. A la fin d'avril 1812, Alexandre se jugeant prêt, adressa un ultimatum à Napoléon. Il avait pour alliés les Anglais, les Espagnols, et les Suédois avec Bernadotte, séduit par la promesse de la Norvège. La guerre fut déclarée le 22 juin 1812.

Napoléon avait pour alliés l'empereur d'Autriche et le roi de Prusse. Mais ces prétendus alliés assuraient le tsar de toutes leurs sympathies.

Campagne de Russie. — Napoléon attaqua avec 350,000 hommes. Il voulait d'abord détruire l'armée russe, puis dicter la paix à Moscou. Mais les Russes furent insaisissables. Le tsar avait adopté la tactique suivante: éviter les grandes batailles, entraîner les Français dans l'intérieur des terres, et "laisser au temps, au désert, au climat le soin de la défense."

Les Français parvinrent à six jours de marche de Moscou, sans avoir livré de bataille décisive, mais ayant perdu des milliers d'hommes par la maladie et la désertion. Cependant le peuple russe s'indignait qu'on laissât l'ennemi occuper Moscou, la "Ville Sainte." Koutousof, avec 180,000 hommes et 640 canons, fut chargé de barrer la route à Napoléon, qui ne disposait pas de forces supérieures. Une bataille furieuse s'engagea au sud de Borodino, près de la Moskova, la rivière de Moscou (7 septembre 1812). Le soir les Français avaient perdu 30,000 hommes, les Russes 40,000. Ceux-ci battirent en retraite, mais en bon ordre et nullement démoralisés.

L'armée française entra dans Moscou. Napoléon espérait que la prise de la vieille capitale déterminerait Alexandre à traiter. A tout le moins il pourrait passer l'hiver dans cette grande ville, s'y ravitailler et marcher de là sur Saint-Pétersbourg.

Le patriotisme russe ruina tous ces desseins. Alexandre ne demanda pas la paix. Et le lendemain même de l'entrée de Napoléon dans Moscou, les Russes incendiaient la ville. Napoléon cependant s'obstina à rester. Il ne se décida à partir que le 18 octobre 1812, ayant perdu quatre précieuses semaines.

La Retraite. — La retraite tourna au désastre par suite d'un hiver précoce et d'une exceptionnelle rigueur. En novembre le thermomètre tomba à -30°; au début de décembre à -37° centigrade. Le froid foudroyait les corbeaux en plein vol et tua aux Russes eux-mêmes, habitués au climat, près de la moitié de leurs effectifs. Quant à l'armée française, talonnée par Koutousof, harcelée par des nuées de Cosaques, elle ne fut plus bientôt qu'une cohue de malheureux mourant de faim et de froid, jalonnant la route de traînées de cadavres, d'armes, de voitures, de canons abandonnés. Aux abords de la Bérésina, une rivière large de 80 mètres, les Français se trouvèrent cernés entre trois armées russes, fortes de 140,000 hommes.

Ils étaient 65,000, dont 28,000 à peine encore armés. Un soudain dégel venait de fondre la glace sur laquelle ils comptaient passer. Grâce à l'héroïsme des quatre cents soldats pontonniers du général Éblé qui se sacrifièrent pour le salut de tous, deux ponts furent jetés sur la rivière. Pendant vingt-quatre heures, nuit et jour, ces héros travaillèrent dans l'eau chargée de glaçons qui s'attachaient aux chairs. La plupart en moururent; mais les Français purent faire brèche dans l'armée russe et continuer la retraite (25-29 novembre). Le 16 décembre 1812, 18,000 hommes en haillons repassaient le Niémen. Les pertes totales montaient à 330,000 hommes. L'une des dernières nuits de la retraite, le froid dans une division de 15,000 hommes en avait tué 12,000.

Campagne de 1813. — Le désastre de Russie fut pour Napoléon "le commencement de la fin." Tous les vaincus tressaillirent d'espérance. La Prusse fut la première à se joindre aux Russes contre la France (février 1813). L'Autriche demeura neutre, mais pour pouvoir compléter ses armements.

Napoléon, cependant, déployait une activité prodigieuse. En quelques semaines il reconstituait une armée de 300,000 hommes, mais c'étaient de tout jeunes conscrits ayant moins de vingt ans, et on n'eut pas le temps de former une cavalerie suffisante.

Dès le printemps de 1813, l'empereur reprit l'offensive. Par la victoire de Lutzen (2 mai), il rejeta les Prusso-Russes au delà de l'Elbe; par la victoire de Bautzen (19 mai), au-delà de l'Oder. Les alliés demandèrent alors un armistice pour donner à l'armée autrichienne, qui n'était pas encore prête, le temps d'entrer en ligne. Des négociations s'ouvrirent au congrès de Prague, qui ne fut qu'une comédie habilement jouée par le chancelier d'Autriche, Metternich. Au mois d'août, l'Autriche se joignit enfin à la coalition, qui comprenait maintenant tous les grands États d'Europe.

Dresde. Leipzig. — Alors s'engagea la lutte décisive entre Napoléon et l'Europe. Les alliés disposaient de 500,000 hommes en trois armées: une armée autrichienne dont le chef fut Schwarzenberg, une armée prusso-russe avec Blücher, une armée suédo-russe, commandée par Bernadotte.

Avec 70,000 hommes, à Dresde, Napoléon réussit encore à repousser les 150,000 Autrichiens de Schwarzenberg. Mais ses lieutenants étaient battus, en Silésie par Blücher, en Brandebourg par Bernadotte. Pour ne pas se laisser déborder, il se retira sur Leipzig. Adossé à la rivière de l'Elster, il soutint là, pendant quatre jours, du 16 au 19 octobre, avec 155,000 hommes, l'assaut de 300,000 coalisés. Ce fut la plus colossale bataille de l'Empire, appelée par les Allemands *la bataille des nations*. Le 18 au soir, faute de munitions, Napoléon dut ordonner la retraite. Mais il n'y avait qu'un pont sur l'Elster, et on le fit sauter par erreur avant que toute l'armée ne fût passée. Les alliés purent ramasser ainsi 20,000 prisonniers et 250 canons; eux-mêmes avaient 60,000 hommes hors de combat.

Toute l'Allemagne se joignit aux vainqueurs. A Leipzig, pendant la bataille, Saxons et Wurtembergeois avaient fait défection et passé du côté des alliés. Après Leipzig, l'armée bavaroise voulut barrer la route à Napoléon : elle fut culbutée à Hanau (30 octobre 1813). Les Français purent repasser sur la rive gauche du Rhin.

Perte de l'Espagne. — En même temps que Napoléon perdait l'Allemagne, ses maréchaux achevaient de perdre l'Espagne. Les efforts faits pendant cinq ans pour soumettre les Espagnols n'avaient pas abouti, parce qu'il n'y avait pas eu d'unité de commandement, et que les chefs des différentes armées se jalousaient et ne se soutenaient pas. Les Anglais, commandés par Wellington, n'avaient pu être délogés des lignes de Torrès-Vedras, en Portugal. Partis de là, ils avaient pris Madrid (23 mai 1813), refoulé les Français vers le nord, et, par la victoire de Vitoria (21 juin 1813), Wellington les avait rejetés en France. Au moment où Napoléon allait avoir à faire face à l'invasion par la frontière du Rhin, le maréchal Soult avait à défendre déjà la frontière des Pyrénées. Napoléon, trop tard, se décida à rendre sa couronne à Ferdinand et à le renvoyer en Espagne (décembre 1813).

L'Invasion. — Au mois de janvier 1814, les alliés franchirent le Rhin. Bernadotte marcha sur la Belgique; Blücher et Schwarzenberg, se dirigeant droit sur Paris avec les souverains, opérèrent leur concentration sur l'Aube; leurs forces réunies montaient à 250,000 hommes. Napoléon n'avait pas 80,000 hommes à leur opposer. Mais par son génie, par la rapidité de ses mouvements, il allait, pour ainsi dire, se multiplier. L'empereur, selon ses expressions, "chaussa les bottes du général de l'armée d'Italie."

Les alliés se flattaient d'être à Paris en huit jours, il leur fallut plus de deux mois pour y parvenir. Après avoir repoussé Napoléon à la Rothière (1er février), ils se séparèrent pour vivre plus aisément, et marchèrent sur Paris, Blücher par la Marne et le Petit Morin, Schwarzenberg par l'Aube et la Seine. Napoléon se plaça entre eux, et volant de l'un à l'autre, frappant tour à tour sur la Marne et sur la Seine, il s'efforça de les arrêter successivement.

En février, il se jeta sur l'armée de Blücher à Champaubert, la dispersa les jours suivants à Montmirail, Château-Thierry, Vauchamps. Ces quatre combats en quatre jours (10-13 février) coûtèrent aux Prussiens refoulés jusqu'à Châlons 40,000 hommes et 100 canons. Courant de là sur Schwarzenberg, il l'arrêta à Montereau, le battit et le rejeta au delà de l'Aube sur Chaumont. Du 10 au 18 février, faisant transporter une partie de son infanterie en charrettes, il avait livré et gagné sept batilles, et ramené les alliés à peu près aux positions qu'ils occupaient un mois plus tôt, au début de la campagne.

Mais en mars, les alliés ayant repris l'offensive, Napoléon fut moins heureux. Blücher, qu'il espérait écraser sur l'Aisne, parvint à s'échapper par le pont de la place de Soissons qui venait de capituler. Poursuivi toujours, battu à Craonne (7 mars), mais finalement rejoint par des renforts détachés de l'armée de Bernadotte, il se retrancha sur le plateau de Laon, d'où Napoléon ne put le déloger (9 mars). Revenu en toute hâte sur l'Aube, Napoléon se heurta à Arcis-sur-Aube, avec 28,000 hommes, aux 100,000 hommes de Schwarzenberg: il dut reculer (20 mars).

Abdication de Napoléon. — Dans cette situation désespérée, Napoléon conçut un plan audacieux: il marcha sur la Lorraine, pour y ramasser les garnisons des places fortes, couper les lignes de ravitaillement des alliés et les forcer à revenir en arrière.

Le plan faillit réussir; les alliés se disposaient à reculer vers Metz, quand ils apprirent, par un courrier intercepté, que Paris n'était pas en état de se défendre et qu'il y existait un fort parti en faveur des Bourbons. Le tsar fit alors décider la marche en masse sur Paris (24 mars).

Paris n'était pas fortifié. Pourtant les alliés ne se rendirent maîtres de la ville qu'après une bataille sanglante (30 mars). Le soir une capitulation fut signée. Le 31 mars, les alliés firent leur entrée dans Paris, évacué par les troupes françaises.

Cependant Napoléon était encore là, à Fontainebleau, à 50 kilomètres de Paris, avec 60,000 hommes. Dès qu'il avait appris la marche des alliés sur Paris, il était revenu à bride abattue. Il se préparait à combattre. Mais ses maréchaux, las de la guerre, refusèrent de marcher. L'un d'eux, Marmont, abandonna ses positions et emmena ses troupes. Cette défection contraignit Napoléon à abdiquer sans conditions (6 avril): les alliés lui accordèrent la souveraineté de l'île d'Elbe, entre la Corse et l'Italie.

La Restauration des Bourbons. — Les alliés avaient décidé de restaurer en France la famille des Bourbons. A l'instigation de Talleyrand, le Sénat proclama roi sous le nom de Louis XVIII le comte de Provence, frère de Louis XVI.

Napoléon renversé, on traita de la paix. Les conditions en furent réglées par le traité de Paris (30 mai). La France ne gardait de toutes ses conquêtes que la Savoie et Avignon. Elle rendait, avec leur matériel représentant une valeur d'un milliard et demi, 53 places fortes d'Allemagne, d'Italie et de Belgique, qu'occupaient encore de fortes garnisons. La répartition des territoires qu'elle abandonnait devait être réglée par un congrès convoqué à Vienne.

Ce traité souleva l'indignation populaire en France. Les rancunes contre Napoléon furent oubliées. On ne vit plus en lui que le défenseur de la France envahie, et dans Louis XVIII qu'un roi "ramené dans les fourgons de l'étranger."

Le Retour de l'île d'Elbe. — A l'île d'Elbe, Napoléon était au courant des mouvements de l'opinion en France. Il se résolut à tenter de renverser les Bourbons.

Le 1er mars 1815, ayant échappé à la surveillance des flottes anglaises, il débarquait sur la côte de Provence avec un millier de vieux soldats: le 20, il était à Paris. Sa marche avait été un prodigieux triomphe. Lorsqu'il parut dans le vestibule des Tuileries, remplies de la foule de ses fidèles, la joie toucha au délire. L'empereur fut porté de mains en mains jusqu'aux salons du premier étage: "Je crus, raconte un témoin, assister à la résurrection du Christ."

La veille, Louis XVIII s'était enfui en Belgique.

Napoléon devait rester au pouvoir à peu près cent jours (28 mars – 22 juin 1815).

Waterloo. — Napoléon désirait la paix, mais les souverains ne volurent même pas négocier avec lui. Dès le 13 mars, ils l'avaient mis hors la loi "comme ennemi et perturbateur du repos du monde"; puis ils s'étaient engagés à mettre sur pied 800,000 hommes et à combattre jusqu'à l'écrasement de l'empereur.

Une armée anglaise, commandée par Wellington, une armée prussienne, commandée par Blücher, formaient l'avant-garde de la coalition, en Belgique; leurs forces réunies s'élevaient à 220,000 hommes. Napoléon résolut d'aller les chercher, de se jeter entre elles et de les accabler l'une après l'autre.

Il réunit 124,000 hommes, franchit la Sambre et le 16 juin battit Blücher près de Fleurus à Ligny, mais sans parvenir à écraser complètement l'armée prussienne. Puis, ayant chargé Grouchy avec 30,000 hommes de poursuivre les Prussiens, il se retourna contre les Anglais.

Le 18 juin à Waterloo, Napoléon fut battu de façon décisive. L'arrivé des Prussiens, qui avaient trompé Grouchy, décida de la victoire.

La Fin de Napoléon. — Quatre jours après Waterloo, de retour à Paris, le 22 juin, Napoléon, découragé et impuissant, abdiquait pour la seconde fois.

Après son abdication, il gagna le port de Rochefort, pensant s'y embarquer pour les États-Unis. Mais une croisière anglaise bloquait la côte. Alors Napoléon résolut de demander asile au gouvernement anglais et l'autorisation de vivre libre en Angleterre. Il s'embarqua à bord du vaisseau anglais *Bellérophon*. Les Anglais le considérèrent comme prisonnier de guerre et le firent transporter à Sainte-Hélène, un rocher perdu sous les tropiques, au milieu de l'océan Atlantique. Il y vécut six ans avec quelques fidèles, dictant ses souvenirs, soumis à de pénibles vexations, gardé à vue par des soldats, étroitement surveillé par les commissaires des alliés. Il mourut à cinquante-deux ans, le 5 mai 1821, d'un cancer à l'estomac.

Seconde Restauration. — Le 7 juillet, les Anglo-Prussiens avaient occupé Paris; le 8, Louis XVIII, revenu derrière l'armée des alliés, rentrait aux Tuileries.

Mais la chute de Napoléon et le retour de Louis XVIII ne suspendirent pas la marche des armées de la coalition. Près d'un million de soldats, entrant par toutes les frontières, envahirent la France et se vengèrent par mille exactions des défaites subies pendant vingt années. Ce régime dura plus de quatre mois, jusqu'à la conclusion du second traité de Paris (20 novembre 1815).

Ce traité ramenait la France à ses limites de 1790; on lui enlevait la Savoie et Nice, et plusieurs places fortes sur la frontière du nord-est. Elle devait, en outre, payer une lourde indemnité de guerre — 700 millions — et subir pendant cinq ans l'occupation étrangère — 150,000 hommes. Telle fut la désastreuse conclusion du retour de l'île d'Elbe : la France se retrouvait plus petite qu'à la veille de la Révolution.

Le Congrès de Vienne. — Après leur victoire, en 1814, les souverains alliés s'occupèrent de refaire la carte politique de l'Europe: ce fut l'œuvre du congrès de Vienne.

Le congrès se tint d'octobre 1814 à juin 1815. Des représentants de tous les États de l'Europe avaient été convoqués, mais en fait il n'y eut jamais de séance plénière. Toutes les questions furent réglées dans des conférences tenues par les représentants des grandes puissances, sous la présidence du chancelier d'Autriche, Metternich. Le représentant de Louis XVIII, Talleyrand, grâce à son incomparable habileté, réussit à se faire admettre à ces conférences et à y jouer un rôle important.

Les conférences de Vienne aboutirent à la signature de plusieurs traités qui furent ensuite réunis et contresignés par les grandes puissances sous le nom d'Acte final du congrès de

Vienne (9 juin 1815). Les États secondaires furent simplement invités à donner leur adhésion.

L'Europe en 1815. — Les traités de Vienne, complétés par le second traité de Paris, liquidèrent les vingt-trois années de guerre de la Révolution et de l'Empire.

L'Angleterre, maîtresse des mers, gardait Malte et les îles Ioniennes dans la Méditerranée; la Guyane, Tabago, la Trinité en Amérique; le Cap en Afrique; Ceylan en Asie; l'île de France dans l'océan Indien: toutes colonies enlevées à la France et à ses anciennes alliées, Hollande et Espagne.

La Prusse gagnait environ deux millions de sujets. Elle avait acquis une partie de la Pologne, un tiers de la Saxe; en outre, sur la rive droite du Rhin, la Westphalie: sur la rive gauche, Trèves et la plupart des territoires enlevés à la France. C'était comme une seconde Prusse, la Prusse rhénane, portée à la frontière de France et chargée de la surveiller.

L'Autriche gagnait quatre millions de sujets. Elle avait acquis en Allemagne, le Salzbourg; en Italie, la Lombardie et l'ancienne république de Venise, qui réunies formèrent le royaume lombard-vénitien; sur la côte de la péninsule balkanique, la Dalmatie. L'acquisition de la Lombardie et de la Vénétie faisait d'elle la puissance dominante en Italie.

La Russie gagnait de quatre à cinq millions de sujets. Elle avait acquis sur la Baltique, la Finlande, prise à la Suède; sur le Danube, la Bessarabie, prise à la Turquie; sur la Vistule, le grand-duché de Varsovie, qui portait sa frontière jusqu'au voisinage de l'Oder. De ce grand-duché, Alexandre fit un royaume de Pologne, juxtaposé et non pas annexé à l'empire de Russie.

Autour de la France était constituée une barrière d'États secondaires, destinée à l'isoler. Cette barrière se composait du royaume des Pays-Bas, État nouveau formé par la réunion de la Belgique à la Hollande; de la Confédération suisse formée de dix-neuf cantons neutres, dont la neutralité était garantie par l'Europe; du royaume de Sardaigne, qui reprenait la Savoie, Nice et le Piémont, et qui acquérait Gênes et son territoire.

En Allemagne on ne rétablit — le royaume de Hanovre excepté — presque aucun des États que la Révolution et Napoléon avaient fait disparaître. Les États ecclésiastiques, notamment, demeurèrent tous supprimés. Les trente-huit Etats subsistants — il y en avait 360 en 1792 — formèrent la Confédération germanique présidée par l'Autriche. La Confédération n'était d'ailleurs qu'une association de souverains indépendants et non pas une union des peuples en un peuple.

En Italie, les anciens souverains, le roi de Sardaigne, le pape, les Bourbons de Sicile, les princes autrichiens de Parme, Modène et Toscane, furent rétablis dans leurs États. Seules les républiques de Venise et de Gênes avaient définitivement disparu.

Au nord de l'Europe, la Norvège, enlevée au Danemark, était annexée à la Suède et la presqu'île scandinave formait ainsi un royaume unique au profit de Bernadotte.

Telle était la conclusion de l'épopée révolutionnaire et impériale. Mais ses répercussions devaient se prolonger bien au delà de 1815, et entraîner de nouveaux et profonds remaniements aussi bien de la carte de l'Europe que de son régime politique et social. Par la Révolution française et l'Empire avaient été répandues hors de France les idées nouvelles résumées dans la Déclaration des droits de l'homme: idées de liberté et d'égalité, idée de la souveraineté des peuples. Partout où dans ces vingt-trois ans la France établit sa domination ou fit prévaloir son influence, en Belgique, en Hollande, sur la rive gauche du Rhin, dans les parties de l'Allemagne annexées à l'Empire, dans certains États de la Confédération du Rhin, en Piémont, en Lombardie, en Vénétie, partout la France avait aboli le régime des privilèges et des droits féodaux, et mis en vigueur le code civil. Dans ces pays, les rois, en 1815, n'osèrent pas tenter la restauration des anciens usages. Partout aussi la Révolution éveilla chez les peuples la volonté de limiter l'arbitraire des souverains, le désir de participer au gouvernement, et de fixer par des constitutions les droits et les devoirs réciproques des gouvernants et des gouvernés. Partout elle éveilla chez eux la conscience nationale, le désir de s'affranchir des dominations oppressives et de briser les cadres arbitraires de l'ancien régime. En sorte qu'après 1815, l'action de la Révolution continua de se faire sentir par toute l'Europe et qu'elle s'y prolongea soit par des mouvements libéraux dans les pays encore soumis à la monarchie absolue, soit par des mouvements nationaux, chez les peuples encore vassaux ou morcelés, comme les Belges, les Polonais, les Allemands et les Italiens. Ainsi la Révolution et l'Empire ont, dans ses traits essentiels, forgé l'Europe contemporaine.

QUATRIÈME PARTIE
LA FRANCE CONTEMPORAINE

CHAPITRE PREMIER

LA RESTAURATION

La Charte. — Restauré pour la seconde fois en 1815, Louis XVIII maintint la constitution qu'il avait promulguée en 1814 sous le nom de Charte constitutionnelle.

Ce nom de Charte, emprunté aux institutions de l'ancien régime, était destiné à marquer que la constitution émanait "du libre exercice de l'autorité royale," qu'elle était une concession gracieuse de Louis XVIII à son peuple, et non pas un contrat entre le peuple et son roi. La Charte reposait donc, non pas sur le principe de la souveraineté du peuple, comme les constitutions de 1791, de 1793, de l'an III et de l'an VIII, mais sur le principe de la souveraineté royale de droit divin. Louis XVIII se proclamait "roi par la grâce de Dieu," et datait la Charte de la dix-neuvième année de son règne.

Cependant la Charte garantissait aux Français les conquêtes essentielles de la Révolution: l'égalité devant la loi, l'admissibilité de tous à tous les emplois; la liberté individuelle, la liberté du culte, la liberté de la presse sous la seule réserve de se conformer "aux lois qui réprimeraient les abus de cette liberté." Elle maintenait le code civil, l'organisation judiciaire de l'Empire, la Légion d'honneur. Elle déclarait irrévocable la vente des biens nationaux.

D'autre part la Charte établissait un régime représentatif imité de l'Angleterre. Le pouvoir exécutif appartenait au roi seul, assisté de ministres responsables. Mais le roi partageait le pouvoir législatif avec deux Chambres, la Chambre des pairs et la Chambre des députés: aucune loi ne pouvait être appliquée, aucun impôt ne pouvait être établi sans un vote des deux Chambres. Les pairs étaient nommés par le roi, à titre viager ou à titre héréditaire. Les députés étaient élus pour cinq ans par les Français âgés de trente ans au moins, et payant au moins 300 francs de contributions directes.

Ainsi la Charte faisait du droit de vote un privilège de la fortune: la Chambre des députés ne représentait qu'une petite minorité de gens riches, grands propriétaires, banquiers, industriels et gros commerçants, environ 90,000 électeurs. La masse de la nation était tenue à l'écart.

Les Partis. — Il se forma bientôt dans le pays trois grands partis, le parti ultra-royaliste, le parti royaliste constitutionnel, le parti indépendant.

Les Ultras, pour la plupart anciens émigrés, n'acceptaient qu'à regret la Charte et voulaient restreindre le plus possible les libertés accordées par elle; c'étaient se montrer plus royaliste que le roi: de là leur surnom d' "Ultras". Ils voulaient aussi qu'on restituât aux émigrés les biens confisqués par la Révolution, qu'on rendît au clergé une place éminente dans l'État et que l'enseignement fût mis sous sa surveillance. Les Ultras étaient peu nombreux, mais ils étaient riches, actifs, violents, et ils avaient pour chef le frère même du roi, son héritier, le comte d'Artois.

Aux Ultras s'opposaient les libéraux, Constitutionnels ou Indépendants.

Les Constitutionnels étaient ceux qui voulaient l'application loyale de la Charte. On appelait quelques-uns d'entre eux les Doctrinaires à cause de leur ton un peu sentencieux et dogmatique. Dans leurs rangs on trouvait, avec des émigrés comme le duc de Richelieu, beaucoup de membres des Assemblées de la Révolution comme Royer-Collard, de grands fonctionnaires de l'Empire comme Decazes. Le gros des forces était constitué par la haute bourgeoisie.

Quant au parti des Indépendants, il groupait tous ceux qui, républicains, bonapartistes ou même monarchistes, étaient partisans de la souveraineté du peuple, ennemis des Bourbons, et, par opposition aux Ultras, ennemis du clergé. Il comprenait une partie de la bourgeoisie, les étudiants, les officiers et les vieux soldats de Napoléon, les ouvriers des villes, les paysans acheteurs de biens nationaux menacés par les émigrés: éléments disparates, mais énergiques, qui se ralliaient autour d'un même symbole, le drapeau tricolore. Leurs chefs les plus populaires étaient La Fayette et le général Foy. Beaucoup s'affilièrent à des sociétés secrètes où l'on conspira contre les Bourbons.

Les Constitutionnels avec les Ultras représentaient la majorité du corps électoral. Les Indépendants ne furent jamais à la Chambre qu'une minorité, mais ils représentaient la majorité de la France.

La Terreur blancne. — Les Ultras furent d'abord les maîtres. Furieux d'avoir été chassés pendant les Cent jours, ils revinrent en 1815 ne pensant qu'à la vengeance et réclamant "des fers, des bourreaux, des supplices." La "Terreur blanche" se vit bientôt dans toute la France.

Dans le midi, à Marseille, Nîmes, Toulouse, Avignon, la populace royaliste se livra à de véritables massacres. Le maréchal Brune fut au nombre des victimes. A côté des vengeances populaires et anarchiques, il y eut les vengeances officielles et les assassinats juridiques; Ney lui-même, si populaire par sa bravoure, et plusieurs généraux furent mis en jugement, condamnés à mort et fusillés. Tous les régicides, c'est-à-dire les anciens conventionnels qui avaient voté la mort de Louis XVI, furent bannis. Carnot alla mourir à Magdebourg.

La Chambre, élue en pleine Terreur blanche, fut presque entièrement composée d'Ultras. Louis XVIII déclara d'abord "qu'une pareille Chambre était introuvable." Le mot resta. La Chambre introuvable vota plusieurs lois d'exception, telle la loi sur les écrits et les cris séditieux (novembre 1815), qui punissait de la déportation le cri de "A bas les Bourbons!", même le simple fait d'arborer un drapeau tricolore. Elle institua des tribunaux d'exception, les cours prévôtales, qui jugeaient sans appel les crimes ou délits politiques: en quelques mois, il fut prononcé plusieurs milliers de condamnations, dont un grand nombre de condamnations à mort.

Le fanatisme de la Chambre introuvable inquiétait les souverains étrangers qui craignaient un nouveau soulèvement de la France exaspérée. Ils signalèrent le danger à Louis XVIII, naturellement porté par sa modération, son bon sens et son amour de la tranquillité, à mettre fin à ce régime. Ses ministres, le duc de Richelieu et Decazes, inclinaient eux aussi vers une politique plus libérale. Louis XVIII, en septembre 1816, se décida à dissoudre la Chambre introuvable.

Le Gouvernement des modérés. — Les élections donnèrent la majorité aux royalistes constitutionnels qui devaient la conserver jusqu'en 1820. Ces quatre années furent une période de liberté relative et de réorganisation.

Le maréchal Gouvion Saint-Cyr réorganisa l'armée par la loi de 1818 qui devait demeurer en vigueur dans ses dispositions essentielles jusqu'en 1868. Elle constitua une armée forte de 240,000 hommes sur le pied de paix, qui permit à la France de reprendre son rang parmi les grandes puissances. En principe l'armée se recrutait par engagements volontaires, mais pour parer à l'insuffisance de ces engagements, la loi organisait le système des appels par tirage au sort. On remettait ainsi en vigueur, sans la nommer, la conscription. Les appelés pouvaient acheter un remplaçant.

Le baron Louis, ancien fonctionnaire de l'Empire, réorganisa les finances: chaque année le budget des dépenses et le budget des recettes durent être soumis aux Chambres et votés par elles. Les Chambres exercèrent dès lors un contrôle rigoureux sur l'emploi des finances publiques, et par suite sur tous les actes de l'administration.

Decazes, devenu premier ministre, fit voter en 1819 une loi sur la presse. Malgré les promesses de la Charte, la Restauration avait maintenu d'abord le régime impérial en matière de presse. Decazes supprima l'autorisation préalable et la censure; les délits de presse furent enlevés aux tribunaux correctionnels et déférés au jury de la cour d'assises, plus indépendant. Mais pour fonder un journal, il fallait déposer un très important cautionnement qui était de 10,000 francs de rente pour Paris. Chaque numéro était soumis à un droit de timbre de dix centimes. Aussi, — la vente au numéro n'étant pas en usage, — l'abonnement s'élevait-il à environ 80 francs. De même que le droit de vote, la lecture des journaux restait le privilège des riches.

Retour des Ultras au pouvoir. — Cependant les Ultras menaient une campagne acharnée contre Decazes. Ils avaient gagné à leur cause la droite du parti constitutionnel, le groupe de Richelieu, effrayé par les progrès des Indépendants qui comptaient 25 députés en 1817, 90 en 1819. Decazes lui-même se proposait de faire modifier la loi électorale quand une catastrophe amena sa chute.

L'espoir de voir continuer la dynastie des Bourbons était tout entier dans le duc de Berri, fils du comte d'Artois. Le soir du dimanche gras, 13 février 1820, le duc, qui sortait de l'Opéra, fut poignardé par un ouvrier sellier, Louvel. Celui-ci, un fanatique, avait frappé le duc de Berri pour anéantir en lui la race des Bourbons. Mais la duchesse de Berri mit au monde, quelques mois plus pard, un fils qui reçut le nom de duc de Bordeaux (29 septembre 1820).

Le crime de Louvel fut aussitôt exploité par les Ultras. "Le poignard qui a frappé le duc de Berri est, disaient-ils, une idée libérale." Le comte d'Artois demanda à genoux à Louis XVIII le renvoi de son ministre favori Decazes. Le ministre lui-même offrit sa démission que le roi se résigna à accepter.

Decazes fut remplacé d'abord par Richelieu; puis, Richelieu paraissant encore trop modéré, par un des chefs du parti ultra, le comte de Villèle.

Pour arrêter les progrès du parti indépendant à la Chambre, Richelieu fit adopter la loi du double vote (juin 1820): en vertu de cette loi, les électeurs, divisés en collèges d'arrondissement, n'élisaient plus que 258 députés sur 430. Les 172 députés restants étaient élus par un quart des électeurs les plus imposés, réunis en collèges de département. Les électeurs les plus riches, environ 20,000, votaient donc deux fois, dans les collèges d'arrondissement et dans les collèges de département. Le double vote assura le triomphe des Ultras: en 1824, une nouvelle Chambre ayant été réélue, les Indépendants furent réduits à sept.

La liberté de la presse fut suspendue. On rétablit la censure et l'autorisation préalable. Villèle fit voter la loi de 1822, qui rendait le jugement des délits de presse aux tribunaux correctionnels.

L'opposition étant devenue impossible dans les journaux et à la Chambre, les Indépendants essayèrent des coups de force. Ils formèrent une société secrète, appelée la Charbonnerie, du nom d'une société secrète italienne. Chaque affilié versait un franc par mois, devait avoir un fusil, cinquante cartouches, et jurait d'exécuter aveuglément les ordres de ses chefs. La Charbonnerie se recruta surtout parmi les étudiants et dans l'armée. Elle organisa en 1821 et en 1822 neuf complots qui échouèrent tous et se terminèrent par des condamnations à mort, entre autres celles de quatre sergents du 45e de ligne en garnison à la Rochelle (2 septembre 1822).

Charles X. — En 1824, Louis XVIII mourut. Son frère le comte d'Artois lui succéda sous le nom de Charles X. Il avait soixante-huit ans. Avec lui, c'était l'émigration même, le parti ultra et la contre-révolution qui arrivaient au trône. Inintelligent et têtu, Charles X était tout imbu des préjugés d'ancien régime. Il se vantait d'être le seul homme qui n'eût pas changé depuis 1789, et déclarait "qu'il aimerait mieux scier du bois que de régner à la façon d'un roi d'Angleterre."

L'un des premiers actes du nouveau règne fut la mise à la retraite de deux cent cinquante généraux de l'Empire.

Les Lois de réaction. — Soutenu par Charles X, Villèle entreprit de réaliser tout le programme des Ultras. En 1825, il fit adopter par les Chambres deux lois: la loi dite du milliard des émigrés et la loi du sacrilège. La première loi assurait à tous les propriétaires fonciers, dont les biens avaient été confisqués au cours de la Révolution, une indemnité égale à vingt fois le revenu de leurs biens pendant l'année 1790. On avait estimé d'abord la somme nécessaire à un milliard: d'où l'expression "le milliard des émigrés." En réalité l'indemnité monta à 625 millions. La loi du sacrilège punissait des travaux forcés à perpétuité le vol des vases sacrés dans une église, de la peine de mort la profanation publique d'une hostie consacrée.

Ces deux lois, votées après d'ardentes discussions, irritèrent l'opinion publique. Villèle n'hésita pas cependant à déposer deux nouveaux projets de loi, plus réactionnaires encore. L'un, qui portait atteinte à l'égalité sociale, rétablissait pour certaines successions le droit d'aînesse. L'autre, relatif à la presse, imposait des charges si rigoureuses aux imprimeurs qu'il eût entraîné à bref délai la suppression de l'imprimerie en France: c'est ainsi que toute feuille imprimée, fût-ce un simple billet de faire part, devait être taxée un franc par exemplaire. Un Ultra ayant qualifié le projet "loi de justice et d'amour," ce surnom lui resta.

La Chambre des députés, malgré l'opposition désespérée des libéraux, vota les deux projets. Mais l'un et l'autre furent successivement repoussés par la Chambre des pairs, où siégeaient beaucoup d'hommes de la Révolutoin et de l'Empire. Ce fùt à Paris une explosion de joie; le peuple célébra l'échec du gouvernement par des illuminations générales (1827). Dans l'espoir de détruire toute opposition, Villèle fit créer par le roi 76 pairs nouveaux et dissoudre la Chambre des députés, qui elle-même n'était plus assez docile. Mais ses adversaires avaient eu le temps de s'organiser: ils parvinrent à faire élire 250 opposants contre 170 ministériels (novembre 1827). Villèle démissionna.

Le Ministère Polignac. — Si hostile qu'il fût à une politique de modération, Charles X hésita d'abord à entrer en conflit avec la Chambre. A contre-cœur il remplaça Villèle par un royaliste modéré, Martignac, qui lutta sans succès contre l'opposition de droite et de gauche. Au bout d'un an et demi, Martignac fut renvoyé, et le roi, décidé à faire prévaloir sa politique, forma un ministère d'Ultras intransigeants présidé par le prince Jules de Polignac (août 1829). Polignac était connu pour avoir été mêlé à la conspiration de Cadoudal, et par la suite pour avoir protesté contre la Charte et refusé longtemps d'y prêter serment. En apprenant la formation de ce ministère, Metternich lui-même écrivit : "L'événement a la valeur d'une contre-révolution." Talleyrand, avec deux jeunes journalistes, Thiers et Mignet, commença une habile propagande en faveur du duc d'Orléans.

Dès l'ouverture de la session parlementaire, en 1830, le conflit attendu se produisit. Au discours menaçant du roi, la Chambre riposta par la célèbre *Adresse des 221*, du nombre des députés qui la votèrent. En termes très respectueux, mais très fermes, elle exposait au roi qu'il y avait désaccord complet entre les vues de ses ministres et les vœux de la nation (18 mars 1830).

Le roi prorogea immédiatement la Chambre, puis il la déclara dissoute. De nouvelles élections eurent lieu du 23 juin au 19 juillet. Un éclatant succès venait d'être remporté en Afrique. Une armée française débarquée le 13 juin près d'Alger avait, après de brillants combats, occupé la ville le 5 juillet. Le roi et Polignac escomptaient le bénéfice moral de cette victoire: à leur profonde stupeur, le nombre des députés d'opposition passa de 221 à 270.

En vain les hommes clairvoyants conseillaient à Charles X des mesures de conciliation. Le roi, buté, répondait: "Les concessions ont perdu Louis XVI, je n'ai qu'à monter à cheval ou en charrette." Le dimanche 25 juillet, au château de Saint-Cloud, s'appuyant sur l'article 14 de la Charte qui lui conférait le pouvoir "de faire les règlements et ordonnances nécessaires pour l'exécution des lois et la sécurité de l'État," Charles X signa quatre ordonnances.

La première supprimait la liberté de la presse et rétablissait l'autorisation préalable.

La seconde portait dissolution de la Chambre.

La troisième modifiait la loi électorale, enlevant le droit de vote à certaines catégories de citoyens.

La quatrième fixait la date des nouvelles élections et de la convocation des Chambres.

De ces quatre ordonnances, la première et la troisième constituaient une violation flagrante de la Charte.

La Révolution de Juillet. — La publication des ordonnances — elles parurent le lundi matin 26 au *Moniteur* — déchaîna sur l'heure la Révolution.

Les journalistes, atteints les premiers, protestèrent au nom de la loi et signèrent un manifeste énergique rédigé par Thiers: "Le régime légal est interrompu, celui de la force est commencé, disaient-ils. Le gouvernement a violé la légalité, nous sommes dispensés d'obéir." On criait dans les rues "Vive la Charte! A bas Polignac!"

Le 27, on commença à dresser les barricades. D'anciens officiers, un groupe de républicains énergiques dont le chef était Godefroy Cavaignac, des élèves de l'École polytechnique organisèrent l'insurrection. Il y eut trois journées de bataille, les Trois Glorieuses, les 27, 28 et 29 juillet. Polignac, convaincu que "Paris ne bougerait pas," n'avait pris aucune précaution, et Marmont, chargé de réprimer l'insurrection, ne disposait que de 8,000 hommes. D'ailleurs dans la guerre des rues, les troupes n'avaient aucun avantage sur les insurgés: le fusil de munition du soldat n'était pas supérieur au fusil de chasse du bourgeois, et, au milieu d'espaces resserrés et sinueux comme étaient alors toutes les rues de Paris, l'artillerie ne pouvait être utilisée.

Le mercredi 28, l'est de Paris était tout entier aux insurgés, et le drapeau tricolore flottait sur Notre-Dame et sur l'Hôtel de Ville. Marmont, qui avait son quartier général au Louvre, essaya de prendre l'offensive: sous un feu meurtrier, sous une pluie de tuiles, de pavés, de bouteilles, de meubles lancés des fenêtres et des toits, les troupes enlevèrent les barricades et parvinrent jusqu'à l'Hôtel de Ville et à la place de la Bastille. Mais les insurgés relevaient les barricades, aussitôt les troupes passées. Les soldats se battaient avec répugnance: un premier régiment passa aux insurgés. Le soir Marmont dut rappeler ses colonnes coupées les unes des autres et manquant de munitions; elles ne purent regagner le Louvre qu'à grand'peine, par un immense détour en suivant les boulevards extérieurs.

A son tour l'insurrection attaqua. Le 29, au matin, le Louvre était bloqué. Deux autres régiments firent défection. Vers midi la colonnade du Louvre fut occupée par surprise. La panique se mit dans les troupes qui s'enfuirent en désordre et ne purent être ralliées qu'à l'Arc de l'Étoile. Avant deux heures les insurgés étaient entièrement maîtres de Paris. La bataille leur coûtait près de 800 tués et 4,500 blessés.

Une fois le Louvre enlevé, les députés ne craignirent plus de s'engager, et ils prirent la direction de la révolution triomphante. Réunis au nombre de trente environ chez l'un d'eux, le banquier Laffitte, ils nommèrent La Fayette commandant de la force armée et préparèrent l'avènement du duc d'Orléans.

Le vendredi matin 30 juillet, les murs de Paris étaient couverts d'un manifeste qui disait : "Charles X ne peut plus rentrer dans Paris; il a fait couler le sang du peuple. La République nous exposerait à d'affreuses divisions: elle nous brouillerait avec l'Europe. Le duc d'Orléans est un prince dévoué à la cause de la Révolution. Le duc d'Orléans était à Jemmapes.

Le duc d'Orléans a porté au feu les couleurs tricolores. Il acceptera la Charte comme nous l'avons toujours entendue et voulue. C'est du peuple français qu'il tiendra la couronne."

Dans la journée, les députés réunis au Palais-Bourbon proclamèrent Louis-Philippe d'Orléans lieutenant-général du royaume. Mais le peuple, travaillé par les républicains et toujours en armes, lui était plutôt hostile. Une scène de parade changea ces dispositions. Le duc se rendit à l'Hôtel de Ville: il parut au balcon, un drapeau tricolore à la main, La Fayette l'embrassa, la foule applaudit et ces applaudissements tinrent lieu de vote populaire (31 juillet).

Quant à Charles X, jusqu'à la prise du Louvre, il avait refusé de croire à la gravité des événements. Il se fiait en aveugle à Polignac qui, plus aveugle encore, niait obstinément l'importance de l'insurrection. La prise du Louvre et la déroute des troupes lui ouvrirent les yeux. Lorsqu'il se décida à faire les concessions nécessaires — retrait des ordonnances, renvoi du ministère Polignac, — il était trop tard. De Saint-Cloud, il dut gagner Rambouillet où il abdiqua en faveur de son petit-fils, un enfant de neuf ans, le duc de Bordeaux, fils posthume du duc de Berri. Mais Paris ne voulait plus des Bourbons. Les insurgés marchèrent en masse sur Rambouillet (3 août). Charles X, découragé, gagna Cherbourg, d'où il s'embarqua pour l'Angleterre.

CHAPITRE II

LA MONARCHIE DE JUILLET

Louis-Philippe. — Le 9 août 1830, la Chambre — réduite d'ailleurs à 219 députés, à peine la moitié de ses membres — appelait au trône Louis-Philippe d'Orléans. Le duc se rendit en grande solennité au Palais Bourbon. Là, devant les députés et les pairs réunis; il jura d'observer fidèlement la Charte constitutionnelle, que la Chambre venait de reviser. Puis ayant signé son serment de son nouveau nom Louis-Philippe Ier, il reçut, des mains de quatre maréchaux de France, la couronne, le sceptre, le glaive et la main de justice, insignes de la royauté.

Louis-Philippe était âgé de cinquante-sept ans. Son père, connu sous le nom de Philippe-Égalité, avait pris une part active à la Révolution, et finalement avait été guillotiné en 1793. Lui-même, tout jeune encore, avait fait la campagne de 1792 sous les ordres de Dumouriez. Après la désertion de son chef, il dut émigrer pour échapper à l'échafaud. Revenu en France sous la Restauration, il s'était tenu habilement à l'écart. De mœurs simples et familiales, envoyant ses fils au collège Henri IV, lié avec les plus célèbres des libéraux, il avait su se rendre très populaire, surtout dans la bourgeoisie parisienne. "Il ne se remue pas, disait Louis XVIII, et cependant je m'aperçois qu'il chemine."

Au début de sa royauté, il se montra aussi simple que par le passé. Il continua dans Paris ses promenades à pied, parapluie sous le bras. Les fêtes données aux Tuileries étaient toutes bourgeoises. A certaines réunions la reine Marie-Amélie, entourée de ses enfants, recevait tout en travaillant à l'aiguille. Ainsi la famille royale apparaissait à ses hôtes comme la première des familles bourgeoises. Louis-Philippe, c'était le bourgeois couronné.

Mais sa bonhomie n'empêchait pas Louis-Philippe d'être

un esprit entier, autoritaire et très jaloux de son autorité. Roi citoyen, comme il affectait de s'appeler lui-même, tenant sa couronne du peuple, il voulait cependant être vraiment roi et exercer dans le gouvernment une influence prépondérante. Convaincu d'autre part que la Charte, après les amendements de 1830, était le dernier mot de la sagesse politique, que toute réforme nouvelle serait inutile et dangereuse, il suivit une politique obstinément conservatrice.

Le Nouveau Régime. — Avant de nommer roi le duc d'Orléans, la Chambre avait procédé à une revision de la Charte. On supprima tous les termes qui "blessaient la souveraineté nationale," base du nouveau régime. Le souverain devant régner désormais par "la volonté nationale," le titre de roi de France fut remplacé par celui de "roi des Français." On précisa la portée de l'article 14. L'âge pour être électeur fut abaissé à 25 ans. L'initiative des lois fut donnée aux deux Chambres. Le rétablissement de la censure fut interdit à jamais.

L'organisation du régime fut complétée par deux lois votées en 1831. L'une supprimait le double vote et abaissait de 300 francs à 200 francs le cens ou chiffre d'impôts exigé pour être électeur; cette mesure eut pour effet de doubler le nombre des électeurs: il y en eut environ 200,000 pour trente millions de Français. L'autre loi instituait une garde nationale, chargée de "défendre la royauté constitutionnelle et la Charte, de conserver ou rétablir l'ordre et la paix publique." Comme on imposait au garde national l'obligation de s'équiper à ses frais, la garde ne se composa que de bourgeois aisés, commerçants, rentiers, fonctionnaires.

La bourgeoisie seule tirait donc profit de la Révolution de 1830: c'est sur elle que s'appuya Louis-Philippe, pris entre l'hostilité des masses populaires, déçues dans leurs espérances, et l'hostilité de la noblesse restée presque tout entière fidèle à la famille des Bourbons.

Le Début du règne. — Les hommes qui avaient élu Louis-Philippe n'étaient pas d'accord sur la politique à suivre. Les uns, avec Laffitte et La Fayette, voulaient de nouvelles réformes pour satisfaire le peuple, et rêvaient d'une revanche de 1815: c'était le parti du mouvement. Les autres, pacifiques et conservateurs, formèrent le parti de la résistance, dont les chefs furent Casimir Périer, le duc de Broglie, Thiers et Guizot.

Au début, malgré ses préférences personnelles, Louis-Philippe trouva prudent de gouverner avec le parti du mouvement. Laffitte prit le pouvoir (août 1830–mars 1831). Ce fut une période d'anarchie où les émeutes furent presque quotidiennes. Le peuple, resté en armes depuis les journées de juillet, saisissait toutes les occasions de manifester. Lors du procès de Polignac et des ministres signataires des Ordonnances, une insurrection faillit éclater parce que le peuple voulait qu'on les condamnât à mort et que les pairs les condamnèrent à la prison perpétuelle (décembre 1830). La fureur populaire se déchaînait aussi contre le clergé, qui avait soutenu les Bourbons. A Paris l'archevêché fut saccagé et il s'en fallut de peu qu'il en fût de même de Notre-Dame. Des troubles pareils éclatèrent en province. Le roi, qui faisait effacer les fleurs de lis de ses armoiries, n'osait pas entendre la messe publiquement.

Le roi et son ministre entrèrent bientôt en conflit au sujet de la politique extérieure. La Révolution de Juillet ayant provoqué, par contre-coup, des soulèvements en Belgique, en Italie, en Pologne, Laffitte voulait intervenir en faveur des insurgés. Louis-Philippe s'y refusa. Laffite démissionna (mars 1831.)

Casimir Périer. — Après sept mois de troubles continuels, le pays commençait à désirer un gouvernement fort, qui lui assurât la tranquillité. Louis-Philippe put donc sans crainte confier le pouvoir au parti de la résistance. Il forma un ministère Casimir Périer. Casimir Périer était un riche banquier, qui, député sous la Restauration, avait été un des chefs de l'opposition libérale. Énergique et d'esprit autoritaire, il accepta le pouvoir afin de restaurer l'autorité. Aussi n'admit-il dans le gouvernement qu'une volonté: la sienne. Ses collègues ne purent prendre aucune décision sans son assentiment. A l'un d'eux qui se disposait à monter à la tribune sans l'avoir consulté, il criait en pleine Chambre: "Ici, d'Argout!"

Casimir Périer ne gouverna qu'un an; il mourut le 16 mai 1832, victime d'une terrible épidémie de choléra. Mais ces quelques mois lui suffirent à rétablir l'ordre. On peut dire qu'il fonda une seconde fois la monarchie de juillet: avant lui elle avait l'allure d'un gouvernement provisoire, qui semblait demander aux partis qu'on le tolérât; par lui, elle devint un gouvernement stable, fermement résolu à vivre et à briser ses adversaires.

Après la mort de Casimir Périer, deux hommes surtout incarnèrent au gouvernement la politique de résistance: Thiers et Guizot. Thiers, tout jeune encore, avait été journaliste sous la Restauration et était devenu célèbre par une *Histoire de la Révolution*, et le rôle qu'il avait joué en 1830. Guizot, de dix ans plus âgé que Thiers, avait été l'un des principaux Doctrinaires et l'un des rédacteurs de *l'Adresse des 221.*

L'Opposition légitimiste. — Jusqu'à 1835, le gouvernement fut occupé surtout à lutter contre les partis insurrectionnels, légitimistes et républicains.

Parti de salon et de sacristie, peu nombreux et impopulaires, les légitimistes ne furent jamais bien dangereux. Ils organisèrent quelques conspirations ridicules qui furent réprimées facilement. Au mois de mai 1832, la duchesse de Berri essaya de soulever la Vendée: à grand'peine elle réunit quelques centains de paysans que deux petits combats suffirent à disperser.

Les Insurrections républicaines. — Au contraire, l'opposition républicaine fit courir les plus grands dangers à la monarchie de juillet. Habitués à l'action révolutionnaire, organisés en sociétés secrètes, dont la plus importante fut celle des Droits de l'homme, les républicains essayèrent de recommencer à leur profit une révolution parisienne. Lyon, avec sa forte population ouvrière, fut aussi le centre d'une violente agitation qui dégénéra à plusieurs reprises en émeutes. Les insurrections les plus redoutables furent celles de juin 1832 et d'avril 1834.

L'insurrection de 1834 fut suivie d'un procès monstre devant la Cour des Pairs, transformée en Haute-Cour de justice. Il y avait eu 2,000 personnes arrêtées; 164 furent mises en jugement. Le procès dura onze mois; on entendit 4,000 témoins. Les condamnations prononcées d'ailleurs furent effacées presque aussitôt par une amnistie.

Pendant le procès, avait eu lieu l'attentat de Fieschi (28 juillet 1835). Fieschi était un Corse, ancien soldat condamné pour vol; avec une sorte de mitrailleuse, il tira sur Louis-

Philippe, au cours d'une revue de la garde nationale sur les boulevards. Le roi ne fut pas atteint, mais il y eut 40 victimes dont 18 tuées sur le coup, et parmi elles le maréchal Mortier.

Cet attentat eut pour conséquence le vote de lois de répression, connues sous le nom de lois de septembre (1835). La plus importante était une loi sur la presse qui permit de détruire rapidement les journaux républicains, ruinés par les amendes.

Les Luttes parlementaires. — A partir de 1836, l'opposition républicaine étant brisée, l'agitation parlementaire succéda aux luttes de la rue. Les orléanistes, qui formaient la grande majorité de la Chambre, se divisèrent en trois groupes principaux: un groupe d'opposition, la gauche dynastique, l'ancien parti du mouvement dont le chef était Odilon Barrot; deux groupes de gouvernement, représentant l'ancien parti de la résistance, un centre droit dirigé par Guizot et un centre gauche dirigé par Thiers.

Longtemps la situation parlementaire fut instable: de 1836 à 1840, il y eut six changements de ministères. Profitant des divisions du parti gouvernemental, Louis-Philippe essaya de faire triompher sa politique personnelle; il appela à la présidence du Conseil Molé, un ancien ministre de Napoléon Ier et de Louis XVIII, très disposé par conviction politique à n'être que le porte-parole du roi (septembre 1836). Mais les trois groupes finirent par se coaliser contre "le ministère de la Cour" et réclamèrent la "substitution du gouvernement parlementaire au gouvernement personnel." Mis en minorité, Molé démissionna (mars 1839).

Le roi parut se résigner. En 1840, il donna la présidence du Conseil à Thiers, dont la doctrine politique se résumait en la formule: "Le roi règne et ne gouverne pas." Mais, dans le conflit international provoqué par la question d'Égypte, il refusa d'adopter les mesures belliqueuses de son ministre. Thiers dut céder la place à Guizot (octobre 1840).

Le Ministère Guizot. — Guizot devait rester au pouvoir près de huit années, jusqu'à 1848. Il demeura constamment en pleine communion d'idées avec Louis-Philippe qui disait de lui: "C'est ma bouche." Comme lui il était autoritaire, conservateur, partisan de l'ordre et de la paix, "la paix, partout toujours," la paix au dedans, la paix au dehors. Jusqu'à la fin, il repoussa toute idée de réforme, et pratiqua obstinément la politique d'immobilité. Pour gouverner ainsi, disait Lamartine, il n'était pas besoin d'hommes d'État, "une borne y suffirait!"

Cette politique fut en apparence constamment approuvée par la majorité de la Chambre. Mais cette majorité, Guizot, qui était personnellement de la plus scrupuleuse honnêteté, l'obtint par la corruption, soit en achetant les votes des électeurs en faveur des candidats dévoués au gouvernement, soit en achetant les votes des députés.

Les Nouveaux Partis. — Le système de la paix partout et toujours, le système de la corruption furent vivement combattus à la Chambre par une opposition composée des légitimistes, du centre gauche et de la gauche dynastique. Mais dans le pays, à côté du parti républicain, s'étaient formés deux partis nouveaux, le parti catholique et le parti socialiste.

Sous la Restauration, la cause catholique avait paru s'identifier avec la cause de la réaction et le clergé était profondément impopulaire. Au lendemain de la Révolution de 1830, alors que se déchaînaient les fureurs anticléricales, un groupe de jeunes catholiques qui s'était formé autour d'un prêtre breton, l'abbé de Lamennais, résolut de fonder un parti qui se proposerait pour but la renaissance et le triomphe du catholicisme, mais par des moyens différents, par la liberté. Ils demandaient la séparation de l'Église et de l'État, la liberté d'association et surtout la liberté d'enseignement, l'abolition du monopole de l'Université établi par Napoléon. Ces idées, adoptées par tous ceux qu'on appela les "catholiques libéraux," furent exposées dans l'*Avenir*, journal créé par Lamennais en octobre 1830. Le pape ayant condamné la campagne en faveur de la séparation, l'*Avenir* cessa de paraître en 1831, et Lamennais sortit du clergé pour rallier le parti républicain. Mais dans les milieux catholiques ses anciens disciples continuèrent son œuvre: le comte de Montalembert, devenu moralement le chef du parti catholique, lutta vainement à la Chambre des Pairs depuis 1836 pour obtenir l'abolition du monopole de l'Université; en revanche, sous l'action de prêtres éloquents comme le dominicain Lacordaire, il y eut un remarquable renouveau de la vie religieuse et de l'influence du clergé sur la bourgeoisie comme sur le peuple.

D'autre part un grand nombre de républicains, émus par la misère affreuse qui régnait dans les milieux ouvriers, étaient devenus socialistes, c'est-à-dire qu'ils voulaient non seulement des réformes politiques, mais des réformes sociales, une organisation nouvelle de la société et du travail. Dans les sociétés secrètes, beaucoup d'ouvriers avaient adopté les doctrines communistes de Babeuf: leur chef était Blanqui. D'autres étaient disciples de deux théoriciens, Saint-Simon et Fourier. En 1840, un jeune journaliste, Louis Blanc, publia un livre intitulé l'*Organisation du travail*, qui eut un grand succès: il voulait que l'État se fit "le banquier des pauvres" et aidât les ouvriers à fonder pour chaque industrie des ateliers sociaux où les travailleurs se dirigeraient eux-mêmes et toucheraient, en dehors de leur salaire, un quart des bénéfices nets.

Louis Blanc continua à développer ses idées dans le journal républicain de Ledru-Rollin, la *Réforme*.

La Lutte contre Guizot.—Les adversaires de Guizot portèrent leurs attaques sur deux points principaux: l'alliance anglaise, la réforme électorale et parlementaire.

Guizot était partisan de l'"entente cordiale" avec l'Angleterre. Son amour de la paix l'amena à plusieurs reprises à des concessions qui furent jugées humiliantes par l'opinion publique, surtout lors de l'affaire Pritchard (1844), un Anglais qui avait été emprisonné pour avoir excité les indigènes de Tahiti à se révolter contre la France. Guizot exprima au gouvernement anglais "son regret" et offrit "une équitable indemnité." Cette attitude humiliée, vivement critiquée par tous les partis d'opposition, eut pour effet de rendre le roi et son ministre profondément impopulaires.

La question de la réforme ne passionnait pas moins l'opinion. La réforme que l'opposition réclamait, et qu'elle proposa chaque année à partir de 1841, était double: réforme parlementaire, ayant pour but d'empêcher que certains fonctionnaires, comme les préfets, pussent être députés; réforme électorale comportant l'abaissement du cens au moins à 100 francs. A l'extrême gauche, Ledru-Rollin réclamait même l'abolition du cens et l'établissement du suffrage universel. Chaque année, Guizot, docilement suivi par la majorité de la Chambre, fit repousser tous les projets de réforme, même les plus modérés. Alors l'opposition décida d'en appeler au pays.

A la fin de 1847, les chefs de l'opposition parlementaire, Odilon Barrot et Thiers, prirent l'initiative d'une grande campagne réformiste. Dans tout le pays, des banquets politiques furent organisés, où des orateurs exposaient aux assistants la nécessité de la réforme. Les républicains, s'associant bientôt à cette campagne, la rendirent plus énergique. Au banquet de Mâcon, Lamartine, après avoir flétri le régime de la corruption, prédit à brève échéance une révolution, si la royauté continuait à "s'entourer d'une aristocratie électorale au lieu de se faire peuple tout entier."

La Révolution de Février. — La campagne des banquets aboutit, par surprise, à la révolution de février 1848.

Pour terminer la campagne, un grand banquet devait avoir lieu à Paris le mardi 22 février, avec le concours de 87 députés, à peu près toute l'opposition. Guizot interdit le banquet. Une manifestation fut organisée aussitôt pour la journée du 22, en guise de protestation. Guizot interdit la manifestation. Elle eut lieu quand même, et ce fut le début de la révolution.

Dans la nuit du 22 au 23, on commença à dresser des barricades. Le lendemain 23, l'attitude des gardes nationaux qui, place des Victoires, empêchèrent les cuirassiers de charger les manifestants, effraya Louis-Philippe et le décida à se séparer de Guizot. Il chargea d'abord Molé, puis Thiers de former un ministère. La nouvelle de la démission de Guizot causa une joie universelle; le soir, il y eut des illuminations presque partout. Le préfet de police disait: "C'est une émeute qu'il faut laisser mourir d'elle-même."

Mais le soir même du 23 février, un incident sanglant provoquait la reprise de la lutte: comme une bande de manifestants arrivait boulevard des Capucines, devant le ministère des affaires étrangères, où habitait Guizot, un coup de feu fut tiré sur la troupe. Celle-ci riposta par une décharge à bout portant qui jeta par terre 35 morts et une cinquantaine de blessés. Exaspérés, les manifestants chargèrent les cadavres sur une charrette; puis, en cortège, à la lueur des torches, ils les promenèrent à travers les rues en appelant le peuple aux armes. Le jeudi matin 24, Paris était hérissé de barricades et l'on criait partout: "Vive la République!"

La bataille fut courte. Les soldats étaient épuisés d'être restés "depuis soixante heures sac au dos, les pieds dans la boue froide, avec seulement trois rations de biscuit. La plupart n'avaient pas dix cartouches." Louis-Philippe, déconcerté et hésitant, décida de retirer les troupes et de confier le service d'ordre à la garde nationale. Dans leur mouvement de retraite, plusieurs régiments furent coupés en tous sens, et, noyés dans la masse des manifestants, mirent la crosse en l'air. Les insurgés avançaient rapidement sur les Tuileries. A midi et demi, le roi se résigna à abdiquer. Son fils aîné, le duc d'Orléans, prince très populaire, s'était tué à Neuilly, en voulant sauter de voiture (1842). Louis-Philippe abdiqua donc en faveur de son petit-fils, le comte de Paris, un enfant de dix ans; sa mère, la duchesse d'Orléans, devait être régente. Puis, il partit en voiture, protégé par une escorte de cuirassiers. Comme Charles X, il allait gagner l'Angleterre, où il mourut deux ans plus tard. Peu d'instants après le départ du roi, les insurgés étaient maîtres des Tuileries. Ils les mirent furieusement à sac et de même le Palais-Royal.

Les républicains étaient décidés cette fois à ne pas perdre le bénéfice de la victoire comme en 1830. La Chambre avait déjà proclamé la régence de la duchesse d'Orléans quand les insurgés l'envahirent en criant: "La déchéance!" Sur la proposition de Ledru-Rollin et de Lamartine, un gouvernement provisoire fut constitué d'acclamation: il comprenait sept députés, parmi lesquels Lamartine et Ledru-Rollin. Pendant ce temps, à l'Hôtel de Ville, les ouvriers socialistes avaient formé un autre gouvernement provisoire, avec Louis Blanc et Albert, un ouvrier, chef d'une société secrète. Les députés se rendirent à l'Hôtel de Ville et les deux gouvernements fusionnèrent. La république démocratique succédait à la monarchie bourgeoise de Louis-Philippe.

L'Œuvre législative de la monarchie de juillet. — Pendant le règne de Louis-Philippe furent votées trois lois particulièrement importantes pour le développement ultérieur de la France: une loi relative à l'organisation de l'enseignement primaire; une loi relative aux chemins vicinaux; une loi relative aux chemins de fer.

La loi sur l'enseignement primaire, préparée par Guizot (1833), imposa à chaque commune l'obligation d'ouvrir et d'entretenir au moins une école primaire élémentaire.

La loi sur les chemins vicinaux, votée grâce à Thiers (1836), régla les conditions d'établissement et d'entretien des chemins reliant les communes aux communes.

La loi sur les chemins de fer (1842) ordonna l'établissement de neuf grandes lignes, presque toutes partant de Paris et reliant la capitale aux diverses frontières.

Ces lois préparèrent la transformation complète, à la fois morale et matérielle, de la France. La loi Guizot, en assurant la diffusion de l'instruction parmi le peuple, permit à un plus grand nombre de citoyens de s'intéresser aux affaires publiques et éveilla chez eux le désir de participer à leur gestion, au moins en qualité d'électeurs; elle prépara la ruine du système censitaire, l'établissement du suffrage universel. Les deux autres lois, en rendant les déplacements rapides, en facilitant le transport et l'échange des produits, favorisèrent le développement de l'agriculture et de l'industrie et assurèrent par la suite l'accroissement prompt et prodigieux de la fortune générale.

CHAPITRE III
LA POLITIQUE EXTÉRIEURE
1815 – 1848

Quadruple Alliance et Sainte Alliance. — Au lendemain des traités de 1815, la situation de la France en Europe était celle d'un suspect dangereux, mis en surveillance. Non seulement les souverains coalisés contre Napoléon maintenaient dans les places du nord et de l'est un corps d'occupation de 150,000 hommes, mais le 20 november 1815, le jour même où était signé le second traité de Paris, ils renouvelaient l'alliance qui les unissait et convenaient de se réunir à des époques déterminées afin d'étudier "les grands intérêts communs" et de veiller au "maintien de la paix en Europe." C'était comme une sorte de Directoire européen qui se constituait et dont la France était exclue.

Il est vrai que d'autre part Louis XVIII adhéra à la "Sainte Alliance." Mais ce pacte, qualifié par Metternich de "monument vide et sonore" n'était qu'une sorte d'union chrétienne de sens très vague et sans objet défini, qu'avait fait conclure, dans une heure de mysticisme, le tsar Alexandre. Le tsar, l'empereur d'Autriche et le roi de Prusse le signèrent les premiers, le 26 septembre 1815. Placé sous l'invocation de "la très sainte et indivisible Trinité," le pacte était destiné à établir entre les souverains et entre leurs peuples les liens d'une véritable fraternité chrétienne.

Congrès d'Aix-la-Chapelle. — Esprit très positif, Louis XVIII s'intéressait moins à la Sainte Alliance qu'à la Quadruple Alliance. Tous ses efforts tendirent, pour s'y faire admettre, à dissiper les méfiances des alliés. Il y parvint, au bout de trois ans, à la Conférence d'Aix-la-Chapelle (1818).

Le but de cette réunion était d'examiner dans quelles conditions pourrait se faire l'évacuation du territoire français. Le traité de Paris avait stipulé, en effet, que l'armée des coalisés —

entretenue aux frais de la France — devait pendant cinq ans occuper les places du nord et de l'est. Le duc de Richelieu, représentant de Louis XVIII à Aix-la-Chapelle, obtint que le terme de l'occupation étrangère fût avancé de deux ans et fixé au 30 novembre 1818. La France, tenue jusque-là dans une humiliante tutelle, redevenait un État libre.

D'autre part elle cessait d'être isolée en Europe: elle était admise dans le concert européen, c'est-à-dire dans le concert des quatre alliés. La Quadruple Alliance devint en effet à Aix-la-Chapelle, par l'accession de Louis XVIII, la Quintuple Alliance.

La Politique de Metternich. Guerre d'Espagne. — Succès réel pour la politique française, la Conférence d'Aix-la-Chapelle avait été un succès encore plus complet pour la politique de Metternich. "Je n'ai jamais vu, écrivait-il avec satisfaction, un plus joli petit congrès."

Metternich, chancelier d'Autriche, exerçait en Europe depuis 1815 une influence prépondérante, dont il se servait pour combattre partout la Révolution, c'est-à-dire les mouvements libéraux ou nationaux. Lui-même se définissait "l'homme de ce qui était," partisan irréductible de l'ancien régime et de la monarchie absolue. Il comparait tour à tour la Révolution qu'il abhorrait à un volcan, à un incendie, "qui menace de tout dévorer," à une hydre "la gueule ouverte pour avaler l'ordre social." Les souverains, pensait-il, devaient s'entendre, non seulement pour éviter les conflits entre leurs États, mais pour se secourir au cas où l'autorité de l'un d'eux serait menacée par les révolutionnaires. En pareille circonstance, pour empêcher l'incendie de se développer, les souverains avaient le droit d'intervenir. Ce droit d'intervention, point essentiel de ce qu'on a appelé le système Metternich, le chancelier d'Autriche parvint à le faire admettre au congrès d'Aix-la-Chapelle.

Le système fut appliqué régulièrement pendant cinq ans, de 1818 à 1823. A chaque mouvement libéral, en Allemagne, en Italie, en Espagne correspondit un congrès et une intervention de la Sainte Alliance. En 1820 les libéraux se soulevèrent d'abord en Espagne, puis en Italie dans les États de Naples et de Piémont et forcèrent les souverains à accepter une constitution. Le Congrès de Laybach (1821) chargea l'Autriche d'intervenir en Italie: les troupes autrichiennes rétablirent l'absolutisme à Naples et dans le Piémont. En Espagne, ce fut le gouvernement de Louis XVIII qui reçut du Congrès de Vérone (1822) la mission d'intervenir pour détruire la constitution.

Malgré l'opposition violente des orateurs libéraux à la tribune française, Royer-Collard, le général Foy, Manuel, au mois d'avril 1823, une armée française de 100,000 hommes conduite par le neveu du roi, le duc d'Angoulême, pénétra en Espagne. Elle vint d'ailleurs facilement à bout de la résistance des libéraux. L'expédition ne fut qu'une promenade militaire, terminée cependant par un brillant fait d'armes, la prise du fort du Trocadéro, devant Cadix (31 août). Ferdinand VII, redevenu roi absolu, commit et laissa commettre de telles atrocités que le duc d'Angoulême revint en France écœuré de son œuvre.

L'Indépendance de la Grèce. — Quatre ans plus tard, sous Charles X, la France intervenait en Grèce, mais cette fois l'intervention française, approuvée par toute la nation, avait pour but de sauvegarder la liberté du peuple grec, révolté contre le sultan.

Depuis 1820, ce petit peuple luttait héroïquement pour conquérir son indépendance. Jusqu'en 1825, sous l'influence de Metternich qui considérait les Grecs comme des rebelles, les gouvernements avaient refusé d'intervenir en leur faveur: "Là-bas, écrivait Metternich, trois ou quatre cent mille individus, pendus, égorgés, empalés, cela ne compte guère." Tout changea quand le tsar Alexandre fut mort (décembre 1825). Son successeur Nicolas Ier rêvait d'un démembrement de l'Empire turc et voulut profiter de l'occasion pour s'établir dans les Balkans. De leur côté les gouvernements français et anglais ne voulaient pas laisser le tsar intervenir seul et régler seul la question grecque. Ils s'entendirent avec lui, pour offrir leur médiation aux belligérants (1827).

Cette triple entente marquait en même temps la fin de la Sainte Alliance. L'Autriche n'ayant plus d'autre partenaire que la Prusse, Metternich, "le rocher de l'ordre," se trouva réduit à l'impuissance.

Les gouvernements alliés avaient décidé d'assurer par la force la cessation des hostilités. Leurs flottes reçurent l'ordre de s'opposer à tout mouvement de la flotte turque. Celle-ci, forte de 80 vaisseaux, portant 2,400 canons, se trouvait concentrée dans la rade de Navarin, sur la côte occidentale de la Morée. Pour obtenir sa dislocation, les flottes réunies des puissances, 26 navires armés de 1,300 canons, se présentèrent devant la rade. Comme elles se disposaient à mouiller en face de la flotte turque, un coup de canon fut tiré contre une frégate française. Ce fut le signal inattendu d'une formidable bataille de quatre heures. Les Turcs perdirent 60 navires et 6,000 hommes.

La destruction de sa flotte ne fit qu'exaspérer le sultan. Il réclama de la France, de la Russie et de l'Angleterre une indemnité et des excuses. Le tsar répondit par une déclaration de guerre (avril 1828). Le gouvernement français envoya en Morée un corps de 14,000 hommes, commandé par le général Maison, qui restitua aux Grecs toutes les places fortes de la péninsule. Le traité d'Andrinople (1829) consacra l'indépendance de la Grèce.

Rapprochement Franco-Russe. — Les expéditions d'Espagne et de Grèce avaient relevé le prestige des armes françaises. Mais la France n'en avait retiré aucun bénéfice matériel. Cependant l'opinion publique ne cessait de réclamer une politique plus active: la destruction des traités de 1815, la restitution à la France de ses frontières naturelles, la rive gauche du Rhin et la Belgique.

Charles X et les Ultras qui formaient son entourage crurent habile de s'associer à ce mouvement. Ils se proposaient, en flattant l'amour-propre national, de désarmer l'opposition libérale et escomptaient qu'en échange d'un peu de gloire, le peuple consentirait à laisser confisquer ses libertés.

C'est dans ce but qu'en 1829 le gouvernement français se rapprocha de la Russie. En effet tandis que l'Angleterre et l'Autriche suivaient une politique pacifique, on pouvait tout attendre, semblait-il, des visées ambitieuses du tsar. Le nouveau ministre, Polignac, ébaucha une vaste combinaison dans laquelle la Belgique eût constitué la part de la France. L'opposition de la Prusse fit échouer ses plans. C'est alors que, faute de mieux, au début de l'année 1830, Charles X et Polignac décidèrent l'expédition d'Alger.

Le 5 juillet 1830, Alger était occupé par les troupes françaises. Mais ce succès, si glorieux qu'il fût, n'eut pas le résultat qu'en espérait Polignac. Quelques jours plus tard la Révolution chassait de France les Bourbons.

La Révolution de 1830 en Europe. — La Révolution française de 1830 fut le signal d'une nouvelle crise européenne. Elle réveilla partout les aspirations libérales et nationales; partout les peuples opprimés reprirent espoir. Plusieurs soulèvements éclatèrent, particulièrement en Belgique, en Pologne et en Italie.

La Belgique, rattachée malgré elle à la Hollande en 1815, supportait avec impatience la domination hollandaise. Enflammés par l'exemple de la Révolution de Juillet, les Belges s'insurgèrent presque aussitôt contre les Hollandais (25 août 1830). Le 4 octobre, un gouvernement provisoire proclamait l'indépendance de la Belgique.

Au même moment un soulèvement analogue se produisait en Pologne contre la domination russe (29 novembre 1830). Le tsar Nicolas ayant refusé toute concession, la Diète polonaise proclama l'indépendance de la Pologne (janvier 1831). Une guerre acharnée commença entre les Russes et les Polonais.

En Italie, la révolution éclata au début de l'année 1831 dans les duchés de Modène et de Parme, puis dans les États de l'Église. Les insurgés formèrent partout des gouvernements provisoires (février 1831).

La Politique de Louis-Philippe. — Au lendemain des journées de Juillet, deux politiques s'offraient au gouvernement de Louis-Philippe. L'une, représentée par le parti du mouvement, consistait à soutenir dans toute l'Europe les insurgés, à faire de la France, comme au temps de la Convention, le champion des peuples contre les rois absolus: cette politique menait à la guerre contre les trois grandes puissances absolutistes, l'Autriche, la Prusse et la Russie. L'autre, préconisée par le parti de la résistance, conseillée par le vieux diplomate Talleyrand, était une politique pacifique: pour maintenir la France dans le concert européen, pour gagner la confiance des souverains, mal disposés envers le "roi des barricades," on s'abstiendrait de tout encouragement aux peuples insurgés.

Dès son avènement, Louis-Philippe se prononça pour la politique de la paix et il y resta fermement attaché pendant tout son règne. Ses déclarations pacifiques lui valurent d'être reconnu sans difficulté par l'Angleterre, puis par les autres gouvernements. Seul, le tsar Nicolas, en haine de la Révolution, voulut intervenir en faveur des Bourbons. N'ayant pu entraîner la Prusse et l'Autriche, il y renonça, mais il se tint toujours, à l'égard de Louis-Philippe, dans une réserve hostile et méprisante.

A la fois par nécessité et par inclination naturelle, Louis-Philippe fut amené ainsi à se rapprocher de l'Angleterre. A la politique de l'entente franco-russe succéda la politique de l'entente franco-anglaise.

L'Indépendance de la Belgique. — A peine ébauchée, l'entente franco-anglaise fut mise à une rude épreuve par les affaires de Belgique.

La révolution belge semblait pour la France une occasion unique de "déchirer les traités de 1815." Il y avait en Belgique un parti actif de l'annexion à la France. La majorité cependant se ralliait à une solution mixte: la constitution d'un royaume de Belgique dont le roi serait un fils de Louis-Philippe. Mais l'Angleterre ne voulait à aucun prix de cette solution.

Pour ne pas courir le risque d'une guerre européenne, Louis-Philippe se décida à rejeter toutes les offres des Belges. Mais, d'accord avec le gouvernement anglais, il fit reconnaître par les grandes puissances, aux conférences de Londres (1831), l'indépendance de la Belgique. La Belgique fut érigée en royaume et neutralisée comme l'était déjà la Suisse. Il fallut toutefois, pour la délivrer des Hollandais, le secours d'une armée française, qui vint assiéger, prit et restitua aux Belges la puissante citadelle d'Anvers (décembre 1832).

En acceptant la neutralité de la Belgique, la France renonçait à toute espérance d'annexion et à la politique traditionnelle des frontières naturelles. En échange, elle était en droit de croire que la sécurité de sa frontière du nord était désormais assurée.

La Quadruple Alliance. — En Italie et en Pologne les soulèvements furent réprimés. L'Europe parut alors sur le point de se diviser en deux groupes: d'une part, les monarchies absolutistes, Autriche, Prusse et Russie, qui s'entendirent en 1833 pour défendre le "système de conservation et d'intervention"; d'autre part, les monarchies libérales, la France et l'Angleterre. Celles-ci ripostèrent à la Triple entente de 1833 par la Quadruple alliance de 1834, où entrèrent avec elles l'Espagne et le Portugal.

Les deux États de la péninsule ibérique traversaient à ce moment une crise de succession. Dans l'un et l'autre, une jeune reine soutenue par les libéraux — Maria en Portugal, Isabelle en Espagne — était combattue par un prétendant appuyé sur les absolutistes — en Espagne don Carlos, en Portugal dom Miguel. Les libéraux appelèrent à leur secours l'Angleterre et la France. Elles n'intervinrent d'ailleurs qu'en Portugal, d'où fut chassé dom Miguel. En Espagne, la guerre carliste dura jusqu'à 1839.

La Question d'Orient. — La Quadruple alliance ne devait avoir qu'une existence précaire. Elle reposait sur l'entente franco-anglaise, et cette entente, d'ailleurs très impopulaire dans les deux pays, était sur le point de se rompre. En 1839–1840, les affaires d'Orient précipitèrent la rupture.

A ce moment le vice-roi d'Égypte, Méhémet-Ali, vassal du sultan, parut sur le point de ruiner la puissance turque. L'armée égyptienne marchait sur Constantinople. Pour arrêter ses progrès, le ministre anglais Palmerston s'entendit avec le tsar, l'empereur d'Autriche et le roi de Prusse. L'entente fut conclue à Londres (15 juillet 1840), en cachette de la France, que les alliés savaient favorables à Méhémet-Ali. Cette mise en quarantaine causa la plus vive émotion à Paris: "Le traité, disait le *Journal des Débats* est une insolence que la France ne supportera pas." La question d'Orient semblait devoir être le prétexte d'une guerre européenne, où la France pourrait regagner la frontière du Rhin. Les préparatifs militaires furent commencés; on entreprit d'urgence autour de Paris la construction d'une enceinte continue et de forts détachés. Mais quand Thiers proposa au roi la mobilisation de 500,000 hommes, Louis-

Philippe refusa: il ne voulait à aucun prix de la guerre. Thiers se retira et fut remplacé par Guizot (octobre 1840).

Guizot laissa la flotte anglaise agir dans la Méditerranée, et, sous la menace d'un bombardement, obliger Méhémet-Ali à restituer ses conquêtes (novembre 1840). D'ailleurs quelques mois plus tard la France rentrait dans le concert européen et, sur son initiative, fut conclue entre les grandes puissances et la Turquie la Convention des détroits, en vertu de laquelle le passage du Bosphore et des Dardanelles était interdit à tout vaisseau de guerre (13 juillet 1841). La Convention avait pour but de garantir la Turquie contre les ambitions russes.

La Fin de l'entente cordiale. — Après l'affront du traité de Londres, "l'entente cordiale" avec l'Angleterre semblait devenue pour longtemps impossible. Les deux peuples se haïssaient. Cependant Louis-Philippe et Guizot travaillèrent sans trêve à rétablir l'entente franco-anglaise; on a vu que ce ne fut pas une des moindres causes de leur impopularité et de leur chute.

Ce fut en vain que les souverains, Louis-Philippe et la reine Victoria, par des entrevues répétées, en 1843, 1844, 1845, essayèrent de fortifier l'entente cordiale. Des incidents multiples, dont le plus retentissant fut l'affaire Pritchard, ne cessaient de troubler les rapports franco-anglais. L'Angleterre s'inquiétait des progrès des Français en Algérie; quand elle apprit la défaite des Marocains à l'Isly (1844), elle parut sur le point de déclarer elle-même la guerre à la France. Enfin les deux gouvernements se brouillèrent complètement en 1846 à propos des mariages espagnols, les candidats anglais à la main de la reine Isabelle et de sa sœur ayant été évincés, tandis que la France faisait agréer ses candidats, le duc François de Bourbon et le duc de Montpensier, fils de Louis-Philippe.

Dès lors Guizot abandonna l'Angleterre pour se rapprocher de Metternich et de l'Autriche. Les deux hommes d'État s'efforcèrent sans succès de prévenir dans toute l'Europe la crise révolutionnaire qui semblait imminente, qui éclata en effet en 1848 et qui les entraîna dans une chute commune.

L'Expédition d'Alger. —L'événement capital de la politique extérieure de cette période est la conquête de l'Algérie. Avec cette conquête commence la formation d'un nouvel empire colonial français, destiné à remplacer celui que la France avait perdu au cours des guerres du dix-huitième siècle.

L'origine du conflit entre la France et la régence d'Alger fut une ancienne fourniture de blé et un prêt de cinq millions fait au Directoire en 1797 par le dey d'Alger. Le règlement avait donné lieu à un procès. En 1827, le dey Hussein réclama le payement immédiat, et dans un entretien avec le consul de France, Deval, s'emporta au point de le frapper avec son chasse-mouche (30 août 1827). Cet affront public fut la cause de la guerre. Charles X, n'ayant pu obtenir réparation de l'outrage, se décida en 1830 à envoyer une expédition contre Alger.

Le 14 juin 1830, une armée de 36,000 hommes, commandée par le général De Chaisnes de Bourmont, débarquait à Sidi-Ferruch, à l'ouest d'Alger. Vainement, 40,000 cavaliers arabes essayèrent de rejeter les Français à la mer. Le 4 juillet, l'artillerie française ouvrait le feu sur les défenses extérieures d'Alger. Le dey, dans la journée, capitulait, et le lundi 5 juillet, les Français prenaient possession d'Alger.

Quelques jours plus tard Charles X était renversé par la Révolution.

L'Occupation restreinte. — La chute de Charles X faillit coûter l'Algérie à la France. Louis-Philippe, les ministres, les Chambres songeaient si peu à la conquête qu'ils rappelèrent d'Alger toutes les troupes, moins une division de 8,000 hommes. On entendait se borner à une "occupation restreinte," c'est-à-dire à l'établissement de petites garnisons sur les points les plus importants de la côte: Alger et sa banlieue, Oran, Mostaganem, Bougie, Bône, et ce fut à quoi l'on se borna jusqu'à 1835.

Ce furent les indigènes eux-mêmes qui imposèrent à la France la conquête. Par leurs attaques sans cesse renouvelées, ils entraînèrent insensiblement les Français à s'étendre pour se garder; ils les contraignirent ainsi à passer de l'occupation restreinte à "l'occupation étendue," puis finalement à partir de 1840, après dix ans d'hésitations, à la conquête totale.

Abd-el-Kader. — A l'est, le centre de la résistance fut Constantine, vieille ville forte bâtie en nid d'aigle sur un rocher abrupt. En 1836, une première expédition échoua. La place fut prise d'assaut le 13 octobre 1837.

A l'ouest, dans le pays entre Alger et Oran, la France trouva en face d'elle un adversaire encore plus redoutable dont elle ne vint à bout qu'après une lutte de quatorze ans, l'émir arabe, Abd-el-Kader.

Abd-el-Kader était un Arabe des environs de Mascara, dans la province d'Oran. Il était de grande famille et de famille sainte: il passait pour descendre de Mahomet. Lui-même avait réputation de sainteté. Jeune — il avait vingt-cinq ans en 1832 —, beau, d'intelligence vive et cultivée, très brave, il exerça une profonde influence sur les populations algériennes. Son rôle consista à faire oublier aux tribus leurs rivalités en surexcitant chez elles le sentiment religieux, et à les grouper dans la haine commune des "Infidèles."

Il entra en scène en 1832, fut acclamé comme chef par les tribus de la région de Mascara et prit le titre d'émir. Tout d'abord il ne réunit sous son autorité qu'un petit nombre de tribus. Mais le gouvernement français, au lieu de l'écraser immédiatement, commit par deux fois (1834, 1837) la faute de négocier avec lui comme avec un souverain; il lui constitua ainsi une souveraineté réelle sur un État de plus en plus étendu. Le second traité, dit traité de la Tafna (1837), confiait à Abd-el-Kader l'administration de la province d'Oran et de la province d'Alger: la France se réservait seulement cinq ou six points, Oran, Mostaganem, Alger et sa plaine, la Metidja.

La faiblesse des Français permit à Abd-el-Kader de préparer la guerre sainte. Il forma un corps de réguliers, fantassins, cavaliers, artilleurs, disciplinés, armés à la française, une élite de 6,000 hommes, avec batteries de campagne et parc de siège. Il avait en outre les contingents des tribus, les goums, qui montaient à 50,000 cavaliers et à plusieurs milliers de piétons. Il constitua des magasins, des arsenaux, avec fonderie de canons et poudrerie, des places d'armes enfin, qui devaient lui servir de centres de ravitaillement et de points d'appui pendant la campagne. Il employa deux ans à ces préparatifs. Quand il les jugea suffisants, il déclara la guerre aux Français (18 novembre 1839), et poussant une pointe hardie jusque sur Alger, il détruisit, aux portes de la ville, toutes les cultures, brûla les fermes et massacra les colons (20 novembre).

Bugeaud. — Alors la France se détermina à la conquête. Le général Bugeaud fut nommé gouverneur général de l'Algérie, et on lui donna les moyens nécessaires pour en finir avec Abd-el-Kader: 80,000 hommes d'abord et plus tard 115,000.

Sentant que la condition du succès était un changement complet du système de guerre, il allégea l'équipement, remplaça les voitures par les bêtes de somme, mit l'artillerie à dos de mulet, et divisant ses troupes en multiples colonnes mobiles, il pourchassa l'ennemi dans une offensive incessante. Il se fit nomade pour traquer un nomade.

La Smalah. L'Isly. — Cependant, grâce à la nature du pays, morcelé par les montagnes en innombrables cantons, Abd-el-Kader put résister pendant sept ans. Dès 1841, toutes ses places étaient prises, tous ses magasins détruits; il vécut dès lors en nomade insaisissable. Sa smalah fut enlevée par le duc d'Aumale, fils de Louis-Philippe. C'était une ville de tentes, que peuplaient plus de 30,000 personnes, que gardaient 6,000 soldats, que suivaient d'innombrables troupeaux avec 500 cavaliers; le jeune officier se jeta au milieu de l'immense campement, il prit une partie de la famille d'Abd el-Kader, ses archives, son trésor et ramassa 15,000 prisonniers et 50,000 têtes de bétail (16 mai 1843).

Abd-el-Kader, réfugié au Maroc, réussit à armer le sultan en sa faveur. Bugeaud vint chercher l'ennemi sur la petite rivière de l'Isly. Son armée de 10,000 hommes s'enfonça comme un coin au milieu de 45,000 cavaliers marocains, et les mit en pleine déroute, après deux heures de bataille (14 août 1844).

A la fin de 1847, traqué par dix-huit colonnes mobiles, expulsé du Maroc où il avait une seconde fois cherché asile, Abd-el-Kader se rendit (23 octobre 1847). Sa soumission marquait la fin de la grande guerre et de la conquête. Néanmoins il fallut encore dans la période suivante de nombreuses expéditions pour établir définitivement l'autorité de la France sur les montagnards de la Kabylie et pour réprimer les révoltes.

Bien que l'initiative en revienne à Charles X, la conquête de l'Algérie reste le principal titre de gloire de la monarchie de Juillet. La prépondérance française se trouvait par elle solidement établie dans le bassin occidental de la Méditerranée.

CHAPITRE IV

LES LETTRES ET LES ARTS DANS LA PREMIÈRE MOITIÉ DU XIXe SIÈCLE

La Littérature. Le Romantisme. — Le respect que les grands écrivains du dix-septième siècle avaient professé pour l'Antiquité s'était transformé à la fin du dix-huitième siècle en un culte superstitieux. Cet excès devait provoquer une réaction. A partir de 1820, un groupe d'écrivains s'attaquèrent à la tradition classique. On les appela les romantiques, par analogie avec un groupe d'écrivains allemands qui, au début du dix-neuvième siècle, avaient cherché dans les romans du Moyen Âge une source d'inspiration poétique.

Le romantisme se définit surtout par antithèse: il est la négation de l'esprit classique. Les romantiques délaissent l'Antiquité grecque et romaine, pour le Moyen Âge, la Renaissance ou même les temps modernes. Les maîtres dont ils se réclament et dont ils s'inspirent ce sont des écrivains anglais, allemands, Shakespeare, Schiller. Ils s'abandonnent sans réserve à leur imagination, à leurs passions, qu'ils laissent déborder dans toutes leurs œuvres: de là l'essor de la poésie personnelle ou lyrique. Pour se rapprocher le plus possible de la réalité et de la vie, ils rejettent toutes les règles et toutes les distinctions de genres. De même ils ne distinguent plus de termes nobles et familiers: Victor Hugo, dans une de ses poésies, se vanta d'avoir nommé "le cochon par son nom."

Après Jean-Jacques Rousseau, et en même temps que Mme de Staël (1766-1817), le principal précurseur du romantisme en France fut Chateaubriand (1768-1848). Celles de ses œuvres qui eurent le plus d'influence parurent sous l'Empire, de 1801 à 1810. Ce furent *Atala* et *René* (1801,1805), deux romans où l'auteur prêtait à ses héros ses sentiments personnels; les *Martyrs* (1809), une épopée chrétienne en prose; surtout le

Génie du Christianisme (1802), apologie de la religion chrétienne et de sa splendeur morale.

Les Poètes. — De 1820 à 1830, quatre grands poètes se révélèrent; ce furent Alphonse de Lamartine, Victor Hugo, Alfred de Vigny, Alfred de Musset.

Lamartine (1790-1869), publia en 1820, à trente ans, un court recueil de poésies, les *Méditations*, qui lui valut d'être illustre du jour au lendemain. Il y avait là des vers d'une harmonie si pénétrante et si douce, d'un sentiment si élevé et si sincère qu'ils ont fait dire du poète qu'il est "la poésie même." Vinrent ensuite les *Nouvelles Méditations* et les *Harmonies*, puis deux grands poèmes, très inégaux, *Jocelyn* et la *Chute d'un ange*.

Deux ans après les *Méditations*, en 1822, parut un recueil d'*Odes*, œuvre d'un poète de vingt ans qui devait être le plus célèbre des poètes du dix-neuvième siècle, Victor Hugo (1802-1885). Après la publication de *Cromwell*, un drame en vers, précédé d'une préface-manifeste où il exposait la doctrine de l'école nouvelle, Victor Hugo fut considéré comme le chef des romantiques. La première représentation de son drame *Hernani* (25 février, 1830) fut un éclatant triomphe pour lui et pour la nouvelle doctrine. Ce fut à partir de 1850, sous le second Empire, dont Victor Hugo fut l'ennemi acharné, qu'il publia ses œuvres les plus fortes, les *Contemplations*, les *Châtiments*, la *Légende des siècles*.

Un recueil de vers *Poèmes anciens et modernes* assura en 1826 la gloire de Vigny (1797-1863). Ce poète n'avait ni le don d'harmonie de Lamartine, ni la virtuosité géniale de Victor Hugo, mais c'était un penseur qui savait, selon ses propres expressions, "mettre en scène, sous une forme épique ou dramatique, des pensées philosophiques." Un drame en prose, *Chatterton* (1835), valut à Vigny un éclatant succès. Dans les vingt-huit années qu'il vécut encore, pessimiste replié sur lui-même, il ne publia que quelques rares poèmes, qui formèrent, avec cinq ou six autres, le recueil posthume des *Destinées*.

Alfred de Musset (1810-1857) débuta plus jeune encore que Victor Hugo. Il avait à peine dix-neuf ans quand il publia son premier recueil de vers, *Contes d'Espagne et d'Italie* (1829).

Sa vie littéraire fut fort courte: en moins de dix ans, il avait donné toute son œuvre, deux volumes de poésies, dont les plus émouvantes, les *Nuits*, n'étaient que le cri de sa propre souffrance; puis une douzaine de pièces, *Comédies et Proverbes*, œuvres délicates, écrites dans une langue vive et spirituelle, et qui sont parmi les chefs-d'œuvre de la prose française.

Les Romanciers. — Presque tous les grands poètes furent en même temps des romanciers. Mais dans le roman, ils restèrent au-dessous de deux écrivains qui furent les plus remarquables des romanciers de profession, Balzac et George Sand.

Balzac (1799-1850) publia à partir de 1829 une série de romans qu'il groupa sous ce titre général: la *Comédie humaine*. Il voulut tracer un tableau complet de la société de son temps. Certains des personnages qu'il imagina sont devenus des types proverbiaux, tant ils sont fortement dessinés; et d'autre part l'exactitude minutieuse des descriptions donnent aux romans de Balzac, pour les historiens, la valeur de vrais documents.

George Sand (1804-1876) était le pseudonyme littéraire de la baronne Dudevant. Le premier de ses romans, *Indiana*, publié en 1832, fut rapidement célèbre. Liée avec des républicains et des socialistes, elle écrivit un certain nombre de romans socialistes, comme le *Compagnon du tour de France* (1840). Plus tard vinrent des romans rustiques, comme la *Mare au Diable* (1846), tableaux poétisés de la vie des paysans du Berry.

Les Historiens. — L'histoire jusque vers 1825 n'avait été que le récit sec et décoloré des événements, une sorte de procès-verbal des faits et de répertoire des dates, ou bien matière à considérations générales et à développements philosophiques. Les historiens ne tenaient aucun compte des différences d'époques et de régions. Par exemple on représentait Clovis "roi de France, fondateur de la monarchie" à peu près à la façon de Louis XIV; on célébrait la "galanterie" de la Cour des Carolingiens, comme s'il se fût agi de la Cour de Louis XV.

Le romantisme ressuscita l'histoire. Ce fut la lecture d'une page des *Martyrs* qui détermina la vocation d'Augustin Thierry (1795-1856). En 1825 il publia une *Histoire de la conquête de l'Angleterre par les Normands*, premier modèle d'histoire scientifique et pittoresque. La plus remarquable de ses œuvres, *Récits des temps mérovingiens*, parut en 1840.

Mais le plus grand et le plus romantique des historiens français fut Michelet (1798-1874): au lendemain de la Révolution de Juillet il entreprit une *Histoire de France* à laquelle il devait travailler plus de trente ans (1833-1867), soutenu par un amour passionné de son sujet. Les premiers volumes, consacrés au Moyen Âge, comptent parmi les chefs-d'œuvre de la littérature historique et de la littérature française.

Les Arts. — Dans les arts comme dans les lettres, la tradition classique régnait tyranniquement au début du dix-neuvième siècle. "L'Antique, disait-on, est la première base de l'art." Les architectes construisaient des monuments mal copiés sur les temples grecs, comme le palais de la Bourse à Paris. Les peintres et les sculpteurs n'admettaient que le "style héroïque, le sublime." Les sujets empruntés à la vie contemporaine, familière, étaient indignes du "grand art," à cause des costumes: "Une botte à l'écuyère est dans un tableau d'histoire une monstruosité," écrivait un critique en 1824. Les peintres ne se préoccupaient que de la pureté du dessin; les couleurs étaient considérées comme accessoires, un simple "agrément" ajouté au dessin. Le maître de l'école classique avait été, sous l'Empire, David (1748-1825), ancien Jacobin devenu le premier peintre de Napoléon, d'ailleurs très grand artiste en dépit de ses doctrines. Le plus remarquable et le plus intransigeant de ses disciples fut Ingres (1780-1867), dessinateur impeccable et fanatique du dessin: devant les tableaux de Rubens d'un si éblouissant coloris, mais parfois d'un dessin incorrect, Ingres ordonnait à ses élèves de passer en saluant, mais sans regarder.

Contre cette superstition de l'Antique, les romantiques réagirent vigoureusement. En architecture ils s'enthousiasmèrent pour les vieux monuments de l'architecture ogivale que dédaignaient les classiques. En peinture et en sculpture, ils cherchèrent la "vérité exacte." Cela les conduisit à représenter la laideur aussi bien que la beauté, à reproduire fidèlement les costumes, et, pour les peintres, surtout à observer les jeux de la lumière et la variété des reflets, à s'occuper des couleurs plus que du dessin. Les romantiques furent des coloristes. Quant à leurs sujets, ils les empruntèrent soit aux événements contemporains, soit à l'histoire moderne, de préférence au seizième siècle où les costumes étaient plus pittoresques et colorés, soit encore aux grands poètes italiens ou anglais, à Dante et à Shakespeare.

La première toile romantique, *Un officier des chasseurs de la garde chargeant*, parut au Salon de 1812 : le cheval, d'un mouvement désordonné, scandalisa les classiques. Le tableau était de Géricault (1791-1824). En 1819, il exposa le *Radeau de la Méduse*, épisode tragique du naufrage d'un navire récemment perdu sur la côte d'Afrique. Par malheur, Géricault mourut tout jeune en 1824. Dès lors, le chef de l'école romantique fut Delacroix (1798-1863), grand coloriste, d'un tempérament passionné et fougueux. Les classiques acharnés contre lui l'accusaient de peindre avec "un balai ivre." Mais la plupart des jeunes artistes suivirent Delacroix, et ce fut le triomphe de la couleur sur le dessin. A partir de 1830, Delacroix, reconnu comme un grand maître, fut chargé de nombreux et importants travaux au Palais-Bourbon, au Luxembourg, au Louvre, etc.; ce fut à cette époque qu'il peignit son chef-d'œuvre : *L'entrée des croisés à Constantinople*.

Les Sculpteurs. — Alors qu'au dix-huitième siècle, la sculpture française avait compté tant de vrais maîtres, il n'y eut sous la Révolution et l'Empire que des artistes médiocres, des œuvres banales et froides, mauvaises imitations de l'Antique.

La tradition de la grande sculpture fut renouée en France par Rude (1784-1855), un Dijonais, d'abord apprenti poêlier, et par Barye (1796-1875), un Parisien, quelque temps ouvrier graveur. L'un et l'autre dans l'observation directe et sincère de la nature retrouvèrent l'art de donner à leurs œuvres l'élan de la vie. Les tigres, les lions, jusqu'alors insipides motifs de décoration, s'animèrent sous le ciseau de Barye, sculpteur unique que personne n'avait précédé; que personne n'a depuis surpassé. A l'Arc de Triomphe, dans son groupe du *Départ*, œuvre épique où revit tout entier l'enthousiasme patriotique de 1792, Rude s'égala aux plus grands maîtres.

La Musique. — Entre tous les arts, il n'en est pas au dix-neuvième siècle à qui la faveur du public soit allée autant qu'à la musique. Les théâtres d'opéra et d'opéra-comique, les salles de concert, les sociétés chorales ou instrumentales se sont partout multipliées, et l'étude de la musique est devenue le complément normal de l'éducation courante. La France qui, jusqu'à la seconde moitié du dix-huitième siècle, n'avait vu naître qu'un seul grand compositeur, Rameau (1683-1764), compta, dans les cinquante premières années du dernier siècle, de nombreux artistes dont les œuvres ont figuré, et pour certains demeurent au répertoire universel. Ce furent Méhul, Boieldieu, Herold, Auber, Halévy, et, le plus grand de tous, Berlioz.

Méhul (1763-1817), fils d'un cuisinier de Givet, organiste à dix ans, fut un peu l'élève de Gluck; sa musique fait penser aux tableaux de David. Ses chefs-d'œuvre furent le *Chant du Départ*, l'hymne de combat des soldats de la Révolution, autant que la *Marseillaise*, puis un opéra, *Joseph* (1807). Le Rouennais Boieldieu (1775-1834) écrivit, entre autres œuvres, la *Dame Blanche* (1825), longtemps le plus populaire des opéras-comiques, avec le *Pré-aux-Clercs*, œuvre d'Herold (1791-1833), un Parisien fils d'Alsacien. Auber (1782-1871) était d'origine parisienne; l'un de ses opéras, la *Muette de Portici* (1828), appartient à l'histoire: sa première représentation à Bruxelles (25 août 1830) fut en effet l'occasion de l'insurrection d'où sortit l'indépendance de la Belgique. Halévy (1799-1862) dut son renom surtout à un opéra, la *Juive*.

Berlioz, un Dauphinois (1803-1869), le Delacroix de la musique, universellement admiré de nos jours, le plus original et le plus puissant des compositeurs français, fut de son vivant le plus discuté: son œuvre maîtresse, la *Damnation de Faust*, se joua devant les banquettes (1846); elle est considérée aujourd'hui comme un des chefs-d'œuvre de la musique française.

Au groupe des compositeurs français, il y a lieu de rattacher trois compositeurs étrangers, le Polonais Chopin (1810-1849), Français du reste par son père, un Lorrain de Nancy; le Berlinois Meyerbeer (1791-1864); l'Italien Rossini (1792-1868). Tous les trois vécurent longtemps à Paris, et y moururent. Tous les trois y composèrent et y donnèrent leurs œuvres les plus fameuses, les plus brillantes et les plus fortes: Chopin, qui n'écrivit que pour le piano, les meilleures de ses études, sonates, mazurkas, valses, polonaises, etc.; Meyerbeer, ses drames lyriques : *Robert le Diable* (1831), les *Huguenots* (1836), le *Prophète* (1849); Rossini, jadis gloire immense, de nos jours quelque peu déchue, son *Guillaume Tell* (1829).

CHAPITRE V

LES SCIENCES DANS LA PREMIÈRE MOITIÉ DU XIXe SIÈCLE. LA TRANSFORMATION DE L'INDUSTRIE

Le Progrès scientifique. — Si brillante qu'ait été la renaissance littéraire et artistique, elle n'a pas historiquement l'importance du progrès des sciences pendant la même période. Les grandes découvertes scientifiques faites alors, les applications pratiques qu'on en a tirées, comme aussi des découvertes antérieures, devaient en effet amener la transformation complète de nos conditions d'existence. Le bateau à vapeur, la locomotive, le télégraphe électrique, les grandes industries chimiques, rouages essentiels de la vie contemporaine, datent de la première moitié du dix-neuvième siècle.

Ces progrès des sciences furent dus principalement à une meilleure organisation du travail. Au dix-huitième siècle encore les savants étaient peu nombreux; ils travaillaient à leurs frais, avec un outillage rudimentaire. Mais sous la Révolution, dans les grandes écoles fondées ou réorganisées par la Convention, École polytechnique, Muséum, École normale supérieure, il se constitua un enseignement régulier des sciences. Dirigées par les savants, ces écoles furent dès lors des séminaires scientifiques où se formèrent des générations de chercheurs. Les professeurs et leurs élèves eurent à leur disposition des laboratoires où ils purent travailler librement, aux frais de l'État.

D'autre part le travail scientifique s'est rigoureusement spécialisé. Dès le dix-huitième siècle, les savants ne prétendaient plus être universels et avaient commencé à se spécialiser, c'est-à-dire à s'appliquer chacun tout entier soit à une seule science, soit même à une seule partie de cette science. Au dix-neuvième siècle, par suite de l'extension croissante de toutes les sciences, se spécialiser est devenu une obligation pour les savants. Dans chaque ordre de sciences, chaque savant a dû limiter ses recherches à des points exactement définis. Cette division du travail a contribué à rendre beaucoup plus rapide l'avancement de chaque science.

Enfin des découvertes théoriques on s'est efforcé de tirer des applications industrielles. Les sciences n'ont plus été seulement la distraction très noble de quelques privilégiés de l'intelligence. Elles ont été mises de plus en plus au service de l'homme; elles sont devenues ses auxiliares pour l'exploitation de toutes les richesses du globe. Dès lors il y a eu entre l'industrie et la science un continuel et fécond échange de services: les découvertes scientifiques ont ouvert de nouvelles voies à l'industrie, et de son côté l'industrie a posé à la science de nouvelles questions, suscité de nouvelles recherches, déterminé de nouvelles découvertes.

Mathématiciens et astronomes. — Pendant la Révolution et l'Empire, il y eut en France un groupe de mathématiciens illustres: Lagrange, Monge et Laplace. Tous les trois, génies précoces, n'avaient pas vingt ans qu'ils étaient déjà des maîtres. Tous les trois furent parmi les fondateurs et les premiers professeurs de l'École polytechnique et de l'École normale.

Lagrange (1736-1813), publia en 1788 sa *Mécanique analytique*, fruit de vingt-cinq années de travail. Il fut l'un des créateurs du système métrique.

Monge (1746-1818) inventa la géométrie descriptive. Pendant la Révolution, quand la patrie eut été proclamée en danger, il fut de ceux qui cherchèrent et trouvèrent des méthodes rapides pour la fabrication de la poudre, de l'acier et la construction des armes.

Laplace (1749-1827) avait dix-neuf ans quand il fut nommé professeur à l'École militaire de Paris. Deux ouvrages ont rendu son nom immortel : l'*Exposition du système du monde* (1796) et le *Traité de la mécanique céleste*, ouvrage considérable, à la fois résumé et fondement de la science astronomique, et dont la publication, commencée en 1799, ne fut achevée qu'en 1825.

Physiciens et chimistes. — Les plus remarquables parmi les physiciens et les chimistes, ceux dont les découvertes eurent les conséquences les plus considérables, furent Fresnel, Ampère, Arago, Gay-Lussac.

Fresnel (1788-1827) s'appliqua surtout à l'optique. Ses travaux aboutirent à la démonstration d'une théorie nouvelle sur la nature de la lumière, et, dans la pratique, à la construction des phares dont les feux, concentrés dans de gigantesques lentilles, purent être projetés, pour la plus grande sécurité des navires, à des distances inconnues jusqu'alors.

Ampère (1775-1836) et Arago (1786-1853) ouvrirent une voie nouvelle aux études d'électricité et découvrirent l'électromagnétisme. De leur découverte on tira la télégraphie électrique, dont Ampère indiqua le principe dès 1822.

Gay-Lussac (1778-1850), à la fois physicien et chimiste, étudia particulièrement les lois de la dilation des gaz et des vapeurs, lois d'un intérêt primordial au moment où se généralisait l'emploi des machines à vapeur. En chimie il étudia l'iode et découvrit un certain nombre de corps nouveaux comme le bore. Il s'appliqua à la chimie industrielle et fut un des créateurs de la chimie organique. Celle-ci, vraie science nouvelle, donna, presque dès les débuts, des résultats pratiques très variés et de grande importance. Ainsi, par les recherches de Chevreul (1786-1889) sur les corps gras, elle permit une transformation de l'industrie des bougies; par les études de Pelletier (1788-1842), sur certains produits végétaux, opium, noix vomique, écorce de quinquina, etc., elle permit d'isoler les alcaloïdes, c'est-à-dire la substance active de ces produits, et de fabriquer une série de médicaments nouveaux, morphine, strychnine, quinine, etc.

Les Naturalistes. — Parmi les nombreux naturalistes français du début du dix-neuvième siècle, trois occupent une place éminente dans l'histoire des sciences, Lamarck, Geoffroy Saint-Hilaire et Cuvier. Tous les trois furent professeurs au Muséum: Geoffroy Saint-Hilaire à vingt-deux ans, Cuvier à vingt-six ans.

Les études de Lamarck (1744-1829) le conduisirent à cette théorie, qu'il présenta dans sa *Philosophie zoologique* (1809), que les êtres se modifient et que les espèces se transforment sous l'influence du milieu. Il fut, cinquante ans avant Darwin, le véritable créateur de la doctrine de l'évolution, actuellement dominante, et de la théorie du transformisme.

L'idée capitale et toute nouvelle de l'enseignement de Geoffroy Saint-Hilaire (1772-1844) exposée dans sa *Philosophie anatomique* fut que tous les êtres sont formés sur un plan unique, c'est-a-dire qu'on retrouve chez tous les mêmes organes essentiels, différents seulement par des détails. C'est sur cette idée que repose la zoologie moderne.

Cuvier (1769-1832) fut le fondateur de deux sciences nouvelles, la paléontologie et la géologie. Dans ses études d'anatomie comparée (1800-1805), il établit ce principe que tous les organes d'un même animal sont en harmonie entre eux, et ont des proportions à peu près invariables. Il en conclut que quand on connaît un organe, on peut en déduire les autres. Partant de ce principe, après avoir étudié longuement divers ossements trouvés dans les carrières des environs de Paris, il reconstitua les squelettes de plus de cent soixante espèces d'animaux disparus depuis des siècles, quelques-uns gigantesques. Des squelettes découverts plus tard montrèrent que les déductions de Cuvier étaient exactes. Il avait ainsi créé la paléontologie.

D'autre part, de ses *Recherches sur les fossiles* (1821-1824), c'est-à-dire sur les empreintes et les restes d'animaux trouvés dans l'épaisseur des roches, on tira les principes de la géologie. Elles permirent en effet de classer les couches du sol d'après la nature des débris animaux qu'elles renferment. Par suite on put distinguer des époques dans la constitution de la croûte terrestre, donner, pour ainsi dire, un âge aux divers terrains, et retracer l'histoire de la formation du globe.

Transformation de l'industrie. — Les progrès des sciences, surtout des sciences physiques et chimiques, eurent pour conséquence principale la transformation et le prodigieux développement de l'industrie et du commerce.

Jusqu'alors en effet, l'industrie ne disposant pas de force motrice, tout travail se faisait de main d'homme. L'ouvrier n'avait à son service que des outils et pas ou peu de machines. On travaillait dans des ateliers comptant un très petit nombre d'ouvriers, au milieu desquels le patron travaillait lui-mème; les usines groupant des centaines de travailleurs étaient très rares. Bien qu'il existât quelques centres célèbres pour leurs produits spéciaux, par exemple Lyon pour les soieries, il n'y avait pas de concentration industrielle: en général chaque région, chaque ville presque, fabriquait la plupart des marchandises nécessaires à ses habitants. On fabriquait lentement, en petite quantité, au fur et à mesure des besoins, et les produits étaient chers.

Dès la fin du dix-huitième siècle les conditions du travail industriel avaient été profondément transformées en Angleterre par l'invention de nouvelles machines et surtout de la machine à vapeur de Watt (1769). Le machinisme avait donné naissance à la "grande industrie," qui, substituant le travail mécanique au travail à la main, put fabriquer les objets en beaucoup plus grande quantité et à bas prix. Alors avaient commencé à se constituer, surtout dans les régions houillères — la houille servant de combustible pour produire la vapeur — d'énormes agglomérations ouvrières, des villes qui, comme Manchester, n'étaient que des réunions d'usines. L'industrie française évolua plus lentement, malgré des inventions remarquables comme celle du métier Jacquard, qui fit à partir de 1812 la fortune de la soierie lyonnaise. C'est surtout après 1830, sous l'impulsion d'une bourgeoisie active et entreprenante devenue la classe dirigeante, que le développement industriel s'accéléra. Les industries textiles, celle du coton surtout, avec les Dollfus et les Koechlin de Mulhouse, la métallurgie avec les Schneider du Creusot, l'industrie sucrière, les industries chimiques firent des progrès considérables. L'ingénieur Bourdon construisit au Creusot en 1841 le premier marteau-pilon qui permit de forger les plus énormes pièces métalliques. Le nombre des machines à vapeur s'éleva de 200 en 1820 à plus de 3,000 en 1843. Et l'on estimait à 4 milliards en 1847 contre 2 milliards vers 1830 la valeur globale des produits de l'industrie française.

Chemins de fer et bateaux à vapeur. — En même temps les moyens de communication et de transport se transformaient et se développaient d'une façon plus prodigieuse encore.

Jusqu'alors on voyageait par diligences. C'étaient de grandes et lourdes voitures, attelées de quatre à cinq chevaux. Tous les dix kilomètres environ, depuis 1815, on trouvait des maisons de poste où la diligence changeait d'attelage; on parvenait ainsi à franchir 80 à 90 kilomètres par jour. Les voyages étaient lents et coûteux: cinq jours et 100 francs, qui en feraient aujourd'hui plus de 600, pour aller de Paris à Lyon. Entre les pays d'outre-Mer et l'Europe, il n'existait pas de services réguliers de bateaux; les meilleurs voiliers, vers 1820, mettaient aller et retour d'Angleterre aux États-Unis, 63 jours.

Les transports par terre furent révolutionnés par l'invention des chemins de fer. Dès 1770, un Français, Cugnot, avait construit un chariot à vapeur qui servit à Versailles au transport de pièces d'artillerie. D'autre part, depuis longtemps, dans les mines anglaises, on faisait rouler les voitures à charbon, pour faciliter la traction, soit dans des ornières de bois plaquées de fer, soit sur des barres de métal saillantes, appelées *rails*. En 1802, dans une exploitation minière du pays de Galles, on fit circuler sur les rails une voiture analogue à celle de Cugnot: le chemin de fer était inventé. Mais les premières machines locomotives pratiques ne furent construites qu'après que de nouveaux perfectionnements eurent été inventés par l'Anglais Stephenson et l'ingénieur lyonnais Séguin. Le premier train de voyageurs circula en 1830, entre Liverpool et Manchester: il faisait 24 kilomètres à l'heure. En France, la première ligne construite le fut entre Lyon et Saint-Étienne (1832). Dix ans plus tard, en 1842, était votée la loi qui ordonna l'établissement de neuf grandes lignes reliant Paris aux frontières.

A la même époque étaient organisés les services réguliers de bateaux à vapeur. Dès 1707, un précurseur, le Français Denis Papin, avait construit un grossier bateau à vapeur, et à la fin du siècle un autre Français, le marquis de Jouffroy, lançait sur le Doubs, puis sur la Seine, un bateau mû par une machine à vapeur (1776-1783). Pourtant c'est par un Américain, Fulton, que fut organisé en 1807 sur l'Hudson, le premier service de transport par bateau à vapeur. En 1838, les Anglais réussissaient la première traversée de l'Océan et créaient la première ligne régulière transatlantique. La première ligne française fut créée deux ans plus tard entre le Havre et New-York (1840). Les bateaux destinés à ces services traversaient l'Atlantique en dix-sept jours.

Le Télégraphe. Les Postes. — De même la transmission des nouvelles était au début du dix-neuvième siécle encore lente et coûteuse. Les lettres étaient transportées par la malle-poste, une voiture légère marchant nuit et jour, qui arrivait à parcourir jusqu'à 14 kilomètres à l'heure. Le destinataire payait le port, variable selon le poids et la distance, mais toujours de dix fois au moins supérieur au prix actuel.

L'électricité fournit un moyen nouveau de correspondance, supprimant presque la distance. En 1833, les découvertes d'Ampère et d'Arago conduisirent le savant allemand Gauss à l'invention du télégraphe électrique. Le premier appareil pratique, aujourd'hui encore en usage, fut construit en 1835, aux États Unis, par Morse. La première ligne télégraphique française ne fut établie qu'en 1845, entre Paris et Rouen. Dès 1851, la France et l'Angleterre étaient reliées télégraphiquement par un câble immergé dans le Pas de Calais. Peu de temps après, un employé des postes françaises, Bourseul, inventait le téléphone (1855). Mais le premier appareil pratique ne fut construit que beaucoup plus tard, en 1877, par l'Américain Graham Bell.

D'autre part, grâce aux facilités de transport par les chemins de fer, les services postaux se développèrent considérablement. Un Anglais proposa, en 1837, de frapper les lettres d'une taxe, peu élevée, proportionnelle au poids, uniforme, quelle que fût la distance. La taxe serait acquittée au moyen d'un timbre vendu par l'État et payé par l'expéditeur. Le système fut mis en vigeur en 1840: le nombre des correspondances distribuées fut plus que doublé dans l'année. Bientôt la France et tous les autres pays adoptèrent le système anglais.

Les Nouvelles Doctrines sociales. — Les transformations économiques, surtout les progrès rapides de l'industrie et du commerce, eurent d'innombrables conséquences, en particulier l'expansion de nouvelles doctrines, connues sous le nom de doctrines socialistes.

Le socialisme est né de la misère des ouvriers. La Révolution de 1789 avait plutôt aggravé leur sort en supprimant les corporations qui jouaient dans une certaine mesure le rôle des sociétés de secours mutuels, et en interdisant la formation de toute association de métier. D'autre part, le développement de la grande industrie, l'invention de multiples machines accomplissant sous la surveillance d'une seule personne, souvent une femme, même un enfant, le travail qui exigeait autrefois plusieurs ouvriers, avaient fait baisser les salaires. Et tandis que d'un côté on voyait s'édifier les grandes fortunes d'un petit nombre de chefs d'industrie et de commerçants, on voyait par contre croître la misère et le nombre des misérables réduits à des salaires de famine. Le mal s'aggrava surtout à partir de 1834, quand, la tranquillité intérieure étant enfin assurée, les entreprises industrielles se multiplièrent si bien qu'on vit en dix ans la population des villes s'accroître de deux millions d'hommes, par le seul afflux des paysans vers les usines.

On donna le nom de socialistes à ceux qui estimaient cette organisation mauvaise et voulaient la remplacer par une nouvelle organisation sociale. Les premiers projets d'organisation idéale de la société furent exposés avant 1830 par un noble ruiné, Saint-Simon, et par un représentant de commerce, Fourier. Saint-Simon voulait éliminer de la société la classe des oisifs et donner la direction de l'État aux savants, aux penseurs et aux travailleurs industriels, patrons et ouvriers. Fourier voulait transformer l'organisation économique et sociale par l'association: il traça le plan de l'association harmonieuse idéale qu'il appelait la phalange et dont le domaine formait le phalanstère. A partir de 1830, les réformateurs et les systèmes se multiplièrent: on a parlé plus haut du système d'organisation du travail proposé en 1840 par Louis Blanc. Un seul excepté, Blanqui, qui préconisait le communisme égalitaire de Gracchus Babeuf, tous ces réformateurs, malgré la variété de leurs tendances et de leurs programmes, présentaient ce caractère commun: ils prêchaient non pas la haine et "la guerre de classes," mais la fraternité et l'entente de tous pour le bien de chacun.

Les socialistes allaient jouer pour la première fois un rôle considérable dans la crise révolutionnaire de 1848.

CHAPITRE VI

LA SECONDE RÉPUBLIQUE ET LE SECOND EMPIRE

La République démocratique. — Aussitôt installé à l'Hôtel de Ville le 25 février 1848, le gouvernement provisoire, par un manifeste, proclama la République "sauf ratification par le peuple qui sera immédiatement consulté." Il abolit sur l'heure toutes les lois restrictives de la liberté de la presse et de la liberté de réunion. Puis il décréta qu'il serait procédé le 9 avril à l'élection d'une Assemblée nationale constituante, composée de 900 représentants élus au suffrage universel. Tout Français âgé de 21 ans était électeur. Tout Français âgé de 25 ans était éligible. Ainsi le chiffre des électeurs se trouva d'un coup porté de 200,000 à plus de neuf millions. En outre le gouvernement décréta qu'une indemnité quotidienne serait payée au représentant du peuple et la fixa à 25 francs.

L'Agitation socialiste. — Bien qu'il y eût en réalité peu de républicains en France, la République établie par les insurgés parisiens fut acceptée facilement par le pays. On crut qu'elle allait inaugurer une ère de paix sociale et de fraternité. Il y eut un moment de grand enthousiasme.

Ces illusions ne durèrent pas. La Révolution de Février avait été faite par deux partis que séparaient des divergences profondes et qui bientôt entrèrent en lutte: les républicains modérés, qui s'appuyaient sur la bourgeoisie et ne demandaient que des réformes politiques; les socialistes, qui s'appuyaient sur la classe ouvrière, avaient pris pour emblème le drapeau rouge, et réclamaient de profondes réformes sociales.

Au lendemain de la révolution, le parti socialiste se développa rapidement. Grâce à la liberté de réunion, les chefs socialistes, Blanqui, Barbès, Cabet, Raspail, purent ouvrir un grand nombre de clubs où ils prêchèrent les doctrines nouvelles d'organisation du travail et de transformation de la société. Ces doctrines séduisirent d'autant plus les auditeurs que par suite de deux mauvaises récoltes consécutives, en 1846 et en 1847, par suite également des spéculations auxquelles donnaient lieu les constructions de chemins de fer, il y avait une crise économique très grave. Le travail était arrêté presque partout, les vivres se vendaient à très haut prix: de là une profonde misère et les efforts des socialistes pour obtenir du gouvernement provisoire qu'il travaillât à améliorer le sort des ouvriers.

Pendant la première semaine de son existence, le gouvernement provisoire se trouva chaque jour en face de quelque manifestation socialiste. Le 25 février, il dut, sur la pression de l'émeute, s'engager à "garantir du travail à tous les citoyens." Pour tenir cet engagement, il décréta, le lendemain 26, l'établissement immédiat d'ateliers nationaux. Le 28, après une nouvelle manifestation ouvrière, il constitua, sous la présidence de Louis Blanc, une Commission du gouvernement pour les travailleurs, chargée "d'aviser sans retard à garantir au peuple les fruits légitimes de son travail." Le 17 mars, les socialistes manifestèrent pour faire reculer la date des élections à l'Assemblée constituante: le gouvernement céda encore et les ajourna au 23 avril.

L'Assemblée constituante. — Cependant le parti républicain modéré se ressaisit. Il avait pour lui l'ancienne garde nationale, il avait la majorité au gouvernement provisoire. Il triompha complètement aux élections du 23 avril, qui lui donnèrent plus de 750 sièges, contre 130 au parti catholique, et un nombre infime aux socialistes. L'Assemblée constituante se réunit le 4 mai et confia le gouvernement à une Commission exécutive d'où les socialistes furent exclus.

Les clubs socialistes organisèrent alors pour le 15 mai une manifestation qui dégénera en émeute. Sous prétexte d'une pétition à présenter, une colonne de manifestants armés envahit la salle des séances, prononça la dissolution de l'Assemblée et proclama un gouvernement provisoire où l'on plaça Louis Blanc malgré lui, Barbès et Blanqui. Mais la garde nationale parvint à chasser les émeutiers; les principaux meneurs furent arrêtés et les clubs fermés. C'était une première et grave défaite pour les socialistes.

Les Ateliers nationaux. — L'émeute du 15 mai acheva de déterminer l'Assemblée à réagir contre les socialistes et la poussa à mettre fin à l'expérience des ateliers nationaux.

Les ateliers nationaux, ouverts en vertu du décret du 27 février, avaient été constitués de la manière suivante. Tous les ouvriers sans travail y étaient admis; ils étaient groupés militairement par escouades, brigades, compagnies. Quel que fût leur métier — maçons, ciseleurs, tapissiers, ébénistes, terrassiers de profession — ils étaient uniformément employés à des terrassements. Le salaire était de deux francs par jour; il fut ramené ensuite à huit francs par semaine. Le chômage sévissait avec une intensité telle que dès le premier jour on eut 10,000 ouvriers, 60,000 au milieu d'avril, 117,000 au mois de mai. A ce moment, comme tous les travaux utiles étaient achevés, on les employait à déplacer des pavés, à remuer de la terre pour rien, au Champ de Mars: il en coûtait plus de 150,000 francs par jour à l'État.

Cette ruineuse organisation, présentée comme l'application du système de Louis Blanc, ne répondait en rien à ses idées. Louis Blanc eût voulu que les ouvriers fussent groupés d'après leur profession, le gouvernement se bornant à subventionner les ateliers qu'ils organiseraient et exploiteraient eux-mêmes à leurs risques et périls. Les ateliers nationaux furent organisés contre Louis Blanc, par un de ses collègues du gouvernement, Marie, dont le but, de son propre aveu, était de ruiner la popularité de Louis Blanc et de démontrer que ses théories étaient "vides, fausses et inapplicables." L'expérience faite sans bonne foi avait coûté inutilement des millions; elle allait coûter des flots de sang.

Les Journées de juin. — Pour mettre fin au gaspillage et pour disperser l'armée socialiste, l'Assemblée décréta, le mercredi 21 juin, la fermeture des ateliers nationaux. Les ouvriers de dix-huit à vingt-cinq ans étaient invités à s'engager dans l'armée; les autres seraient dirigés sur différents points de la province où de grands travaux allaient être entrepris. De pareilles propositions faites à des ouvriers qui avaient femme et enfants, et qui étaient en grand nombre des ouvriers d'art, leur parurent un défi.

Le vendredi 23 juin à l'aube, les quartiers populeux, tout l'est de Paris depuis le Panthéon jusqu'au boulevard Saint-Martin, étaient transformés en camps retranchés par plus de quatre cents barricades, dont beaucoup, précédées de fossés et crénelées, montaient à la hauteur d'un premier étage. Il y avait 50,000 insurgés. Le gouvernement disposait de 40,000 hommes, troupes de ligne et garde nationale. L'Assemblée confia des pouvoirs dictatoriaux au général Cavaignac.

La lutte dura quatre jours; elle fut acharnée, sans pitié de part et d'autre et coûta la vie à plusieurs milliers d'hommes. Trois généraux tombèrent devant les barricades. L'archevêque de Paris, Mgr Affre, fut blessé mortellement en essayant de s'interposer. Le lundi 26 juin, les insurgés étaient forcés dans leurs derniers retranchements, faubourg Saint-Antoine — on y comptait soixante barricades — et place de la Bastille. Les troupes ramassèrent environ 11,000 prisonniers; 3,000 furent déportés en masse, en Algérie, sans jugement, par simple décret de l'Assemblée.

Ces événements coupèrent en deux la société française et opposèrent les uns aux autres, d'un côté les ouvriers, de l'autre les bourgeois et les paysans. Tandis qu'ils laissaient chez l'ouvrier de longues rancunes et qu'ils éveillaient en lui des sentiments de haine contre la bourgeoisie, ils épouvantèrent le bourgeois et le paysan. Ces deux classes voulurent un gouvernement qui assurât le respect de la propriété et la tranquillité intérieure. Le second Empire devait sortir de cet état d'esprit.

La Constitution de 1848. — Au début de novembre 1848, l'Assemblée nationale promulgua la nouvelle constitution. La constitution proclamait que "la souveraineté réside dans l'universalité des citoyens" et que "tous les pouvoirs émanent du peuple." Le pouvoir législatif était délégué à une Assemblée unique, élue pour trois ans, au suffrage direct et universel, par les Français âgés de vingt et un ans au moins. L'Assemblée ne pouvait être dissoute que par elle-même. Le pouvoir exécutif était délégué à un président de la République, élu pour quatre ans, au suffrage universel. Le président n'était pas immédiatement rééligible. Il était responsable devant l'Assemblée qui pouvait le traduire devant une Haute Cour de justice.

Louis-Napoléon président de la République. — Il y eut à la présidence de la République quatre candidats: le général Cavaignac, Ledru-Rollin, Lamartine, enfin un nouveau venu, Louis-Napoléon Bonaparte.

Louis-Napoléon, fils de Louis Bonaparte, roi de Hollande, était neveu de Napoléon Ier. Il avait quarante ans. Son existence avait été jusque-là fort agitée. Après 1815, sa mère, la reine Hortense, l'avait emmené en Suisse: il y fut élève de l'école d'artillerie, puis officier. Affilié à la Charbonnerie italienne, il participa aux soulèvements libéraux de 1831. Par la mort du duc de Reichstadt, fils de Napoléon, il devint en 1832 le chef de la famille Bonaparte et du parti bonapartiste. Deux fois, en 1836 à Strasbourg, en 1840 à Boulogne, il tenta contre Louis-Philippe un nouveau retour de l'île d'Elbe: les deux fois il échoua piteusement. Interné au fort de Ham en 1840, il réussit à s'échapper six ans plus tard sous le costume d'un maçon et se réfugia à Londres. Après la chute de Louis-Philippe, il accourut en France. Grâce à la propagande active de quelques journaux fondés par ses amis, et surtout grâce à la popularité de son nom, il fut élu à la Constituante par quatre départements. Pour calmer les méfiances qu'il inspirait aux républicains, il donna sa démission, mais, réélu en septembre 1848, vint siéger à l'Assemblée.

L'homme était assez énigmatique; il parlait peu, ne se livrait pas, méditait beaucoup, comme perdu dans un perpétuel rêve intérieur. On ne savait pas grand'chose de ses idées, si ce n'est qui'il affectait le respect de la souveraineté du peuple, et, d'après une brochure sur l'*Extinction du pauperisme*, publiée pendant sa captivité à Ham, qu'il avait le souci des misères ouvrières et croyait nécessaires des améliorations sociales.

Afin d'assurer son élection, il s'entendit avec les catholiques et les monarchistes, légitimistes et orléanistes, qui s'étaient rapprochés pour former le "parti de l'ordre" sous la direction de Thiers et de Montalembert. L'élection eut lieu le 10 décembre 1848: Louis-Napoléon fut élu par cinq millions et demi de suffrages contre un million et demi à Cavaignac, près de 400,000 à Ledru-Rollin, moins de 8,000 à Lamartine. Les paysans et même les ouvriers avaient voté en masse pour "le neveu du grand empereur."

L'Assemblée législative. — En mai 1849, l'Assemblée constituante prononça elle-même sa dissolution et céda la place à l'Assemblée législative.

Les élections à l'Assemblée législative avaient été pour les républicains une nouvelle et irréparable défaite. Sur 750 députés, il y eut seulement 250 républicains, dont 180 radicaux et socialistes qui reconnaissaient pour chef Ledru-Rollin et qui reprirent l'ancien nom de Montagnards. Le parti de l'ordre, catholiques et monarchistes, comptait près de 500 représentants. Les bonapartistes étaient très peu nombreux.

Ainsi dans cette République paradoxale, tous les pouvoirs appartenaient aux ennemis de la République.

La Réaction. — Le parti républicain fut frappé un mois à peine après les élections. Le conflit se produisit à propos d'une question de politique extérieure, l'expédition de Rome. En 1848 des révolutions avaient éclaté dans presque toute l'Europe. A Rome les républicains avaient pris le pouvoir et le pape Pie IX avait dû s'enfuir. Pour empêcher une interventiou des Autrichiens qui, en 1848 comme en 1820 et 1831, combattaient en Italie les mouvements libéraux, l'Assemblée constituante avait envoyé dans les États de l'Église une petite armée. Sous le commandement du général Oudinot, l'expédition se transforma en une expédition contre la République romaine pour le rétablissement du pouvoir temporel du pape (avril 1849).

La majorité de l'Assemblée législative approuva naturellement Oudinot. Ledru-Rollin et les Montagnards protestèrent au nom de la constitution, qui interdisait toute entreprise contre la liberté d'aucun peuple. Le 13 juin 1849, ils organisèrent une manifestation qui tourna à l'émeute, mais fut facilement réprimée. La droite en profita pour ordonner l'arrestation de 33 députés de la Montagne. Ledru-Rollin put s'échapper et se réfugier à Londres, mais le parti républicain se trouva désorganisé.

Débarrassée de ses adversaires les plus énergiques, la majorité catholique et monarchiste put réaliser alors une partie de son programme. Après la loi Falloux (15 mars 1850), qui abolit le monopole de l'Université et établit la liberté de l'enseignement, mesure qui était surtout à l'avantage des catholiques, l'Assemblée vota la loi électorale du 31 mai. Cette loi stipulait que, pour être électeur, il faudrait être domicilié depuis trois ans dans la commune et que le fait fût prouvé par l'inscription sur les registres de l'impôt. En fait, c'était abolir le suffrage universel: par ce procédé détourné, le droit de vote était enlevé à près de trois millions d'ouvriers. Les masses populaires en conçurent une vive animosité contre l'Assemblée.

Le Président et l'Assemblée. — Ces lois, dans la pensée des chefs de la droite, n'étaient que la préface d'une restauration monarchique. Mais, de son côté, Louis-Napoléon songeait à se maintenir au pouvoir. Il avait su se constituer un parti puissant dans le pays et dans l'armée; à la fin d'une revue au camp de Satory près de Versailles, les troupes défilèrent en criant: "Vive l'Empereur!" (10 octobre 1850).

Comme la constitution interdisait sa réélection immédiate en 1852 lorsqu'expirerait son mandat, Louis-Napoléon entreprit, dès 1850, une campagne en faveur d'une revision. Ce fut là-dessus que le conflit s'engagea entre l'Assemblée et le président. Une demande de revision présentée par le président en juillet 1851 ne réunit pas le nombre de voix nécessaire à l'adoption. Aussitôt Louis-Napoléon travailla à achever de déconsidérer l'Assemblée, déjà si impopulaire. A deux reprises il proposa l'abolition de la loi du 31 mai et le rétablissement du suffrage universel; ses propositions furent repoussées.

Le Coup d'État. — Dès lors le président pensa qu'il pourrait se débarrasser de l'Assemblée sans avoir à craindre un soulèvement populaire. Il avait placé au ministère de la Guerre et à la tête des régiments de Paris le général de Saint-Arnaud et des officiers qui lui étaient dévoués. Il se résolut à tenter le coup d'État.

Dans la nuit du lundi au mardi 2 décembre, tandis que, pour tromper ses adversaires, il donnait une grande fête au Palais de l'Élysée, il faisait arrêter les chefs de la majorité et placarder sur les murs une proclamation et deux décrets.

Le premier décret portait dissolution de l'Assemblée et rétablissement du suffrage universel.

Le second convoquait le peuple dans ses comices pour accepter ou rejeter le plébiscite suivant: "Le peuple français veut le maintien de l'autorité de Louis-Napoléon Bonaparte et lui délègue les pouvoirs nécessaires pour faire une constitution."

La proclamation contenait le plan sommaire d'une constitution nouvelle, puis un violent réquisitoire contre l'Assemblée. Le président "rendait le peuple entier, — le seul souverain qu'il reconnût en France, — juge entre l'Assemblée et lui."

Les députés de droite essayèrent d'organiser la résistance légale. Le 2 décembre, ils se réunirent au nombre de 200 environ à la mairie du Xe arrondissement; ils furent aussitôt arrêtés et emprisonnés à Mazas.

Un groupe de députés républicains — parmi eux Victor Hugo et Jules Favre — essaya de soulever les faubourgs. Mais les ouvriers, en majorité hostiles à la République depuis les Journées de juin et la loi du 31 mai, refusèrent d'écouter les "vingt-cinq francs": ils désignaient ainsi les députés. Cependant quelques barricades furent élevées dans la journée du 3 et le représentant Baudin fut tué sur l'une d'elles. Le jeudi 4 décembre, il y eut sur les boulevards, où la foule se pressait, un grand déploiement de troupes. Soudain, un coup de feu ayant, paraît-il, atteint un trompette, les soldats se mirent à tirer sur les promeneurs: il y eut plus de 150 tués, de très nombreux blessés, et dans Paris terrorisé toute résistance cessa.

Dans les départements, les sociétés secrètes républicaines voulurent organiser la résistance au coup d'État. Quelques soulèvements eurent lieu. Mais la répression fut rapide et telle qu'elle mit pour longtemps le parti républicain hors de combat. D'après un document officiel, il y eut 27,000 arrestations, chiffre certainement très inférieur à la réalité. Un décret autorisa la déportation sans jugement, soit à la Guyane, soit en Algérie, de toute personne appartenant ou ayant appartenu à une société secrète. Les déportés, des milliers de citoyens honnêtes, furent internés dans les colonies pénitentiaires, traités comme les condamnés de droit commun, voleurs et assassins.

Quatre-vingt-quatre députés, parmi lesquels Thiers et Victor

Hugo, furent expulsés de France "pour cause de sûreté générale."

Le 21 décembre 1851, eut lieu le plébiscite: 7,500,000 suffrages ratifièrent le coup d'État. Il y eut 650,000 "non."

La Constitution de 1852. — En vertu des pouvoirs que lui avait conférés le plébiscite, Louis-Napoléon rédigea une constitution, sur le modèle de la constitution de l'an VIII. Elle fut promulguée le 14 janvier 1852.

La constitution de 1852 plaçait à la tête du gouvernement un président de la République élu pour dix ans, responsable devant le peuple, détenant à la fois le pouvoir exécutif et la meilleure partie du pouvoir législatif. Il commandait les armées, déclarait la guerre, signait les traités, nommait à tous les emplois. Les ministres ne dépendaient que de lui. Il avait seul l'initiative des lois, il les sanctionnait et les promulguait.

Trois assemblées partageaient avec lui le pouvoir législatif.

Le Sénat examinait les lois votées par le Corps législatif. Il réglait par sénatus-consulte tout ce qui n'était pas prévu par la constitution. Il était composé de 150 membres, les uns sénateurs de droit — cardinaux, maréchaux, amiraux — les autres nommés à vie par le président.

Le Corps législatif discutait et votait l'impôt et les projets de loi présentés par le président de la République. Composé de deux cent soixante et un députés, élus pour six ans au suffrage universel, il siégeait seulement sur convocation du président de la République, qui pouvait l'ajourner et le dissoudre. Les séances étaient publiques, mais il n'en devait être publié qu'un compte rendu sommaire, rédigé par le président de l'Assemblée. Les ministres ne pouvaient être membres du Corps législatif et ne se présentaient jamais devant lui.

Le Conseil d'État, dont le président nommait et pouvait révoquer les membres, préparait les projets de loi, et les défendait devant le Corps législatif et le Sénat.

L'Empire. — La constitution de 1852 restaurait à peu près la monarchie absolue.

La restauration fut complète avant même la fin de l'année 1852. Au début de novembre, le Sénat proposa de soumettre à un plébiscite le rétablissement de la dignité impériale en faveur de Louis-Napoléon. Le plébiscite eut lieu le 21 novembre: il y eut 7,830,000 "oui" et 253,000 "non." Louis-Napoléon fut proclamé empereur héréditaire des Français et prit le nom de Napoléon III.

L'empereur reçut une liste civile de 25 millions. Il vint habiter les Tuileries, où il organisa une Cour, imitée de celle de Napoléon Ier. Cette Cour devint la plus brillante de l'Europe après que Napoléon III eut épousé Mlle Eugénie de Montijo, comtesse de Téba, une Espagnole d'une grande beauté (1853).

L'Empire autoritaire. — Le peu de liberté que laissait subsister la constitution fut bientôt réduit à rien par de simples décrets ou sénatus-consultes.

Un décret sur la presse condamna au silence la presse d'opposition.

La constitution attribuait au Corps législatif le vote de l'impôt. Mais le sénatus-consulte du 20 décembre 1852 obligea les députés à voter en bloc les fonds demandés pour chaque ministère.

La constitution établissait le suffrage universel. Mais le gouvernement impérial se chargea de guider le choix des électeurs: il organisa la candidature officielle. Les candidats du gouvernement durent être soutenus par tous les agents de l'administration, et ils purent employer des affiches de couleur blanche, couleur réservée aux publications officielles.

L'empereur fut ainsi maître absolu. Jusqu'à 1859, il n'y eut pas d'opposition sérieuse. Les orléanistes et les légitimistes, toujours divisés, s'en tenaient à une opposition de salons. Le parti républicain avait été décimé par les proscriptions de 1851 et de 1852.

La Prospérité générale. — Si ce régime de compression put durer quelques années, ce fut d'abord grâce aux succès de la politique extérieure, aux victoires de Crimée et d'Italie qui flattèrent l'amour-propre national et rétablirent le prestige de la France en Europe; ce fut aussi et surtout grâce au développement de la prospérité générale.

La transformation économique, commencée dans la période précédente, prit alors de plus en plus d'ampleur et détermina dans tout le pays un intense mouvement d'affaires. Sans cesse surgissaient de nouvelles usines, de nouvelles voies ferrées et lignes télégraphiques, de nouvelles sociétés de crédit, avançant de l'argent aux agriculteurs, aux industriels et aux commerçants. Le gouvernement favorisa ce mouvement de tout son pouvoir: il entreprit de grands travaux d'utilité publique, reboisements, dessèchement des marais, développement et embellissement des villes.

Paris surtout fut transformé sous l'administration du préfet Haussmann; on y traça de larges boulevards, grandes voies de circulation qui assainirent la ville, mais aussi grandes voies stratégiques où les barricades devenaient impossibles parce que l'artillerie y pouvait tirer comme en rase campagne. En 1860, on doubla l'étendue de la ville en rasant l'ancien mur des Fermiers Généraux, qu'on remplaça par d'énormes boulevards circulaires, et en annexant toutes les petites villes comprises entre ces boulevards et les fortifications.

Hors de France la plus gigantesque entreprise de ce temps, le percement de l'isthme de Suez, qui devait abréger de moitié le trajet d'Europe en Asie, fut une œuvre française: c'est en France que le promoteur, Ferdinand de Lesseps, consul de France en Égypte, trouva les deux cents millions nécessaires à l'entreprise: ce fut à l'appui énergique de Napoléon III, qu'il dut d'obtenir l'autorisation de la Turquie.

L'Empire libéral. — Pourtant le régime de dictature ne dura pas dix ans: dès 1860, commença l'évolution par laquelle, de concession en concession, l'empereur fut contraint de rendre aux Français toutes les libertés confisquées et finalement de remplacer le gouvernement autoritaire par le gouvernement parlementaire.

Cette évolution eut pour cause la dislocation du parti bonapartiste et la constitution d'un puissant parti d'opposition recruté parmi ceux-là mêmes qui avaient, jusqu'alors, le plus fidèlement soutenu l'Empire, les catholiques et les industriels. Les catholiques français rendirent Napoléon responsable de la ruine de la puissance temporelle du pape et commencèrent à l'attaquer. D'autre part, l'empereur conclut avec l'Angleterre un traité de commerce (janvier 1860), en vertu duquel les droits de douane entre les deux pays étaient considérablement abaissés. Ce traité mécontenta les industriels.

Afin de contre-balancer l'opposition des catholiques et des industriels, Napoléon crut utile de se procurer, par des concessions politiques, l'appui des libéraux. Il commença par accorder une amnistie à tous ceux qui avaient été condamnés pour cause politique (16 août 1859); puis le 24 novembre 1860, un décret impérial accorda au Sénat et au Corps législatif le droit de voter chaque année, à l'ouverture de la session, une "adresse," c'est-à-dire le droit de donner leur avis sur la politique générale du gouvernement. Le *Journal officiel* devait publier désormais le compte rendu complet des séances des Chambres et les journaux auraient la faculté de le reproduire.

L'Opposition. Le Tiers Parti. — Les concessions de l'empereur eurent pour effet immédiat de ranimer l'activité de la vie politique. Mais bien loin d'apaiser l'opposition, elles lui donnèrent seulement plus de force et d'audace. L'influence de l'opposition dans le pays ne cessa plus de grandir, d'abord parce que les Français désiraient de plus en plus vivement le retour à la liberté, puis parce que de graves échecs extérieurs, surtout la coûteuse expédition du Mexique (1861–1866), portèrent atteinte au prestige de l'Empire.

Jusqu'à 1863, il n'y avait eu que cinq députés ennemis de l'Empire, tous républicains: Jules Favre et Émile Ollivier étaient les plus éloquents des "Cinq." Pour les élections de 1863, les opposants de toutes nuances, catholiques, légitimistes et orléanistes, groupés dans l'Union libérale, et leurs anciens ennemis les républicains se coalisèrent contre le gouvernement. L'opposition obtint deux millions de voix et fit élire 35 des siens, dont 17 républicains.

La plupart de ces opposants restèrent irréconciliables. Quelques-uns évoluèrent et parurent décidés à accepter l'Empire si le régime était transformé et si Napoléon rendait à la France toute la liberté. Ils entraînèrent avec eux un certain nombre de bonapartistes qui sentaient la nécessité de cette transformation. Ainsi se forma vers 1866 le Tiers parti, qui eut pour chef Émile Ollivier, rallié désormais à Napoléon.

Émile Ollivier et Rouher. — Napoléon ne répugnait pas à l'idée de nouvelles concessions libérales. Il fit appeler Émile Ollivier et discuta avec lui des projets de réforme. Mais l'entourage immédiat de l'empereur, surtout son principal ministre, Rouher, était persuadé que les concessions libérales perdaient l'Empire et que le régime autoritaire de 1852 était le seul qui convînt à la France. Entre Émile Ollivier et Rouher, l'empereur ne sut pas prendre franchement parti. Indécis par nature, rendu plus indécis encore par la maladie, il pratiqua pendant trois ans, jusqu'en 1869, une politique hésitante, faisant des concessions conformes aux vues d'Ollivier, mais laissant Rouher les annuler en partie par la façon dont il en réglait l'application.

Les Concessions libérales. — Cependant malgré les hésitations du souverain et la mauvaise volonté du ministre, la transformation libérale se poursuivit.

En 1867, sous l'influence d'Émile Ollivier, l'empereur donna aux députés et aux sénateurs le droit d'interpellation, c'est-à-dire le droit d'interroger les ministres sur les actes du gouvernement.

En 1868, la liberté de la presse fut rétablie, et aussi, en partie, la liberté de réunion. Le parti républicain en profita aussitôt pour mener contre l'Empire une furieuse campagne de presse et de réunions publiques. Un journal républicain, le *Réveil*, organisa une manifestation au cimetière Montmartre sur la tombe de Baudin (novembre 1868), et ouvrit une souscription pour élever un monument à sa mémoire: poursuivi en justice, il fut défendu par un jeune avocat, Gambetta, qui osa, devant les juges impériaux, flétrir "le crime du 2 décembre." Le plaidoyer eut un immense retentissement. Gambetta devint un des chefs du parti républicain; il fut élu député de Paris en 1869.

L'Empire parlementaire. — Aux élections de 1869, les ultra-bonapartistes furent mis en minorité. L'opposition anti-dynastique comptait 90 membres, dont 40 républicains. Le Tiers parti, avec 116 députés, était maître de la situation.

L'empereur hésita encore. Ne voulant pas paraître céder à la pression des députés, il prorogea la Chambre. Mais bientôt Rouher donna sa démission de ministre et fut nommé président du Sénat. Enfin le 6 septembre 1869, l'empereur promulgua un sénatus-consulte qui rendait au Corps législatif l'initiative des lois, la liberté d'amendement, le droit de discuter et de voter le budget par chapitres détaillés, le droit sans limite d'interpellation; les ministres seraient responsables et pourraient être mis en accusation devant le Sénat.

Peu de temps après, Napoléon chargeait Émile Ollivier de constituer un ministère (2 janvier 1870.)

Le Plébiscite de 1870. — De la constitution de 1852 plus rien ne subsistait. Il parut alors nécessaire d'appeler les Français à se prononcer sur le régime nouveau. La formule suivante fut soumise au plébiscite: "Le peuple approuve les réformes libérales opérées dans la constitution depuis 1860 par l'empereur." L'annonce du plébiscite provoqua la plus vive agitation. Sur environ 11 millions de citoyens, près de 9 millions votèrent: il y eut 7,350,000 "oui," 1,538,000 "non" (8 mai 1870). Les paysans avaient en masse voté "oui." Les votes négatifs venaient des ouvriers et des hommes des classes libérales.

L'Empire par ce plébiscite semblait comme fondé une seconde fois. Trois mois plus tard la guerre déclarée à la Prusse aboutissait à l'invasion de la France et à un désastre au milieu duquel, le 4 septembre 1870, l'Empire s'effondra.

CHAPITRE VII
LES GUERRES DU SECOND EMPIRE

La Politique de Napoléon III. — Deux idées directrices inspirèrent la politique napoléonienne: le principe nouveau des nationalités, le principe traditionnel des frontières naturelles. Le principe des nationalités se formulait pour Napoléon à peu près en ces termes: les peuples de même langue et de même race, lorsqu'ils sont divisés en groupes politiques distincts ou bien soumis à une domination étrangère, doivent être affranchis et réunis en un État unique; l'empereur l'entendait d'ailleurs dans un sens démocratique: dans l'Europe nouvelle qu'il rêvait d'organiser, tous les États devaient être fondés sur le libre consentement des peuples. D'autre part, élevé dans le culte de la tradition napoléonienne, Napoléon III voulait effacer les traités humiliants de 1815 et donner satisfaction au sentiment national en rendant à la France ses frontières naturelles, le Rhin et les Alpes. Il espérait y parvenir précisément à la faveur des remaniements territoriaux que devait entraîner en Europe l'application du principe des nationalités. C'est ainsi qu'il obtint la Savoie pendant la formation de l'unité italienne, et qu'il essaya d'obtenir pendant la formation de l'unité allemande la Belgique ou la rive gauche du Rhin.

Mais pour réaliser d'aussi vastes projets, il manquait à Napoléon III les qualités essentielles de l'homme d'État, celles que possédèrent au plus haut degré ses contemporains, Cavour et Bismarck, à savoir le sens des réalités et des possibilités, l'habileté à calculer les conséquences lointaines d'une décision, et surtout la vue claire des intérêts nationaux.

Conflit avec la Russie. — Pourtant les premières années du règne furent glorieuses. Deux grandes guerres: la guerre de Crimée et la guerre d'Italie, se terminèrent victorieusement.

La guerre de Crimée fut provoquée surtout par les ambitions

russes. Depuis le début de son règne, le tsar Nicolas Ier projetait soit de démembrer l'Empire turc, soit de le mettre sous le protectorat russe. En 1853 il se résolut à agir. Par un véritable ultimatum, il mit le sultan en demeure de choisir entre une alliance avec la Russie ou la guerre. Il exigeait en outre que le sultan lui reconnût un droit de protectorat sur tous les chrétiens orthodoxes de l'Empire turc. Le sultan refusa. Aussitôt Nicolas Ier fit entrer ses troupes dans les provinces moldovalaques, la Roumanie actuelle.

C'était sur le conseil de l'Angleterre et de la France que le sultan avait repoussé l'ultimatum du tsar. L'Angleterre et la France, en effet, étaient intéressées à ne pas laisser modifier l'équilibre méditerranéen par la substitution d'un État énergique comme la Russie à un État chancelant comme la Turquie. D'autre part la question des "Lieux saints," dont les religieux grecs et latins se disputaient la garde, mettait depuis longtemps aux prises la France et la Russie. En outre, Napoléon III avait des griefs personnels contre Nicolas qui, lors du rétablissement de l'Empire en France, s'était efforcé de décider les puissances à ne pas le reconnaître. Les gouvernements français et anglais, venant au secours du sultan, sommèrent le tsar d'évacuer la Moldavie et la Valachie. Sur son refus ils lui déclarèrent la guerre et signèrent une alliance avec la Turquie (mars 1854). En 1855 le Piémont se joignit à la coalition anti-russe.

La Guerre de Crimée. — La guerre eut pour théâtre essentiel la presqu'île de Crimée dans la mer Noire — d'où le nom de guerre de Crimée —, et se résuma en un siège colossal, le siège de Sébastopol. Les Russes avaient créé à la pointe sud de la presqu'île, à Sébastopol, un puissant arsenal maritime qui était une menace constante pour Constantinople: il s'agissait de le détruire.

Retranchée derrière la rivière de l'Alma, l'armée russe essaya d'arrêter les alliés qui, après avoir débarqué à Eupatoria, marchaient sur Sébastopol: elle fut battue (20 septembre 1854). Pendant le siège même, des armées russes vinrent à plusieurs reprises prendre à revers les assiégeants; elles furent battues à Balaklava (octobre 1854), à Inkermann (novembre 1854), au pont de Traktir (avril 1855).

Le siège, un des plus prodigieux de l'histoire, dura onze mois (9 octobre 1854 — 8 septembre 1855). Il coûta par le feu et surtout par la maladie et les rigueurs de l'hiver, plus de 100,000 hommes aux alliés, près de 200,000 hommes aux Russes. La clef de la défense était, au sommet d'un mamelon, l'ouvrage Malakoff, citadelle en terre longue d'environ 350 mètres, et couverte à un kilomètre en avant par un autre ouvrage, le Mamelon Vert. Les Français enlevèrent le Mamelon Vert, le 7 juin 1855. De là, il leur fallut trois mois de travaux et de combats pour atteindre le pied de Malakoff. Le 8 septembre, l'assaut fut donné à toutes les défenses de la ville par 56,000 hommes. Repoussé partout, il réussit à Malakoff que les Russes, malgré des efforts désespérés, ne purent reprendre à la division du général de Mac-Mahon. Malakoff pris, Sébastopol ne pouvait plus se défendre; les Russes l'évacuèrent dans la nuit, après avoir fait sauter tous les bastions et incendié tous leurs navires dans la rade.

Congrès de Paris. — Pendant le siège de Sébastopol, Nicolas était mort du désespoir de ses défaites (mars 1855). Après la chute de la place, le nouveau tsar, Alexandre II, se résigna à traiter.

Un congrés, où siégèrent les représentants de la France, de l'Angleterre, de la Russie, de la Turquie, de l'Autriche, du Piémont, de la Prusse se réunit à Paris et régla les conditions de la paix (février-avril 1856). On décida de neutraliser la mer Noire: il était interdit à la Russie et à la Turquie d'y avoir ni vaisseaux de guerre, ni arsenaux. Les puissances garantissaient l'autonomie des provinces roumaines et de la Serbie. Mais elles garantissaient aussi l'intégrité territoriale de l'Empire turc. Ainsi la Turquie, officiellement placée sous la sauvegarde de l'Europe, semblait désormais à l'abri du péril russe.

La Question italienne. — Le représentant du Piémont au Congrès de Paris fut Cavour. Il était destiné à être le créateur de l'unité italienne.

Le Congrès de Vienne avait donné à l'Autriche une situation prépondérante en Italie: elle y possédait le royaume lombard-vénitien; en outre des princes autrichiens régnaient à Parme, à Modène et en Toscane. Le reste de l'Italie était partagé entre le roi de Sardaigne, maître du Piémont et de la Savoie, le pape et le roi des Deux-Siciles, qui possédait toute l'Italie du sud. Depuis 1815, des troubles continuels avaient agité l'Italie. Les patriotes italiens, qui étaient en même temps des libéraux, voulaient renverser les gouvernements absolutistes, chasser les Autrichiens d'Italie et faire l'unité italienne. En 1848, alors que la Révolution éclatait dans toute l'Europe, à Paris, à Vienne, à Berlin, ils avaient cru toucher au but. Le roi de Sardaigne, Charles-Albert, après avoir accordé une constitution à ses sujets, s'était mis à la tête de la croisade nationale contre l'Autriche. Mais les Autrichiens avaient été vainqueurs, et, avec leur concours, la réaction avait triomphé dans toute l'Italie. Seul le Piémont était resté un État libéral autour duquel se groupèrent désormais les patriotes Italiens (1849).

L'expérience était faite que les Italiens ne pouvaient par leurs seules forces chasser les Autrichiens, et que, pour réaliser leur rêve, il leur faudrait le concours de l'étranger. C'est ce que comprit Cavour, ministre du nouveau roi de Sardaigne, Victor-Emmanuel II. Diplomate incomparable, Cavour manœuvra avec la plus grande habileté pour s'assurer l'alliance de Napoléon III, qu'il savait favorable à la cause italienne et partisan déterminé du principe des nationalités. A la fois pour relever le prestige de l'armée sarde et se ménager la reconnaissance de la France, il engagea le Piémont dans la guerre de Crimée (1855). En 1858 enfin, dans la mystérieuse entrevue de Plombières, l'alliance franco-sarde était conclue. En échange de son appui contre l'Autriche, la France devait recevoir la Savoie et peut-être le comté de Nice; Victor-Emmanuel aurait le Lombard-Vénitien et une partie des États de l'Église; les États italiens seraient réunis en une confédération que présiderait le pape. Cavour avait accepté sans conviction cette dernière clause qu'il jugeait irréalisable; mais l'essentiel pour lui était d'avoir l'armée française: il l'avait.

La Guerre d'Italie. — La guerre contre l'Autriche, soigneusement et secrètement préparée, éclata au mois d'avril 1859. Elle dura deux mois à peine. Les Autrichiens avaient réuni sur la rive gauche du Pô 120,000 hommes commandés par Giulay et s'étaient avancés jusque sur la Sésia. 100,000 Français et

60,000 Sardes étaient concentrés sur la rive droite du Pô, en avant d'Alexandrie.

Surpris par une conversion brusque de l'armée française qui avait franchi le Pô à Casale, Giulay recula derrière le Tessin. C'est là que fut livrée, le 4 juin, la première grande bataille de la campagne, Magenta. Après une lutte acharnée et jusqu'au soir indécise, l'arrivée du général de Mac-Mahon sur le flanc droit des Autrichiens les obligea à battre en retraite; ils avaient perdu 10,000 hommes, les Français 4,500. La victoire de Magenta livra toute la Lombardie aux Franco-Sardes: les Autrichiens reculèrent du coup jusqu'au Mincio.

Trois semaines plus tard, sous le commandement de l'empereur François-Joseph, les Autrichiens reprenaient l'offensive: ils étaient 126,000. Le 24 juin, Français et Autrichiens, marchant les uns et les autres sans s'éclairer, se heurtaient inopinément au sud du lac de Garde. L'action — un choc de front sans manœuvre aucune — eut pour centre le village de Solférino. Après douze heures de lutte sous un ciel de plomb, les Autrichiens durent de nouveau battre en retraite. La bataille coûtait 17,500 hommes aux Franco-Sardes, 22,000 hommes aux Autrichiens.

Solférino semblait devoir être le premier acte de la conquête de la Vénétie. Brusquement, Napoléon offrit la paix à François-Joseph: les conditions en furent arrêtées à l'entrevue de Villafranca. L'Autriche cédait la Lombardie au Piémont, mais gardait la Vénétie. L'Italie devait former une confédération, sous la présidence honoraire du pape (11 juillet 1859). Ainsi Napoléon n'avait pas tenu sa promesse: "l'Italie libre des Alpes à l'Adriatique." Les Italiens se crurent joués et crièrent à la trahison. Pourtant ce revirement de l'empereur tenait à des causes multiples, quelques-unes très graves; l'armée autrichienne n'était pas détruite, et l'entrée de la Vénétie était couverte par plusieurs citadelles dont la prise eût nécessité des sièges longs et difficiles. Mais, surtout, la France était menacée d'une seconde guerre sur le Rhin: la Prusse avait commencé à mobiliser. Napoléon ne voulut pas courir le risque d'une double guerre.

Annexion de la Savoie. — D'ailleurs les stipulations de Villafranca, ratifiées par la paix de Zurich (novembre 1859), restèrent lettre morte. Sans tenir compte des décisions des empereurs, le peuple italien acheva de lui-même l'œuvre de l'unité.

Ce fut d'abord l'Italie centrale — Modène, Parme, la Toscane et la Romagne pontificale — soulevée dès le début de la guerre, qui vota par plébiscites son annexion au royaume de Sardaigne (mars 1860). Quelques semaines plus tard un aventurier audacieux, Garibaldi, ayant réuni un corps de volontaires qu'on appela les Mille ou les Chemises rouges à cause de leur uniforme, se rendait maître de la Sicile, et de là passait dans l'État napolitain soulevé contre son roi, François II. L'armée sarde intervint alors, occupa dans les États de l'Église les Marches et l'Ombrie, puis, rejoignant Garibaldi, battit l'armée napolitaine et conquit toute l'Italie méridionale. A la fin de 1860, les États de l'Église et l'ancien royaume des Deux-Siciles votèrent à leur tour l'annexion au Piémont. Le 18 février 1861, Victor-Emmanuel était proclamé roi d'Italie par un parlement national réuni à Turin. L'unité italienne était faite: il ne manquait au nouveau royaume que Rome, où régnait encore le pape, et la Vénétie, restée autrichienne.

La formation du royaume d'Italie eut pour conséquence l'achèvement de la France au sud-est, par l'annexion de la Savoie et du comté de Nice. Cette double cession, prévue à Plombières, ne fut cependant réclamée par Napoléon qu'après l'annexion de l'Italie centrale au royaume sarde (mars 1860). L'annexion fut précédée d'un plébiscite; il y eut pour l'union à la France, en Savoie 130,000 suffrages contre 2,250; à Nice 25,000 "oui" contre 160 "non."

La Question romaine. — Les catholiques français formaient, on l'a vu, un parti puissant avec lequel Napoléon devait compter. Ils reprochaient vivement à l'empereur d'avoir laissé Victor-Emmanuel annexer les États de l'Église. Ils obtinrent au moins qu'il mît obstacle à l'annexion de Rome en y maintenant une garnison française.

Mais l'Italie voulait avoir Rome pour capitale. Pris entre les exigences contraires du parti catholique français et du peuple italien, Napoléon III ne parvint à satisfaire ni l'un ni l'autre. Après avoir essayé vainement d'amener le pape Pie IX à des concessions, il se résolut à retirer de Rome la garnison française qui s'y trouvait depuis 1849: ce fut l'objet de la Convention de septembre 1864. Le gouvernement italien s'engageait "à ne pas attaquer le territoire pontifical et à empêcher même par la force toute attaque contre ledit territoire"; les Français évacueraient Rome dans un délai de deux années. L'évacuation eut lieu à la fin de 1866.

Dès 1867, Garibaldi, échappant à la surveillance des ministres italiens, tentait un coup de main sur Rome. Aussitôt Napoléon III fit réoccuper le territoire pontifical et une brigade française, commandée par le général de Failly, battit Garibaldi à Mentana (3 novembre 1867). Cette nouvelle intervention souleva dans toute l'Italie les plus vives colères contre la France.

L'Aventure mexicaine. — Le désir de donner satisfaction aux catholiques fut encore dans une certaine mesure un des mobiles qui poussèrent l'empereur à s'engager dans la coûteuse aventure mexicaine.

Le Mexique était déchiré par les luttes des partis. De 1857 à 1860, une guerre civile avait mis aux prises le parti conservateur catholique et les libéraux qui avaient fait élire président de la République leur chef, Juarez. Vainqueur et maître de Mexico, Juarez décréta la faillite provisoire de l'État mexicain. Cette mesure, qui atteignait surtout les financiers étrangers, créanciers du Mexique, fut l'occasion de l'intervention européenne: la France, l'Angleterre et l'Espagne s'entendirent pour envoyer leurs flottes à la Vera-Cruz (1861).

En février 1862, l'Angleterre et l'Espagne signaient une convention avec le gouvernement mexicain et retiraient leurs troupes. Au contraire Napoléon décida de continuer la guerre et d'envoyer une expédition contre Mexico. Il avait conçu l'étrange projet de fonder au Mexique un Empire de civilisation latine destiné à contrebalancer la puissance des États-Unis anglo-saxons, et dont la couronne serait donnée à l'archiduc Maximilien, frère de l'empereur d'Autriche.

La Guerre du Mexique. — La guerre fut beaucoup plus longue et plus difficile qu'on ne s'y attendait en France. La masse de la nation mexicaine se groupa autour de Juarez pour la défense de l'indépendance nationale.

Une première expédition, trop faible — elle ne comprenait

que 7,000 hommes — échoua devant Puebla (mai 1862). Il fallut envoyer 20,000 hommes, sous le commandement des généraux Forey et Bazaine. Après deux mois de siège et de combats, Puebla fut emporté (mai 1863). Le 10 juin, l'armée française entrait dans Mexico, où un simulacre d'Assemblée nationale proclama empereur l'archiduc Maximilien. Non sans hésitation, Maximilien accepta la couronne qui lui était offerte et se rendit au Mexique (1864).

Mais la prise de la capitale n'avait pas mis fin à la guerre. Comme les Espagnols au temps de Napoléon Ier, les Mexicains, formés en guerillas, ne cessaient de harceler les troupes françaises. La situation devint tout à fait grave en 1865 quand les États-Unis, délivrés de la guerre civile, menacèrent d'intervenir. Au même moment la rivalité de la Prusse et de l'Autriche semblait sur le point de déchaîner une nouvelle crise européenne. Napoléon, inquiet, se décida à rappeler ses troupes du Mexique. L'évacuation, commencée en 1866, était achevée en mars 1867.

Le dénouement ne se fit pas attendre. Maximilien avait refusé d'abdiquer; abandonné de tous, il fut pris par les Juaristes à Queretaro, condamné à mort et fusillé (19 juin 1867). Ainsi se termina cette aventure qui, moralement surtout, eut pour l'Empire de très graves conséquences.

La Politique de Bismarck. — Au moment où prenait fin l'aventure mexicaine, l'extension soudaine de la puissance prussienne créait pour la France un péril des plus redoutables.

En Allemagne, comme en Italie, la question de l'unité était posée depuis 1815. L'Allemagne était restée morcelée en 38 États. Ces États formaient, il est vrai, une Confédération germanique, mais la Confédération n'établissait aucun lien réel entre les États. En Allemagne comme en Italie, les patriotes libéraux avaient essayé de profiter de la crise révolutionnaire de 1848 pour fonder l'unité allemande. Comme les Italiens en 1848, ils avaient complètement échoué.

Mais, parmi les 38 États allemands, il y en avait deux qui étaient de grandes puissances, l'Autriche et la Prusse. L'une et l'autre voulaient faire l'unité allemande sous leur direction et à leur profit. L'Allemagne était ainsi vouée soit à l'hégémonie autrichienne, soit à l'hégémonie prussienne.

Depuis 1861, la Prusse avait pour roi Guillaume Ier. Depuis 1862, le premier ministre de Prusse était le baron de Bismarck. Le roi et le ministre se proposèrent comme but de mettre la Prusse "à la tête de l'Allemagne." Tous deux étaient d'ailleurs pénétrés de cette idée que l'unité allemande ne se ferait "ni par des discours, ni par des votes, mais par le fer et le sang," et que l'instrument en serait l'armée prussienne. Celle-ci, réorganisée sous la direction de Moltke, chef de l'État-Major général, fut portée à l'effectif de 450,000 hommes sur le pied de guerre.

Une fois prêt l'outil de guerre, Bismarck se chargea de l'employer. Ce fut par deux grandes guerres, voulues par lui, préparées par lui, éclatant à son heure, qu'il réalisa l'unité allemande: la guerre de 1866 contre l'Autriche; la guerre de 1870 contre la France.

Une guerre contre l'Autriche paraissait en effet la première et l'indispensable condition de l'unification de l'Allemagne au profit de la Prusse. Mais, avant de courir la redoutable aventure, Bismarck voulut s'assurer la neutralité de la France et l'alliance de l'Italie. L'entrevue qu'il eut à Biarritz (octobre 1865) avec Napoléon III n'aboutit pas à une entente formelle; cependant l'empereur se montra favorable aux projets de Bismarck et c'est sur son conseil que fut conclue en avril 1866 l'alliance entre la Prusse et l'Italie, alliance offensive, dont le prix devait être pour Victor-Emmanuel l'acquisition de la Vénétie.

Aussitôt Bismarck chercha un prétexte de rupture. Comme Cavour en 1859, il sut habilement provoquer l'Autriche. Le 16 juin 1866, la guerre éclatait. L'Autriche avait de son côté la plupart des États de la Confédération germanique.

Sadowa. — Les opérations furent menées par Moltke avec une rapidité foudroyante et dont on n'avait pas vu d'exemple depuis la campagne d'Iéna: en un mois et demi tout était terminé. La bataille décisive eut lieu en Bohême, à Sadowa (3 juillet): l'armée autrichienne fut mise en pleine déroute. Le 26 juillet, des préliminaires de la paix étaient signés à Nikolsbourg: ils furent transformés en paix définitive à Prague (23 août 1866).

La victoire prussienne eut pour l'Allemagne et pour l'Europe les plus graves conséquences. L'Autriche dut accepter la dissolution de la Confédération germanique et renoncer définitivement à faire partie de l'Allemagne. La Prusse s'agrandit considérablement: sans consulter les populations, elle s'annexa le Slesvig et le Holstein, le royaume de Hanovre, la Hesse électorale, Francfort-sur-le-Main, en tout quatre millions et demi d'habitants. L'Allemagne du nord s'unit sous l'hégémonie prussienne: tous les États au nord du Main formèrent la Confédération de l'Allemagne du nord (avril 1867), dont le président héréditaire fut le roi de Prusse.

L'Italie, bien qu'elle eût été vaincue par l'Autriche à Custozza (24 juin 1866), reçut par l'entremise de Napoléon III la Vénétie.

La Politique de pourboires. — La bataille de Sadowa eut encore une autre conséquence capitale: elle marqua la ruine de la prépondérance française en Europe et elle fut le point de départ d'un antagonisme entre la France et la Prusse qui devait aboutir à la guerre de 1870.

D'abord le prestige militaire de la France, établi sur les victoires de Crimée et d'Italie, se trouva éclipsé par le prestige nouveau des armes prussiennes.

En outre les démarches maladroites de Napoléon III—ce que Bismarck appela *la politique de pourboires* — aggravèrent la situation de la France. Par de simples négociations diplomatiques, sans recourir à la force ou tout au moins à une médiation armée, l'empereur crut possible après Sadowa d'obtenir de la Prusse la récompense de sa neutralité. Successivement il demanda à Bismarck les territoires bavarois de la rive gauche du Rhin avec Mayence (5 août 1866); puis, à la suite d'un refus, le Luxembourg et la faculté, quand il le jugerait opportun, d'annexer la Belgique. Cette seconde démarche n'eut pas plus de succès que la première.

Bismarck profita habilement de ces fausses manœuvres. C'était sur l'intervention de Napoléon que la limite du Main avait été imposée à la nouvelle Confédération allemande. Or en échange des territoires qu'il réclamait, Napoléon offrait à la Prusse le droit d'agir à sa guise dans l'Allemagne du sud.

Après s'être donné l'air de protéger l'indépendance des États du sud, il offrait en secret de les sacrifier. Bismarck se hâta de communiquer les propositions françaises aux rois de Bavière et de Würtemberg qui, furieux de la trahison de l'empereur, signèrent aussitôt des conventions militaires avec Guillaume Ier.

CHAPITRE VIII

LA GUERRE DE 1870

Causes et prétexte de la guerre. — La guerre franco-allemande eut pour cause essentielle la volonté de Bismarck d'achever l'unité allemande par l'accession des États du sud à la Confédération du Nord: pour y parvenir, il jugea nécessaire et il résolut d'étouffer chez les Allemands du sud l'antipathie contre la Prusse sous un sentiment plus fort, la haine de la France.

L'occasion du conflit fut la candidature d'un prince de Hohenzollern, cousin du roi de Prusse, au trône d'Espagne; le prétexte, l'incident créé par Bismarck de la dépêche d'Ems.

La Candidature Hohenzollern. — Par suite d'une révolution, le trône d'Espagne était vacant depuis 1868. Les Espagnols cherchaient un roi. Brusquement, le 2 juillet 1870, surgit la candidature du prince Léopold de Hohenzollern.

L'opinion publique en France tomba dans le piège et perdit aussitôt tout sang-froid. Il parut à tous qu'un prince prussien régnant en Espagne, la France se trouverait prise entre deux feux et l'on parla de "la reconstitution de l'Empire de Charles-Quint."

Pourtant ni Napoléon III ni son premier ministre, Émile Ollivier, ne voulaient la guerre. Comme le roi Guillaume ne la voulait pas davantage, une pression diplomatique suffit pour que le prince de Hohenzollern retirât sa candidature, le mardi 12 juillet.

C'était un succès pour le gouvernement français; le maintien de la paix semblait assuré. Mais pour donner satisfaction à l'opinion publique toujours très émue, on voulut essayer d'obtenir un succès plus éclatant, et très imprudemment l'on rouvrit l'affaire. Le 12 juillet au soir, Gramont, ministre des affaires étrangères, télégraphia à l'ambassadeur français Benedetti de demander au roi Guillaume l'engagement de s'opposer à toute candidature ultérieure du prince Léopold.

La Dépêche d'Ems. — Le roi Guillaume était aux eaux à Ems. Le mercredi 13 juillet, Benedetti lui présenta la demande du gouvernement français: le roi la repoussa "d'un ton assez sérieux." Toutefois il ajouta qu'il ferait appeler Benedetti pour lui communiquer, dès qu'elle arriverait, la renonciation officielle du prince. La renonciation étant arrivée vers deux heures, le roi fit informer Benedetti par un aide de camp: "Sa Majesté, ajouta l'envoyé, n'avait rien de plus à communiquer à l'ambassadeur." Benedetti réussit cependant, par le moyen de l'aide de camp, à reprendre la négociation en sorte que le soir, vers six heures, grâce à de mutuelles concessions, tout en maintenant son refus pour l'avenir, le roi avait déclaré "donner son approbation entière et sans réserve" à la renonciation; de son côté, l'ambassadeur s'était déclaré "satisfait" de cette assurance. Une fois encore la paix semblait assurée.

Au même moment, à Berlin, Bismarck préparait de sang-froid la catastrophe. Tandis qu'il dînait avec Moltke et Roon, ministre de la guerre, il reçut du roi un télégramme où celui-ci relatait les incidents du début de la journée jusqu'à l'envoi de l'aide de camp à Benedetti. Prenant un crayon, il biffa la plus grande partie du texte; il ne laissa subsister que les premières phrases et la dernière: "L'ambassadeur français a demandé à S. M. le roi de l'autoriser à télégraphier à Paris que S. M. à tout jamais s'engageait à ne plus donner son consentement si les Hohenzollern devaient revenir sur leur candidature. Là-dessus S. M. a refusé de recevoir l'ambassadeur français et lui a fait dire par l'aide de camp de service que S. M. n'avait plus rien à lui communiquer."

Le texte ainsi mutilé fut aussitôt transmis à tous les représentants de la Prusse à l'étranger et aux journaux de Berlin: ceux-ci le publiaient à dix heures du soir en éditions spéciales. Bismarck comptait soulever à la fois Allemands et Français, les uns, convaincus qu'on avait voulu humilier leur roi, les autres, qu'on avait outragé leur ambassadeur.

La Déclaration de guerre. — Les calculs de Bismarck étaient justes. En Allemagne ce fut une explosion de fureur contre la

France. A Paris, le peuple eut le sentiment que "la France avait été souffletée." Le 19 juillet, la déclaration de guerre, datée du 17, était officiellement notifiée à Berlin.

Les Armées. — Tout le dispositif des armées allemandes était arrêté depuis 1868. Dès la fin de juillet, 500,000 hommes étaient concentrés en masses profondes sur un front de moins de 120 kilomètres, entre la Sarre et le Rhin. Ils formaient trois armées. Le roi Guillaume commandait nominalement en chef; la direction réelle appartenait à Moltke.

Du côté français, le maréchal Lebœuf, ministre de la Guerre, affirmait qu'en quinze jours il aurait 350,000 hommes en campagne. Il en réunit à peine 200,000. Ces 200,000 hommes furent disséminés sur un front de plus de 300 kilomètres, de Bâle à Thionville. Formant d'abord une armée unique sous le commandement de Napoléon III, ils furent divisés ensuite en deux armées: l'armée d'Alsace, 67,000 hommes, sous le commandement de Mac-Mahon; l'armée de Lorraine, 130,000 hommes, sous le commandement de Bazaine.

Wissembourg. Frœschwiller. Forbach. — Le premier choc aboutit à la perte de l'Alsace et à l'invasion de la Lorraine.

Le 3 août, une division de l'armée d'Alsace fut surprise et battue à Wissembourg par la IIIe armée allemande. Le 6 août, l'armée d'Alsace tout entière était écrasée à Frœschwiller; ses débris évacuèrent en désordre toute l'Alsace. Le même jour, la Ire armée allemande entrait en Lorraine et battait à Forbach un des corps de l'armée de Bazaine.

Les Batailles sous Metz. — Le second choc fut le plus acharné et le plus sanglant. Il aboutit à la perte de la Lorraine et décida du sort de la guerre.

Après Forbach, Bazaine avait ramené ses forces sous Metz; il devait reculer de là sur Verdun et Châlons. Mais il manœuvra avec une telle lenteur qu'il laissa à Moltke le temps de le tourner et de l'enfermer dans Metz. L'enveloppement fut effectué par la Ire et la IIe armée du 14 au 18 août, en trois rencontres, Borny, Rezonville et Saint-Privat.

Le 14 août, la Ire armée attaquait audacieusement à Borny. L'attaque fut repoussée, mais le mouvement de retraite se trouva suspendu, et ce fut une journée de perdue pour les Français, tandis que la IIe armée, lancée vers Pont-à-Mousson, passait sur la rive gauche de la Moselle pour couper les trois routes par où Bazaine pouvait gagner Verdun.

Le 16 août, par la bataille de Rezonville, la IIe armée coupait la route directe de Metz à Verdun. Attaquant avec fureur, mais partout arrêtés, les Allemands, qui avaient l'infériorité du nombre — 66,000 hommes contre 136,000 — risquaient d'être écrasés si les Français, sortant de leurs positions, avaient attaqué à leur tour, mais Bazaine interdit tout mouvement offensif. Bien plus, il resta inactif le 17 août, tandis que les deux armées allemandes achevaient de se concentrer.

Le jeudi 18 août, de Gravelotte à Saint-Privat, fut livrée la plus grande bataille de la guerre. Elle mit aux prises près de 350,000 hommes — 220,000 Allemands, 125,000 Français — avec plus d'un millier de bouches à feu, dont 700 pour les Allemands. Les Français repoussèrent toutes les attaques dirigées contre leur gauche et leur centre. Mais à l'extrême droite, Canrobert, furieusement assailli et ne recevant aucun secours de Bazaine, qui avait cependant toute la garde en réserve, dut évacuer Saint-Privat après une résistance héroïque. La journée coûtait 12,000 hommes aux Français, plus de 20,000 aux Allemands. Mais Bazaine restait bloqué dans Metz avec la principale et la meilleure armée de la France.

Sedan. — Le troisième choc fut le plus désastreux. Il aboutit à la capitulation de l'empereur et à la chute de l'Empire.

Mac-Mahon avait reconstitué à Châlons une armée de 120,000 hommes. Napoléon voulait avec raison l'employer à couvrir Paris; mais l'impératrice et les ministres lui imposèrent de marcher sur Metz pour débloquer Bazaine. Le succès de la manœuvre dépendait de sa rapidité: or l'armée de Châlons, mise en route le 21 août, flotta pendant dix jours entre Paris et Montmédy, où Bazaine annonçait qu'il allait se porter. Cependant Moltke, par un article imprudent d'un journal parisien, apprenait l'existence de l'armée de Châlons et sa marche sur Montmédy (25 août). La Ire et la IIIe armée, en route sur Paris, reçurent aussitôt l'ordre de monter à toute vitesse vers le nord. Le 30 août, elles surprenaient à Beaumont la droite de l'armée française.

Le jeudi Ier septembre, à Sedan, sur la Meuse, l'armée française — 124,000 hommes — se trouva complètement cernée par les deux armées allemandes, mitraillée par plus de 700 pièces. La cavalerie, malgré des charges épiques, ne réussit pas à lui frayer un passage. A cinq heures du soir, après douze heures de lutte, afin d'éviter un inutile massacre — il y avait déjà 17,000 Français tués ou blessés et les munitions manquaient —, Napoléon III fit arborer le drapeau blanc. Moltke exigea la reddition de l'armée et de la place, sans conditions. La capitulation fut signée le 2 septembre.

Le Gouvernement de la Défense nationale. — La capitulation de Sedan eut pour conséquence immédiate le renversement de l'Empire par la révolution parisienne du 4 septembre. La foule envahit le Corps législatif, réclama et proclama la déchéance de Napoléon III. Puis un gouvernement de la Défense nationale fut constitué: composé de onze députés de Paris, parmi lesquels Gambetta, Jules Favre et Jules Ferry; il était présidé par le gouverneur de Paris, le général Trochu. La révolution s'était faite sans qu'une goutte de sang fût versée.

En dehors de l'armée de Bazaine, bloquée dans Metz, il restait à la France 95,000 hommes de troupes régulières dispersés entre Paris et les départements. Pourtant le gouvernement décida de continuer la lutte. Bismarck exigeait comme condition de la paix la cession de l'Alsace et du nord de la Lorraine. "La République, déclara Jules Favre, ne cédera ni un pouce du territoire de la France, ni une pierre de ses forteresses."

Organisation de la défense. — Le 19 septembre, les Allemands achevaient l'investissement de Paris. Dès lors Paris fut le pivot de la défense nationale et tous les efforts tentés pendant près de cinq mois en province eurent pour but la levée du blocus de la capitale.

Paris était protégé par une enceinte continue et par treize forts détachés. Pour défendre la place, Trochu disposait de 14,000 hommes des équipages de la flotte, soldats d'élite, d'environ 50,000 hommes de troupes de ligne, de 125,000 hommes de gardes mobiles appelés de la province, enfin de la garde nationale, composée de tous les hommes valides et qui finit par compter 350,000 hommes: au total plus de 500,000 hommes.

Mais ce chiffre était un trompe-l'œil; les gardes mobiles et les gardes nationaux, faute d'officiers, faute d'instruction et d'entraînement, n'avaient qu'une médiocre valeur militaire.

Dans les départements, où il restait à peine 25,000 hommes, la résistance semblait impossible. Mais tandis que le gouvernement demeurait dans Paris, un de ses membres, Gambetta, s'échappa en ballon, et gagna Tours pour organiser la défense. Animé d'un patriotisme ardent, incapable de découragement, Gambetta fut l'âme de la défense nationale; il mit tout en œuvre pour rendre à la France l'espoir, la force et la volonté de vaincre. Aidé d'un ingénieur, M. de Freycinet, et du colonel Thoumas, il improvisa des armées avec une rapidité tout à fait incroyable. En quatre mois, il mit sur pied, arma, équipa, lança à la bataille 600,000 hommes, régiments de marche formés de conscrits, régiments de gardes mobiles, bataillons de mobilisés recrutés parmi les gardes nationaux, avec plus de 1,400 canons.

Capitulation de Metz. — Ces armées improvisées, comme l'armée de Paris, étaient de valeur médiocre. Elles n'avaient pour elles que le nombre, car la plus grande partie des troupes allemandes étaient immobilisées devant Paris et Metz. La stupide et criminelle conduite de Bazaine leur enleva cette dernière chance de succès.

Depuis Saint-Privat, Bazaine n'avait fait aucune tentative sérieuse pour s'ouvrir un passage, et il laissait son armée, plus forte que l'armée de blocus, se morfondre dans l'inaction. Sans doute par ambition de jouer un grand rôle politique et de se rendre maître du pouvoir après le renversement de l'Empire, il entra en pourparlers avec Bismarck: celui-ci l'amusa par de vaines négociations, jusqu'au jour où il ne resta plus de vivres dans la place. Le 27 octobre, Bazaine livra Metz, 179,000 hommes exténués, 56 drapeaux, 1570 bouches à feu, 260,000 fusils.

Champigny. — Cependant l'armée de Paris et une armée organisée en province, l'armée de la Loire, se préparaient à faire un vigoureux effort pour se donner la main en brisant la ligne allemande d'investissement.

Dans les premiers jours de novembre, l'armée de la Loire,

commandée par d'Aurelles de Paladines, prenait l'offensive, remportait une franche victoire à Coulmiers (9 novembre) et reprenait Orléans aux Allemands. Par malheur, à ce moment précis, "l'avalanche descendait de Metz" vers la Loire: la IIe armée allemande, rendue libre par la capitulation de Bazaine, arriva juste à temps pour arrêter et repousser l'armée de la Loire à Beaune-la-Rolande (28 novembre) et à Loigny (2 décembre). Les Allemands rentrèrent à Orléans.

Au même moment échouait la "grande sortie" de l'armée de Paris. Le 30 novembre, 100,000 hommes, sous le commandement de Ducrot, passaient la Marne et s'emparaient de Champigny, où ils se maintinrent trois jours. Il fut impossible de percer plus avant. Le 3 décembre, épuisée par deux jours de lutte acharnée et par un froid terrible, l'armée dut rentrer sous Paris, ayant perdu 10,000 hommes.

Les Derniers Combats. — Sans désespérer, Gambetta organisa une nouvelle tentative. Trois armées opérèrent en décembre et en janvier: l'armée du Nord, sous Faidherbe; la deuxième armée de la Loire, sous Chanzy; l'armée de l'Est, sous Bourbaki.

Chanzy était digne d'être le collaborateur de Gambetta; il avait la même volonté tenace de vaincre, la même foi dans la possibilité de la victoire. Il se "cramponna" sur la rive droite de la Loire, manœuvrant toujours de façon à pouvoir pousser sur Paris si la victoire le favorisait. Dès le 7 décembre, il attaquait à Beaugency et dans une bataille de quatre jours ne reculait pas d'une lieue. Par crainte d'être tourné, il se replia sur le Loir, puis sur la Sarthe, tout en menant une incessante guerre de partisans. Vaincu au Mans (10–11 janvier) après deux jours de lutte acharnée, il tenta de reformer son armée sur la Mayenne.

Dans le nord, Faidherbe fit preuve de la même ténacité. Il fut vainqueur à Bapaume le 3 janvier. Mais la défaite de Saint-Quentin (18 janvier) le rejeta sur Cambrai.

L'armée de l'Est — 100,000 hommes concentrés autour de Bourges — avait pour objectif de débloquer Belfort où un chef d'une admirable énergie, Denfert-Rochereau, tenait depuis le 3 novembre. Elle devait ensuite couper les lignes de ravitaillement des Allemands, et les forcer ainsi à reporter la guerre en Alsace. Mais, comme l'armée de Châlons, elle manœuvra avec une telle lenteur qu'elle laissa aux Allemands le temps de s'organiser. Vainqueur à Villersexel (9 janvier), Bourbaki ne put forcer les lignes d'Héricourt (15–17 janvier). Repoussée sur Besançon, puis sur la frontière suisse, prise entre deux armées allemandes, l'armée de l'Est n'échappa à une capitulation qu'en se jetant en Suisse, où elle fut désarmée (1 février 1871).

Cependant pour hâter la reddition de Paris, les Allemands, inquiets de la longeuur de la résistance, avaient entrepris de bombarder la ville. Ils mirent en batterie 240 pièces à longue portée, canons énormes qui, à partir du 5 janvier 1871, firent pleuvoir les obus sur les forts et sur les quartiers de la rive gauche de la Seine. En quelques jours Paris reçut 15,000 projectiles qui firent environ 400 victimes. Le bombardement ne servit qu'à exalter plus encore la population. Elle réclama une sortie "torrentielle," la "trouée en masse." La sortie fut tentée avec 90,000 hommes, le 19 janvier, vers Buzenval et Montretout, sur les plateaux qui dominent la Seine à l'ouest de Paris. Ce fut un nouvel et sanglant échec.

L'Armistice. — Paris était sous la double menace de la famine et de la révolution. Dans le milieu de décembre, le pain, un mélange gluant et noir de riz, d'avoine, de chènevis, de son, était rationné à 300 grammes; la viande de cheval — elle se vendait 12 francs la livre — à 30 grammes par personne et par jour.

D'autre part les partis révolutionnaires s'agitaient. Déjà le 31 octobre, les gardes nationaux de Belleville avaient tenté de renverser le gouvernement. Après Buzenval, une nouvelle tentative d'insurrection eut lieu le 22 janvier. Connue de Bismarck, elle le rendit intraitable quand, le lendemain 23, Jules Favre vint à Versailles solliciter un armistice pour ravitailler Paris. Il imposa une véritable capitulation, le désarmement des troupes de ligne, l'occupation de tous les forts, une contribution de 200 millions. Le 28 janvier, il fallut accepter ces conditions: la chute de Paris et l'armistice de Versailles marquaient la fin de la guerre.

Dix jours auparavant, à Versailles même, s'était achevée l'unité allemande. Les princes de l'Allemagne du sud étaient entrés dans la Confédération, qui reçut le titre d'Empire allemand. La proclamation de l'Empire eut lieu le 18 janvier.

La Paix de Francfort. — Pendant l'armistice, il fut procédé à l'élection d'une Assemblée nationale qui décida de négocier la paix. Les préliminaires de paix, négociés par Thiers et Jules Favre, furent signés le 26 février et ratifiés le 1 mars par l'Assemblée, réunie à Bordeaux.

La France perdait l'Alsace moins Belfort, le nord de la Lorraine avec Metz, au total 1,600,000 Français. Elle devait en outre payer à l'Allemagne cinq milliards. Une armée d'occupation serait maintenue dans le nord et l'est, aux frais de la France, jusqu'au règlement complet de l'indemnité de guerre.

Ces préliminaires furent transformés en paix définitive par le traité de Francfort, le 10 mai 1871. Les Alsaciens-Lorrains avaient en vain protesté solennellement à l'Assemblée nationale, par la voix de leurs députés, contre la cession de leur pays à l'Allemagne: le traité leur reconnut seulement la faculté d'opter individuellement pour la nationalité française. Mais les Allemands décrétèrent que quiconque opterait devrait, au 1er novembre 1872, quitter l'Alsace-Lorraine. 158,000 Alsaciens-Lorrains, le dixième de la population, émigrèrent.

CHAPITRE IX
LA TROISIÈME RÉPUBLIQUE, 1871-1889

L'Assemblée nationale. — Pendant l'armistice, en février 1871, la France élut une Assemblée nationale. Les élections se firent à la hâte sur la question de la paix ou de la guerre. Gambetta avait recommandé aux préfets de faire voter pour des partisans de la continuation de la guerre. Or le pays, l'est excepté, voulait la paix; il lui parut qu'élire des républicains, c'était voter pour la guerre: il élut de préférence des monarchistes, non pas en tant que monarchistes, mais en tant que partisans de la paix. Sur 650 députés, il y eut 400 monarchistes; mais les uns étaient légitimistes, partisans du comte de Chambord, petit-fils de Charles X; les autres étaient orléanistes, partisans du comte de Paris, petit-fils de Louis-Philippe.

L'Assemblée, réunie à Bordeaux, confia la direction du gouvernement à Thiers, alors le plus populaire des hommes politiques. L'Assemblée l'élut, "en attendant qu'il soit statué sur les institutions de la France, chef du pouvoir exécutif de la République française." Ainsi elle réservait la question de la forme du gouvernement; elle n'acceptait la République que comme un régime provisoire.

La Commune. — Entre ce gouvernement conservateur et Paris, où dominaient les républicains avancés et les socialistes, un conflit était inévitable. Il ne tarda pas à se produire et il est resté tragiquement célèbre sous le nom de la Commune.

Les rigueurs du siège, la famine, la misère croissante avaient enfiévré la population parisienne, surtout la population ouvrière des quartiers de l'est. Trois mesures maladroites, prises par l'Assemblée, surexcitèrent encore les esprits. L'Assemblée ordonna la suppression de la solde des gardes nationaux (15 février): or, le travail n'ayant repris nulle part, les ouvriers n'avaient que cette solde — 1 fr. 50 par jour — pour vivre. Peu après l'Assemblée décréta que le payement des dettes, loyers, effets de commerce suspendu pendant le siège, devrait reprendre comme en temps normal (10 mars): en quatre jours, 150,000 Parisiens, hors d'état de payer, se trouvèrent exposés à des poursuites. Le même jour, il fut décidé que l'Assemblée résiderait non pas à Paris, mais à Versailles. Cette décision acheva d'exaspérer les Parisiens; ils y virent à la fois une injure et une menace contre la République.

Au début de mars, il fut formé dans les quartiers de l'est une fédération républicaine de la garde nationale, qui élut un Comité central. Ce Comité, vrai gouvernement occulte révolutionnaire, prépara tout pour la lutte. Déjà à la fin de février, quand on apprit que les Allemands, en vertu des préliminaires de paix, occuperaient les Champs-Élysées, les gardes nationaux avaient enlevé et traîné à Montmartre un parc de 234 canons. Le Comité central fit saisir les dépôts de munitions et 450,000 fusils. L'armée de la révolution était ainsi en état de combattre.

Le 18 Mars. — Le 18 mars, de grand matin, par ordre de Thiers, deux régiments furent dirigés sur la butte Montmartre, afin de reprendre les canons qui s'y trouvaient parqués. Le parc fut cerné sans peine; mais, faute d'assez d'attelages, on ne put enlever rapidement les pièces. Bientôt, dans les rangs des troupes massées autour du parc, se glissèrent en foule des gardes nationaux, des femmes, des enfants, offrant à boire aux soldats, les invitant à fraterniser avec le peuple. Vers dix heures, quelques hommes mirent la crosse en l'air: le reste suivit. En même temps la foule s'emparait des généraux Lecomte et Clément Thomas, qu'une bande de forcenés fusilla au coin d'un mur. Ce fut le premier épisode d'une atroce guerre civile de deux mois (18 mars–28 mai).

Thiers n'essaya pas de résister dans Paris. Il se retira à Versailles, emmenant le gouvernement et les troupes, laissant le champ libre aux insurgés, leur abandonnant même les forts.

Second Siège de Paris. — Le Comité central fit procéder à l'élection d'un "Conseil général de la Commune de Paris." Les élus des quartiers ouvriers siégèrent seuls. La Commune prétendit se constituer en gouvernement régulier, adopta le drapeau rouge, et organisa la lutte contre le gouvernement de Versailles.

La guerre eut un caractère d'acharnement inouï. La Commune prit d'abord l'offensive. Elle lança des troupes sur Versailles (3 avril), mais la tentative échoua et les chefs des Fédérés ou Communards faits prisonniers furent fusillés sur l'heure. La Commune ordonna alors l'arrestation d'otages, parmi lesquels l'archevêque de Paris, Mgr Darboy, le président de la Cour de Cassation, des gendarmes, des agents de police.

Quand Thiers eut reconstitué avec les prisonniers revenus d'Allemagne une forte armée de 150,000 hommes, il entreprit, sous les yeux des Allemands, maîtres des forts du nord en vertu de l'armistice, un second siège de Paris. Le siège dura cinq semaines. Le dimanche 21 mai, des fusiliers marins surprirent à Auteuil, au Point du Jour, près de la Seine, une porte abandonnée. L'armée entra dans Paris. Alors commença une bataille des rues qui dura une semaine, "la semaine sanglante" (21–28 mai). La ville était couverte de barricades défendues avec rage: les troupes les enlevèrent péniblement une à une. Le mercredi 24 mai, les Fédérés assassinèrent les otages en même temps que dans une crise de folie de destruction, se sentant perdus, ils incendiaient au pétrole les Tuileries, la Cour des Comptes, l'Hôtel de Ville, la gare de Lyon, etc. Alors la répression devint impitoyable; on fusilla en masse les insurgés pris les armes à la main, femmes et hommes. Le 28 mai, l'insurrection était définitivement écrasée au Père-Lachaise. Il est impossible de connaître le nombre exact des morts: on l'estime à 17,000 environ. Il y eut en outre près de 36,000 prisonniers traduits en Conseil de guerre: on en condamna quelques-uns à mort, 10,000 au bagne et à la déportation. Les partis avancés se trouvèrent ainsi décimés comme après les journées de juin 1848; ils étaient pour longtemps — vingt ans environ — éliminés de la vie politique.

Le Gouvernement de Thiers. — La tourmente passée, Thiers se donna tout entier à l'œuvre de la libération du territoire et de la réfection des forces de la France.

Le traité de Francfort fixait à trois ans le délai de payement de l'indemnité de guerre. Au mois de septembre 1873, un an avant le délai prévu, les cinq milliards étaient payés, la France était évacuée.

Le règlement de l'indemnité de guerre avait été assuré au moyen de deux emprunts, émis en 1871 et en 1872. Le second emprunt (18 juillet 1872) fut couvert quatorze fois; pour trois milliards que demandait l'État français, le public offrit quarante-trois milliards.

La rapidité de la réorganisation militaire ne fut pas moins étonnante. A peine un an après la signature de la paix (27 juillet 1872), l'Assemblée vota une loi qui devait donner à la France une armée égale à l'armée allemande. La loi militaire de 1872 établit le service personnel obligatoire pour tous les Français de vingt à quarante ans. La durée du service actif était de cinq ans.

Chute de Thiers. — Quand la libération du territoire et la réfection de l'armée furent assurées par le succès du second emprunt et le vote de la loi militaire, Thiers jugea qu'il était temps de régler la question de la forme du gouvernement. Il invita l'Assemblée à rechercher quelle organisation définitive pourrait être donnée à la République (13 novembre 1872).

Monarchiste à l'origine, longtemps un des chefs du parti orléaniste, Thiers était venu à la République par raison. "La République, disait-il, est le gouvernement qui nous divise le moins." Mais la majorité de l'Assemblée était restée monarchiste. Elle chercha une occasion de se débarrasser de Thiers. Au mois de mai 1873, Thiers ayant pris comme ministres trois députés franchement républicains, l'Assemblée manifesta ses sentiments hostiles en votant à 14 voix de majorité un ordre du jour où elle invitait le président "à faire prévaloir dans le gouvernement une politique résolument conservatrice" (24 mai). Thiers donna sa démission. L'Assemblée élut aussitôt pour le remplacer le maréchal de Mac-Mahon.

Tentative de restauration. — Dès lors les monarchistes travaillèrent hâtivement à la restauration de la royauté. Pour préparer les voies, un ministère présidé par le duc de Broglie procéda à l'épuration du personnel administratif, révoquant ou disgrâciant tous les fonctionnaires suspects d'opinions républicaines. Le clergé, de son côté, menait la plus vigoureuse campagne en faveur du comte de Chambord, que l'on appelait déjà Henri V. D'autre part on procédait à la "fusion" du parti orléaniste et du parti légitimiste par la réconciliation de leurs chefs: le comte de Paris vint à Frohsdorf, en Autriche, saluer le comte de Chambord "comme chef de la maison de France" (5 août 1873).

Aussitôt après la fusion, un comité de neuf députés négocia avec le comte de Chambord les conditions de la restauration. Tout semblait réglé, on préparait déjà l'entrée solennelle du roi dans Paris, — les lampions des illuminations étaient fabriqués, — quand la question du drapeau fit tout échouer.

Les orléanistes tenaient au drapeau tricolore, symbole de la Révolution. Or, dès son premier manifeste, le comte de Chambord avait déclaré qu'Henri V ne pouvait abandonner le drapeau blanc d'Henri IV. Comme on paraissait compter qu'il accepterait à la fin le drapeau tricolore, très loyalement, à la veille de son retour à Paris, il renouvela sa déclaration, ajoutant que "personne, sous aucun prétexte, n'obtiendrait de lui qu'il consentît à devenir le roi légitime de la Révolution" (27 octobre 1873). La négociation fut rompue et la restauration avec le comte de Chambord jugée impossible.

Le Septennat. L'Ordre moral. — Les monarchistes ne renoncèrent pas cependant à l'espoir de rétablir la royauté. En attendant des circonstances plus favorables, ils voulurent réserver l'avenir et maintenir la France dans le provisoire. Mac-Mahon reçut la présidence pour sept ans (19 novembre 1873). Le régime dit du "Septennat" fut aussi le régime de "l'ordre moral." Sous prétexte de rétablir "l'ordre moral," le gouvernement poursuivit avec plus d'acharnement que jamais la campagne antirépublicaine. On fit enlever des édifices publics tout insigne républicain; le mot même de République fut comme proscrit des actes officiels; on multiplia les poursuites contre les journaux républicains. A l'Assemblée nationale une commission fut chargée de préparer les lois constitutionnelles. Mais elle traîna ses travaux en longueur; en sorte qu'une année encore, l'année 1874, s'écoula sans qu'on eût abordé la question constitutionnelle.

Progrès du parti républicain. — Cependant l'agitation était vive dans le pays. Le parti catholique, confondu avec le parti légitimiste, multipliait les manifestations politiques et religieuses, créait au gouvernement de sérieuses difficultés extérieures; avec l'Italie en réclamant le rétablissement du pouvoir temporel du pape; avec l'Allemagne en attaquant la politique religieuse de Bismarck. Le parti bonapartiste se réorganisait et remportait quelques succès électoraux. Mais surtout le parti républicain, malgré les efforts du gouvernement, progressait chaque jour. Ses progrès étaient dus à l'activité de Gambetta. "Commis voyageur de la République," il poursuivait de ville en ville des tournées de conférences, gagnant partout de nouveaux adhérents à son parti, dans ce qu'il appelait "les nouvelles couches sociales," la moyenne et la petite bourgeoisie, et les ouvriers. A la fin de 1874, après le renouvellement général des conseils municipaux qui fut comme un plébiscite pour ou contre la République, on ne put plus douter que la France ne fût en majorité républicaine.

La Constitution de 1875. — Au début de 1875, l'Assemblée se décida à entreprendre l'examen des lois constitutionnelles. Elle vota successivement une loi relative à l'organisation du Sénat; une loi relative à l'organisation des pouvoirs publics; une loi sur les rapports des pouvoirs publics (février-juillet 1875). Ces trois lois forment ce que l'on appelle la constitution de 1875; ce sont celles qui, un peu modifiées en 1884, régissent aujourd'hui la France.

Au début de la discussion la majorité avait une fois encore écarté le mot "République" des textes qui lui étaient proposés: elle voulait, disait un de ses membres, que "chacun pût garder ses espérances et sa foi." Mais, à propos du mode d'élection du président, le mot fut introduit dans un amendement présenté par Wallon et qui, très discuté, fut finalement adopté à une voix de majorité (30 janvier 1875).

Les lois constitutionnelles de 1875 confient le pouvoir exécutif à un président de la République; le pouvoir législatif à deux assemblées: le Sénat, la Chambre des députés.

Le président est élu pour sept ans par le Sénat et la Chambre des députés réunis en Assemblée nationale. Il dispose de la force armée, nomme à tous les emplois, négocie et ratifie les traités. Irresponsable, sauf le cas de haute trahison, il est assisté de ministres nommés par lui, solidaires et responsables devant les Chambres. Il peut dissoudre la Chambre après avis favorable du Sénat.

Le Sénat, composé de 300 membres, âgés de quarante ans au moins, devait comprendre 75 sénateurs inamovibles, élus à vie par l'Assemblée nationale, ultérieurement par le Sénat lui-même; les 225 autres étaient élus pour neuf ans par des collèges sénatoriaux comprenant les députés, les conseillers généraux et d'arrondissement, les délégués des conseils municipaux à raison d'un par municipalité. Mais, en 1884, on décida de supprimer, par voie d'extinction, les sièges de sénateurs inamovibles; et dans les collèges sénatoriaux, on donna à chaque Conseil municipal un nombre de délégués proportionnel au chiffre des habitants de la commune. Le Sénat est renouvelable par tiers tous les trois ans.

Les députés sont élus pour quatre ans, au suffrage universel, par tous les Français âgés de vingt et un ans, et ayant six mois de domicile dans une commune.

Les deux Chambres ont les mêmes pouvoirs. Elles votent les lois et le budget; cependant le budget doit être d'abord voté par les députés. Par le droit d'interpellation, elles peuvent obliger le gouvernement à rendre compte de tous ses actes.

La constitution de 1875 fonda en France le régime parlementaire. Le président de la République, dont toute décision doit être contresignée par un ministre, n'a aucun pouvoir personnel. Le véritable chef du gouvernement est le président du Conseil des ministres. Mais le président du Conseil, responsable devant les Chambres, ne peut gouverner que d'accord avec la majorité des Chambres: il est ainsi simplement le délégué de cette majorité à l'exécutif.

Le Seize Mai. — L'Assemblée nationale se sépara le 31 décembre 1875. Les élections sénatoriales donnèrent une faible majorité aux monarchistes, mais, à la Chambre, la majorité républicaine fut de près de 200 voix. Mac-Mahon, pour se conformer à la constitution, prit un ministère républicain.

Leur échec ne découragea pas les monarchistes. Aidés par les bonapartistes, ils redoublèrent leurs attaques contre la République. Ils cherchèrent à maintenir le personnel conservateur en fonctions; c'est ce qu'on appelait: "la République sans les Républicains." Ils reprirent en même temps la campagne en faveur du rétablissement du pouvoir temporel du pape et organisèrent une pétition pour réclamer l'intervention de la France à Rome. Ces menées provoquèrent à la Chambre, au mois de mai 1877, une interpellation des gauches, au cours de laquelle Gambetta, combattant l'ingérence du clergé dans les luttes politiques, prononça la formule devenue célèbre: "Le cléricalisme, voilà l'ennemi." La Chambre vota un ordre du jour accepté par les ministres, qui les invitait à réprimer "les manifestations ultramontaines" propres à "compromettre la sécurité intérieure et extérieure du pays" (4 mai). La politique à suivre à l'égard du clergé fut la cause profonde de la rupture entre Mac-Mahon et la Chambre.

Les monarchistes finirent par persuader à Mac-Mahon que le triomphe des républicains serait dangereux pour le relèvement extérieur de la France, que la constitution lui donnait le droit d'avoir sa politique personnelle et d'essayer de la faire triompher. Le président se résolut "à faire le pays juge entre le Parlement et lui," par une dissolution et des élections nouvelles. Le 16 mai 1877, il adressait à Jules Simon, président du Conseil, une lettre où il blâmait son attitude dans la discussion de projets de loi relatifs à l'organisation municipale et au régime de la presse. Le ministère démissionna et fut remplacé par un ministère royaliste de Broglie. La Chambre, ayant voté par 363 voix un ordre du jour de méfiance, fut dissoute.

La République fut sauvée par l'union et la vigoureuse propagande des républicains sous la direction de Gambetta. Le grand orateur déclara dans un discours que, quand le pays aurait fait connaître sa volonté, Mac-Mahon devrait "se soumettre ou se démettre"; pour cette formule, considérée comme injurieuse, il fut condamné à trois mois de prison et 2,000 francs d'amende. Mais au mois d'octobre 1877, il y eut, malgré une forte pression du gouvernement et du clergé, 318 républicains élus contre 208 monarchistes. Mac-Mahon, par loyauté, se refusa à un coup d'État que beaucoup lui conseillaient: il "se soumit" et reprit un ministère républicain.

La République aux républicains. — Au début de 1879, les républicains enlevèrent aux monarchistes leurs dernières positions et conquirent la majorité au Sénat. Mac-Mahon démissionna et fut remplacé à la présidence par un républicain, Jules Grévy (30 janvier 1879). Les républicains étaient désormais pleinement maîtres du pouvoir.

Leurs premiers actes furent de décider le retour des Chambres à Paris — elles siégeaient encore à Versailles —, de voter l'amnistie pour les condamnés de la Commune, et d'instituer la fête nationale du 14 juillet.

De 1879 à nos jours, les républicains ont gardé le pouvoir. La présidence de la République a été confiée successivement à Jules Grévy (1879–1887), Sadi Carnot — assassiné en 1894 par un anarchiste italien, Casimir-Périer (1894–1895), Félix Faure (1895–1899), Loubet (1899–1906), Fallières (1906–1913), Poincaré (1913–1920), Deschanel (1920), Millerand (1920–1924), Doumergue (1924–).

Divisions des républicains. — Mais la victoire des républicains ne mit pas fin aux luttes des partis. Unis pour lutter contre les monarchistes et pour fonder la République, les républicains étaient par ailleurs profondément divisés, soit par des rivalités de tactique, soit par des rivalités de personnes. A l'extrême gauche il s'était formé un groupe radical, dont le chef fut Clemenceau, qui réclamait la revision totale de la constitution, la suppression du Sénat, l'impôt progressif, la séparation de l'Eglise et de l'État. La majeure partie des républicains se ralliaient, selon leurs préférences personnelles, autour de Gambetta ou de Jules Ferry. Gambetta pensait qu'on pouvait s'accommoder de la constitution en modifiant seulement par une revision partielle l'organisation du Sénat, et qu'il fallait ajourner les autres réformes du programme radical — son ancien programme — jusqu'au moment "opportun," jusqu'à ce qu'on fût assuré "d'avoir la majorité du pays pour soi": les radicaux le qualifièrent d'opportuniste. Plus populaire dans le pays qu'à la Chambre, Gambetta, devenu ministre, ne réussit pas à se maintenir trois mois au pouvoir (1881).

Après la mort de Gambetta (1882), Jules Ferry resta le principal chef des républicains modérés ou opportunistes: presque constamment au pouvoir de 1879 à 1885, soit comme ministre de l'instruction publique, soit comme ministre des affaires étrangères, il fit voter les grandes lois scolaires, dissoudre la compagnie de Jésus et donna une vive impulsion à la politique d'expansion coloniale. Mais violemment attaqué à droite par les monarchistes et les catholiques, à gauche par les républicains radicaux, il finit par devenir prodigieusement impopulaire et fut renversé en 1885.

Les ministères de Jules Ferry sont d'une importance capitale dans l'histoire de la troisième République. Sa politique extérieure rétablit la France au rang des grandes puissances; sa politique intérieure engagea la République dans la voie d'une politique anticléricale.

Le Boulangisme. — Après la chute de Jules Ferry, la lutte de plus en plus vive entre les différents groupes républicains réveilla les espoirs de l'opposition monarchiste. Elle en profita pour livrer un nouvel assaut aux institutions républicaines, au cours d'une crise de près de trois ans (1886–1889), dont le héros fut le général Boulanger. Boulanger avait d'abord été imposé comme ministre de la guerre par les radicaux qui le déclaraient "le seul général vraiment républicain." Beau parleur, cavalier élégant, il plut au peuple par ses dehors, sut flatter de désir de revanche que les Français gardaient au cœur; les journaux à sa dévotion annonçaient en lui le prochain vainqueur de l'Allemagne.

Conseillé par des ambitieux, Boulanger crut possible de devenir un prochain jour maître de la France. Les républicains modérés l'ayant écarté du ministère, il devint le chef d'un parti "revisionniste" ou "national," coalition où se coudoyaient des patriotes exaltés, quelques radicaux, et surtout les adversaires de la République: le programme se résumait dans ses trois mots: "Dissolution, Revision, Constituante." La tactique fut d'organiser sur le nom de Boulanger une sorte de plébiscite permanent, en posant sa candidature partout où il y avait un député à élire. L'argent pour cette incessante campagne électorale fut fourni sans compter surtout par les royalistes. En cinq mois,

Boulanger fut six fois élu député. Une septième élection à Paris (27 janvier 1889) fut un éclatant triomphe, et le soir, après la proclamation des résultats du scrutin, on put croire que Boulanger allait s'emparer de la présidence. Il n'osa pas. Ce manque de décision le perdit. Menacé par le gouvernement d'être arrêté et traduit pour complot devant la Haute Cour, il s'enfuit en Belgique. Du coup tout son prestige s'évanouit et les élections générales de septembre 1889 virent la déroute de ses partisans et l'éclatante victoire des républicains.

CHAPITRE X

LA TROISIÈME RÉPUBLIQUE, 1889-1914

Le Gouvernement des modérés. — De 1889 à 1899, les modérés, consolidés par leur victoire sur les boulangistes, disposèrent de la majorité dans les deux Chambres. Leurs chefs, Alexandre Ribot, Jules Méline, Charles Dupuy, furent presque constamment ministres. La politique pratiquée fut jusqu'en 1895 celle de la concentration républicaine, c'est-à-dire l'union des radicaux et des modérés contre les partis extrêmes, droite et socialistes.

Les modérés ou progressistes étaient hostiles à de nouvelles réformes, favorables au maintien du concordat, et considéraient la lutte anticléricale comme terminée. Ils suivirent donc une politique conservatrice. Mais ils maintinrent les lois scolaires, dirigées contre le parti catholique.

Les radicaux, d'abord réduits à une minorité impuissante, furent renforcés par les élections de 1893 et de 1898. Ils étaient décidés à reprendre la traditionnelle politique anticléricale, et à poursuivre une politique de réformes, surtout à introduire l'impôt progressif sur le revenu.

A partir de 1895, les chefs radicaux, Henri Brisson, Léon Bourgeois, parvinrent à alterner au ministère avec les progressistes. Pour se maintenir au pouvoir, les progressistes en arrivèrent à pratiquer une politique de conciliation avec la droite, et formèrent un parti de conservation sociale, tandis que les radicaux recherchèrent l'appui des socialistes et constituèrent un parti de réformes sociales.

Parvenus au pouvoir en 1899, les radicaux pratiquèrent une politique de concentration, appuyée sur une majorité exclusivement républicaine de gauche. Le résultat fut d'exclure les progressistes de la coalition.

Transformation des partis extremes. — Pendant le passage au pouvoir des modérés, s'opéra une transformation des partis extrêmes.

L'échec des conservateurs en 1889 découragea la fraction purement catholique du parti. Elle résolut de renoncer à la lutte ouverte contre les nouvelles institutions et de se rallier officiellement à la République pour faire adopter une politique favorable à l'Église. La "droite constitutionnelle," dont le programme parut le 30 mars 1890 dans le *Figaro*, fut approuvée par Léon XIII, qui, malgré la protestation des royalistes contre cette intervention du pape dans une question de politique intérieure, recommanda par l'encyclique du 20 février 1892 au clergé et à tous les catholiques de France de reconnaître la République. La droite fut donc coupée en deux tronçons: les conservateurs monarchistes, et les "ralliés." Les "ralliés" se donnèrent par la suite la qualification de libéraux, mot qui a pris le sens de conservateurs catholiques.

Jusqu'en 1890, les socialistes, décimés par la répression de la Commune, n'avaient joué qu'un rôle insignifiant dans la vie politique du pays. Ils se reconstituèrent lentement et entreprirent une active propagande, qui fut facilitée par le retour des membres de la Commune et par le régime de libertés nouvelles, liberté de presse, de réunion, de syndicat. Leur développement fut pourtant entravé par leur manque d'unité d'action et d'unité de programme. Mais en 1893, les diverses fractions socialistes s'unirent en vue des élections et firent passer près de cinquante députés.

Le Scandale de Panama. — En dehors de la formation des partis nouveaux, la vie politique de 1889 à 1899 fut marquée par trois incidents, dont le dernier eut une portée considérable sur le classement des partis et l'orientation de la politique générale; ce sont le scandale de Panama, la crise anarchiste et l'affaire Dreyfus.

Une compagnie avait été constituée en 1881 sous la direction de Ferdinand de Lesseps pour creuser un canal à travers l'isthme de Panama. Les dépenses des travaux dépassèrent les devis primitifs dans des proportions excessives. Malgré la multiplicité des emprunts, la Compagnie fut bientôt incapable de faire face à ses engagements et il fallut procéder à sa dissolution, puis à sa liquidation (février 1889).

L'enquête judiciaire révéla que certains députés et sénateurs étaient compromis pour avoir aidé la Compagnie à obtenir de la Chambre, malgré l'interdiction de la loi, l'autorisation d'émettre des valeurs à lot, etc. Le scandale provoqua une formidable émotion dans le public, et fut exploité par les journaux conservateurs, qui espéraient s'en servir pour les élections de 1893. Les révélations et les dénonciations aboutirent à de nombreuses poursuites judiciaires. Quelques députés et sénateurs, traduits en cour d'assises, furent acquittés par le jury, sauf un ancien ministre des travaux publics (5 décembre 1892). La Chambre nomma deux commissions d'enquête (1892–93, 1897–98) qui se terminèrent par le vote d'un blâme "contre les défaillances de certains magistrats" et contre "l'immixtion des hommes politiques dans les négociations ou les opérations financières ayant des liens avec les pouvoirs publics."

Le résultat de cette crise fut de compromettre les chefs des deux partis républicains, modéré et radical, et de faire parvenir au pouvoir des hommes appartenant à une nouvelle génération.

La Crise anarchiste. — L'affaire de Panama était à peine close que les attentats des anarchistes vinrent brusquement absorber l'attention publique.

Les anarchistes étaient très peu nombreux. Ils ne formaient pas un parti et s'abstenaient par principe de participer à l'action électorale; leur doctrine dite *libertaire* était propagée par quelques théoriciens tels que Jean Grave dans de nombreux journaux à minuscule tirage. Ils voulaient affranchir l'individu en détruisant la société et se servir, comme moyen d'action, de la propagande par le fait, c'est-à-dire d'explosions, d'attentats, dont le plus célèbre fut l'assassinat à Lyon du président Carnot (24 juin 1894). L'action des anarchistes eut ainsi une répercussion tout à fait disproportionnée avec leur importance. Pour les combattre, le ministère Charles Dupuy présenta deux lois d'exception (décembre 1893 et juillet 1894) qui excluaient du droit commun tout individu suspect d'opinions anarchistes. Ces lois furent votées malgré l'opposition des socialistes et des radicaux, qui voulaient au moins en limiter la portée et la durée, les qualifiaient de "lois scélérates" et reprochaient de confondre dans la répression socialistes et anarchistes. La crise anarchiste eut donc pour résultat de détruire la concentration républicaine et de provoquer la scission entre les radicaux et les progressistes.

L'Affaire Dreyfus. — Cette scission devait devenir irrémédiable au cours de l'affaire Dreyfus, qui déchaîna les passions des partis et détermina un conflit politique et social d'une violence extrême.

Le 15 octobre 1894, un Israélite, le capitaine d'artillerie Alfred Dreyfus, stagiaire à l'état-major général, fut arrêté, jugé à huis-clos par un conseil de guerre et, malgré ses véhémentes protestations d'innocence, condamné à la déportation à vie et à la dégradation militaire (22 décembre 1894). Il était accusé d'être l'auteur d'une lettre missive dite le *bordereau*, ni signée, ni datée, qui annonçait à l'attaché militaire d'une puissance étrangère l'envoi de quatre notes et du projet de manuel de tir de campagne.

En 1897, le vice-président du Sénat, Scheurer-Kestner, et le lieutenant-colonel Picquart, convaincus que le véritable auteur du bordereau était le commandant Esterhazy, entreprirent une ardente campagne pour la revision du procès; Esterhazy, traduit devant un conseil de guerre, fut acquitté. Cet acquittement fut le point de départ d'une agitation retentissante. Le romancier Émile Zola,qui avait déjà pris la défense de Dreyfus, publia, le 13 janvier 1898, dans le journal radical l'*Aurore*, sous le titre *J'accuse*, une lettre au président de la République. Dans un style enflammé, il accusait le premier conseil de guerre d'avoir violé de droit en condamnant l'accusé sur une pièce secrète, le deuxième conseil de guerre, d'"avoir couvert cette illégalité par ordre en commettant à son tour le crime juridique d'acquitter sciemment un coupable." Zola, poursuivi en diffamation, fut traduit en cour d'assises, condamné au maximum de la peine, un an de prison et 300 francs d'amende (3 février 1898).

Quelques mois après, un des principaux témoins du procès Dreyfus, le lieutenant-colonel Henry, ayant avoué qu'il avait fabriqué un faux, que le ministre de la guerre avait présenté comme une preuve décisive de culpabilité, fut incarcéré au

Mont-Valérien et s'y suicida. Là-dessus, le ministère Brisson décida de transmettre la demande de revision formulée par Dreyfus à la Cour de Cassation, qui cassa le jugement de 1894 (26 septembre 1898). Renvoyé devant le conseil de guerre de Rennes (septembre 1899), qui le déclara coupable par cinq voix contre deux, en lui accordant le bénéfice des circonstances atténuantes, Dreyfus fut condamné à dix ans de détention, peine qui lui fut remise par le président Loubet.

En 1904, la découverte de faux et de pièces non communiquées à la Cour de Cassation et aux juges de Rennes amena la Cour de Cassation à ordonner une enquête supplémentaire, et à rendre un arrêt (12 juillet 1906) qui annulait le jugement du conseil de guerre de Rennes.

L'affaire Dreyfus provoqua dans le pays une formidable agitation et scinda la France en deux camps. D'un côté, les groupes de droite, tous les partisans du principe d'autorité incarné dans un gouvernement personnel et fort, accusaient leurs adversaires de détruire l'unité de l'armée et du pays. De l'autre côté, les "revisionnistes" reprochaient à leurs adversaires, en proclamant intangible le principe d'autorité, de s'inspirer d'idées cléricales et réactionnaires; ils dirigèrent contre l'état-major et les généraux de violentes attaques qui furent le point de départ du mouvement antimilitariste au début du vingtième siècle.

La Campagne nationaliste. — La lutte au sujet de la revision détermina contre les institutions républicaines une violente campagne nationaliste.

Les nationalistes prétendaient réagir contre les abus de la République parlementaire en lui substituant la République plébiscitaire, et en ramenant l'esprit public vers des préoccupations purement nationales. Ils dénoncèrent les influences étrangères et les agissements supposés des Israélites. La Ligue des Patriotes, fondée par Paul Déroulède, fut en 1898 le noyau du parti nationaliste; transformée et élargie en Ligue de la Patrie Française par l'écrivain Jules Lemaître et le poète François Coppée, elle engloba toutes les fractions de l'opposition antiministérielle et antiparlementaire. Elle s'opposa avec acharnement à toute revision du procès et attaqua avec violence le nouveau président de la République, Émile Loubet, élu par une majorité qui comprenait les républicains favorables à Dreyfus (18 février 1899).

Les manifestations hostiles se traduisirent et par des actes de violence contre la personne du président et par une tentative de Déroulède pour entraîner sur l'Élysée les régiments casernés à Reuilly (23 février 1899). La campagne nationaliste fut enrayée par l'énergie déployée par le ministère Waldeck-Rousseau. Les chefs du mouvement, arrêtés pour complot et attentat contre la sûreté de l'État, furent condamnés à l'exil par le Sénat transformé en Haute Cour (février 1900).

Moins encore que les boulangistes, les nationalistes parvinrent à ébranler sérieusement la République. Les élections de 1902 à la Chambre des députés, où ils n'obtinrent qu'une quarantaine de sièges, marquèrent leur échec définitif.

Les Partis au début du XXe siècle. — La crise de l'affaire Dreyfus eut pour résultat un nouveau groupement des partis, les uns favorables à une politique d'action républicaine, les autres hostiles. L'opposition comprit les trois groupes de droite: les nationalistes, l'Action libérale et l'Action française. L'Action libérale fut fondée en 1900 par Jacques Piou et Albert de Mun, pour assurer "la défense et la conquête de toutes les libertés nécessaires à la vie de la nation, en particulier de la liberté religieuse."

Charles Maurras fonda l'Action française en 1899. Il exposa le programme du "nationalisme intégral" dans l'*Enquête sur la Monarchie* (1900). Ce programme avait pour but le rétablissement d'une monarchie traditionnelle, héréditaire, antiparlementaire et décentralisée.

Aux droites se joignit une notable fraction des progressistes, qui estimaient que les institutions n'étaient pas menacées par la réaction mais par le socialisme, et ne voulaient pas "s'associer à une politique qui ouvrait les portes du pouvoir aux partisans de la révolution sociale."

La coalition adverse comprit l'Alliance républicaine démocratique, les radicaux et les socialistes.

L'Alliance républicaine démocratique, fondée, en 1901, contre les menaces du nationalisme et contre les dangers de l'anarchie révolutionnaire, comprenait une fraction des progressistes qui étaient ralliés à la politique religieuse des radicaux. Mais ils différaient des partis extrêmes de gauche en ce qu'ils n'admettaient pas que la solution des questions sociales fût systématiquement demandée à l'intervention de l'État.

Les radicaux et radicaux-socialistes, constitués définitivement en un parti unique en 1901, formaient, comme par le passé, un parti laïque, démocratique et anticlérical. Ce parti rejetait le libéralisme économique auquel il reprochait de favoriser "la dictature des puissances d'argent" et le "dogmatisme collectiviste" qui, sous couleur d'égalité, engendrait la "neutralisation des initiatives et la restriction des efforts humains." Les élections de 1901 à 1914 leur donnèrent dans les deux Chambres une majorité sans cesse accrue; ils furent les maîtres du pouvoir et inspirèrent constamment la politique générale.

Les socialistes, divisés en partisans et adversaires de la collaboration avec les partis bourgeois et de la participation ministérielle, soutinrent jusqu'en 1905 les ministères radicaux. A cette date, les diverses fractions du parti tinrent à Paris un "Congrès d'unification des forces socialistes françaises" (23–25 avril 1905). Ce Congrès condamna toute collaboration avec les partis bourgeois et fonda le Parti socialiste unifié, section française de l'Internationale ouvrière, sur les principes suivants: "Entente et action internationale des travailleurs, organisation politique et économique du prolétariat en un parti de classe pour la conquête du pouvoir et la socialisation des moyens de production et d'échange, c'est-à-dire transformation de la société capitaliste en une société collectiviste et communiste." Le nouveau parti fit de rapides progrès, grâce surtout à l'influence exercée par l'incomparable orateur Jean Jaurès, d'une haute élévation morale et d'une rare puissance intellectuelle. Un petit nombre de socialistes réformistes, favorables à la collaboration gouvernementale, dirigés par Briand et Viviani, formèrent le parti des socialistes dits *indépendants*, dont le programme ne différait guère de celui des radicaux-socialistes.

La Politique d'action républicaine. — La campagne nationaliste amena les partis républicains de gauche à reprendre avec plus d'énergie la politique anticléricale. Elle fut une politique de représailles à l'égard du clergé catholique, dont une partie avait participé aux attaques dirigées contre le régime et le personnel républicain lors de l'affaire Dreyfus. Comme sous Jules Ferry, elle se traduisit par des mesures législatives, les unes dirigées contre le clergé régulier, les autres relatives à l'enseignement. Elle fut surtout violente de 1900 à 1905, sous les ministères Waldeck-Rousseau et Combes, et elle trouva son expression définitive, son couronnement dans la séparation de l'Église et de l'État.

Waldeck-Rousseau (1899–1902), ancien opportuniste, se révéla comme un homme d'État habile et tenace, doué d'une éloquence souple et nette. Pour tenir tête aux divers partis d'opposition, il groupa tous les partis de gauche, y compris les socialistes, en un bloc parlementaire. Son ministère, où figurait le socialiste Millerand à côté du général de Galliffet, qui avait pris part à la répression de la Commune. fut appelé le ministère de défense et d'action républicaine.

L'œuvre essentielle de Waldeck-Rousseau fut le vote de la loi du 1er juillet 1901 sur les associations, qui incarnait le principe de la suprématie du pouvoir civil sur le pouvoir religieux. La loi accordait la liberté à toutes les associations, même religieuses, qui pouvaient se former librement sans autorisation ni déclaration préalable. Les congrégations religieuses, à la différence des associations, étaient soumises à un régime exceptionnel. Elles ne pouvaient être autorisées que par une loi, mais, une fois autorisées, il suffisait d'un décret pour fonder un nouvel établissement. Les congrégations non autorisées devaient. dans les trois mois, se mettre en instance d'autorisation.

Les Mesures anticléricales. — La lourde tâche d'appliquer la loi fut assumée par le ministère Combes (1902–1905), qui accentua encore la politique anticléricale du cabinet précédent pour "garantir l'État contre les audaces de la réaction cléricale et césarienne, contre les prétentions hautement affichées par le cléricalisme à la domination de la société civile." Il fit fermer les établissements congréganistes ouverts postérieurement à la loi du 1 juillet 1901, puis ceux qui existaient avant la promulgation de la loi mais n'avaient pas demandé d'autorisation. Combes obtint ensuite du Parlement le rejet de presque toutes les demandes d'autorisation formulées par les congrégations non autorisées (1903). Enfin, il fit voter la loi du 7 juillet 1904, qui interdisait l'enseignement à toutes les congrégations autorisées, parce qu'elles inculquaient à une partie de la jeunesse "le mépris de notre société, la haine de nos institutions," et parce qu'il était nécessaire de réaliser l'unité morale de deux jeunesses, "qui sont séparées moins par la fortune que par l'éducation qu'elles reçoivent."

L'impitoyable politique anticléricale du ministère Combes suscita un très violent conflit avec le Saint-Siège. Les divergences de vues entre le pape et le gouvernement français au sujet de l'entente préalable sur le choix des évêques, la protestation du pape contre le voyage du président Loubet à Rome, le refus par le gouvernement français de laisser juger par un tribunal du Saint-Siège, le Saint-Office, les évêques de Dijon et de Laval, précipitèrent la rupture des relations diplomatiques (1904).

La Séparation de l'Église et de l'État. — Le rappel de l'ambassadeur français auprès du Vatican, la remise des passeports au nonce (29 juillet) furent le prélude de la séparation des Églises et de l'État votée après de longs débats (9 décembre 1905), où le rapporteur du projet, Aristide Briand, et le chef de l'opposition, Alexandre Ribot, déployèrent une éloquence inlassable. Cette loi s'inspirait des principes proclamés par la Révolution, d'après lesquels la République garantit le libre exercice du culte, mais ne reconnaît, ne salarie et ne subventionne aucun culte.

En 1907, le ministère Clemenceau fit voter deux lois qui attribuaient à l'État, aux départements et aux communes, ainsi qu'aux établissements communaux de bienfaisance et d'assistance, les biens des anciens établissements publics du culte. Les églises et leur mobilier furent laissés gratuitement à la disposition des fidèles.

La loi de séparation enlevait au clergé son caractère officiel et toute autorité légale; le service des cultes cessait d'être un service public pour devenir une affaire privée. L'Église perdait ses biens, mais elle recouvrait sa liberté et elle se trouvait plus forte devant l'État qu'elle ne l'avait jamais été. La République ayant abandonné tous ses droits en matière de nominations épiscopales, le Saint-Siège est aujourd'hui le maître absolu du clergé français.

CHAPITRE XI

L'ŒUVRE LÉGISLATIVE DE LA TROISIÈME RÉPUBLIQUE

Caractère de l'œuvre législative. — Ce qui caractérise l'œuvre législative de la troisième République, c'est qu'elle est essentiellement démocratique. Par l'institution du suffrage universel, de l'enseignement primaire universel, du service militaire universel, par l'octroi des libertés fondamentales, liberté de conscience, liberté de la presse, liberté de réunion et d'association, les gouvernements républicains ont voulu faire de la France une démocratie véritable, en faisant progressivement disparaître toutes les inégalités de nature juridique ou politique qui existaient entre les citoyens, et toutes les restrictions à leurs libertés. Les inégalités d'ordre économique subsistent, mais, en multipliant les œuvres d'assistance et de prévoyance sociales, on s'est efforcé de les atténuer.

Les Libertés. — Jusqu'à l'époque du triomphe définitif des républicains (1879), la France n'avait joui que d'une liberté précaire et restreinte. Sous le régime de l'ordre moral et du 16 mai, la presse et les associations républicaines avaient été traquées par le gouvernement. A partir de 1879, les principes libéraux furent progressivement appliqués.

Une loi de 1881 établit la pleine liberté de la presse. Pour la création des journaux, elle exigea simplement une déclaration; elle remit au jury le jugement des délits de presse commis contre les fonctionnaires, aux tribunaux correctionnels le jugement des délits commis contre les particuliers.

Une autre loi de 1881 établit la pleine liberté de réunion: pour tenir une réunion publique, il suffisait d'une simple déclaration faite un jour d'avance. Une autorisation n'était requise que pour les réunions en plein air.

La loi de 1901 établit la liberté d'association, du moins

pour les associations laïques qui pouvaient se former sans autorisation ni déclaration préalable. Seules les congrégations religieuses furent soumises à un régime spécial: aucune ne pouvait se former sans une autorisation donnée par une loi.

Le Service militaire. — De 1871 à 1914, tous les gouvernements travaillèrent à développer les forces militaires de la France. L'armée française, par la loi de 1872, était devenue une armée nationale, fondée sur le principe du service militaire obligatoire pour tous: l'organisation de 1872 fut modifiée dans un sens de plus en plus démocratique par les lois de 1889 et de 1905.

La loi de 1872 maintenait en effet de nombreuses inégalités: elle exemptait de tout service certaines catégories de citoyens, les soutiens de famille, les membres du clergé et de l'enseignement public; elle réduisait à un an la durée du service actif pour les volontaires, c'est-à-dire pour les jeunes gens qui, bacheliers ou satisfaisant à un examen très simple, devançaient l'appel et versaient à l'État une indemnité de 1500 francs. Enfin, on avait conservé le système du tirage au sort: la moitié du contingent, composé de ceux qui avaient tiré les bons numéros, était renvoyée en congé au bout d'un an. Seuls les mauvais numéros restaient cinq ans au régiment.

La loi de 1889 limita la durée du service actif à trois ans au lieu de cinq. Elle abolit les exemptions et le régime du volontariat. Toutefois elle maintint encore des catégories de privilégiés: une dispense de deux ans était accordée aux soutiens de famille, aux membres de l'enseignement public et du clergé, aux jeunes gens pourvus de certains diplômes.

Une troisième loi, en 1905, supprima tout privilège et ramena la durée du service actif à deux ans pour tous les Français. Mais en 1913, l'armée allemande ayant été portée à l'effectif formidable de 870,000 hommes sur le pied de paix, la France se vit dans la nécessité de rétablir le service de trois ans sans dispense d'aucune sorte.

Les Lois scolaires. — La réforme scolaire fut l'œuvre capitale de la troisième République dans cette période. La première des lois scolaires fut celle de 1880 sur l'enseignement secondaire des jeunes filles, qui créait des lycées et des collèges de jeunes filles sur le modèle de ceux de garçons. Les plus importantes furent les trois lois qui organisèrent l'enseignement primaire et le rendirent gratuit, obligatoire et laïque. La loi de 1881 (16 juin) décida qu'il ne serait plus perçu de rétribution scolaire dans les écoles primaires publiques; elle établit la gratuité. La loi de 1882 (28 mars) rendit l'instruction primaire obligatoire pour tous les enfants de six à treize ans. La loi de 1886 ordonna que dans toutes les écoles publiques l'enseignement fût exclusivement confié à des laïques. Aucun enseignement religieux, aucune pratique cultuelle ne furent admis même en dehors des heures de classes. Aucun ministre du culte n'avait accès à l'école. L'enseignement devait garder un caractère de stricte neutralité. L'application de ces lois nécessita la construction de milliers d'écoles, et le budget de l'enseignement primaire, qui était d'environ douze millions à la fin du second Empire, monta dès 1888 à près de cent millions.

Une étape décisive vers la laïcisation complète de l'enseignement fut marquée par la loi du 7 juillet 1904. Par cette loi l'enseignement fut à peu près fermé aux membres des congrégations.

Le Régime économique. — Parmi les réformes économiques votées sous la troisième République, la principale fut en 1892, l'adoption d'un nouveau tarif douanier: ce tarif marqua un changement radical dans la politique commerciale de la France, l'abandon du libre-échange, le retour au protectionnisme.

Sous le second Empire, à partir de 1860, la France avait adopté à l'exemple de l'Angleterre le système du libre-échange, qui consiste à laisser entrer les marchandises étrangères en franchise, sans payer de droits de douane, ou moyennant des droits de douane peu élevés; les tarifs de douane étaient réglés par des traités de commerce avec les pays étrangers. Ce régime, combattu par la plupart des industriels, le fut aussi par les agriculteurs, inquiets des progrès de la concurrence étrangère et désireux de se réserver l'approvisionnement du marché national. Industriels et agriculteurs coalisés s'opposèrent au renouvellement des traités de commerce et réclamèrent l'établissement d'un régime protectionniste, c'est-à-dire d'un tarif douanier qui, frappant de droits élevés les marchandises étrangères, aurait pour effet de "protéger" l'agriculture et l'industrie françaises. La loi de 1892 leur donna satisfaction et établit un double tarif: tarif maximum applicable à la généralité des États étrangers, tarif minimum, plus modéré, accordé par convention à court terme aux États qui assurent à la France des avantages équivalents. Depuis lors la France est restée fidèle au protectionnisme.

La Législation du travail. — La Révolution française, qui avait heureusement transformé la condition politique des ouvriers, avait, on l'a vu, aggravé leur condition économique. Dans la première moitié du dix-neuvième siècle, le développement du machinisme et de la grande industrie avait rendu leur situation de plus en plus misérable et précaire. Elle ne commença à s'améliorer que sous Napoléon III, et surtout sous la troisième République. Parmi les principales lois ouvrières qui furent votées dans cette période, les unes fournissaient aux ouvriers les moyens d'obtenir par eux-mêmes l'amélioration des conditions du travail; d'autres étaient des lois de protection de l'ouvrier; d'autres, enfin, étaient des lois de prévoyance.

Les lois qui armèrent les ouvriers pour la lutte furent: d'abord la loi de 1864 sur le droit de coalition et de grève, due à Napoléon III; puis la loi de 1884 sur les syndicats professionnels, préparée par Waldeck-Rousseau, pendant le ministère Jules Ferry. Alors que n'existait pas encore la liberté d'association, la loi de 1884 permit aux ouvriers de se grouper, "pour l'étude et la défense de leurs intérets," en associations professionnelles, sans autorisation du gouvernement. Elle leur donna la faculté de constituer, entre membres des syndicats, des caisses de secours mutuels et de retraites, de créer et d'administrer des offices de renseignements — des bourses du travail — pour les offres et les demandes de travail. Ella donna même aux syndicats la liberté, dont ils usèrent, de se grouper en unions.

Les lois de protection avaient surtout pour objet de régler la durée et les conditions du travail dans les usines et dans les mines. Dès 1848, une loi avait limité à douze heures la journée de travail pour les hommes; dans les mines, une loi de 1905 ramenait par étapes la limite à huit heures. Le travail des enfants et des femmes fut réglementé d'abord par l'Assemblée nationale en 1874, puis par les lois de 1892 et de 1900. Ces lois interdisaient aux femmes et aux enfants le travail de nuit, et le travail dans les mines aux femmes. Elles élevaient de huit à treize ans l'âge minimum d'admission des enfants dans les usines, réduisaient de douze à dix heures, au maximum, la durée du travail pour eux et pour les femmes. Une loi de 1906 assura à tous les travailleurs salariés le repos hebdomadaire. D'autre part une loi de 1898, sur les accidents du travail, rendit les patrons responsables des accidents dont leurs ouvriers pouvaient être victimes; elle assurait une pension à l'ouvrier devenu incapable de travailler, une pension à sa veuve et à ses enfants, s'il avait été tué. Après la guerre, en 1919, les ouvriers obtinrent la réduction de la journée de travail à huit heures.

Parmi les lois de prévoyance, les plus importantes furent d'abord celles qui organisèrent en 1850, puis de nouveau en 1886, la Caisse des retraites pour la vieillesse et celles qui en 1850, puis en 1898, réglèrent l'organisation des sociétés de secours mutuels: le nombre et l'importance de ces sociétés grandirent si rapidement qu'en 1902 on en comptait près de 18,000, possédant cinq cents millions. Un nouveau progrès fut accompli dans cette voie par la loi de 1910 qui institua des retraites ouvrières dont le taux fut proportionné au salaire et à la durée des versements, la Caisse des retraites devant être alimentée à la fois par une retenue sur le salaire de l'ouvrier, une contribution égale du patron, une allocation de l'État.

La législation ouvrière prit sous la troisième République une telle ampleur que, pour assurer l'application des lois et en préparer de nouvelles, il fut institué en 1906 un ministère du travail et de la prévoyance sociale.

CHAPITRE XII

LES LETTRES ET LES ARTS DANS LA SECONDE MOITIÉ DU XIXe SIÈCLE

La Littérature. Le Réalisme. — Jamais la production littéraire ne fut plus abondante et plus variée qu'à la fin du dix-neuvième siècle. Les jeunes générations de cette période continuèrent la lutte contre les règles conventionnelles et les formules tyranniques; elles réclamèrent toutes les libertés et applaudirent à toutes les audaces. Cependant la tendance la plus marquée et qui prévalut longtemps fut la tendance réaliste.

Le réalisme naquit d'une réaction contre le romantisme, de même que le romantisme était né d'une réaction contre le classicisme. Le romantisme avait péché par excès d'imagination, de sensibilité, d'enthousiasme et de lyrisme: malgré d'illustres survivances, il parut fort démodé après 1848. Aux visions imaginaires des romantiques, les réalistes opposèrent l'observation exacte, précise et minutieuse de la réalité. Le réaliste, selon Flaubert, "creuse et fouille tant qu'il peut, aime à accuser le petit fait aussi puissamment que le grand, il voudrait vous faire sentir presque matériellement les choses qu'il reproduit." En même temps qu'il s'oppose au romantisme, le réalisme vient se relier à la tradition classique par un autre caractère: sa tendance à l'impersonnalité. Avec une complaisance dont on s'était lassé, les romantiques avaient pris le public pour confident de leurs passions et de leurs émotions intimes; les réalistes proclamèrent au contraire que le "grand art est impersonnel" et que "l'artiste ne doit pas plus apparaître dans son œuvre que Dieu dans la nature."

Le Naturalisme. — Le réalisme triompha à l'époque du second Empire; puis, exagérant ses propres tendances, il se continua sous la forme du naturalisme, qui est ce qu'on pourrait appeler la littérature à prétentions scientifiques. Deux influences présidèrent à la formation du naturalisme, l'influence des savants eux-mèmes et surtout de Claude Bernard, le fondateur de la physiologie expérimentale, et l'influence de Taine, si grande dans les trente dernières années du dix-neuvième siècle. Philosophe, critique, historien, esprit systématique et puissant, Taine (1828–1893) prétendit introduire dans la philosophie, la critique et l'histoire, la méthode expérimentale qui triomphait avec Claude Bernard dans les sciences naturelles: il enseigna que les faits humains, déterminés par la race, le milieu et le moment, sont soumis à des lois comme les autres faits de la nature, et que par conséquent il convient de les étudier par les mêmes méthodes.

"De tout petits faits bien choisis, importants, significatifs, amplement circonstanciés et minutieusement notés, voilà aujourd'hui, disait-il, la matière de toute science." Et telle fut aussi la méthode du naturalisme: travaillant sur des carnets de notes, multipliant leurs enquêtes, accumulant "les documents humains pris sur le vrai, sur le vif, sur le saignant," les écrivains naturalistes s'efforcèrent, selon la formule des Goncourt, de "livrer au public des tranches de vie" et même de faire œuvre de savants qui expérimentent et qui concluent.

Le Roman. — C'est dans le roman que le réalisme trouva son expression la plus parfaite. L'école des romanciers réalistes reconnut pour maître un des plus vigoureux écrivains du dix-neuvième siècle, Gustave Flaubert (1821–1880). *Madame Bovary*, histoire de la vie d'une petite bourgeoise provinciale, est le type le plus achevé et peut être considéré comme le chef-d'œuvre du roman réaliste. Le meilleur disciple de Flaubert fut son filleul Guy de Maupassant (1850–1893), presque l'égal du maître par la pureté classique de la forme et le don de l'observation; observateur d'une précision seulement plus âpre, plus cruelle, plus impitoyable.

Le naturalisme eut pour "inventeurs" les frères de Goncourt, Edmond (1822–1896) et Jules (1830–1870). Ils lui donnèrent sa méthode. Ils lui montrèrent son véritable domaine, en introduisant dans leurs romans — dont le plus caractéristique est *Germinie Lacerteux* (1865), histoire d'une pauvre domestique —, la réalité humble et vulgaire, "les basses classes" de la société qui ont "droit au roman, disaient-ils, dans un temps de suffrage universel, de démocratie et de libéralisme." Le naturalisme s'épanouit sous sa forme la plus puissante et la plus vulgaire dans l'œuvre d'Émile Zola (1840–1903) qui, allant plus loin encore que les Goncourt, prétendit fonder le "roman expérimental," et groupa ses œuvres dans le vaste cycle des *Rougon-Macquart*, "histoire sociale et naturelle d'une famille sous le second Empire."

Le Théâtre. — Comme le roman, le théâtre fut renouvelé par les théories réalistes: le drame romantique, entièrement déchu après 1848, fit place à la comédie de mœurs. Émile Augier (1820–1889), voulut être le peintre fidèle de la bourgeoisie française, le défenseur convaincu de la tradition et de la morale familiales; le *Gendre de M. Poirier* (1854), *Maître Guérin* (1864) sont parmi ses œuvres les plus fortes et les plus solidement composées. Alexandre Dumas fils (1824–1895) se fit connaître d'abord par des comédies d'observation telles que le *Demi-Monde* (1855), puis, ayant conçu l'ambition "de mettre l'art au service des grandes réformes sociales et des grandes espérances de l'âme," il fit jouer des pièces à thèse, le *Fils naturel* (1858), les *Idées de Madame Aubray* (1867), où il s'efforçait de battre en brèche les préjugés les plus enracinés.

Le réalisme suivit au théâtre la même évolution que dans le roman: d'une génération à l'autre, il se fit plus âpre, plus brutal, plus dédaigneux de toutes les conventions en usage. Henry Becque (1837–1899) donna, avec les *Corbeaux* (1882), le chef-d'œuvre de cette comédie réaliste qui pousse l'exactitude de l'observation jusqu'à la cruauté.

La Poésie. — Du vivant même de Victor Hugo, la poésie s'engagea dans des voies nouvelles qui l'éloignèrent du romantisme. On vit entre 1850 et 1860 se former l'école dite plus tard "parnassienne" qui, par réaction contre le lyrisme impénitent des romantiques, leurs confidences abondantes et leurs négligences de style, s'imposa comme une discipline sévère l'impersonnalité et le souci de la perfection de la forme, poussé jusqu'au dernier scrupule. Le grand poète du Parnasse fut Leconte de Lisle (1820–1894): ses *Poèmes antiques* (1852) et ses *Poèmes barbares* (1862) atteignirent en effet la perfection que visaient les Parnassiens, et leur perfection même est presque leur seul défaut.

Mais les nouvelles générations se lassèrent plus vite encore de la perfection parnassienne qu'elles ne s'étaient lassées du lyrisme romantique. Elles subirent davantage l'influence d'un poète, fort discuté, infécond, mais curieux de sensations rares et morbides, Baudelaire (1821–1867): son œuvre maîtresse, les *Fleurs du Mal*, parue en 1857, devint le bréviaire de quelques jeunes poètes. Après lui, la poésie se préoccupa moins de rivaliser avec les arts plastiques que d'exprimer comme la musique les harmonies les plus mystérieuses et les plus subtiles de la nature. Avec Verlaine (1844–1896), la poésie évolua vers le "Symbolisme," et pour se rapprocher de son idéal inaccessible, elle s'affranchit de toutes les règles que consacrait une tradition séculaire.

L'Histoire. — L'influence scientifique, visible déjà dans le roman et le théâtre, pénétra surtout l'histoire et même la transforma si profondément qu'en quelque sorte elle la détacha de la littérature et la rapprocha de la science.

Bien que Michelet représentât avec éclat jusqu'en 1874 l'histoire romantique, trois grands historiens, Taine, Renan et Fustel de Coulanges, furent à des degrés divers les initiateurs de l'histoire dite "scientifique." On a vu plus haut quelles furent les théories et la méthode de Taine: il les mit en pratique en construisant deux œuvres puissantes, l'*Histoire de la Littérature anglaise* (1863) et les *Origines de la France contemporaine* (1876–1894), où l'esprit de système l'emporte sur l'esprit d'observation. Ernest Renan (1823–1892), comme lui philosophe, critique et historien, et comme lui grand écrivain, exerça sur les générations contemporaines une influence comparable à celle de Taine: sa vaste érudition, jointe à une intelligence pénétrante de psychologue, lui permirent de renouveler l'histoire des religions, dans ses deux œuvres maîtresses, l'*Histoire des Origines du christianisme* (1863–1881) et l'*Histoire du peuple d'Israël* (1888–1894). Mais Renan consentait encore à "solliciter doucement" les textes. Fustel de Coulanges (1830–1889) prétendit se dégager de toute idée préconçue, maîtriser toute fantaisie d'imagination, faire œuvre impersonnelle et plus véritablement scientifique dans sa *Cité antique* (1864), premier modèle de l'histoire objective.

La Peinture. — Comme la littérature, les arts plastiques furent dominés longtemps par la tendance réaliste, la préoccupation de reprendre étroitement contact avec la nature, de l'étudier sans cesse, de la reproduire aussi sincèrement que possible.

Dès avant 1848, une admirable école de paysagistes français avait commencé à rejeter la tradition du "paysage historique," c'est-à-dire de la nature "embellie" de ruines antiques ou de personnages grecs ou romains, pour représenter la nature elle-même, sans embellissement d'aucune sorte, un coin de forêt, une échappée sur la plaine, une simple ferme, une mare, un bouquet d'arbres... Corot (1796–1875) fut le maître le plus illustre de cette école, poète autant que peintre, se plaisant à rendre les aspects les plus poétiques de la nature, les lumières du matin, subtiles et douces, sur les arbres et sur l'eau.

Cependant, jusque sous le second Empire, la grande peinture historique avait conservé sa prépondérance: c'est Courbet (1819–1877), qui se chargea de la détrôner et qui se fit le chef de l'insurrection réaliste. Démocrate ardent, révolutionnaire, il lança des formules analogues à celles des Goncourt et de Zola: "Le réalisme, proclama-t-il en 1855, est par essence l'art démocratique... Poursuivre les idées, les mœurs, l'aspect de mon époque selon mon appréciation; être non seulement un peintre, mais encore un homme; en un mot, faire de l'art vivant, tel est mon but." Rejetant les sujets historiques, Courbet se mit donc à peindre "sans pose" des scènes familières; il exposa des tableaux aux titres significatifs, les *Casseurs de pierres*, l'*Enterrement à Ornans*, les *Demoiselles des bords de la Seine*, qui firent scandale, lui valurent d'être exclu des "Salons" officiels, mais applaudi et suivi par la jeunesse comme l'avait été Delacroix. A la génération de Courbet appartient un autre grand peintre, Millet (1814–1875), réaliste puisqu'il fut l'interprète fidèle de la vie paysanne dans ses gestes les plus humbles, mais dont l'œuvre d'une émouvante gravité invite à la méditation.

Par la suite, sous l'influence de Manet (1832–1883), le réalisme s'orienta vers l'impressionnisme. Il s'efforça de trouver des procédés nouveaux pour exprimer toute la vie et tout l'éclat de la lumière. Ce fut un éclatant feu d'artifice dont on se lassa bientôt pour revenir, par les détours les plus imprévus et les théories les plus hasardeuses, à la simplicité, à l'ordre et à la composition décorative. Quelques-uns des plus grands maîtres de la peinture contemporaine, travailleurs indépendants, ne se rattachent d'ailleurs à aucune école: ils ne furent ni réalistes, ni impressionnistes, ni classiques, ni romantiques; il leur suffit d'être eux-mêmes: tel Puvis de Chavannes (1824–1898), peintre de vastes fresques d'une composition harmonieuse et d'une noble sérénité.

La Sculpture. — Bien que la statuaire classique eût conservé des partisans fidèles qui prétendaient continuer la tradition antique, la sculpture, elle aussi, évolua; elle eut, comme la peinture, ses novateurs audacieux qui s'imposèrent par la puissance de leur génie, Carpeaux sous le second Empire et plus près de nous le maître Rodin. Carpeaux (1827–1875), élève de Rude, sut animer ses groupes et ses bustes d'une vie ardente; nul mieux que lui n'a su traduire, dans le bronze ou la pierre, "les sensations physiques, le frémissement du plaisir, la flamme du regard, le rire de la gaieté, l'excitation musculaire de la danse." Rodin (1840–1917), d'un génie plus vigoureux, plus profond et plus ample, plus dédaigneux encore des conventions académiques, a exprimé comme "au paroxysme" toutes les passions et la douleur humaines; la plupart des personnages et des groupes qu'il façonna se rattachent à une conception monumentale, la *Porte de l'Enfer*, où passe le souffle de Dante et de Michel-Ange.

La Musique. — La musique française avait été représentée dans la première moitié du dix-neuvième siècle par de brillants compositeurs qui travaillaient surtout pour le théâtre. La faveur du public allait de préférence aux œuvres de facture claire et simple, dont les mélodies étaient faciles à retenir. Ce genre d'opéra ou d'opéra-comique est resté très populaire en France jusqu'à nos jours. Sous le second Empire, les deux compositeurs en vogue furent Ambroise Thomas (1811–1896), dont l'œuvre la plus célèbre, *Mignon*, fut jouée mille fois de 1868 à 1894, et Gounod (1818–1893), dont l'opéra *Faust* (1859) eut un succès plus prodigieux encore. Dans la période suivante,

Bizet (1838–1875), mort à trente-sept ans, donna avec *Carmen* (1875) le chef-d'œuvre de l'opéra-comique français.

Mais, dans la même période, l'art musical français évolua: il renouvela sa technique et élargit son domaine. D'une part la musique de théâtre subit l'influence du grand compositeur allemand, Wagner (1813–1883). D'autre part il se forma une école nouvelle de musiciens qui, travaillant surtout pour les églises ou pour les orchestres des concerts, produisit des œuvres plus savantes et moins populaires, *Oratorios* et *Symphonies*. Le maître de cette école fut un Belge naturalisé français, César Franck (1822–1890).

CHAPITRE XIII

LES SCIENCES DANS LA SECONDE MOITIÉ DU XIXe SIÈCLE

Le Mouvement scientifique. – –Le mouvement scientifique, qui avait pris au début du dix-neuvième siècle une si grande extension, a continué à se développer avec une ampleur croissante jusqu'à nos jours.

En France, comme dans tous les pays civilisés, la place prépondérante prise par les sciences est le trait essentiel de la période contemporaine. La civilisation contemporaine est avant tout une civilisation scientifique.

Les caractères du mouvement scientifique sont restés les mêmes que dans la première moitié du dix-neuvième siècle, mais singulièrement accentués.

La production scientifique devenant de plus en plus considérable par suite de l'accroissement du nombre des travailleurs dans tous les pays, la spécialisation ou — ce qui revient au même — la division du travail a été poussée à l'extrême. De nos jours chaque travailleur est obligé de se cantonner non plus seulement dans une seule science, mais dans une petite partie de cette science.

Par suite de l'importance des applications pratiques des sciences, tous les pays civilisés se sont efforcés de développer et de perfectionner leur organisation scientifique. En France, comme dans tous les autres pays, l'enseignement scientifique a pris une importance de plus en plus grande. On a multiplié les chaires de facultés, les laboratoires, les écoles techniques; on a accordé aux savants, pour leurs recherches souvent coûteuses, des subventions importantes. Il reste d'ailleurs beaucoup à faire dans cette voie; sous le rapport de l'organisation scientifique, la France s'est laissée distancer par des pays comme l'Allemagne et les États-Unis.

Le développement extraordinaire des laboratoires a eu pour

conséquence le développement de la méthode expérimentale. Le domaine de la méthode expérimentale s'est considérablement étendu dans la seconde moitié du dix-neuvième siècle; après avoir été la méthode exclusive des sciences physiques et chimiques, elle est devenue la méthode de la physiologie et de la médecine, fondées auparavant sur l'observation seule. Grâce au perfectionnement de l'outillage des laboratoires, grâce à l'emploi de procédés nouveaux comme la photographie, on a pu obtenir par l'expérimentation des résultats d'une exactitude et d'une précision croissantes. Par l'emploi combiné des expériences proprement dites et des hypothèses ou théories, les progrès des sciences expérimentales ont été extrêmement rapides: les expériences nouvelles font naître de nouvelles théories, et réciproquement, dès qu'une théorie est formulée, on procède immédiatement de tous côtés à des vérifications expérimentales qui à leur tour élargissent la science.

Mais le développement des sciences expérimentales ne s'est pas fait au détriment des mathématiques. Les mathématiques sont restées la science fondamentale et ont continué, elles aussi, à se développer dans tous les sens. Leurs progrès mêmes ont été utilisés par les autres sciences, les mathématiques étant considérées comme le langage scientifique par excellence, à l'aide duquel on peut exposer avec une clarté plus grande les résultats des autres sciences. Déjà dans les siècles antérieurs l'astronomie était devenue, sous le nom de mécanique céleste, une branche des mathématiques: de même les mathématiciens modernes se sont efforcés de réduire en formules mathématiques les résultats obtenus dans les sciences physico-chimiques.

Les Grands Savants français. — L'école française compta dans la seconde moitié du dix-neuvième siècle un grand nombre de savants éminents, mathématiciens, astronomes, physiciens, chimistes, naturalistes, etc. Elle contribua au progrès de toutes les sciences. Mais ce sont principalement les sciences chimiques et biologiques qui furent renouvelées et developpées par les savants français, parmi lesquels trois grands noms dominent tous les autres: Claude Bernard, Pasteur, Berthelot. Berthelot fut surtout un chimiste; Claude Bernard et Pasteur transformèrent la physiologie et la médecine.

La Chimie. Berthelot. — Le développement de la chimie est un des faits les plus remarquables de l'histoire contemporaine de la science. Il est dû pour une très grande part aux travaux des savants français, dont le plus illustre est Berthelot.

Berthelot (1827–1907) eut la gloire de résoudre complètement le problème de la synthèse organique. Jusqu'alors la chimie minérale et la chimie organique semblaient deux domaines absolument distincts; il paraissait impossible, en partant des éléments, de reproduire les corps de la chimie organique comme on le faisait pour les corps de la chimie minérale; on croyait que ces composés organiques ne pouvaient se former que dans l'être vivant, sous "l'action mystérieuse de la force vitale." Berthelot établit au contraire que, par de simples procédés de laboratoire, on pouvait obtenir les composés organiques: il réalisa la synthèse des alcools, des éthers, des acides gras et de l'acétylène (1854–1862.) Il se consacra ensuite à la chimie physique; il mesura la vitesse des réactions chimiques, la quantité de chaleur qu'elles dégagent, créant ce qu'on a appelé la thermo-chimie. Il fut ainsi amené à étudier les substances explosives: en 1870, pendant le siège de Paris, le gouvernement le nomma président du Comité scientifique de défense, et il perfectionna la fabrication des poudres. C'est à un de ses collaborateurs, M. Vieille, qu'est due l'invention de la poudre sans fumée. Membre de l'Académie des sciences et de l'Académie française, esprit prodigieusement varié et fécond, auteur de nombreux traités de science et de philosophie et de plus de 600 mémoires, Berthelot fut aussi un grand citoyen, républicain et démocrate convaincu; il siégea au Parlement comme sénateur, fut ministre de l'instruction publique (1886–1887) et ministre des affaires étrangères (1895–1896).

La Physiologie. Claude Bernard. — Avec la chimie, la physiologie est la science qui progressa le plus rapidement dans cette période. Elle en est redevable surtout à un grand savant, Claude Bernard, dont on a pu dire qu'"il n'était pas un simple physiologiste, mais la physiologie même."

Les deux plus belles découvertes de Claude Bernard en physiologie portent, l'une (1849) sur la fonction glycogénique du foie, c'est-à-dire la propriété que possède cet organe de mettre en réserve le sucre; l'autre (1862) sur le système des nerfs vasomoteurs qui dilatent ou rétrécissent les vaisseaux sanguins.

C'est par l'expérimentation que Claude Bernard était arrivé à faire ces découvertes. Son principal titre de gloire est d'avoir établi d'une façon définitive que les sciences biologiques pouvaient et devaient avoir recours à la méthode expérimentale. Jusqu'alors on considérait cette méthode comme réservée exclusivement à l'étude des phénomènes physiques et chimiques; on prétendait qu'elle était complètement impuissante devant les phénomènes de la vie: physiologistes et médecins ne travaillaient que sur des faits d'observation. Avec Claude Bernard la physiologie et la médecine devinrent des sciences expérimentales: il en indiqua les principes dans le plus important de ses ouvrages, l'*Introduction à l'étude de la médecine expérimentale*, qui parut en 1865 et suscita de retentissantes polémiques. La grande majorité des médecins nièrent d'abord la valeur de ses théories et les traitèrent d'utopies; elles finirent cependant par prévaloir, et quand Claude Bernard mourut, en 1878, nul ne songeait plus à contester l'importance de son œuvre.

Pasteur. — Cette méthode expérimentale dont Claude Bernard venait de poser les principes, Pasteur en fit un admirable usage. Savant de génie, le plus grand savant peut-être du dix-neuvième siècle, il accomplit une œuvre immense, féconde au point de vue scientifique, infiniment bienfaisante au point de vue social.

Né en 1822 à Dôle dans le Jura, Louis Pasteur était fils d'un sous-officier de l'Empire. Devenu professeur, il se consacra d'abord à l'étude des fermentations: il démontra que le phénomène de la fermentation n'était pas purement chimique, comme on le croyait jusqu'alors, mais qu'il était causé par des êtres vivants, les microbes, dont les germes, épars dans l'atmosphère, peuplent surtout les poussières déposées. De cette première découverte Pasteur sut faire sortir d'importants résultats pratiques: il indiqua, comme remède efficace contre la fermentation, le chauffage, qui tue ou paralyse les ferments nuisibles (1867). C'est ce qu'on a appelé la pasteurisation, appliquée d'abord au vin, puis au lait et à la bière.

Chargé en 1865 d'étudier la maladie qui décimait alors les

vers à soie, Pasteur se trouva orienté ainsi vers l'étude des maladies infectieuses. Il commença par opérer sur les animaux et étudia d'abord le charbon, puis le choléra des poules. Après avoir établi que ces maladies étaient dues également à l'introduction de microbes dans l'organisme, il réussit à isoler ces microbes, à les "cultiver" artificiellement et à engendrer la maladie en inoculant cette culture; puis, découverte capitale, il montra qu'en inoculant une culture vieillie de microbes on pouvait préserver de la maladie: la culture ainsi atténuée constituait un vaccin.

En 1881, Pasteur découvrit la vaccination anticharbonneuse. Il se mit ensuite à l'étude de la rage: après plusieurs années d'expérience sur les animaux, il se décida enfin, en 1885, non sans de terribles angoisses, à tenter l'inoculation du vaccin sur un enfant mordu par un chien enragé. L'expérience réussit pleinement.

Alors Pasteur fut reconnu dans le monde entier comme un bienfaiteur de l'humanité. Une souscription internationale permit de fonder en 1888 l'Institut Pasteur, pour l'étude des maladies infectieuses. Un an avant sa mort, en 1894, il put assister à la découverte par un de ses élèves, le docteur Roux, d'un sérum guérissant la diphtérie.

Grandeur de l'œuvre de Pasteur. — L'œuvre de Pasteur a eu des conséquences incalculables.

On a parlé plus haut des procédés de pasteurisation du vin, de la bière et du lait, appliqués aujourd'hui universellement. La maladie du charbon, qui décimait jadis le bétail, a presque complètement disparu. Dans les grandes villes de tous les pays, des Instituts Pasteur ont été fondés, où l'on combat efficacement l'affreuse maladie de la rage. Grâce au sérum du docteur Roux, la mortalité par la diphtérie est tombée de 70 pour 100 à 7 pour 100. La vaccination contre la fièvre typhoïde donne les meilleurs resultats.

La doctrine de Pasteur a rendu à la chirurgie des services non moins considérables. Elle a permis d'établir que les complications fatales, auxquelles donnaient lieu presque toutes les opérations graves, étaient dues aux microbes apportés soit par les poussières atmosphériques, soit par l'opérateur lui-même ou par ses instruments. Dès lors, par l'emploi de désinfectants qui détruisent les microbes — l'antisepsie —, par des soins minutieux de propreté — l'asepsie —, on est arrivé à éviter les complications dans la plupart des cas. La chirurgie a pu s'enhardir et risquer une multitude d'opérations nouvelles.

Enfin les découvertes de Pasteur ont fondé ce qu'on peut appeler l'hygiène sociale. Grâce à elles, la société a pu entreprendre une lutte rationnelle contra la maladie, empêcher par des mesures sanitaires rigoureuses la propagation des maladies infectieuses, arrêter aux frontières des invasions de peste et de choléra, supprimer presque complètement les grandes épidémies.

CHAPITRE XIV

LA POLITIQUE EXTÉRIEURE DE LA TROISIÈME RÉPUBLIQUE. L'EXPANSION COLONIALE

L'Isolement. — Après les défaites de 1870, la France vécut pendant quelques années comme repliée sur elle-même, tout occupée à panser ses blessures, à se refaire une armée, à fortifier sa frontière de l'est. L'Allemagne, qui voyait avec inquiétude le relèvement rapide d'un ennemi irréconciliable, s'efforça de l'entraver, à plusieurs reprises, même par des menaces de guerre (1875). Elle n'y parvint pas. Du moins Bismarck sut employer toutes les ressources de sa diplomatie à maintenir la France isolée en Europe, tandis qu'il groupait autour de l'Allemagne, d'abord l'Autriche et la Russie — c'est ce qu'on appela "l'entente des trois empereurs" — (1872); puis l'Autriche et l'Italie réunies dans une Triple Alliance (1882).

Dans cette Europe qui semblait accepter l'hégémonie allemande et que dominait Bismarck, la France isolée ne pouvait jouer qu'un rôle effacé. C'est ainsi qu'elle fut amenée à chercher hors d'Europe l'emploi de ses forces reconstituées.

L'Expansion coloniale avant Jules Ferry. — En 1815, il ne restait à la France que quelques débris de ses anciennes colonies, la Guyane, la Guadeloupe et la Martinique, la côte du Sénégal, l'île de la Réunion et cinq villes dans l'Inde.

L'expédition d'Alger, décidée par le gouvernement de Charles X (1830), fut le point de départ de nouvelles conquêtes coloniales, poursuivies d'ailleurs pendant longtemps sans plan d'ensemble, sans but déterminé, au hasard des circonstances. La conquête de l'Algérie fut l'œuvre de la monarchie de Juillet: elle ne fut achevée définitivement qu'en 1857, sous Napoléon III, par la soumission de la Kabylie. Louis-Philippe fit occuper en outre plusieurs îles du Pacifique, entre autres Tahiti (1842).

Napoléon III prit la Nouvelle Calédonie (1853), et commença en Asie la conquête de l'Indo-Chine par l'occupation de la Cochinchine (1858–1867) et l'établissement du protectorat français sur le Cambodge (1863); en Afrique il commença la conquête du Soudan occidental par l'occupation de la vallée du Sénégal (1854–1865).

La Politique coloniale de Jules Ferry. — La troisième République, surtout à partir du ministère de Jules Ferry (1880), pratiqua systématiquement une politique d'expansion coloniale. Au moment où commençait à se dessiner dans toute l'Europe un mouvement protectionniste, la politique coloniale devait assurer à l'industrie et au commerce français de nouveaux marchés en même temps que des réserves de matières premières; mais elle avait aussi pour but de rendre à la France confiance en elle-même, d'étendre son influence et de restaurer son prestige dans le monde. "Il s'agit, déclarait Jules Ferry en 1882, de l'avenir même de la patrie" et il montrait qu'à la longue la politique de recueillement risquait de tourner à la politique d'effacement, ce qu'il appelait "la politique de pot-au-feu," "le grand chemin de la décadence." Grâce à lui, en quatre ans (1881–1885), l'empire français fut agrandi de la Tunisie, de l'Annam et du Tonkin, et de plus, la conquête du Soudan, du Congo et de Madagascar était amorcée.

Cette politique coloniale fut combattue avec fureur par les monarchistes et l'extrême gauche du parti républicain. Elle fut dénoncée comme dangereuse pour la défense nationale et comme conseillée par Bismarck, désireux de mettre la France hors d'état d'agir en Europe. Elle prévalut cependant. Un empire colonial fut reconstitué, qui fait de la France la deuxième puissance coloniale du monde.

L'Indo-Chine française. — La France redevint puissance asiatique dans la seconde moitié du dix-neuvième siècle. Tandis que l'Angleterre s'emparait de l'Indo-Chine occidentale, elle fit la conquête de l'Indo-Chine orientale (l'Annam, etc.) Le royaume de Siam, resté seul indépendant au centre de l'Indo-Chine, sert de tampon entre les possessions anglaises et françaises.

L'empire d'Annam comprenait depuis le début du dix-neuvième siécle: au nord, le Tonkin, c'est-à-dire le riche delta et la vallée du Song-Koï ou fleuve Rouge; au centre, le long de la mer de Chine, l'Annam proprement dit; au sud, la Cochinchine avec le delta du Mékong.

Au nord de la Cochinchine, sur les deux rives du Mékong, s'étendait le royaume du Cambodge, gouverné par des rois pacifiques, et sans cesse menacé dans son indépendance par ses voisins, l'Annam et le Siam.

Acquisition de la Cochinchine. — Des persécutions contre les chrétiens indigènes, un massacre de missionnaires français, ordonnés par l'empereur Tu-Duc (1858) fournirent à Napoléon III l'occasion d'intervenir. Des opérations lentement conduites et dont les plus importantes se déroulèrent autour de Saïgon (1859–1861) aboutirent à l'acquisition d'abord de trois provinces (1863), puis de la totalité de la Cochinchine (1867). Dans l'intervalle des deux conquêtes, le roi du Cambodge, inquiet des visées du Siam, s'était placé sous le protectorat de la France (1863).

Première Conquête du Tonkin. — La conquête du Tonkin fut la conséquence des explorations du lieutenant de vaisseau Francis Garnier. Il avait pensé que le fleuve Mékong serait une magnifique voie d'accès aux riches provinces de la Chine méridionale, en particulier au Yunnan. Mais, remontant le fleuve, il l'avait trouvé coupé de rapides et s'était convaincu à la fin de son exploration que la vraie route commerciale du Yunnan était le fleuve du Tonkin, le fleuve Rouge. Sur ses indications un commerçant audacieux, Jean Dupuis, tenta un premier voyage qui réussit brillamment. Mais, lorsque Dupuis voulut entreprendre un nouveau voyage, les mandarins lui barrèrent la route; Garnier fut alors envoyé de Cochinchine pour lui venir en aide. N'ayant pu déterminer les Annamites à livrer le passage, il attaqua et enleva avec 175 hommes la citadelle de Hanoï, la capitale du Tonkin, où 7,000 Annamites tenaient garnison. Puis il occupa toutes les places du delta (1873); mais il périt peu après dans une embuscade (décembre 1873).

La France sortait à peine de la guerre de 1870; les dernières troupes allemandes venaient seulement d'évacuer son territoire:

on ne voulut pas courir le risque d'une guerre en Indo-Chine, et l'on rendit le delta à l'empereur d'Annam. Celui-ci s'engageait en échange à ouvrir le fleuve Rouge au commerce français (1874).

Cet engagement ne fut pas tenu. Alors, en 1883, sous le ministère Jules Ferry, un petit corps de 600 hommes fut envoyé de Cochinchine sous la direction du commandant Rivière, et pour la seconde fois la France fit la conquête du delta.

Guerre avec la Chine. — Aussitôt l'empereur d'Annam se rappela les liens anciens de vassalité qui le rattachaient à l'empereur de Chine. Il lui demanda secours. En même temps il appelait à l'aide les Pavillons Noirs. C'étaient d'anciens rebelles chinois, soldats excellents, qui formaient dans le sud de la Chine des bandes analogues aux Grandes Compagnies du Moyen Âge. Troupes chinoises et Pavillons Noirs envahirent le Tonkin; Rivière fut bloqué dans Hanoï et tué pendant une sortie (1883). De là la guerre, à la fois contre l'Annam et contre la Chine.

La guerre contre l'Annam fut promptement terminée. L'amiral Courbet força l'entrée de la rivière de Hué et vint dicter la paix à l'empereur dans sa capitale (août 1883). L'Annam accepta le protectorat de la France.

La guerre contre la Chine dura près de deux ans. Elle se fit à la fois sur terre et sur mer. Elle eut pour théâtre le Tonkin, d'où il s'agissait de chasser les armées chinoises, et les côtes méridionales de la Chine. Elle fut très rude parce que le pays était difficile, presque sans routes, marécageux et couvert de rizières dans le delta, hérissé de montagnes et de forêts partout ailleurs. Elle fut rude surtout parce que les Français, qui ne furent jamais plus de 16,000, se heurtèrent à des troupes très nombreuses, aguerries, armées de fusils à tir rapide et de canons Krupp et tenant intrépidement sous le feu.

Les épisodes les plus importants furent: sur mer, la destruction de la flotte chinoise et de l'arsenal de Fou-Tchéou par l'amiral Courbet (23 avril 1884); sur terre, la défense epique de Tuyen-Quan, où pendant trois mois le commandant Dominé, avec 600 hommes, repoussa victorieusement les assauts de 15,000 Chinois (décembre 1884–mars 1885); enfin le dernier acte de la guerre, l'affaire dite de Lang-Son (28 mars 1885). Le général de Négrier, avec moins de 4,000 hommes, attaqué en avant de Lang-Son par 20,000 Chinois, les avait repoussés, quand une balle lui traversa la poitrine. L'officier qui le remplaça manqua de sang-froid, ordonna une retraite précipitée, envoya des dépêches affolées qui firent croire à un désastre, alors que les Chinois se retiraient en hâte. Cette "déroute de Lang-Son" qui à Paris amena le renversement du ministère Ferry, n'empêcha pas la Chine de poursuivre les négociations de paix engagées auparavant. Ces négociations aboutirent à la signature du traité de Tien-Tsin, par lequel la Chine abandonnait le Tonkin et reconnaissait le protectorat de la France sur l'Annam (9 juin 1885).

Occupation de la Tunisie. — La conquête de l'Algérie fut complétée sous la troisième République par l'établissement du protectorat français en Tunisie (1881) et au Maroc (1912).

La régence de Tunis, nominalement vassale de la Turquie, avait pour souverain un bey. Dès que la France fut établie en Algérie, elle s'efforça d'établir son influence en Tunisie. Cette politique était dictée par le souci d'assurer la sécurité de l'Algérie, sur qui la Tunisie, par suite de la disposition du relief, ouvre une série de routes d'invasion. Or, à partir de 1870, les Italiens, à peine leur unité achevée, jetèrent de leur côté les yeux sur la Tunisie, vieille terre romaine, toute voisine de la Sicile, et dont la possession les rendrait maîtres du passage central de la Méditerranée. Leur politique fut si active qu'en 1881 Jules Ferry, alors président du Conseil, jugea urgent d'agir pour empêcher que "la clef de notre maison" ne tombât en des mains étrangères. Les incessantes pilleries commises en territoire algérien par des montagnards tunisiens, les Kroumirs, servirent de prétexte à l'entrée d'une armée française en Tunisie (avril 1881). D'autre part, un corps envoyé de Toulon débarquait à Bizerte, marchait sur Tunis, et le 12 mai 1881, au palais du Bardo, le bey était obligé de signer un traité par lequel il se plaçait sous le protectorat de la France.

Peu de temps après la Convention du Bardo, un soulèvement général éclata, dont le centre était à Kairouan, une des villes saintes des musulmans. Mais la répression fut prompte, et la

Tunisie a depuis lors accepté sans résistance le protectorat français qui lui a valu la paix intérieure et la prospérité.

L'Égypte. — Ce grand succès de la politique française fut presque aussitôt suivi d'un échec, le plus grave que la France subît dans cette période: la perte de son influence et de sa situation privilégiée en Égypte.

Dans la première moitié du dix-neuvième siècle, le pacha Méhémet-Ali avait, principalement à l'aide de collaborateurs français, réorganisé l'Égypte, province turque, et obtenu l'autonomie. Sous son petit-fils Ismaïl, personnage magnifique et dépensier, le gaspillage financier fut tel que la France et l'Angleterre, ses deux plus gros prêteurs, lui imposèrent deux contrôleurs, chargés de remettre en ordre les finances de l'Égypte: c'est ce qu'on appela le *condominium franco-anglais* (1876). Ce régime ne dura pas plus de six ans. Il s'était formé en Égypte un parti national qui, en 1882, essaya de soulever la population contre les Européens. L'Angleterre offrit à la France de rétablir l'ordre en commun: mais la Chambre française, par 417 voix contre 75, refusa les crédits nécessaires à l'envoi de 4000 hommes. Les Anglais intervinrent seuls, occupèrent Alexandrie, le Caire et le canal de Suez. L'ordre fut promptement établi, mais le corps d'occupation fut maintenu.

Dès lors l'Égypte, où, jusqu'a 1882 tout était français, même les écoles, se trouva placée de fait sous le protectorat de l'Angleterre. La France pendant vingt ans ne cessa de protester. En 1898, le commandant Marchand, venu par le Congo, occupa Fachoda, sur le Haut-Nil: une guerre franco-anglaise faillit éclater, mais la France céda et évacua Fachoda. Finalement, par la Convention de 1904, en échange de sa liberté d'action au Maroc, la France abandonna l'Égypte aux Anglais.

Le Maroc. — La Convention de 1904 fut le point de départ de l'action française au Maroc, en même temps que de nouvelles et graves complications internationales. Plus étendu que l'Algérie, habité par des populations plus belliqueuses encore, plus important par sa situation à un tournant de l'Afrique, entre l'Atlantique et la Méditerranée, le Maroc était resté jusqu'à la fin du dix-neuvième siècle presque complètement fermé aux

Européens, à l'exception du port de Tanger. Le souverain du Maroc, à la fois chérif et sultan, détenait tous les pouvoirs politiques et religieux. Mais il ne maintenait sous son autorité réelle qu'une partie des tribus, d'ailleurs toujours prêtes à la révolte. Le commerce qui se faisait tout entier par Tanger était entre les mains de Français et d'Anglais, et la France ne paraissait devoir craindre au Maroc que la rivalité de l'Angleterre. Or, par la Convention de 1904 l'Angleterre se désintéressa du Maroc, à la condition qu'une zone d'influence y fût reconnue à l'Espagne.

C'est alors qu'intervint l'Allemagne, à la fois pour des raisons d'intérêt — parce que, les entreprises allemandes commençant à se développer au Maroc, ses ambitions coloniales s'éveillaient, et pour des raisons de politique générale — parce que le rapprochement franco-anglais l'inquiétait et menaçait ses prétentions à l'hégémonie. Quand Guillaume II, venu en personne à Tanger, eut garanti solennellement l'indépendance du Maroc, le conflit franco-allemand devint si violent que la guerre parut sur le point d'éclater (1905). Il se termina cependant pacifiquement par la réunion de la conférence internationale d'Algésiras (1906) qui, tout en maintenant le principe de l'indépendance et de l'intégrité du Maroc, reconnut la situation spéciale de la France et lui confia, ainsi qu'à l'Espagne, l'organisation de la police dans les ports marocains.

L'acte d'Algésiras ne pouvait pas régler définitivement la question marocaine. De nouveaux incidents surgirent dès 1907. Des Français ayant été massacrés par les indigènes, la France fit occuper Casablanca et la province voisine de la Chaouïa (1907-1908). Puis pour débloquer le sultan et les Européens assiégés dans la capitale par les tribus rebelles, les troupes françaises pénétrèrent jusqu'à Fez (1911). De nouveau l'Allemagne intervint alors pour réclamer des compensations: il fallut, pour qu'elle reconnût le protectorat de la France sur le Maroc, lui céder d'importants territoires au Congo. En 1912 enfin, la Convention de Fez, analogue au traité du Bardo, régla l'établissement du protectorat français sur tout l'Empire du Maroc, à l'exception de la zone septentrionale réservée à l'Espagne. Plus tard, sous la direction du général Lyautey, les troupes françaises conquirent et pacifièrent la majeure partie du Maroc.

Le Soudan français. — A travers les déserts du Sahara dont les oasis furent progressivement occupées malgré la résistance des Touareg, la France méditerranéenne se relie à un autre vaste domaine colonial qui comprend une partie du Soudan et de la région du Congo.

Les traités de 1815 avaient laissé à la France les comptoirs du Sénégal avec Saint-Louis. Ce fut le point de départ de l'expansion française au Soudan, commencée sous le second Empire par l'initiative et l'énergie de Faidherbe, le futur commandant de l'armée du Nord en 1870. Faidherbe occupa la vallée du Sénégal et fonda sur le haut fleuve, à mille kilomètres en amont de Saint-Louis, le poste de Médine (1855). A peine établi, le poste fut attaqué par Hadj-Omar, un aventurier musulman, qui travaillait à se constituer un grand empire entre le Sénégal et le Niger. Médine, défendue par un mulâtre, Paul Holl, 8 soldats d'infanterie de marine et 40 Sénégalais, résista plus de trois mois aux attaques de 15,000 noirs, si bien que Faidherbe eut le temps de venir débloquer l'héroïque garnison.

Jusque vers 1880, on s'en tint à la possession du Sénégal. Mais alors on voulut atteindre le Niger et s'ouvrir pacifiquement une route vers des territoires réputés très riches. On se heurta, dans la vallée moyenne du Niger, au fils et successeur d'Hadj-Omar, Ahmadou, puis, sur le haut Niger, à un autre aventurier, Samory, un marchand d'esclaves.

Le colonel Archinard en finit assez rapidement avec Ahmadou (1888-1893). Segou, sa capitale, était prise dès 1890. Mais contre Samory, qui s'était constitué de Kong au Niger, un empire plus grand que la moitié de la France, et qui parvint à réunir jusqu'à 40,000 guerriers, la lutte ne dura pas moins de seize ans (1882-1898). Elle ne prit fin que lorsque, par un hardi coup de main, le capitaine Gouraud eût capturé Samory au milieu même de son camp.

Dès le 15 décembre 1893, un détachement français avait occupé Timbouctou, au sommet de la boucle du Niger, tête de ligne des caravanes à destination de l'Afrique du nord.

Au sud, le roi du Dahomey, Béhanzin, s'étant attaqué aux établissements français de la côte, une expédition conduite par le colonel Dodds s'empara du royaume après de sérieux combats (1893-1894).

Le Congo français. — Dans l'Afrique équatoriale la France ne possedait qu'un modeste établissement sur l'estuaire du Gabon, acquis en 1839. La création de la colonie du Congo français fut l'œuvre d'un audacieux explorateur, l'enseigne de vaisseau Savorgnan de Brazza. Sans coup férir, par des traités avec des chefs indigènes, par sa douceur et sa diplomatie, Brazza donna à la France, dans l'Afrique équatoriale, sur la rive droite du Congo et de son affluent l'Oubanghi, d'immenses et riches territoires (1875-1885).

Partant du Congo, on voulut étendre la domination française au nord jusqu'au lac Tchad, et l'on atteignit la vallée du Chari. Quand on entreprit de descendre le Chari, on se heurta, comme sur le Niger, à un despote musulman, Rabah, chef de bandes et marchand d'esclaves, un Samory de l'Afrique centrale, qui s'y était créé un vaste empire.

Deux petites expéditions furent massacrées. Mais au début de 1901, la puissance de Rabah fut détruite par la jonction, sur les rives du Tchad, des troupes de trois missions, venues des trois parties de l'Afrique française: la mission Foureau et Lamy venue de l'Algérie à travers le Sahara, la mission Joalland venue du Sénégal, la mission Gentil venue du Congo.

La jonction des trois missions sur le Tchad fut politiquement un fait très important. Le succès de leur marche à travers l'arrière-pays de chacune des grandes possessions françaises transforma en droits réels les droits théoriques reconnus à la France sur ces arrière-pays, par des conventions signées avec l'Angleterre et l'Allemagne. L'unité de l'empire français en Afrique était assurée.

Madagascar. — A ces possessions africaines, la France joignit la grande île de Madagascar.

La population de Madagascar, environ deux millions et demi d'habitants, se compose d'abord de peuples noirs encore barbares, désignés sous le nom général de Malgaches; puis d'un peuple probablement de race jaune, venu peut-être au douzième siècle des archipels asiatiques, et qui s'est établi sur le plateau central, les Hovas.

Les Hovas dominaient l'île. Convertis en majorité au protestantisme par des missionnaires anglais, ils étaient à demi civilisés. Dans leur capitale, Tananarive, une grande ville de 50,000 habitants, on trouvait des écoles, des imprimeries, des journaux. Le gouvernement était une monarchie absolue. Il y avait, au moment de la conquête, une armée d'environ 40,000 hommes, munie de fusils à tir rapide et d'une artillerie moderne.

Le premier établissement de la France à Madagascar remontait à Richelieu, qui fit créer dans le sud de l'île le poste de Fort-Dauphin (1642). Pendant la plus grande partie du dix-neuvième siècle, il y avait eu à Tananarive lutte d'influence entre l'Angleterre et la France. L'influence anglaise parut l'emporter vers 1878: les Hovas crurent pouvoir impunément maltraiter les Français établis dans l'île. De là un conflit, le bombardement et le blocus de Tamatave et des principaux ports, puis une apparente soumission des Hovas qui, en 1885, déclarèrent accepter le protectorat de la France. En fait, pendant dix ans encore, les Hovas se jouèrent de la France, et en 1895 il fallut se résoudre à une expédition.

Sous le commandement du général Duchesne, 15,000 hommes furent débarqués à Majunga sur la côte occidentale. Des travaux entrepris pour construire une route qui devait permettre d'assurer le ravitaillement au milieu d'une région vide d'habitants, coûtèrent la vie à plus de 5,000 hommes, tués par la fièvre (mars–août 1895). Finalement une colonne légère de 4,000 hommes, lancée à travers le plateau, bouscula l'armée hova et parvint devant Tananarive: aux premiers obus tombant sur son palais, la reine Ranavalo capitula (30 septembre 1895). Les Hovas acceptèrent le protectorat de la France. Mais, à la suite d'une tentative de soulèvement, le protectorat fut aboli et Madagascar déclarée colonie française. La reine déchue fut déportée en Algérie (1897).

Valeur des colonies françaises. — Dans l'ensemble des colonies françaises, il faut distinguer les colonies d'exploitation et les colonies de peuplement.

Les colonies d'exploitation sont celles où le climat empêche le Français de s'établir à demeure. Il ne peut y être qu'un passager, dont les séjours plus ou moins prolongés doivent toujours être coupés de "congés" passés en des régions moins chaudes ou moins humides. C'est par leurs produits, par les éléments qu'elles fournissent au commerce, par les matières premières et les marchés qu'y peut trouver l'industrie que ces colonies sont importantes. Telles sont, à des degrés divers, les colonies de la zone tropicale, Congo, Soudan, Madagascar en grande partie et surtout l'Indo-Chine, dont le commerce extérieur dépassait déjà le demi-milliard en 1913.

Les colonies de peuplement sont celles où les conditions naturelles de la vie se rapprochent si bien des conditions de la vie en France que le Français peut s'y fixer sans esprit de retour et y faire souche: ainsi l'Algérie, la Tunisie et le Maroc. Par une fortune singulière, elles sont les plus proches de la France: Alger est à vingt-quatre heures de Marseille. Aucun autre État colonisateur n'est aussi favorisé. Terres d'Europe autant que terres d'Afrique, l'Algérie, la Tunisie et le Maroc sont une nouvelle France en formation.

Les Alliances de la France. — A la fin du dix-neuvième siècle, grâce au succès de ses entreprises coloniales, à sa forte organisation militaire, à sa politique résolument pacifique, la République avait rétabli le crédit de la France dans le monde. C'est ainsi qu'elle put sortir enfin de l'isolement où Bismarck s'était efforcé de la maintenir, et travailler à libérer l'Europe de l'hégémonie allemande.

Celle-ci était, depuis 1882, fondée sur le groupement formidable de la "Triplice" — Allemagne, Autriche et Italie. De part et d'autre de ce groupement, la France et la Russie également isolées devaient être tout naturellement tentées de se rapprocher. Tant qu'il fut au pouvoir, Bismarck mit tout en œuvre pour empêcher ce rapprochement qu'il prévoyait et qu'il redoutait. Grâce aux relations amicales qui unissaient les souverains et les Cours d'Allemagne et de Russie, il parvint à faire signer en 1884 encore, puis en 1887, des conventions secrètes par lesquelles le tsar promettait sa neutralité bienveillante au cas où l'Allemagne serait attaquée par une autre puissance. Mais en 1890, le jeune empereur Guillaume II se débarrassait de la tutelle du "chancelier de fer." La chute retentissante de Bismarck fut un événement considérable qui modifia la situation européenne. Privée de l'homme d'État qui avait fait sa grandeur et sa force, l'Allemagne parut moins redoutable. Presque aussitôt après s'opéra le rapprochement franco-russe, qui aboutit bientôt à une alliance formelle (1892). Cette alliance avait un caractère purement défensif et visait exclusivement le maintien de la paix, c'est-à-dire du *statu quo* territorial; mais elle servit de contrepoids à la Triplice, rétablit l'équilibre européen et permit à la France de reprendre sa place légitime au premier rang des puissances.

Douze ans plus tard, en 1904, l'alliance franco-russe était complétée par l'"entente cordiale" de la France et de l'Angleterre. A ce moment, la situation européenne était profondément modifiée: d'une part l'Angleterre se voyait menacée à son tour par les prétentions de l'Allemagne à la suprématie commerciale et maritime; d'autre part les défaites de la Russie dans la guerre contre le Japon (1904-1905) affaiblissaient le groupe franco-russe et détruisaient de nouveau, au profit de l'Allemagne, l'équilibre européen. Guillaume II, on l'a vu, en profita aussitôt pour s'opposer à l'expansion française au Maroc. Les menées agressives de la politique allemande ne firent que rendre plus étroite l'entente franco-anglaise. La France à son tour servit de médiatrice entre les deux anciennes rivales, l'Angleterre et la Russie. Ainsi, en face de la Triple Alliance, se constitua dès 1907 la Triple Entente.

CHAPITRE XV
LA GRANDE GUERRE

La Lutte pour l'hégémonie. — La politique de l'Allemagne visait délibérément à l'hégémonie. Elle se heurta à des résistances de plus en plus vives qui déterminèrent, à partir de 1905, une longue crise, d'où la guerre sortit brusquement en 1914.

La question du Maroc et la question des Balkans fournirent tour à tour les principaux incidents de cette crise. On a vu qu'à deux reprises, en 1905, puis en 1911, l'antagonisme franco-allemand au Maroc avait failli dégénérer en conflit armé.

Plus âpre encore était la lutte d'influences qui se poursuivait en Orient, l'Autriche pesant de tout son poids sur la Serbie pour la réduire en tutelle et s'ouvrir à travers les pays serbes la route de Salonique, l'Allemagne travaillant méthodiquement à s'assurer la main-mise sur la Turquie, de Constantinople à Bagdad. Soudain les événements de 1912-1913 — la victoire de la coalition balkanique sur la Turquie, la victoire des Serbes et des Grecs sur les Bulgares — portèrent un coup mortel aux ambitions austro-allemandes. On peut dire que dès lors la volonté de guerre des deux Empires fut irrévocable.

L'Allemagne arma formidablement. Par la loi du 30 juin 1913, l'effectif de l'armée active fut porté à 870,000 hommes; des sommes énormes furent consacrées à l'accroissement du matériel de guerre. Visée directement, la France riposta, le 7 août 1913, par le vote d'une loi qui élevait à trois ans la durée du service militaire obligatoire pour tous dans l'armée active.

L'Attentat de Serajévo. — L'attentat de Serajévo fournit aux Empires centraux l'occasion désirée. Le 28 juin 1914, à Serajévo, capitale de la Bosnie, l'archiduc héritier d'Autriche fut assassiné par un étudiant bosniaque, de nationalité serbe comme presque tous les Bosniaques. Ce meurtre pouvait servir de prétexte à des représailles contre la Serbie qu'on accuserait d'avoir fomenté le complot. Comme il était certain que la Russie ne laisserait pas écraser la Serbie sans intervenir, l'entrée en jeu des Russes permettrait tout à la fois de déclencher la guerre européenne et d'en rejeter sur eux la responsabilité.

Brusquement, le 23 juillet, par un ultimatum à la Serbie, l'Autriche dévoila ses exigences, formulées à dessein en termes provocants, et incompatibles avec la dignité et la souveraineté d'un État libre.

Contre toute attente la Serbie céda dans le délai prescrit — ne faisant de réserves que sur un point et proposant un arbitrage. Néanmoins l'Autriche décida de rompre (25 juillet).

Le 28 juillet, elle lançait sa déclaration de guerre à la Serbie, et, le lendemain, bombardait Belgrade.

Les Déclarations de guerre de l'Allemagne. — Presque aussitôt, par l'intervention directe de l'Allemagne, la guerre austro-serbe s'élargit en guerre européenne. Saisissant comme prétexte la mobilisation générale russe que les mesures militaires de l'Autriche et de l'Allemagne avaient rendue inévitable, le 1er août, Guillaume II lançait sa déclaration de guerre à la Russie.

Le sort de la France, alliée de la Russie, n'était pas douteux: la France savait qu'elle était visée la première par l'agression allemande. La mobilisation générale fut décrétée le samedi 1er août.

Le 3 août l'Allemagne déclara la guerre à la France.

L'Intervention de l'Angleterre. — L'Italie, conformément à un accord conclu avec la France en 1902, se déclara neutre, "la guerre ayant un caractère agressif ne cadrant pas avec le caractère purement défensif de la Triple Alliance."

Pour décider l'Angleterre à se jeter dans la guerre, il fallut la violation de la neutralité belge.

La Prusse, avec les autres grandes puissances, avait contresigné les traités de 1831 et 1839 qui garantissaient la neutralité perpétuelle de la Belgique. Mais la Prusse professait que la fin justifie les moyens: or, pour écraser rapidement la France, le plus sûr moyen paraissait de l'attaquer par le nord, en traversant la Belgique. Le 2 août au soir, la Belgique reçut l'ultimatum de l'Allemagne qui exigeait le libre passage de ses troupes; elle lui répondit le lendemain par un refus catégorique. Le 4 août, les Allemands attaquaient Liége. Le même jour l'Angleterre déclara la guerre à l'Allemagne.

Caractères généraux de la guerre. — On croyait généralement que la guerre serait courte, en raison du prodigieux effort militaire et financier qu'elle exigerait; elle dura plus de quatre ans (28 juillet 1914–11 novembre 1918).

Quand la guerre commença, plus des trois quarts de l'Europe s'y trouvaient engagés. Dès le début l'Angleterre obtint le concours de ses Dominions et du Japon. Par la suite, le nombre des belligérants ne cessa de s'accroître; les États-Unis intervinrent et envoyèrent de grandes armées combattre en France. La guerre européenne devint une guerre mondiale.

Engagés dans une lutte à mort, les principaux belligérants mirent en œuvre toutes leurs ressources matérielles et morales. On évalue à près de quatorze millions le nombre des Allemands, à plus de huit millions le nombre des Français mobilisés de 1914 à 1918. Une grande partie de la population civile elle-même fut pour ainsi dire mobilisée. Là où les hommes faisaient défaut, on fit appel à la main-d'œuvre féminine. La guerre eut le caractère d'une lutte à outrance, non seulement entre des armées, mais entre des nations entières.

L'armement, la tactique et la stratégie avaient été transformés par les progrès des sciences et de l'industrie. Par suite des efforts intenses faits de part et d'autre, ils se renouvelèrent plus rapidement encore au cours de la guerre. La guerre prit un caractère de plus en plus scientifique et industriel, et son aspect changea plus complètement en quatre ans qu'il n'avait changé auparavant en plusieurs siècles.

Le nombre et l'acharnement des combattants, la puissance croissante de l'armement firent de cette guerre une mêlée monstrueuse aux proportions inouïes. Jamais on n'avait vu se heurter d'aussi colossales armées, groupant plusieurs millions d'hommes. Jamais on n'avait vu des batailles aussi démesurées dans le temps et dans l'espace — plus de 300 kilomètres pour la Marne, plus de cinq mois pour Verdun. Jamais guerre ne fut plus coûteuse et plus meurtrière, les pertes en vies humaines se chiffrant par millions, les pertes en capitaux par centaines de milliards.

Divisions de la guerre. — Les opérations militaires se déroulèrent parallèlement sur des théâtres multiples. Mais c'est sur "le front occidental" — en France — que se joua la partie décisive. Aussi peut-on distinguer dans la guerre trois grandes phases.

La première s'étend jusqu'à la fin de 1914. Elle est caractérisée par la "guerre de mouvements." Les Allemands, qui cherchent à obtenir la décision à l'ouest par des coups foudroyants, sont arrêtés une première fois par la bataille de la Marne (6-12 septembre), une seconde fois par les batailles d'Ypres et de l'Yser (20 octobre-17 novembre).

La deuxième phase va de la fin de 1914 au début de 1918. Au point de vue politique, elle est marquée par l'extension de la guerre où entrent successivement aux côtés de l'Allemagne la Turquie (novembre 1914) et la Bulgarie (octobre 1915); aux côtés de la France l'Italie (mai 1915), le Portugal (mars 1916), la Roumanie (août 1916), les États-Unis (avril 1917) et la Grèce (juin 1917). Au point de vue militaire, c'est la période de la "guerre de tranchées" et des batailles d'usure, telles que Verdun et la Somme (1916). Il n'y a de grandes fluctuations que sur le front oriental, qui finalement s'effondre, en 1917, à la suite de la révolution russe. Cette deuxième période est marquée enfin par le développement du blocus et de la guerre sous-marine.

La troisième phase va du 21 mars au 11 novembre 1918. Revenus par des moyens nouveaux à la guerre de mouvements, les adversaires cherchent en un effort suprême à s'arracher la décision.

C'est la grande bataille de France, qui se termine par l'armistice du 11 novembre et la capitulation de l'Allemagne.

Les Armées, 1914. — Tout d'abord, on crut que la guerre serait rapidement terminée par des rencontres décisives entre les deux principales armées, l'armée allemande et l'armée française. Le plan de l'Allemagne était en effet de se jeter sur la France avec presque toutes ses forces, de la mettre rapidement hors de combat, puis de se retourner contre la Russie.

L'Allemagne ne pouvait pas compter sur une supériorité numérique aussi marquée qu'en 1870; à l'armée de choc qu'elle se préparait à lancer contre la France, — un million et demi de combattants —, la France avec l'appoint des Belges et des Anglais, opposait des forces sensiblement équivalentes. Mais l'Allemagne comptait sur la supériorité incontestable de sa préparation technique, de ses formations de réserve, de son artillerie lourde de campagne, de son matériel d'artillerie de siège, enfin sur l'effet de surprise que devait produire sa manœuvre par la Belgique. Nettement inférieure en artillerie lourde de campagne, l'armée française disposait, il est vrai, d'un matériel supérieur d'artillerie légère, le canon de 75 — du calibre de 75 millimètres.

L'Invasion. — La première grande bataille, dite bataille des frontières, eut lieu du 20 au 23 août. Ce fut une victoire allemande: elle aboutit à la perte de la Belgique et du nord de la France.

Les deux adversaires prirent presque en même temps l'offensive. L'État-Major allemand, commandé par le général de Moltke, neveu du vainqueur de 1870, avait monté une manœuvre d'immense envergure en vue de tourner la barrière fortifiée Belfort-Verdun et de déborder par le nord la ligne de bataille française: à cet effet, il força le camp retranché de Liége (7-16 août) et jeta cinq armées sur sept en Belgique. L'État-Major français, commandé par le général Joffre, ne croyait pas que les Allemands dépasseraient la Meuse; il comptait paralyser la manœuvre ennemie par une attaque foudroyante en Alsace-Lorraine et dans l'Ardenne. Mais l'offensive française fut brisée à Morhange en Lorraine les 22-23 août. L'aile gauche — la 5e armée et une armée anglaise de 75,000 hommes — attaquée à Charleroi et à Mons et menacée d'enveloppement, dut battre en retraite (23 août). Les Allemands envahirent la France.

Victoire de la Marne. — La deuxième grande bataille, dite bataille de la Marne, eut lieu du 6 au 12 septembre. Ce fut une victoire française; elle aboutit au repli des Allemands et à l'effondrement de leur plan initial.

Par une avance rapide, surtout de leur aile droite, les Allemands s'efforçaient d'envelopper les armées françaises en retraite ou de les refouler jusqu'à la frontière suisse. Mais en Lorraine, dès le 25 août, ils furent mis en échec. L'avance téméraire de la 1er armée allemande, commandée par von Klück, fournit au gouverneur de Paris, Galliéni, l'occasion d'une manœuvre décisive: il ramassa toutes les forces disponibles du camp retranché de Paris pour les jeter dans le flanc de l'armée von Klück, sur l'Ourcq. En même temps, à l'appel de Joffre, toutes les armées françaises et les Anglais, bien qu'épuisés par la retraite, reprenaient l'offensive (6 septembre). Sur un front de plus de 300 kilomètres, une gigantesque bataille mit aux prises, pendant six jours, environ deux millions d'hommes. La situation périlleuse de l'aile droite allemande, complêtement disloqueé et menacée d'être coupée en deux, détermina enfin les Allemands à battre en retraite (9-12 septembre).

La victoire de la Marne n'était pas décisive, puisque le vainqueur, lui-même épuisé, ne réussit pas à repousser le vaincu plus loin que l'Aisne. Mais ses conséquences morales furent immenses. La France reprit confiance en elle-même; et le monde entier, qui l'avait crue trop vite réduite à merci, reprit aussi confiance en elle; le dogme de l'infaillibilité militaire allemande se trouva ruiné du coup. D'autre part le plan dont l'Allemagne escomptait le succès foudroyant était irrémédiablement compromis. La résistance francaise allait permettre aux Empires russe et britannique d'intervenir dans la lutte de tout le poids de leur masse énorme. L'Allemagne devait continuer à combattre, non plus pour écraser, mais pour ne pas être écrasée: il lui fallait renoncer à son rêve de domination universelle.

Ypres et l'Yser. —La troisième grande bataille, dite bataille de l'Yser, eut lieu du 20 octobre au 17 novembre: ce fut une bataille indécise; elle mit fin aux opérations offensives et aboutit à l'immobilisation des fronts.

Les deux adversaires, ne parvenant à se vaincre ni sur la Meuse ni sur l'Aisne, cherchaient à se déborder mutuellement du côté de l'ouest et, de bataille en bataille, avaient étendu leurs lignes jusqu'à la mer du Nord — c'est ce qu'on a appelé *la course à la mer*. Après la prise d'Anvers, dernier réduit de la défense belge (9 octobre), les Allemands essayèrent de frapper un coup décisif en s'emparant de Calais. Mais leurs assauts, qui se prolongèrent durant un mois, furent repoussés devant Ypres et sur l'Yser par les forces alliées, placées sous la direction du général Foch.

La Guerre sur les autres fronts. — Ainsi, contrairement aux prévisions, la campagne de 1914 se terminait à l'ouest sans résultats décisifs. Il en était de même sur tous les fronts.

A l'est, les événements les plus notables sont: l'invasion russe en Prusse orientale, diversion hâtive faite pour aider la France, mais qui aboutit au désastre de Tannenberg (29 août); la grande victoire remportée par les Russes sur les Autrichiens à Lemberg, en Galicie (3-11 septembre); les offensives austro-allemandes en Pologne, que les Russes brisèrent dans de sanglantes batailles autour de Varsovie (novembre-décembre); enfin, par deux foix, l'invasion et la défaite des Autrichiens en Serbie (août et décembre).

Les Alliés possédaient un avantage capital, la maîtrise de la mer, que leur assurait la supériorité de la flotte britannique. Les Allemands n'osèrent pas risquer une grande bataille navale; leurs croiseurs rapides, lancés en course, furent rapidement éliminés après la bataille des îles Falkland (8 décembre). Toutefois, si l'Allemagne était chassée de la surface des mers, il lui restait une arme redoutable, les sous-marins.

La maîtrise de la mer laissait les colonies allemandes à la merci des Alliés. Ils en commencèrent la conquête en Afrique. En Extrême-Orient, les Japonais prirent la forteresse de Tsing-Tau (29 août–7 novembre). Mais, grâce à l'alliance turque, les Allemands purent, dès octobre 1914, s'embusquer dans les détroits, menacer l'Égypte, et étendre la guerre jusqu'aux confins de l'Asie occidentale.

La Guerre des tranchées. — Incapable de se vaincre et également épuisées, les armées adverses s'étaient immobilisées face à face, dans des retranchements improvisés qui formèrent une ligne continue — 780 kilomètres sur le front occidental, de la mer du Nord à la Suisse. Ainsi la guerre se transforma en une guerre de tranchées, guerre d'usure qui mit à l'épreuve les forces morales autant que les forces matérielles des combattants.

De part et d'autre, on travailla à renforcer sans cesse les organisations défensives. Chaque système défensif comprit bientôt plusieurs lignes de tranchées, reliées les unes aux autres par des boyaux de communication, munies d'abris souterrains ou bétonnés, protégées par des réseaux de fils de fer barbelés, et par les tirs de barrage des mitrailleurs ou de l'artillerie. On remit en usage les armes qui convenaient au combat rapproché, grenades et lance-bombes, les armes défensives abandonnées depuis le Moyen Âge, casques d'acier et cuirasses. Mais, de part et d'autre, on travailla aussi à perfectionner les moyens offensifs pour arriver à percer les lignes adverses: l'artillerie surtout et l'aviation se développèrent dans des proportions colossales. Enfin on s'ingénia à trouver de nouveaux engins, capables de produire un effet de surprise foudroyant. Violant les conventions internationales, les Allemands firent usage de liquides enflammés et surtout de gaz asphyxiants (avril 1915). Les Alliés construisirent des chars d'assaut ou tanks, montés sur chenilles d'acier, de façon à pouvoir franchir et broyer tous les obstacles.

Pour fabriquer ce matériel formidable, il fallut multiplier les industries de guerre. Par suite la guerre devint aussi une lutte économique. L'Angleterre se servit de son immense flotte pour bloquer les ports allemands, gêner le ravitaillement des Empires centraux en matières premières et en produits alimentaires. L'Allemagne riposta en inaugurant le blocus par sous-marins: mais les sous-marins, ne pouvant pas saisir les navires marchands, les coulèrent le plus souvent avec leurs équipages; ils s'attaquèrent même aux paquebots à passagers, tels que le *Lusitania* dont le torpillage fit 1145 victimes, hommes, femmes et enfants (7 mai 1915).

La Retraite russe, 1915. — D'année en année, la guerre se prolongea, s'étendit, s'intensifia sans aboutir à des résultats plus décisifs que la campagne de 1914. L'année 1915 fut marquée par l'entrée en guerre de l'Italie contre l'Autriche (23 mai), de la Bulgarie contre la Serbie et les Alliés (5 octobre). Elle fut surtout l'année des revers orientaux.

Tandis que les Alliés échouaient dans des tentatives mal concertées pour forcer les Dardanelles par mer (18 mars) et par terre (avril-décembre), les Austro-Allemands réussirent, par la victoire de la Dunajec (2 mai), à percer le front russe de Galicie, à refouler toutes les armées russes, à conquérir toute la Pologne, la Lithuanie et la Courlande; ils ne s'arrêtèrent que devant Riga et Dwinsk (septembre). Puis, renforcés des Bulgares, ils écrasèrent l'armée serbe et conquirent la Serbie (octobre-décembre). Sur l'initiative de la France, une petite expédition de secours avait débarqué à Salonique (5 octobre); les Alliés escomptaient le concours de la Grèce, alliée de la Serbie, mais ils se heurtèrent à l'opposition du roi Constantin, beau-frère de Guillaume II. Réduits à leurs seules forces, ils ne purent dégager l'armée serbe; du moins ils en rallièrent les débris et ils restèrent à Salonique pour barrer à l'ennemi la route de la Méditerranée.

Sur le front occidental, malgré quelques succès locaux, les armées franco-anglaises échouèrent dans leurs tentatives de percée, soit en Artois, soit en Champagne. L'armée italienne s'immobilisa, elle aussi, dans les Alpes du Trentin et devant l'Isonzo sur la route de Trieste.

Verdun, 1916. — L'année 1916 fut marquée par l'entrée en guerre du Portugal (9 mars) et de la Roumanie (28 août) aux côtés des Alliés. Elle fut surtout l'année de la bataille de Verdun, la plus grande bataille de la guerre par sa durée et son acharnement épique.

Revenant à leur plan primitif, les Allemands voulurent frapper un coup décisif sur l'armée française avant que les nouvelles armées anglaises, en voie d'organisation, ne fussent prêtes à entrer en ligne. Sous le commandement du kronprinz, ils attaquèrent le saillant de Verdun (21 février). Leurs furieux efforts, prolongés pendant cinq mois (février-août), se brisèrent contre la résistance opiniâtre des Français commandés par le général Pétain. Les pertes furent effroyables de part et d'autre — plusieurs centaines de mille hommes —, mais les Allemands ne réussirent ni à percer les lignes françaises ni à prendre Verdun. Par leur ténacité, leur endurance stoïque, les Français avaient gagné la plus terrible bataille défensive que connaisse l'histoire.

La suprématie militaire parut alors sur le point de passer

aux Alliés. Ils prirent l'avantage à l'ouest sur la Somme (juillet-novembre), sur l'Isonzo à Gorizia (4-9 août), à l'est en Galicie (juin-août), en Transylvanie et en Macédoine (août-septembre). Les Empires centraux, en détresse, confièrent le commandement suprême au vainqueur des Russes, Hindenburg, doublé de son inséparable adjoint Ludendorff. Ceux-ci, par une offensive audacieuse, réussirent à mettre hors de combat l'armée roumaine et à conquérir presque toute la Roumanie (septembre-décembre). Mais ces succès étaient précaires et Ludendorff lui-même avouait "être en équilibre sur une lame de couteau."

Sur mer, les flottes anglaise et allemande se livrèrent la grande bataille du Jutland, sans résultats décisifs (31 mai).

En Asie, les Russes emportèrent en plein hiver la grande forteresse turque d'Erzeroum (février) et conquirent presque toute l'Arménie. Mais une armée anglaise, cernée par les Turcs, dut capituler à Kut-el-Amara en Mésopotamie (avril). En Afrique, les Alliés achevèrent la conquête des colonies allemandes.

Intervention des États-Unis, 1917. — L'année 1917 fut la plus troublée de la guerre. Les événements politiques et économiques y dépassent en importance les événements militaires. L'Allemagne, épuisée par ses pertes et par le blocus, se sentait faiblir: elle redoubla d'efforts et d'intrigues pour imposer la paix aux Alliés. Elle faillit arriver à ses fins par la guerre sous-marine et la révolution russe.

L'amirauté allemande se faisait forte de réduire l'Angleterre à merci en cinq mois, par la guerre sous-marine, à condition de renoncer à tout ménagement à l'égard des neutres. La guerre sous-marine à outrance fut déclarée par la note du 31 janvier 1917. Elle fit subir d'énormes pertes aux Alliés et les mit dans une situation critique: ils réussirent cependant à conjurer le péril, soit en perfectionnant la défense contre les sous-marins, soit en intensifiant les constructions navales. Loin de donner la victoire à l'Allemagne, la guerre sous-marine eut une conséquence qui devait lui être fatale: elle détermina l'entrée en guerre des États-Unis. Tout en observant jusqu'alors la plus stricte neutralité, le président des États-Unis, Wilson, avait maintenu irréductiblement le droit des neutres à la libre navigation. La note du 31 janvier le décida à rompre avec l'Allemagne (3 février): à son appel, le Congrès américain vota la guerre (6 avril). Les États-Unis n'avaient, il est vrai, qu'une petite armée; leur intervention en Europe paraissait difficile et ne pouvait être effective que dans un assez long délai.

La Révolution russe. — Au même moment, l'équilibre des forces se trouvait rompu en Europe par la révolution russe, qui éclata à Pétrograd le 11 mars 1917.

La révolution avait été préparée de longue date en Russie par les fautes du gouvernement. La guerre avait mis en pleine lumière l'incapacité et la corruption des dirigeants. L'excès de souffrance et de misère produit par l'incurie administrative, le manque de pain et de charbon à Pétrograd, firent éclater la révolte. Dans les journées du 11 et du 12 mars, l'émeute se rendit maîtresse de la capitale. La Douma forma un gouvernement provisoire. Nicolas II, abandonné de tous, abdiqua (15 mars).

La révolution russe prit rapidement le caractère d'une révolution sociale. Dans la masse immense du peuple russe, ignorant, apathique et crédule, il n'y avait qu'aspirations confuses vers la paix ou vers le partage des biens et des terres. Toute la réalité du pouvoir appartint bientôt, non au gouvernement provisoire, mais aux Soviets, comités de délégués élus par les ouvriers et les soldats. Les intrigues allemandes hâtèrent la désagrégation militaire, politique et sociale de l'Empire russe. Elles facilitèrent l'arrivée au pouvoir des bolcheviks ou communistes, dont les chefs, Lenine et Trotski, renversèrent par un coup de force le gouvernement provisoire (7 novembre). Les dictateurs bolcheviks signèrent avec l'Allemagne et ses alliés l'armistice de Brest-Litovsk (15 décembre) et entamèrent des négociations de paix. L'Allemagne parut avoir gagné la partie à l'est.

Les Opérations militaires en 1917. — A l'ouest, les Allemands s'étaient tenus d'abord prudemment sur la défensive. En février-mars 1917, leurs armées reculèrent sur des positions puissamment fortifiées, dites *ligne Hindenburg*. L'armée française, passée sous le commandement du général Nivelle, échoua, dans une nouvelle tentative de percée, sur le front de l'Aisne (16 avril). L'armée anglaise usa ses abondantes réserves dans de meurtrières attaques en Flandres (juillet-novembre), sans réussir à degager la côte belge. Cependant, avec les troupes ramenées de l'est, Ludendorff montait une violente offensive contre le front italien, qui fut entièrement rompu à Caporetto (24 octobre): la Vénétie fut envahie. Il fallut envoyer en toute hâte onze divisions de renfort franco-anglaises sur le front italien reconstitué derrière la Piave.

Dans les Balkans, après l'abdication forcée de Constantin (12 juin) et le retour au pouvoir du ministre Venizelos, la Grèce se rangea aux côtés des Alliés. En Asie, les Anglais s'emparèrent de Bagdad (11 mars) et de Jérusalem (9 décembre).

CHAPITRE XVI
LA VICTOIRE ET LA PAIX

La Grande Offensive allemande. — Au début de l'année 1918, le front oriental tout entier s'effondra: l'Allemagne imposa les traités de Brest-Litovsk à la Russie et de Bucarest à la Roumanie (3-16 mars 1918). Dès lors, elle résolut de concentrer à l'ouest toutes les forces vives de son armée et de frapper sur les Alliés un coup décisif avant l'entrée en ligne des Américains. Grâce aux transports de troupes effectués d'est en ouest, elle s'assura une grande supériorité d'effectifs — environ 200 divisions contre 168. Elle avait sur les Alliés une autre supériorité, capitale à la guerre: l'unité de commandement. Tandis que les armées britannique, française et belge obéissaient chacune à un chef distinct, au contraire du côté de l'ennemi tous les moyens d'action se trouvaient concentrés entre les mains d'un seul homme, Ludendorff, devenu en fait le véritable chef de l'Empire et de l'armée.

Commencée le 21 mars, l'offensive allemande se prolongea, avec de longues pauses, jusqu'au 18 juillet 1918. Grâce aux méthodes tactiques perfectionnées par Ludendorff, elle aboutit à de grands succès, mais non à la victoire décisive qu'il avait escomptée. A trois reprises, en Picardie (21 mars), en Flandre (9 avril), sur l'Aisne (27 mai), les fronts anglais et français, submergés par une avalanche d'obus toxiques, furent entièrement rompus. Les Allemands ramassèrent un butin énorme; ils approchèrent d'Amiens, de Calais, poussèrent même jusqu'à 65 kilomètres de Paris, qu'ils bombardaient sans trêve, soit par avions, soit par de monstrueux et mystérieux canons, d'une portée de 120 kilomètres.

Le Renversement de la bataille. — Jamais la situation n'avait été aussi critique pour les Alliés. Cependant leur résolution de lutter jusqu'au bout et de vaincre ne faiblit pas. En France, cette résolution était incarnée par le premier ministre Clemenceau, vieillard de soixante-seize ans, arrivé au pouvoir en 1917 avec la volonté de réprimer impitoyablement toutes les défaillances et de faire "la guerre intégrale."

D'autre part, sous la menace du désastre, les Alliés se décidèrent enfin à instituer le commandement unique: il fut confié au général Foch (26 mars). Sous l'impulsion du président Wilson, les États-Unis hâtèrent leurs envois de troupes: les débarquements mensuels passèrent de 48,000 hommes en mars à 280,000 hommes en juin. Enfin l'État-Major français, sous la direction du général Pétain, mit au point de nouvelles méthodes défensives et offensives, dont le trait le plus original devait être l'emploi en masse des chars d'assaut légers et des avions. Dès le mois de juin, une quatrième offensive allemande, en direction de Compiègne, fut promptement enrayée.

Le renversement de la bataille, ainsi préparé, s'opéra du 15 au 18 juillet 1918. C'est la deuxième victoire de la Marne: elle aboutit à l'effondrement du plan de Ludendorff et décida du sort de la guerre. Le renversement se fit en deux temps: premier temps, le 15 juillet, échec de la grande offensive allemande, lancée par Ludendorff de part et d'autre de Reims, brisée net en Champagne, devant l'armée du général Gouraud; deuxième temps, le 18 juillet, succès de l'offensive française, déclenchée brusquement dans le flanc ennemi, entre l'Aisne et la Marne. Comme en 1914, les Allemands durent repasser la Marne, se replier sur l'Aisne et sur la Vesle.

La Grande Offensive de Foch. — La victoire de la Marne marque le début de la grande offensive alliée. Cette offensive, dirigée par Foch, dura quatre mois (18 juillet–11 novembre): elle aboutit à la défaite de l'Allemagne et à la suspension des hostilités.

Foch ne laissa pas à l'ennemi déconcerté le temps de se ressaisir et de reconstituer ses réserves. Par un élargissement méthodique de la bataille, il multiplia ses attaques sur tous les points du front; les Allemands furent sans cesse contraints de se replier sous menace d'enveloppement. D'abord Foch réduisit les "poches" créées dans le front allié par les victoires allemandes (juillet-septembre) et refoula l'ennemi sur la ligne

Hindenburg. Puis les formidables positions de la ligne Hindenburg elle-même furent assaillies et forcées (septembre-octobre); les Alliés rentrèrent à Saint-Quentin, Cambrai, Laon. Enfin, par une offensive concentrique de toutes les armées alliées, Foch entreprit de rejeter le gros des armées allemandes dans le massif boisé des Ardennes pour l'y envelopper et le forcer à capituler. A bout de forces, l'Allemagne n'évita le désastre qu'en acceptant toutes les conditions des Alliés, par l'armistice du 11 novembre 1918.

Victoires de Syrie, de Macédoine, d'Italie. — La capitulation de l'Allemagne avait été précédée et hâtée par la capitulation de tous ses alliés. Dès le 15 septembre, l'armée de Macédoine, commandée par Franchet d'Esperey, avait remporté une éclatante victoire, puis, par une avance rapide, elle avait obligé la Bulgarie à déposer les armes (29 septembre), reconquis toute la Serbie et menacé l'Autriche d'une attaque à revers. Au même moment, l'armée de Syrie, commandée par le général anglais Allenby, remportait sur les Turcs une victoire décisive (18 septembre) et les obligeait à demander l'armistice (30 octobre). Enfin l'armée italienne, commandée par le général Diaz, mit fin à la résistance autrichienne par la victoire de Vittorio-Veneto (27-30 octobre). La monarchie austro-hongroise, en pleine dissolution, s'effondra : tandis que les Italiens entraient à Trente et à Trieste, des gouvernements révolutionnaires se constituaient à Vienne et à Budapest; les Croates et les Slovènes avaient déjà proclamé leur union aux Serbes; les Tchèques et les Slovaques, leur indépendance. Sans abdiquer formellement, l'empereur d'Autriche Charles Ier renonça au pouvoir.

La Révolution allemande. L'Armistice. — En Allemagne, l'unité avait une base nationale trop solide pour être sérieusement ébranlée, mais la défaite engendra du moins la révolution.

Guillaume II avait essayé par une double manœuvre de conjurer la catastrophe qui le menaçait: d'une part, renonçant à ses prérogatives essentielles, il avait formé un ministère parlementaire (2 octobre); d'autre part il avait fait appel à la médiation du président Wilson pour la conclusion immédiate d'un armistice et l'ouverture de négociations de paix (5 octobre). Cette double manœuvre échoua. Le président Wilson et les

Alliés refusèrent tout armistice dont les conditions ne seraient pas imposées par les chefs militaires, et Foch n'arrêta la marche de ses armées que lorsque, par l'armistice du 11 novembre, l'ennemi eut accepté toutes ses conditions. A cette date la révolution avait déjà éclaté en Allemagne: à l'imitation des Soviets russes, des Conseils d'ouvriers et de soldats se constituèrent partout. La République fut proclamée à Munich le 8 novembre et le lendemain à Berlin. Guillaume II s'enfuit en Hollande, bientôt suivi par le kronprinz (10 novembre). Ce fut un gouvernement provisoire socialiste qui signa l'armistice du 11 novembre.

Les clauses principales de l'armistice étaient les suivantes: évacuation en quinze jours des territoires occupés en France, en Belgique et en Alsace-Lorraine; évacuation en un mois de tous les territoires de la rive gauche du Rhin, que les Alliés occuperaient ainsi que Mayence, Coblentz et Cologne; livraison de 5,000 canons et de 25,000 mitrailleuses, de tous les sous-marins, de la majeure partie de la flotte de guerre; évacuation par les troupes allemandes de l'Autriche-Hongrie et de la Russie. En fait, l'Allemagne mise hors d'état de recommencer la guerre, se trouvait réduite à merci.

La Conférence de la Paix. — La paix fut réglée par la Conférence interalliée de Paris qui s'ouvrit le 18 janvier 1919 sous la présidence de M. Clemenceau. Comme la guerre elle-même, la Conférence de la Paix eut un caractère mondial: 27 États y étaient représentés, parmi lesquels des États américains, asiatiques, africains et océaniens. En fait, toutes les décisions importantes furent prises en petit comité par le président des États-Unis, Wilson, le premier ministre anglais, Lloyd George, le premier ministre français, Clemenceau, le premier ministre italien, Orlando.

Les négociateurs avaient accepté comme base de leurs délibérations le programme de paix formulé en quatorze points par le président Wilson dans un message du 8 janvier 1918. Les quatorze points du président Wilson dérivaient tous d'un même principe, le principe du droit des peuples à disposer librement d'eux-mêmes. Ils visaient tous à l'établissement d'une Société générale des Nations, gardienne du nouvel ordre international.

Mais d'autre part chacun des Alliés avait ses préoccupations particulières: pour l'Angleterre, le point principal était de ruiner la puissance maritime et coloniale de l'Allemagne; pour la France, de mettre l'Allemagne hors d'état de nuire sur le continent et de l'obliger à restaurer ses régions dévastées.

Le Traité de Versailles. — Après des négociations difficiles, les Alliés, s'étant mis d'accord, imposèrent à l'Allemagne le traité de Versailles (28 juin 1919). La paix fut signée dans cette même Galerie de Glaces où, le 18 janvier 1871, avait été proclamé l'Empire allemand.

Le traité de Versailles instituait une Société des Nations. Ouverte d'abord aux Alliés et aux neutres, la Société devait être dirigée par un Conseil de neuf membres et par une Assemblée des représentants de tous les membres de la Société, qui se réuniraient à Genève. Les membres de la Société s'engageaient à soumettre leurs différends à l'arbitrage. Mais l'institution nouvelle n'avait pour elle que la force morale: le Conseil de la Société ne disposait d'aucune force matérielle pour faire respecter ses décisions.

Au point de vue territorial, par application du principe du droit des peuples à disposer d'eux-mêmes, l'Allemagne devait restituer l'Alsace-Lorraine à la France, la Posnanie à la Pologne et accepter que le sort du Slesvig, de la Haute-Silésie et de la Prusse polonaise fût réglé par plébiscite. A l'est, le port de Dantzig, débouché de la Pologne, était constitué en ville libre. A l'ouest, le bassin de la Sarre, dont une partie avait été française avant 1815, passait sous le gouvernement de la Société des Nations pour une période de quinze ans, à l'expiration de laquelle un plébiscite déciderait de son sort. Hors d'Europe, l'Allemagne cédait au Japon ses droits sur Kiao-Tchéou; elle renonçait à toutes ses colonies, qui devaient être administrées par d'autres puissances, en vertu d'un mandat de la Société des Nations.

Au point de vue économique, l'Allemagne, déclarée responsable de la guerre, s'engageait à réparer tous les dommages causés aux populations civiles et à leurs biens, à rembourser toutes les pensions accordées aux victimes militaires de la guerre. En compensation des pertes subies par les Alliés, elle devait livrer sa flotte marchande presque en totalité, ses câbles sous-marins, d'importantes fournitures de matériel, charbon, machines, etc. La France recevait la propriété des mines de houille de la Sarre.

Comme garanties contre l'Allemagne, la France avait obtenu: 1° la réduction de l'armée allemande à cent mille hommes; 2° l'occupation militaire de la rive gauche du Rhin pendant un délai de cinq à quinze ans; 3° la neutralisation d'une zone de cinquante kilomètres de largeur sur la rive droite du Rhin; 4° la promesse que les États-Unis et l'Angleterre s'engageraient à assister la France en cas d'agression non provoquée de l'Allemagne — ce "pacte de garantie" ne fut pas conclu, par suite de l'opposition du Sénat américain.

Les Autres Traités. — Le traité de Versailles fut complété par les traités de Saint-Germain avec l'Autriche (10 septembre 1919), de Neuilly avec la Bulgarie (27 novembre 1919), de Trianon avec la Hongrie (4 juin 1920), de Sèvres avec la Turquie (10 août 1920).

Les traités de Saint-Germain et de Trianon consacrèrent le démembrement de l'ancienne Autriche-Hongrie. L'Autriche était réduite à ses provinces allemandes, et la Hongrie aux territoires de population magyare. Leurs provinces slaves étaient partagées entre la Tchéco-Slovaquie, la Pologne et la Yougo-Slavie. La Transylvanie était rattachée à la Roumanie; l'Istrie avec Trieste et le Trentin revenaient à l'Italie.

Par le traité de Neuilly, la Bulgarie perdait le territoire qui lui donnait accès à la mer Égée. Le traité de Sèvres consacra le démembrement de l'Empire turc. Constantinople et les détroits étaient placés sous un contrôle international. A l'exception de l'Anatolie, laissée aux Turcs, et du royaume du Hedjaz devenu indépendant, tout le reste de la Turquie d'Asie — Arménie, Syrie, et Mésopotamie — devait être constitué sous la forme d'États libres assistés d'un mandataire de la Société des Nations, la France pour la Syrie, l'Angleterre pour la Mésopotamie; l'administration de la Palestine, soumise à un statut spécial, était confiée également à l'Angleterre.

DÉCLARATION DES DROITS DE L'HOMME ET DU CITOYEN

Les Représentans du Peuple françois, constitués en Assemblée Nationale, considérant que l'ignorance, l'oubli ou le mépris des droits de l'homme sont les seules causes des malheurs publics et de la corruption des gouvernements, ont résolu d'exposer, dans une déclaration solennelle, les droits naturels, inaliénables et sacrés de l'homme, afin que cette déclaration, constamment présente à tous les membres du Corps social, leur rappelle sans cesse leurs droits et leurs devoirs; afin que les actes du pouvoir législatif et ceux du pouvoir exécutif, pouvant être à chaque instant comparés avec le but de toute institution politique, en soient plus respectés; afin que les réclamations des citoyens, fondées désormais sur des principes simples et incontestables, tournent toujours au maintien de la constitution, et au bonheur de tous.

En conséquence, l'Assemblée Nationale reconnoît et déclare, en présence et sous les auspices de l'Être Suprême, les droits suivans de l'Homme et du Citoyen:

Article Premier

Les hommes naissent et demeurent libres et égaux en droits. Les distinctions sociales ne peuvent être fondées que sur l'utilité commune.

II

Le but de toute association politique est la conservation des droits naturels et imprescriptibles de l'homme. Ces droits sont la liberté, la propriété, la sûreté, et la résistance à l'oppression.

III

Le principe de toute souveraineté réside essentiellement dans la Nation. Nul Corps, nul individu ne peut exercer d'autorité qui n'en émane expressément.

IV

La liberté consiste à pouvoir faire tout ce qui ne nuit pas à autrui: ainsi l'exercice des droits naturels de chaque homme n'a de bornes, que celles qui assurent aux autres membres de la Société la jouissance de ces mêmes droits. Ces bornes ne peuvent être déterminées que par la Loi.

V

La Loi n'a le droit de défendre que les actions nuisibles à la Société. Tout ce qui n'est pas défendu par la Loi ne peut être empêché, et nul ne peut être contraint à faire ce qu'elle n'ordonne pas.

VI

La Loi est l'expression de la volonté générale. Tous les citoyens ont droit de concourir personnellement, ou par leurs Représentants, à sa formation. Elle doit être la même pour tous, soit qu'elle protège, soit qu'elle punisse. Tous les citoyens étant égaux à ses yeux, sont également admissibles à toutes dignités, places et emplois publics, selon leur capacité, et sans autre distinction que celle de leurs vertus et de leurs talents.

VII

Nul homme ne peut être accusé, arrêté, ni détenu que dans les cas déterminés par la Loi, et selon les formes qu'elle a prescrites. Ceux qui sollicitent, expédient, exécutent ou font exécuter des ordres arbitraires, doivent être punis; mais tout citoyen appelé ou saisi en vertu de la Loi doit obéir à l'instant: il se rend coupable par la résistance.

VIII

La Loi ne doit établir que des peines strictement et évidemment nécessaires, et nul ne peut être puni qu'en vertu d'une loi établie et promulguée antérieurement au délit, et légalement appliquée.

IX

Tout homme étant présumé innocent jusqu'à ce qu'il ait été déclaré coupable; s'il est jugé indispensable de l'arrêter, toute rigueur qui ne seroit pas nécessaire pour s'assurer de sa personne, doit être sévèrement réprimée par la Loi.

X

Nul ne doit être inquiété pour ses opinions, même religieuses, pourvu que leur manifestation ne trouble pas l'ordre public établi par la Loi.

XI

La libre communication des pensées et des opinions est un des droits les plus précieux de l'homme: tout citoyen peut donc parler, écrire, imprimer librement, sauf à répondre de l'abus de cette liberté dans les cas déterminés par la Loi.

XII

La garantie des droits de l'Homme et du Citoyen nécessite une force publique: cette force est donc instituée pour l'avantage de tous, et non pour l'utilité particulière de ceux auxquels elle est confiée.

XIII

Pour l'entretien de la force publique, et pour les dépenses d'administration, une contribution commune est indispensable; elle doit être également répartie entre tous les citoyens, en raison de leurs facultés.

XIV

Tous les citoyens ont le droit de constater par eux-mêmes, ou par leurs Représentans, la nécessité de la contribution publique, de la consentir librement, d'en suivre l'emploi, et d'en déterminer la quotité, l'assiette, le recouvrement et la durée.

XV

La Société a le droit de demander compte à tout agent public de son administration.

XVI

Toute Société dans laquelle la garantie des droits n'est pas assurée, ni la séparation des pouvoirs déterminée, n'a point de Constitution.

XVII

La propriété étant un droit inviolable et sacré, nul ne peut en être privé, si ce n'est lorsque la nécessité publique, légalement constatée, l'exige évidemment, et sous la condition d'une juste et préalable indemnité.

INDEX

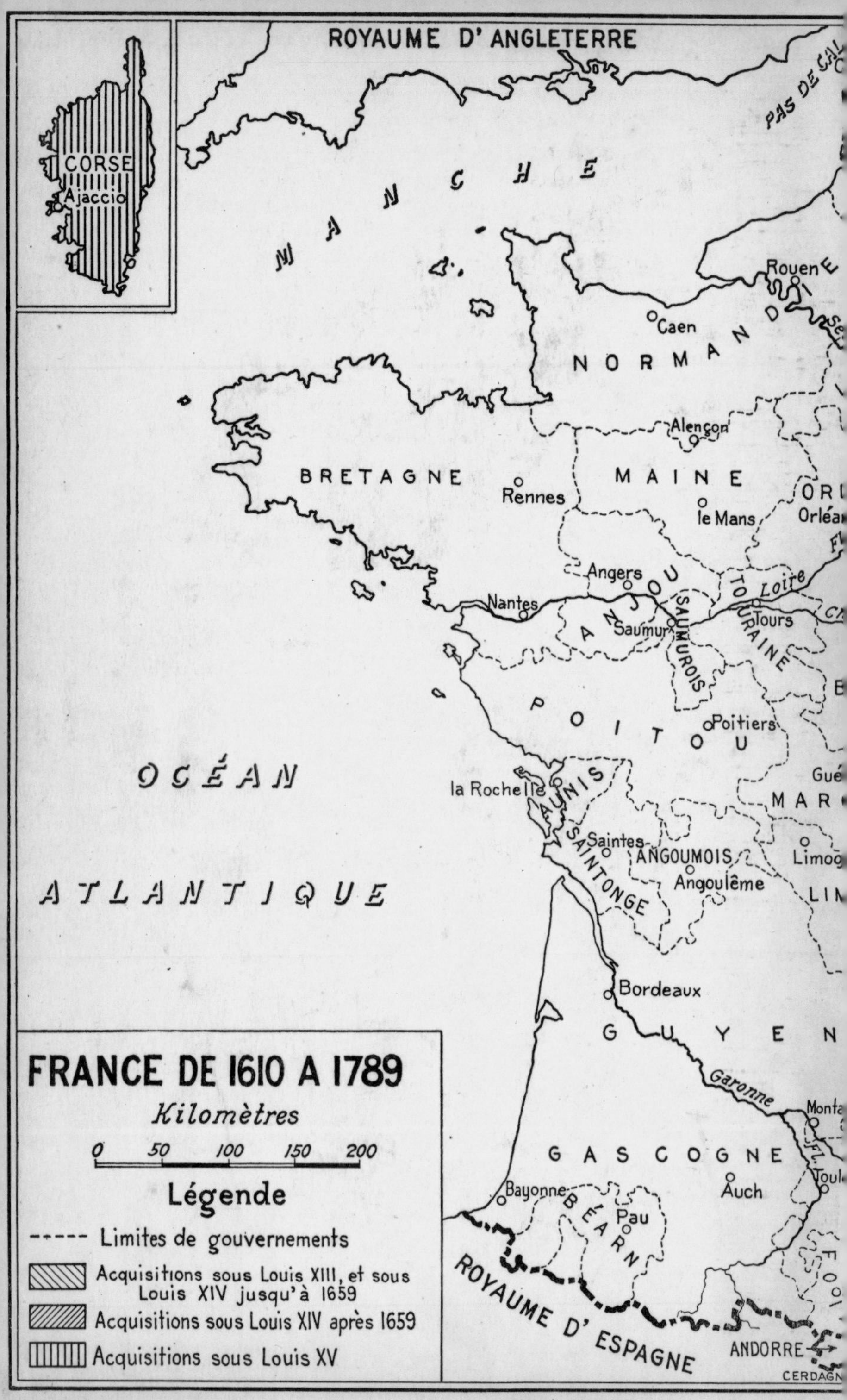

ROYAUME D'ANGLETERRE
CORSE
Ajaccio
MANCHE
Rouen
Caen
NORMANDIE
Alençon
BRETAGNE
Rennes
MAINE
le Mans
Angers
ANJOU
Nantes
Saumur
SAUMUROIS
TOURAINE
Loire
Tours
POITOU
Poitiers
OCÉAN
ATLANTIQUE
la Rochelle
AUNIS
Saintes
SAINTONGE
ANGOUMOIS
Angoulême
Bordeaux
GUYEN
Garonne
GASCOGNE
Auch
Bayonne
BÉARN
Pau
ROYAUME D'ESPAGNE
ANDORRE
FRANCE DE 1610 A 1789
Kilomètres
0 50 100 150 200
Légende
Limites de gouvernements
Acquisitions sous Louis XIII, et sous Louis XIV jusqu'à 1659
Acquisitions sous Louis XIV après 1659
Acquisitions sous Louis XV